Sorge dich nicht – lebe!

Dale Carnegie

Sorge dich nicht –
lebe!

Scherz

Einzig autorisierte Übertragung aus
dem Amerikanischen von
Magda H. Larsen
Titel des amerikanischen Originals:
«How to Stop Worrying and Start Living»
36. Auflage 1984
Copyright © 1944, 1945, 1946, 1947, 1948
by Dale Carnegie; Copyright erneuert 1975
by Donna Dale Carnegie und Dorothy Carnegie
Gesamtdeutsche Rechte beim
Scherz Verlag, Bern und München
Alle Rechte der Verbreitung, auch durch
Funk, Fernsehen, fotomechanische Wiedergabe,
Tonträger jeder Art und auszugsweisen Nachdruck,
sind ausdrücklich vorbehalten.

Wie dieses Buch zustande kam – und warum

Vor fünfunddreißig Jahren war ich einer der unglücklichsten Burschen in ganz New York. Ich verkaufte damals Lastautos, um mir meinen Lebensunterhalt zu verdienen. Auf welche Art so ein Lastauto sich fortbewegte, das wußte ich nicht. Doch was weit schlimmer war: ich wollte es auch gar nicht wissen. Meine Tätigkeit nötigte mir nichts als Geringschätzung ab, und ungemischte Geringschätzung empfand ich auch für das billige möblierte Zimmer, das ich bewohnte – ein Zimmer, in dem es von Küchenschaben wimmelte. Ich weiß noch wie heute – wenn ich frühmorgens aus dem Bündel Krawatten, das an der Wand hing, eine herausziehen wollte, dann stoben die Schaben nach allen Richtungen auseinander, sobald ich nur die Hand ausstreckte. Ebenso widerwärtig war es mir, daß ich in billigen, unsauberen Restaurants essen mußte, in denen es aller Wahrscheinlichkeit nach genau so von Ungeziefer wimmelte.

Nacht für Nacht kehrte ich mit Kopfschmerzen und Übelkeit in mein einsames Zimmer zurück. Enttäuschung, Bitterkeit und innere Auflehnung waren die Ursache meiner Kopfschmerzen und gaben ihnen immerwährende Nahrung. Ich rebellierte innerlich, weil aus den Träumen, die ich in meinen Studentenjahren gehegt hatte, ein ewiger Alpdruck geworden war. War dies das Leben? Das packende Abenteuer, dem ich mit solch freudiger Spannung entgegengesehen hatte? Sollte das Leben mir wirklich nie mehr bedeuten, als den Zwang, eine Arbeit zu verrichten, auf die ich mit Verachtung herabsah, in einem Zimmer voll Ungeziefer zu wohnen und Speisen hinunterzuwürgen, vor denen mich ekelte – ohne Hoffnung auf eine bessere Zukunft? . . . Wie sehnte ich mich, Zeit zum Lesen zu haben, wie gern hätte ich die Bücher geschrieben, die ich mir ausgemalt hatte, als ich noch das College besuchte!

Ich wußte, ich hatte alles zu gewinnen und nichts zu verlieren, wenn ich die mir so verhaßte Beschäftigung aufgab. Es lag mir ja nichts daran, eine Menge Geld aus ihr herauszuschlagen – aus dem

Leben jedoch eine Menge herauszuschlagen, daran war mir gelegen. Kurzum, ich war an meinem Rubikon angekommen, stand vor jenem Moment der Entscheidung, dem sich die meisten jungen Menschen gegenübersehen, wenn sie ins Leben hinaustreten. So faßte ich denn meinen Entschluß. Und dieser Entschluß hat meine Zukunft grundlegend verändert, er hat die letzten fünfunddreißig Jahre meines Lebens reicher und glücklicher gestaltet, als ich in meinem kühnsten Hoffen und Streben voraussehen konnte.

Dies war mein Entschluß: ich wollte die Tätigkeit aufgeben, die mir so zuwider war, und da ich vier Jahre lang das staatliche Lehrerseminar in Warrensburg in Missouri zur Vorbereitung auf den Lehrerberuf besucht hatte, wollte ich mir meinen Unterhalt künftighin durch Abendkurse für Erwachsene verdienen. Dadurch würde ich den Tag frei haben, um Bücher zu lesen, meine Vorträge vorzubereiten und Romane und Kurzgeschichten zu schreiben. Ich wollte «leben, um zu schreiben, und schreiben, um zu leben».

Welchen Gegenstand sollte ich für meine Abendklassen wählen? Als ich prüfend auf meine eigenen Collegejahre zurückblickte, wurde mir klar, daß meine Ausbildung und Erfahrung im öffentlichen Reden im Geschäftsleben – und im Leben überhaupt – größeren praktischen Wert für mich gehabt hatten als sämtliche anderen Studienfächer zusammengenommen. Warum? Weil sie mich von meiner Schüchternheit und meinem Mangel an Selbstvertrauen befreit und mir Mut und Sicherheit verliehen hatten, mit Menschen umzugehen. Auch hatten sie mich erkennen gelehrt, daß sich meist demjenigen die Führerschaft zuneigt, der aufstehen und sagen kann, was er denkt.

Ich bewarb mich zunächst an der Columbia University sowie an der New York University um einen Posten zum Unterricht im öffentlichen Reden, doch fanden beide Hochschulen, daß sie sich ohne meine Mitarbeit behelfen könnten.

Damals war mir das eine Enttäuschung, heute aber danke ich meinem Schöpfer, daß sie mich abwiesen, denn dies führte dazu, daß ich Unterricht in YMCA-Abendschulen* zu erteilen begann, wo ich mich über konkrete Erfolge ausweisen mußte – und zwar schnell. Das war eine Bewährungsprobe! Diese erwachsenen Schüler kamen zu mir nicht etwa, um gute Examennoten oder soziales Prestige zu

* YMCA = Young Men's Christian Association (Christlicher Verein Junger Männer).

6

erlangen, sondern aus einem völlig anderen Grunde: sie wollten lernen, ihrer persönlichen Probleme Herr zu werden. Sie wollten sich imstande fühlen, in einer geschäftlichen Sitzung aufzustehen und ein paar Worte zu sagen, ohne vor Angst umzukommen. Handelsreisende wollten sich imstande fühlen, einen schwierigen Kunden zu besuchen, ohne erst dreimal um den ganzen Häuserblock herum zu laufen, um Mut zu fassen. Innere Haltung und Selbstvertrauen wollten sie alle erwerben. Sie wollten geschäftlich vorwärtskommen, wollten mehr Geld für ihre Familien verdienen. Und da sie ihr Schulgeld ratenweise abzahlten – und mit dem Bezahlen aufhörten, wenn greifbare Resultate ausblieben – und ich kein Gehalt bekam, sondern einen Prozentsatz der Einnahmen, mußte ich die Sache praktisch anfassen, wollte ich nicht Hunger leiden.

Damals erschien mir das als Erschwerung meines Unterrichts. Heute sehe ich ein, daß es ein vorzügliches Training für mich war. Ich *mußte* meinen Schülern *Grund geben*, sich einzufinden. Ich *mußte* ihnen helfen, ihre *Probleme zu lösen*. Ich *mußte sie in jeder Unterrichtsstunde so inspirieren, daß sie den Wunsch hatten, wiederzukommen*.

Diese Aufgabe begeisterte und erfüllte mich. Die Schnelligkeit, mit der diese im Geschäftsleben stehenden Menschen Selbstvertrauen gewannen und es in vielen Fällen dadurch zu Beförderung und höherer Bezahlung brachten, verblüffte mich selbst. Der Erfolg meiner Kurse übertraf meine optimistischsten Hoffnungen. Nach knapp drei Monaten bezahlten mir die YMCA-Klubs, die zuerst keine fünf Dollar für den Abend hatten aufwenden wollen, dreißig Dollar abendlich als prozentualen Anteil. Zu Anfang unterrichtete ich nur im öffentlichen Reden, im Verlauf der Jahre merkte ich jedoch, daß diese erwachsenen Schüler auch lernen mußten, wie man Freunde gewinnt und Menschen beeinflussen kann. Da ich hierfür kein passendes Lehrbuch vorfand, schrieb ich selber eines. Ich schrieb es – nein, ich schrieb es nicht in der üblichen Weise. Es wuchs und *entstand* aus den Erfahrungen meiner Studenten. Ich nannte es «*Wie man Freunde gewinnt*»*.

Da ich mein Buch nur als Lehrmittel für meine eigenen Erwachsenenkurse verfaßt und vorher schon vier Bücher geschrieben hatte, die kein Mensch je las, ließ ich mir nicht träumen, daß es eine

* (How to Win Friends and Influence People.)

hohe Auflage erreichen würde. Sicher gibt es heute nicht viele andere Schriftsteller, die eine solche Überraschung erlebt haben wie ich.

Als die Jahre verstrichen, erkannte ich, daß meine erwachsenen Schüler sich noch mit einem anderen Problem herumschlugen, einem der schwierigsten: den tausend kleinen und großen Sorgen des täglichen Lebens. Meine Schüler waren fast durchweg Geschäftsleute – höhere Angestellte, Verkäufer, Mechaniker, Buchhalter usw. Sie bildeten einen Querschnitt sämtlicher Berufe und Gewerbe, und die meisten von ihnen hatten ihre Probleme. Auch Frauen waren darunter, Hausfrauen sowohl wie Berufstätige. Sie hatten ebenfalls Probleme! Mir wurde klar: was hier nottat, war ein Lehrbuch zur Überwindung von Sorge und Selbstquälerei. Auch diesmal machte ich mich zunächst auf die Suche und ging auf die große New Yorker Volksbibliothek in der Fifth Avenue. Dort stellte ich zu meinem Erstaunen fest, daß der Katalog nur zweiundzwanzig Eintragungen unter dem Titel «Worry»* enthielt. Dafür waren unter dem Schlagwort «Würmer» nicht weniger als einhundertneunundachtzig Bücher verzeichnet. *Beinahe neunmal so viele Bücher über Würmer wie über die Sorgen der Menschen!* Erstaunlich, nicht wahr? Da das Sichsorgen nun einmal zu den schwersten Belastungen des Menschen gehört, sollte man doch annehmen, daß jede höhere Schule und Universität im Lande Vorlesungen über das Thema «Hört auf, Euch zu sorgen!» veranstalten müsse. Wenn aber auch nur eine einzige Lehranstalt jemals einen einzigen derartigen Kurs abgehalten hat, so habe ich jedenfalls nichts davon gehört! Kein Wunder, daß David Seabury in seiner Schrift «How to Worry Successfully» (Wie man sich mit Erfolg Sorgen macht) sagt: «Wenn wir unser Reifealter

---

* Das englische Wort «worry», das der Originaltext durchgehend gebraucht, läßt sich, gleich vielen anderen Begriffen der englischen Sprache, nicht durch einen einzigen ein für allemal anwendbaren Ausdruck übersetzen. Es mußte daher in der deutschen Fassung des vorliegenden Buches je nach Textstelle und besonderer Schattierung bald durch diesen, bald durch jenen Ausdruck wiedergegeben werden. Der sehr umfassende Begriff «worry» kann in mannigfacher Weise auf ein beunruhigtes Gemüt deuten – auf Sorgen um große und kleine, wichtige und unwichtige, wirkliche und eingebildete oder zum mindesten aufgebauschte Dinge, auf Selbstquälerei, innere Rastlosigkeit, Aufgeregtheit und vieles mehr. «Don't worry!» (etwa mit unserem «Reg dich nicht auf!» vergleichbar) ist ein in englischen Sprachgebieten unzählige Male gehörter Trost- und Aufmunterungsspruch. – Die Übersetzerin.

erreichen, sind wir für den Ansturm des Erlebens genauso unvorbereitet wie ein Bücherwurm, von dem man verlangen würde,
er solle Ballett tanzen.»

Und was kommt bei alledem heraus? Daß mehr als die Hälfte
unserer Krankenhausbetten von Leuten mit Nerven- und Gemüts-
leiden besetzt sind.

Ich sah mir die zweiundzwanzig Bücher über «Worry» an, die
in den Gestellen der New Yorker Bibliothek ein geruhsames Dasein
fristeten. Außerdem kaufte ich mir alle anderen Bücher über dasselbe Thema, die ich auftreiben konnte. Doch es war nicht ein einziges darunter, das sich als Lehrbuch für meinen Erwachsenenkurs
geeignet hätte. So beschloß ich, selbst eines zu schreiben.

Mit den Vorarbeiten zu diesem Buche begann ich vor rund sieben
Jahren. Wie ich es machte? Ich las, was die Philosophen aller Zeiten
über Sorge und Selbstquälerei gesagt haben. Ich las auch Hunderte
von Biographien, von Konfuzius angefangen bis zu Churchill. Ich
befragte ferner Dutzende von bekannten Persönlichkeiten in den
verschiedensten Lebensstellungen, darunter Jack Dempsey, General
Omar Bradley, General Mark Clark, Henry Ford, Eleanor Roosevelt. Doch dies war nur der Anfang.

Außerdem tat ich etwas, das von weitaus größerer Bedeutung
war als die Interviews und meine Lektüre. Ich arbeitete fünf Jahre
lang in einem Laboratorium zur Überwindung von Sorge und Selbstquälerei – einem unseren eigenen Erwachsenenkursen angeglieder-
ten Laboratorium. Wir gingen dabei so zu Werk, daß wir unseren
Studenten eine Reihe von Anweisungen gaben, wie man es machen
muß, um solcher Gefühle Herr zu werden. Dann forderten wir sie
auf, diesen Regeln nachzuleben und später ihren Kameraden zu
erzählen, wie es ihnen dabei ergangen war. Andere berichteten zudem über die eine oder andere Technik, die sie vordem angewandt
hatten.

Im Verlaufe dieses Experiments habe ich mir wahrscheinlich mehr
Auslassungen über das Thema «Wie ich mir das Sorgen abgewöhnte»
angehört als irgendein anderer Sterblicher. Dazu *las* ich noch Hunderte von weiteren Aufsätzen über das gleiche Thema – Aufsätze,
die mir durch die Post zugingen, preisgekrönte Arbeiten aus den
Kursen, die in mehr als hundertsiebzig Städten ganz Nordamerikas,
einschließlich Kanadas, abgehalten wurden. Mein Buch ist also nicht
vom Elfenbeinturm aus geschrieben. Es ist auch keine akademische

Abhandlung, wie man Sorgen und Ängste loswerden *könnte*. Ich habe mich vielmehr bemüht, einen gedrängten, rasch fortschreitenden Tatsachenbericht darüber zu geben, *wie Tausende von erwachsenen Menschen mit diesem Übel wirklich fertig geworden sind*. Eines ist sicher: dieses Buch ist praktisch. Ihr könnt Eure Zähne hineinschlagen.

Ich bin froh, wahrheitsgemäß versichern zu können, daß meine Leser in diesem Buche keine Geschichten von einem imaginären «Herrn B.» finden werden, oder von zwei nebelhaften Gestalten namens Hans und Grete, von denen niemand weiß, wer sie sind. Mit Ausnahme einiger weniger Fälle nennt dieses Buch Namen und führt Straße und Hausnummer an. Es ist authentisch. Es gibt Belege. Es ist verbürgt, und seine Angaben sind bescheinigt.

«Die Wissenschaft», sagte der große Franzose Paul Valéry, «ist eine Sammlung von erfolgreichen Rezepten.» Genau das ist auch dieses Buch: eine Sammlung erfolgreicher und langerprobter Rezepte, auf welche Weise man sein Leben von Sorge und Selbstquälerei freihalten kann. Doch möchte ich eine Warnung aussprechen: man wird nichts Neues darin finden – nur vieles, was nicht allgemein befolgt wird. Im Grunde haben wir es ja aber auch gar nicht nötig, etwas Neues gesagt zu bekommen. Wir wissen schon genug, um ein vollkommenes Leben führen zu können. Wir haben alle die goldene Sittenregel (Matth. 7,12) gelesen und die Bergpredigt. Was uns abgeht, ist nicht das nötige Wissen, sondern die nötige Tatkraft. Zweck dieses Buches ist es, eine Menge uralter, grundlegender Wahrheiten von neuem aufzustellen, sie anschaulich zu machen, ihre unmittelbare und praktische Bedeutung für unser heutiges Leben aufzuzeigen und sie in erneutem Glanze erstrahlen zu lassen. Und Euch, meine verehrten Leser, einen wohlgemeinten Tritt zu versetzen, damit Ihr das Eure tut, sie anzuwenden.

Doch Ihr habt mein Buch ja nicht zur Hand genommen, um Euch erzählen zu lassen, wie es entstanden ist. Ihr möchtet, daß etwas geschehe. Gut also, los! Lest bitte die ersten fünfzig Seiten – und wenn Ihr dann nicht zu der Überzeugung gekommen seid, Euch eine neue Macht, einen neuen inneren Schwung angeeignet zu haben, dank deren Ihr Eure Sorgen und Ängste überwinden und das Leben fortan genießen könnt – dann werft mein Buch in den Abfalleimer, denn es wird Euch zu nichts nütze sein.

Dale Carnegie

Inhalt

Erster Teil

Fundamentale Tatsachen über Angst, Grübelei und Aufregung

Im Frühjahr 1871 nahm ein junger Mann ein Buch zur Hand und las darin einundzwanzig Worte, die eine tiefgreifende Wirkung auf seine Zukunft hatten. Er war Medizinstudent am Allgemeinen Krankenhaus zu Montreal und machte sich große Sorgen darüber, ob er sein Schlußexamen bestehen würde, Sorgen darüber, wohin er gehen, was er tun, wie er eine Praxis aufbauen, wie er seinen Lebensunterhalt verdienen sollte.

Die einundzwanzig Worte, welche der junge Mann im Jahre 1871 las, verhalfen ihm dazu, der berühmteste Arzt seiner Generation zu werden. Er richtete die weltbekannte Johns Hopkins School of Medicine ein. Er wurde Regius-Professor der Medizin in Oxford – die höchste Ehrung, die einem Mediziner im Britischen Weltreich zuteil werden kann. Er wurde vom König von England in den Adelsstand erhoben. Als er starb, waren zwei riesige Bände von insgesamt 1466 Seiten vonnöten, um seine Lebensgeschichte zu erzählen.

Er hieß Sir William Osler. Hier sind die einundzwanzig Worte, die er im Frühjahr 1871 las – einundzwanzig Worte von Thomas Carlyle, die ihm halfen, sein Leben frei von innerer Unruhe und Sorge zu führen: *«Unsere Hauptaufgabe ist nicht, zu erkennen, was unklar in weiter Entfernung liegt, sondern das zu tun, was klar vor uns liegt.»*

Vierzig Jahre später, an einem milden Frühlingsabend, als die Tulpen im Universitätsgarten in Blüte standen, sprach derselbe Mann, Sir William Osler, zu den Studenten der Yale-Universität. Er sagte ihnen, man nehme allgemein an, daß ein Mann wie er, der Professor an vier Universitäten gewesen sei und ein weitverbreitetes Buch geschrieben habe, «ein ganz besonderer Kopf» sein müsse. Er erklärte, dies sei gar nicht wahr. Seine nächsten Freunde wüßten, daß er «ein Kopf von allerdurchschnittlichster Art» sei.

Worin lag also dann das Geheimnis seines Erfolges? Er behauptete, er schulde es dem, was er «in zeitdichten Schotten leben» nannte. Was wollte er damit sagen? Wenige Monate vor seiner Rede an die Studenten von Yale hatte Sir William Osler den Atlantik auf einem großen Ozeandampfer gekreuzt, dessen Kapitän von seiner Kommandobrücke aus auf einen Knopf drücken und damit eins-zwei-drei unter Maschinengetöse verschiedene Teile des Schiffes voneinander abschließen konnte – sie in wasserdichte Abteilungen trennen. «Ein jeder von Euch jungen Leuten», sagte Dr. Osler zu den Studenten in Yale, «ist eine viel vollkommenere Organisation und auf einer viel weiteren Reise begriffen als jener große Dampfer. Darum möchte ich Euch dringend empfehlen, diese Maschinerie so kontrollieren zu lernen, daß Ihr ‚mit abgedichteten Schotten‘ lebt, denn dies ist die beste Art, für Sicherheit während der Reise zu sorgen. Steigt auf die Kommandobrücke und seht zu, daß wenigstens die großen Schotten in tadelloser Ordnung sind. Drückt auf den Knopf und hört zu jedem Zeitpunkt Eures Lebens, wie sich die eisernen Türen der Vergangenheit abriegeln – das tote Gestern. Drückt auf einen weiteren Knopf und riegelt mit metallenem Vorhang auch die Zukunft ab – das ungeborene Morgen. Dann seid Ihr sicher – sicher für den heutigen Tag!... Schließt die Vergangenheit aus! Laßt das tote Gestern seine Toten begraben... Schließt die vergangenen Tage aus, die Narren den Weg zum staubigen Tode erhellt haben... Auch der Stärkste beginnt zu wanken, muß er die Last von morgen der gestrigen Last hinzufügen und sie heute tragen... Schließt die Zukunft so fest aus wie die Vergangenheit... Die Zukunft ist heute... Es gibt kein Morgen. Heute ist der Tag für die Rettung des Menschen. Kräfteverschwendung, geistige Not, nervöse Störungen begleiten die Schritte des Menschen, der sich um die Zukunft sorgt... Riegelt also das große Schott vorn und achtern fest ab und gewöhnt Euch daran, Euer Leben in ‚zeitdichten Schotten‘ zu leben.»

Wollte Dr. Osler damit sagen, daß wir uns überhaupt nicht bemühen sollen, für das Morgen vorzusorgen? Nein. Durchaus nicht. Aber er sagte in jener Rede weiterhin, der beste Weg, für das Morgen zu sorgen, sei: alle Intelligenz, alle Begeisterung darauf zu richten, die Arbeit des heutigen Tages zu einer vorzüglichen Leistung zu machen. Dies ist die einzig mögliche Art, für die Zukunft zu sorgen.

Sir William Osler hielt die Studenten dazu an, den Tag mit Christi Gebet um das tägliche Brot zu beginnen.

Man sollte nie vergessen, daß das Vaterunser nur um das Brot des *heutigen Tages* bittet. Es beklagt sich nicht über das altbackene Brot, das wir gestern essen mußten; und es sagt auch nicht: «O Gott, in den Weizenländern hat kürzlich große Trockenheit geherrscht, vielleicht tritt wiederum Dürre ein – und wo soll dann im nächsten Herbst das Brot herkommen – oder wenn ich nun meine Stellung verliere – o Gott, wie soll ich dann Brot beschaffen?»

Nein, dies Gebet lehrt uns, nur um Brot für den *heutigen* Tag zu bitten. Ist das heutige Brot doch das einzige, das wir essen können! Vor vielen Jahren durchwanderte ein bettelarmer Weiser eine steinige Gegend, deren Bewohner sich um ihren Lebensunterhalt hart schinden mußten. Eines Tages hatte sich auf einem Berge die Menge um ihn geschart. Da hielt er ihnen eine Rede, die wohl zur meistzitierten Rede aller Zeiten geworden ist. Sie enthielt die folgenden Worte, deren reiner Klang die Jahrhunderte überdauert hat: «Darum sorget nicht für den anderen Morgen; denn der morgende Tag wird für das Seine sorgen. Es ist genug, daß ein jeglicher Tag seine eigene Plage habe.»

Diese Worte Jesu «Sorget nicht für den anderen Morgen» sind von vielen verworfen worden – darum verworfen, weil man sie als einen Ratschlag betrachtete, der allenfalls für eine vollkommene Welt passen könnte, als ein Stück von orientalischem Mystizismus. «Ich *muß* nun einmal für die Zukunft vorsorgen», entgegnen sie. «Ich *muß* eine Versicherungsprämie aufnehmen, um meine Familie sicherzustellen. Ich *muß* Geld für meine alten Tage zurücklegen. Ich *muß* planen und sehen, daß ich vorankomme.»

Ganz recht! Natürlich müßt Ihr das. Jenen Worten Jesu, die vor über vierhundert Jahren so übersetzt wurden, kommt heute nicht mehr genau der gleiche Sinn zu wie zu jener Zeit. «Sorget nicht *für*» bedeutete damals etwa soviel wie «Sorget Euch nicht *um*» – was Jesus sagen wollte, war: «Ängstigt Euch nicht um das Morgen.»

Freilich soll man *für* den morgigen Tag sorgen, durch sorgfältiges Planen und Vorbereiten. Ängstigen aber soll man sich nicht.

Während des Krieges planten unsere Heerführer auch voraus; Angst aber konnten sie sich nicht leisten. «Ich habe die besten Leute mit der besten Ausrüstung versorgt, die uns zu Gebote steht», sagte Admiral Ernest J. King, dem die Flotte der Vereinigten Staaten unterstand, «und sie mit den besten Instruktionen versehen, die ich ihnen zu geben vermochte. Mehr kann ich nicht tun.»

«Wenn ein Schiff versenkt worden ist», fuhr Admiral King fort, «kann ich es nicht wieder heben. Wenn es versenkt werden soll, kann ich das nicht hindern. Ich wende meine Zeit viel besser an, indem ich mich mit den Aufgaben des morgigen Tages befasse, als wenn ich mich über die gestrigen Probleme aufrege. Außerdem würde es bald mit mir zu Ende sein, wollte ich mich derartigen Sorgen hingeben.»

Ob in Krieg oder Frieden – der Hauptunterschied zwischen richtigem und falschem Denken ist derselbe: richtiges Denken bezieht sich auf Ursache und Wirkung und führt zu logischer, konstruktiver Planung; verkehrtes Denken führt häufig zu innerer Spannung und nervösem Zusammenbruch.

Kürzlich war es mir vergönnt, Arthur Hays Sulzberger zu interviewen, den Verleger einer der berühmtesten Zeitungen der Welt, der «New York Times». Mr. Sulzberger erzählte mir, er sei damals, als der Zweite Weltkrieg über Europa hereinbrach, so von der Sorge um die Zukunft betäubt und überwältigt worden, daß er es fast unmöglich fand, zu schlafen. Oft stand er mitten in der Nacht aus dem Bett auf, griff zu Leinwand und Farbe, stellte sich vor den Spiegel und versuchte, ein Selbstbildnis zu malen. Er verstand nicht das geringste vom Malen, stürzte sich aber gleichwohl hinein, nur um seine Gedanken abzulenken. Mr. Sulzberger erzählte mir auch, es sei ihm trotz alledem nicht geglückt, seine Sorgen zu verdrängen und Frieden zu finden, bis er als Leitspruch fünf Worte aus einem Kirchenlied gewählt hatte, in dem es heißt:

Geleite mich, du liebes Licht,
Du stütze meinen Tritt.
Das ferne Land zu schaun begehr ich nicht –
Für mich genügt ein Schritt.

Ungefähr zu gleicher Zeit lernte irgendwo in Europa ein junger Mensch in Uniform die gleiche Lektion. Er hieß Ted Bengermino und war aus Baltimore, Maryland, 5716, Newholme Road. Er hatte sich so gesorgt und abgequält, daß er an der Front vollständig zusammengeklappt war.

«Im April 1945», schreibt Ted Bengermino, «hatte ich mich innerlich so abgequält, daß ich, wie mir der Arzt sagte, an Dickdarmkrämpfen litt – einem äußerst schmerzhaften Zustand. Wäre der Krieg damals nicht zu Ende gegangen, so bin ich sicher, daß ich einen vollständigen physischen Zusammenbruch erlitten hätte.

Ich war vollkommen erschöpft. Ich diente als Unteroffizier bei der 94. Infanteriedivision, und meine Aufgabe war es, bei der Abfassung der Listen aller Gefangenen, Vermißten und im Lazarett Liegenden zu helfen. Ich mußte auch mithelfen, die Leichen alliierter sowie feindlicher Soldaten auszugraben, die, während die Schlacht tobte, gefallen und rasch begraben worden waren. Ich hatte die persönlichen Effekten dieser Leute zu sammeln und zuzusehen, daß sie den Eltern oder nächsten Verwandten zugestellt wurden, denen diese Gegenstände sehr viel bedeuten mußten. Ich lebte in steter Aufregung aus Furcht, wir könnten ernste, bedauerliche Fehler begehen. Ich regte mich auf bei dem Gedanken, ob ich lebend davonkommen würde. Ich regte mich auf, weil ich nicht wußte, ob ich je mein einziges Kind in den Armen halten würde, einen sechzehn Monate alten Jungen, den ich noch nie gesehen hatte. Ich war so zermürbt und erschöpft, daß ich vierunddreißig Pfund abnahm. Ich war so hochgradig erregt, daß ich beinahe den Verstand verlor. Ich sah meine Hände an. Sie waren nur noch Haut und Knochen. Ich empfand tiefen Schrecken bei dem Gedanken, ich würde mit schwer geschädigter Gesundheit heimkehren. Ich brach gänzlich zusammen und schluchzte wie ein Kind. Es ging mir so elend, daß mir die Tränen kamen, sobald ich allein war. Eine Zeitlang, es war während der Schlacht um Caen, weinte ich so häufig, daß ich fast die Hoffnung aufgab, je wieder ein normaler Mensch zu werden.

Schließlich wurde ich ins Lazarett gebracht. Dort gab mir ein Militärarzt einige Ratschläge, die mein ganzes Leben verändert haben. Nachdem er mich gründlich untersucht hatte, sagte er, mein Leiden sei nervös bedingt. ‚Ted‘, sagte er, ‚ich möchte, daß du dein Leben fortan wie eine Sanduhr betrachtest. Du weißt, in der oberen Hälfte solch einer Sanduhr befinden sich Tausende von Sandkörnern und alle laufen langsam und gleichmäßig durch den engen Hals in der Mitte. Niemand, du nicht und ich nicht, ist beim besten Willen imstande, mehr als ein Sandkorn auf einmal durch diesen engen Hals zu treiben, ohne die Sanduhr zu beschädigen. Du und ich und wir alle miteinander sind wie diese Sanduhr. Wenn wir morgens unseren Tageslauf antreten, liegen vor uns immer Hunderte von Dingen, von denen wir meinen, sie müßten an diesem Tage geschehen, doch wenn wir sie nicht eines nach dem anderen vornehmen und sie langsam und gleichmäßig durch den Tag rinnen lassen, so wie die Sandkörner durch den engen Hals der Sanduhr rinnen, dann können wir sicher sein, unseren Körper oder Geist zu schädigen.'

Seit jenem denkwürdigen Tag habe ich diesen weisen Rat des Militärarztes befolgt: ,Ein Sandkorn nach dem anderen ... Eine Aufgabe nach der anderen.' Dieser Rat hat mich während des Krieges körperlich und geistig aufrechterhalten; und er ist mir auch in meiner jetzigen Geschäftsstellung von Nutzen gewesen. Ich bin Lagerverwalter bei der Commercial Credit Company in Baltimore. Ich fand, daß mir im Geschäftsleben dieselben Probleme erwuchsen wie im Kriege: zwanzigerlei Sachen hätten zugleich getan werden müssen, und die Zeit langte nicht, sie zu erledigen. Wir hatten nicht genügend Vorrat auf Lager. Wir mußten uns mit neuen Formularen herumschlagen, mit neuen Anordnungen, Adressenwechsel, der Eröffnung und Schließung von Filialen und dergleichen mehr. Statt nervös und gereizt zu werden, dachte ich an das, was der Arzt mir gesagt hatte. ,Ein Sandkorn nach dem anderen. Eine Aufgabe nach der anderen.' Indem ich mir diese Worte immer und immer wieder vorsagte, versah ich meine Arbeit besser und hielt mich dabei frei von jenem wirren, ratlosen Gemütszustand, der mir an der Front fast zum Verderben geworden wäre.»

Welch furchtbare Kritik unserer heutigen Lebensweise liegt in der Tatsache, daß die Hälfte aller unserer Krankenhausbetten mit Patienten mit Nerven- und Seelenstörungen belegt sind, Patienten, die unter der niederdrückenden Last gehäufter Kümmernisse des Gestern und drohender Ängste um das Morgen zusammengebrochen sind. Und doch würde die Mehrzahl dieser Leute heute fröhlich durch die Straßen eilen und ein nützliches Leben führen, hätten sie nur Jesu Worte «Sorget nicht für den anderen Morgen» Beachtung geschenkt, oder Sir William Oslers Rat befolgt: «Lebt in zeitdichten Schotten!»

Wir alle stehen jeden Augenblick am Treffpunkt zweier Ewigkeiten: der Vergangenheit, die sich endlos zurückerstreckt, und der Zukunft, die bis zum letzten Ausklang der Zeiten vorwärtsstürmt. Unmöglich können wir in einer von diesen zwei Ewigkeiten leben – auch nicht für den Bruchteil einer Sekunde. Versuchen wir es dennoch, so setzen wir unser körperliches und geistiges Wohlergehen aufs Spiel. Finden wir uns also damit ab, unser Leben auf die einzige Zeitspanne zu beschränken, die uns gegeben ist: von jetzt bis zum Schlafengehen. «Jedermann vermag seine Bürde, wie schwer sie auch sei, bis zum Einbruch der Nacht zu tragen», schrieb Robert Louis Stevenson. «Jedermann kann seine Arbeit, wie schwer sie auch sei, einen Tag lang verrichten. Jedermann kann sich bis zum Untergang der Sonne geduldig, liebreich, reinen Gemüts erweisen. Und das ist eigentlich alles, was unter ‚Leben' zu verstehen ist.»

Jawohl, das ist alles, was das Leben von uns fordert. Doch Mrs. E. K. Shields, 815, Court Street, Saginaw, Michigan, wurde fast zur Verzweiflung getrieben, ja bis an den Rand des Selbstmords, bevor sie lernte, nur immer bis zum Schlafengehen zu leben. «Im Jahre 1937 verlor ich meinen Mann», erzählte mir Mrs. Shields. «Ich war sehr deprimiert und dazu fast mittellos. Da schrieb ich meinem früheren Arbeitgeber, und er gab mir meinen alten Posten zurück. Ich hatte mir seinerzeit meinen Unterhalt durch den Verkauf von Büchern an städtische und ländliche Schulbehörden verdient. Als aber mein Mann vor zwei Jahren erkrankte, verkaufte ich mein Auto. Doch dann gelang es mir, genug zusammenzukratzen, um eine Anzahlung auf einen gebrauchten Wagen zu leisten, und ich nahm meinen Bücherhandel wieder auf.

Ich hatte gedacht, es würde zur Besserung meiner traurigen Verfassung beitragen, wenn ich wieder durchs Land führe; statt dessen fand ich es fast unerträglich, so allein herumzureisen und immer allein zu essen. Meine Tour war stellenweise auch ziemlich unergiebig, und es fiel mir schwer, die Raten für meinen Wagen zu bezahlen, obwohl sie nicht viel betrugen.

Im Frühjahr 1938 arbeitete ich außerhalb von Versailles in Missouri. Die Schulen waren armselig, die Straßen schlecht; ich fühlte mich so einsam und mutlos, daß ich einmal sogar nahe daran war, Selbstmord zu begehen. Erfolg schien mir ausgeschlossen. Ich hatte nichts, wofür ich lebte. Jeden Morgen fürchtete ich mich vor dem Aufstehen, vor dem Leben, das mich erwartete. Ich ängstigte mich vor allem, daß ich meine Raten nicht würde aufbringen können, daß ich meine Zimmermiete nicht bezahlen könnte, daß ich nicht genug zu essen haben würde. Ich fürchtete, ich könnte krank werden, denn ich hatte kein Geld für einen Arzt. Das einzige, was mich davon abhielt, mir das Leben zu nehmen, war der Gedanke an meine Schwester, der ich damit großen Schmerz bereitet hätte, aber auch die Vorstellung, daß ich nicht genug Geld besaß, um mein Begräbnis zu bezahlen.

Da fiel mir eines Tages ein Artikel in die Hände, der mich meiner

Niedergeschlagenheit entriß und mir neuen Lebensmut einflößte. Nie werde ich aufhören, für den einen anfeuernden Satz in diesem Artikel dankbar zu sein. Er lautete: «Für den Weisen bedeutet jeder Tag ein neues Leben.» Ich tippte mir diesen Satz ab und klebte ihn auf die Windschutzscheibe meines Wagens, wo ich ihn ständig vor Augen hatte, wenn ich fuhr. Ich fand es gar nicht so schwer, immer nur einen Tag nach dem anderen zu leben. Ich lernte, das Gestern zu vergessen und dem Morgen keine Gedanken zu schenken. Jeden Morgen sagte ich zu mir: Heute ist ein neues Leben.

Es gelang mir, meine Angst vor der Einsamkeit und vor Entbehrung zu überwinden. Jetzt bin ich glücklich und habe einen gewissen Erfolg, ich finde das Leben schön und bin seiner froh. Ich weiß nun, daß ich nie wieder Angst haben werde, gleich, wie es das Leben einmal mit mir meint. Ich weiß nun, daß ich die Zukunft nicht zu fürchten brauche. Ich weiß, daß ich immer nur einen Tag auf einmal leben kann – und daß ,für den Weisen jeder Tag ein neues Leben bedeutet'.»

Wer, meint Ihr wohl, hat diese Verse hier geschrieben:

> Glücklich der Mensch, und glücklich er allein,
> Wenn er das Heute nennet sein,
> Wenn sich'ren Muts er sagen kann:
> Das Heut' hab' ich gelebt – oh Morgen,
> tu dein Schlimmstes dann!

Klingt das nicht ganz modern? Und doch wurden diese Worte dreißig Jahre vor Christi Geburt geschrieben – von dem römischen Dichter Horaz.

Eines der traurigsten Dinge im Menschenleben ist für mich, daß wir alle die Neigung haben, das Leben aufzuschieben. Alle ergehen wir uns gern in Träumen von einem zauberhaften Rosengarten jenseits des Horizontes, statt uns der Rosen zu freuen, die heute vor unserem Fenster blühen.

Warum sind wir solche Toren – solche tragische Toren?

«Wie sonderbar ist sie, unsere kleine Lebensprozession!» schrieb Stephen Leacock. «Das Kind spricht: ,Wenn ich ein großer Junge bin.' Doch was ist das? Der große Junge spricht: ,Wenn ich mal erwachsen bin.' Und ist er dann erwachsen, so spricht er: ,Wenn ich mich verheirate.' Doch sich verheiraten, was bedeutet das schon?

Dann wandelt sich der Gedanke in den Wunsch: ‚Wenn ich in den Ruhestand treten kann.' Und wenn dann dieses Stadium erreicht ist, blickt der Mensch zurück über die durchmessene Landschaft. Ein kalter Wind scheint darüber hinzustreichen. Irgendwie hat er alles versäumt, und es ist entschwunden. Zu spät lernen wir, daß das Leben im Gelebtwerden besteht, im Gewebe jedes Tages und jeder Stunde.»

Der verstorbene Edward S. Evans aus Detroit verzehrte sich in Sorge, bis er begriff, daß das Leben «im Gelebtwerden, im Gewebe jedes Tages und jeder Stunde besteht». In Armut aufgewachsen, verdiente Edward Evans sein erstes Geld durch das Verkaufen von Zeitungen. Danach arbeitete er als Verkäufer in einer Kolonialwarenhandlung. Später, als sieben Menschen für ihren täglichen Unterhalt von ihm abhängig waren, bekam er einen Posten als Hilfsbibliothekar. Trotz dem geringen Gehalt fürchtete er sich, zu kündigen. Es vergingen volle acht Jahre, ehe er den Mut faßte, sich selbständig zu machen. Als er es dann schließlich aber doch tat, baute er aus einem geborgten Kapital von fünfundfünfzig Dollar ein Geschäft auf, das ihm jährlich zwanzigtausend Dollar einbrachte. Dann geschah etwas Furchtbares. Er setzte seinen Namen unter eine große Bürgschaft für einen Freund – und der Freund machte bankrott. Ganz kurz danach kam ein zweiter Schlag: die Bank, in der sein ganzes Geld lag, stellte die Zahlungen ein. Er verlor nicht nur jeden Pfennig, den er besaß, sondern fand sich dazu noch mit Schulden in Höhe von sechzehntausend Dollar behaftet. Darüber brachen seine Nerven zusammen. «Ich vermochte weder zu essen noch zu schlafen», erzählte er mir. «Ich erkrankte auf merkwürdige Weise. Aufregung und Sorgen, nichts weiter, waren daran schuld. Eines Tages, als ich die Straße hinabging, wurde ich ohnmächtig und fiel hin. Ich war nicht mehr fähig, zu gehen. Man brachte mich zu Bett, und mein Körper bedeckte sich mit Furunkeln, die dann nach innen schlugen, bis mir selbst das bloße Liegen zur Qual wurde. Ich wurde von Tag zu Tag schwächer. Schließlich sagte mir mein Arzt, ich habe nur noch vierzehn Tage zu leben. Das gab mir einen furchtbaren Stoß. Ich setzte mein Testament auf und legte mich dann im Bett zurück, um mein Ende zu erwarten. Was hatte es nun noch für einen Sinn, sich aufzuregen und abzusorgen? Ich gab es also auf, entspannte mich und schlief ein. Wochenlang hatte ich keine zwei Stunden hintereinander schlafen können; jetzt aber, da meine irdischen Probleme sich ihrem Ende zuneigten, schlief ich so fest wie ein Säugling. Meine Mattigkeit und Erschöpfung verflüchtigten sich. Ich bekam wieder Appetit. Ich nahm zu.

Ein paar Wochen darauf war ich imstande, an Krücken zu laufen. Nach sechs Wochen war ich wieder arbeitsfähig. Vorher hatte ich zwanzigtausend Dollar jährlich verdient; doch nun war ich froh, eine Stellung für dreißig Dollar die Woche zu finden. Meine Arbeit bestand im Verkauf von Keilen, die bei der Verfrachtung in Schiffen hinter die Räder von Autos geschoben wurden. Ich hatte meine Lektion nun gelernt. Keine Aufregung mehr für mich – kein Nachtrauern über Dinge, die sich einmal zugetragen hatten – kein Grauen vor der Zukunft mehr. Ich konzentrierte meine ganze Zeit, Kraft und Willensstärke auf das Verkaufen dieser Keile.»

Von nun an ging es rasch aufwärts mit Edward S. Evans. Innerhalb weniger Jahre war er Präsident der Gesellschaft. Dieses Unternehmen, die Evans Product Company, ist seit Jahren an der New Yorker Börse eingetragen. Als Edward S. Evans im Jahre 1945 starb, war er einer der fortschrittlichsten Geschäftsleute der Vereinigten Staaten. Wenn einer meiner Leser je über Grönland fliegen sollte, landet er vielleicht auf dem Evans Field – einem ihm zu Ehren benannten Flugplatz.

Und die Moral von der Geschicht'? Hier ist sie: Edward S. Evans würde nie die Freude eines so durchschlagenden geschäftlichen und persönlichen Erfolges erfahren haben, hätte er nicht eingesehen, wie töricht es ist, sich zu sorgen – und gelernt, in «zeitdichten Schotten» zu leben.

Fünfhundert Jahre vor der Geburt Christi sagte der griechische Philosoph Heraklit seinen Schülern, daß sich «alles wandle außer dem Gesetz des Wechsels». Er sagte: «Ihr könnt nicht zweimal in denselben Fluß steigen.» Der Fluß ändert sich mit jeder Sekunde; das gleiche geschieht dem Manne, der seinen Fuß hineinsetzt. Das Leben ist ein endloser Wechsel. Die einzige Gewißheit ist das Heute. Warum sollten wir die Schönheit des Lebens im Heute beeinträchtigen, indem wir die dunklen Fragen einer Zukunft zu lösen suchen, die in unablässigem Wandel und in Ungewißheit verhüllt ist – einer Zukunft, die kein Mensch jemals voraussehen oder vorhersagen kann?

Die alten Römer wußten darüber Bescheid. Es gab bei ihnen eine Redensart dafür: *Carpe diem.* «Genieße den Tag.» Oder auch «Ergreife den Tag.» Ja – ergreife den Tag und gewinne ihm ab, soviel du kannst.

Das ist auch die Philosophie von Lowell Thomas. Kürzlich verbrachte ich ein Wochenende auf seiner Farm. Ich bemerkte, daß er die folgenden Worte aus dem 118. Psalm eingerahmt an der Wand seines Radiosenderaums hängen hatte, wo er sie oft zu Gesicht bekam:

Dies ist der Tag, den der Herr macht. Lasset uns freuen und fröhlich darinnen sein.

John Ruskin hatte auf seinem Schreibtisch einen einfachen Stein liegen, in den das Wort «Heute» eingeschnitten war. Und obwohl bei mir selbst kein Stein auf dem Schreibtisch liegt, habe ich dafür ein Gedicht an meinen Spiegel geklebt, wo ich es allmorgendlich beim Rasieren sehen kann. Es ist ein Gedicht, welches Sir William Osler ständig auf seinem Schreibtisch liegen hatte, und das von dem berühmten indischen Dramatiker Kalidasa stammt:

Gruß an die Morgendämmerung

Aufs Heute richte deinen Blick!
Denn es ist Leben, ja des Lebens Kern.
In seinem kurzen Fluge sind beschlossen
All deines Daseins Wahrheiten und Wirklichkeiten:
    Segen des Wachstums,
    Ruhm der Tat,
    Glanz des Vollbringens.
Das Gestern ist ein Traum nur,
Und das Morgen ist Vision.
Das wohlgelebte Heute aber wandelt jedes Gestern in einen Traum von Glück,
Macht jedes Morgen zur Vision der Hoffnung,
Drum richte fest den Blick aufs Heute!
So biet' der Morgendämmerung Willkomm.

Darum ist also der erste Leitsatz, den Ihr über das Sichsorgen wissen müßt, dieser: Wollt Ihr es aus Eurem Leben fernhalten, so tut, was Sir William Osler tat, nämlich –

Schließt Vergangenheit und Gegenwart mit eisernen Türen aus. Lebt in «fest abgeriegelten Tagesfächern».

Wäre es nicht vielleicht gut, Ihr legtet Euch selbst die nachstehenden Fragen vor und schriebet die Antworten nieder?

1. Neige ich dazu, das In-der-Gegenwart-Leben von mir zu schieben, um mich dafür über die Zukunft zu sorgen oder nach einem «zauberischen Rosengarten jenseits des Horizontes» zu sehnen?
2. Verbittere ich mir zuweilen das Heute, indem ich Vergangenem nachtrauere – Dingen, die längst vorbei und abgetan sind?
3. Stehe ich morgens mit dem festen Entschluß auf, den «Tag zu ergreifen» – das Menschenmöglichste aus diesen vierundzwanzig Stunden herauszuholen?
4. Kann ich dem Leben mehr abgewinnen, indem ich «in fest abgeriegelten Tagesfächern» lebe?
5. Wann fange ich damit an? Nächste Woche?... Morgen?... *Heute?*

Eine Zauberformel,   2
mit der man Angstsituationen überwinden kann

Möchtet Ihr ein rasch und bombensicher wirkendes Mittel wissen, um beängstigende Situationen zu gutem Ende zu führen – eine Technik, die Ihr unverzüglich anwenden könnt, ohne überhaupt erst weiterzulesen?

Wenn ja, dann will ich jetzt sogleich die Methode schildern, die von Willis H. Carrier ausgearbeitet wurde, einem hochbegabten Ingenieur, dem die Industrie der Luftkonditionierung ihr Entstehen verdankt, und der heute der weltbekannten Firma Carrier Corporation in Syracuse im Staate New York vorsteht. Seine Methode ist eine der besten Arten, die ich zur Lösung von Problemen der inneren Verängstigung kenne. Mr. Carrier hat sie mir persönlich beschrieben, als wir einmal zusammen im New Yorker Ingenieurklub zu Mittag aßen.

«Als junger Mann», begann Mr. Carrier, «arbeitete ich für die Buffalo Forge Company in Buffalo im Staate New York. Ich erhielt den Auftrag, in einem Betrieb der Pittsburger Spiegelfabrik in Crystal City, Missouri – einer Millionenanlage – einen neuen Gasreinigungsapparat zu installieren. Zweck dieser Einrichtung war, das Gas von Unreinheiten zu befreien, so daß es verbrannt werden konnte, ohne die Maschinen zu beschädigen. Es war eine ganz neue Art der Gasreinigung, die erst ein einziges Mal zuvor ausprobiert worden war, und zwar unter völlig anderen Bedingungen. Daher kam es, daß sich während meiner Arbeit in Crystal City unvorhergesehene Schwierigkeiten ergaben. Die Sache funktionierte wohl irgendwie – aber nicht gut genug, um die Garantie zu rechtfertigen, die wir zugesichert hatten.

Dieses Versagen betäubte mich förmlich – es war mir, als habe mir jemand einen Schlag vor den Kopf versetzt. Magen und Darm begannen sich in mir zu winden und umzudrehen. Eine Zeitlang war ich so verstört, daß ich nicht mehr schlafen konnte.

Schließlich sagte mir mein gesunder Menschenverstand, daß diese Sorge zu nichts führen könne, und ich begann daher, auf einen Weg zu sinnen, wie ich mit meinem Problem zu Rande kommen könne, ohne mich fortgesetzt dabei aufzuregen. Es ging vortrefflich. Ich habe jetzt die damals erprobte Reg-dich-nicht-auf-Technik mehr als dreißig Jahre lang befolgt. Sie ist ganz einfach, und ein jeder kann sie anwenden. Sie setzt sich aus drei Stufen zusammen:

1. Stufe. Ich analysierte die Situation furchtlos und ehrlich und stellte mir vor, was schlimmstenfalls die Folge der zutage getretenen Mängel sein könnte. Niemand würde mich ins Gefängnis werfen, soviel stand fest. Aber freilich war es nicht ausgeschlossen, daß ich meine Stellung verlor. Auch war es möglich, daß meine Arbeitgeber die Maschinerie wieder entfernen mußten, wodurch sie die investierten zwanzigtausend Dollar einbüßen würden.

2. Stufe. Nachdem ich mir ausgemalt hatte, was das Schlimmste sei, das möglicherweise eintreten könne, fand ich mich damit ab, es notfalls auf mich zu nehmen. Ich sagte mir: Dieser Fehlschlag wird ein schwarzer Fleck in meiner Karriere sein und kann mich unter Umständen meine Stellung kosten. Aber wenn das geschieht, kann ich immer einen anderen Posten finden. Es könnte alles viel schlimmer sein; und was meine Arbeitgeber betrifft – nun, sie wissen ja selber, daß wir mit einer neuen Gasreinigungsmethode experimentieren, und wenn diese Erfahrung sie zwanzigtausend Dollar kostet, so können sie das verwinden. Sie können es auf Konto Laboratoriumskosten verbuchen, denn es handelt sich ja um ein Experiment.

Nachdem ich mich auf das Schlimmste, was geschehen konnte, gefaßt gemacht und mich damit abgefunden hatte, es hinzunehmen, geschah etwas ungeheuer Wichtiges: ich fühlte mich sofort entspannt und von einem Frieden erfaßt, den ich seit Tagen nicht gekannt hatte.

3. Stufe. *Von jener Zeit an widmete ich meine Zeit und Kraft in völliger innerer Ruhe dem Versuch, das Schlimmste, mit dem ich mich ja schon abgefunden hatte, soweit es ging abzuwenden.*

Ich suchte zunächst Mittel und Wege zu finden, um den befürchteten Verlust der zwanzigtausend Dollar herabzumindern. Ich stellte verschiedene Versuche an und kam zu dem Ergebnis, daß die Schwierigkeit sich beheben ließ, wenn wir weitere fünftausend Dollar für zusätzliche Maschinerie aufwendeten. Wir taten dies, und statt daß die Firma zwanzigtausend Dollar einbüßte, verdiente sie fünfzehntausend.

So weit wäre ich bestimmt nicht gekommen, wenn ich mich weiter gesorgt und geängstigt hätte. Denn eine der schlimmsten Begleiterscheinungen dieses Zustands ist, daß er unsere Konzentrationsfähigkeit zerstört. Wenn wir uns sorgen, arbeitet unser Geist nur noch sprunghaft, und jede Entschlußkraft geht uns verloren. Zwingen wir uns hingegen, das Schlimmste ins Auge zu fassen und uns damit abzufinden, dann schalten wir all diese unklaren Vorstellungen aus und versetzen uns in eine Lage, die uns gestattet, uns auf unser Problem zu konzentrieren.

Der berichtete Vorfall liegt viele Jahre zurück. Er verlief so zufriedenstellend, daß ich die gleiche Methode seitdem stets angewandt habe, und dadurch konnte ich mein Leben fast ganz von Sorge und Aufregung freihalten.»

Nun, warum ist Willis H. Carriers Zauberformel so nützlich und psychologisch von so großem praktischem Wert? Weil sie uns aus den schweren grauen Wolken herunterholt, in denen wir umhertappen, wenn die Angst unsere Sehkraft trübt. Sie lehrt uns, die Füße fest und sicher auf den Boden zu setzen, so daß wir wissen, wo wir stehen. Denn wenn wir keinen festen Grund unter den Füßen haben, wie in aller Welt können wir dann erwarten, je etwas ordentlich durchdenken zu können?

Professor William James, der Vater der angewandten Psychologie, ist nun schon über achtunddreißig Jahre tot. Wäre er aber heute noch am Leben und könnte diese Formel, sich auf das Schlimmste gefaßt zu machen, hören, so würde er ihr herzlich beipflichten. Woher ich das weiß? Weil er selber seinen Studenten empfahl: «Nehmt es willig an . . . Nehmt es willig an . . .», *denn:* «Die Bejahung des einmal Geschehenen bildet den ersten Schritt zur Überwindung der Folgen jedweden Mißgeschicks.»

Dieselbe Idee findet ihren Ausdruck in Lin Yutangs vielgelesenem Buch «Die Weisheit des lächelnden Lebens». «Wahren inneren Frieden», sagt dieser chinesische Philosoph, «gewinnt man, wenn man das Schlimmste willig auf sich nimmt. Psychologisch bedeutet dies meiner Ansicht nach ein Freiwerden von Kräften.»

Genau das ist es! Psychologisch bedeutet es ein Wiederfreiwerden von inneren Kräften! Haben wir uns erst einmal auf das Schlimmste gefaßt gemacht, so haben wir nichts mehr zu verlieren. Und das bedeutet automatisch, daß wir *alles* zu gewinnen haben! «Nachdem ich mich auf das Schlimmste gefaßt gemacht hatte», berichtete Willis H. Carrier, «fühlte ich mich sofort entspannt und von einem Frieden erfaßt, wie ich ihn seit Tagen nicht gekannt hatte. Von da an konnte ich wieder *denken.*»

Das klingt einleuchtend, wie? Und doch haben Millionen Menschen ihr Leben durch zorniges Aufbegehren zerstört, weil sie es nicht über sich brachten, zum Schlimmsten ja zu sagen; weil sie nicht vermochten, es nach Möglichkeit abzuwenden; weil sie sich weigerten, aus den Trümmern zu retten, was zu retten war. Statt zu versuchen, ihr Geschick neu zu gestalten, ließen sie sich in eine erbitterte und «gewaltsame Auseinandersetzung mit ihren Erfahrungen» ein – und endeten schließlich als Opfer jener verbissenen Fixierung, die unter dem Namen Melancholie bekannt ist.

Möchtet Ihr gern ein weiteres Beispiel davon hören, wie jemand sich Willis H. Carriers Zauberformel zu eigen machte und sie auf seine persönlichen Probleme anwandte? Nun, hier ist eines. Es kommt von einem New Yorker Ölhändler, der meine Abendkurse besuchte.

«Ich war das Opfer einer Erpressung!» begann dieser Schüler. «Ich hielt es selbst nicht für möglich – ich dachte, so etwas käme nur im Kino vor – aber tatsächlich wurde ich ein Opfer der Erpressung! Das ging so zu: Die Gesellschaft, an deren Spitze ich stand, besaß soundso viele Lieferwagen und soundso viele Chauffeure. Zu jener Zeit war das Öl noch streng rationiert, und wir durften jedem unserer Kunden nur ein gewisses Quantum liefern. Ich wußte es selbst nicht, aber anscheinend hatten verschiedene unserer Chauffeure unseren Stammkunden nicht ihre volle Ration geliefert und dafür den Überschuß an ihre persönlichen Kunden verkauft.

Zum ersten Mal erfuhr ich etwas von diesen ungesetzlichen Transaktionen, als ein Mann, der sich für einen Regierungsinspektor ausgab, mich eines Tages aufsuchte und Schweigegeld verlangte. Er war im Besitz gültiger Belege über die Machenschaften unserer Chauffeure und drohte, diese Belege dem Staatsanwalt vorzulegen, wenn ich nicht zahlen wolle.

Ich wußte natürlich, daß ich mich nicht aufzuregen brauchte – zum mindesten nicht, was meine eigene Person anging. Ich wußte aber auch, daß vor dem Gesetz eine Firma für die Handlungen ihrer Angestellten verantwortlich ist. Überdies war mir klar, daß die schlechte Reklame mein Geschäft ruinieren würde, falls die Angelegenheit vor Gericht und in die Presse käme. Und ich war stolz auf mein Geschäft, das mein Vater vor vierundzwanzig Jahren gegründet hatte.

Ich machte mir solche Sorgen, daß ich ganz krank davon wurde. Drei Tage und Nächte lang tat ich kein Auge zu. Meine Gedanken drehten sich dauernd im Kreise wie ein Mühlrad. Sollte ich das Geld hinlegen – es handelte sich um fünftausend Dollar – oder diesem Menschen sagen, er solle nur sein gemeines Vorhaben ausführen? Einerlei auf welche Weise ich zu einem Entschluß zu kommen suchte, ich wurde den Alpdruck nicht los.

Da fiel mir am Sonntagabend das Büchlein ‚Sorge dich nicht . . .‘ in die Hand, das ich noch von meinem Carnegie-Abendkurs für öffentliche Reden her besaß. Ich schlug es auf, und mein Auge fiel auf die Geschichte von Willis H. Carrier. ‚Mach dich auf das Schlimmste gefaßt‘, stand da. Also fragte ich mich: Was ist das Schlimmste, das passieren kann, wenn ich mich weigere, das Geld herzugeben, und diese Erpresser dem Staatsanwalt mitteilen, was sie von der Sache wissen?

Die Antwort lautete: Der Ruin meines Geschäftes – das ist das Schlimmste, was eintreten kann. Ins Gefängnis kann ich nicht kommen. Alles, was mir droht, ist, daß ich ruiniert werde, wenn die Sache öffentlich breitgetreten wird.

Darauf sagte ich zu mir: Also schön, nehmen wir an, mein Geschäft sei ruiniert. Damit finde ich mich innerlich ab. Was dann?

Nun, wenn mein Geschäft ruiniert war, würde ich mich vermutlich nach etwas anderem umsehen müssen. Das war gar nicht so arg. Ich war Sachverständiger in Ölfragen – verschiedene Firmen mochten froh sein, mich zu gewinnen ... Schon begann mir besser zu werden. Die gräßliche Angst, in der ich drei Tage und drei Nächte geschwebt hatte, begann sich etwas zu lichten. Meine Aufregung legte sich allmählich ... Und zu meiner eigenen Überraschung war ich auf einmal imstande, zu *denken*.

Mein Kopf war nun klar genug, um die dritte Stufe in Angriff zu nehmen – *das Schlimmste nach Möglichkeit abzuwenden*. Während ich über die verschiedenen möglichen Lösungen nachdachte, begann ich plötzlich, die Sache von einem ganz neuen Gesichtspunkt aus anzusehen. Wenn ich meinem Rechtsanwalt die ganze Lage auseinandersetzte, würde er vielleicht einen Ausweg finden, der mir nicht eingefallen war. Ich weiß, es klingt dumm, zu sagen, daß diese Erwägung mir nicht schon früher gekommen war – aber ich hatte ja gar nicht nachgedacht – ich hatte mich nur *aufgeregt*! Sofort beschloß ich, meinen Anwalt gleich am nächsten Morgen aufzusuchen. Dann ging ich zu Bett und schlief wie ein Bär.

Wie die Sache ausging? Nun also, mein Anwalt riet mir am nächsten Morgen, zum Staatsanwalt zu gehen und ihm den Sachverhalt mitzuteilen. Das tat ich. Als ich damit zu Ende war, hörte ich den Staatsanwalt zu meinem Erstaunen sagen, daß diese Erpressungsmanöver nun schon seit Monaten im Schwunge seien und daß der Kerl, der sich als Regierungsinspektor ausgab, ein steckbrieflich verfolgter Halunke sei. Welche Erleichterung, das alles zu erfahren, nachdem ich mich drei Tage und Nächte lang darüber zerquält hatte, ob ich diesem Berufsschwindler fünftausend Dollar aushändigen sollte!

Diese Erfahrung war eine nachhaltige Lektion für mich. So oft ich mich jetzt einem drängenden Problem gegenübersehe, das meine Gemütsruhe bedrohen will, fertige ich es ab mit ‚Willis H. Carriers altem Zauberspruch‘, wie ich es nenne.»

Etwa zur selben Zeit, als Willis H. Carrier sich wegen der Gasreinigungsapparatur ängstigte, war ein Mann aus Broken Bow (Nebraska) dabei, sein Testament zu machen. Er hieß Earl P. Haney, und er litt an Zwölffingerdarmgeschwüren. Drei Ärzte, darunter ein berühmter Spezialist, hatten Mr. Haney als «unheilbaren Fall» bezeichnet. Sie hatten ihm eingeschärft, dies und jenes nicht zu essen und sich vor allem nicht aufzuregen – er müsse absolute Gemütsruhe bewahren. Hierauf empfahlen sie ihm, sein Testament zu machen!

Diese Geschwüre hatten Earl P. Haney bereits gezwungen, eine interessante und gutbezahlte Stellung aufzugeben. Nun blieb ihm also nichts mehr zu tun übrig, als den langsam näher schleichenden Tod zu erwarten.

Da faßte er einen Entschluß, einen seltenen und großartigen Entschluß. «Da ich doch nur noch eine Zeitlang zu leben habe», erklärte er, «ist es am gescheitesten, wenn ich diese kurze Zeit so gut ausnutze, wie ich kann. Immer schon war es mein Wunsch, einmal eine Weltreise zu machen. Wenn ich das tun will, so muß es jetzt geschehen.» So ging er hin und kaufte sich ein Billett.

Die Ärzte waren entsetzt. «Hören Sie auf unsere Warnung», sagten sie zu Mr. Haney. «Wenn Sie diese Reise unternehmen, werden Sie auf hoher See begraben werden.»

«Nein, das sicher nicht», erwiderte er. «Ich habe meinen Angehörigen versprochen, daß ich mich in unserem Familiengrab in Broken Bow, Nebraska, beisetzen lassen will. Darum werde ich mir einen Sarg kaufen und ihn auf die Reise mitnehmen.»

Er kaufte seinen Sarg, ließ ihn an Bord bringen und traf hierauf eine Abmachung mit der Dampfschiffgesellschaft, daß im Falle seines Todes sein Leichnam in einen Kühlraum gebracht und dort aufbewahrt werde, bis der Dampfer heimkehrte. Dann begab er sich auf die Reise, angefeuert vom Geiste Omar Khayyams, der da singt:

> Es muß, mein Freund, der Staub zu Staub zerfallen.
> Du sollst dich heute an das Heute krallen!
> Es wird, wenn wir im Staube endlos liegen,
> Der Wein vertrocknen, kein Gesang erschallen.

Indes unternahm er die Fahrt nicht ohne Wein. «Ich trank Cocktails und rauchte dicke Zigarren unterwegs», erzählt Mr. Haney in einem Brief, der eben vor mir liegt. «Ich aß, wonach mir der Appetit stand – sogar seltsame ausländische Gerichte, die mich garantiert hätten umbringen müssen. Und ich genoß mein Leben mehr als seit vielen Jahren! Wir gerieten in Monsune und Taifune hinein, nach denen ich von Rechts wegen hätte in meinem Sarg liegen sollen, wenn aus keinem anderen Grunde, dann aus schierer Angst – allein das ganze Abenteuer machte mir einen Mordsspaß.

Ich beteiligte mich an Bordspielen, sang Lieder, gewann neue Freunde, blieb die halben Nächte auf. Als wir nach China und Indien kamen, wurde mir klar, daß die geschäftlichen Sorgen und Lasten, die zuhause auf mir gelegen hatten, das reinste Paradies waren im Vergleich zu der Armut und dem Hunger des Ostens. Ich warf all meine sinnlosen Sorgen ab, und es ging mir großartig. Als ich nach Amerika zurückkam, hatte ich neunzig Pfund zugenommen. Ich hatte fast vergessen, daß ich je Darmgeschwüre gehabt hatte. Nie im Leben hatte ich mich wohler gefühlt. Geschwind brachte ich den Sarg wieder dem Leichenbestatter und kehrte ins Geschäftsleben zurück. Seitdem bin ich keinen Tag mehr krank gewesen.»

Zu der Zeit, als sich dies abspielte, hatte Earl P. Haney von Willis H. Carrier und seiner Technik zur Überwindung von Sorgen nicht einmal gehört. «Es ist mir jetzt aber klar», sagte er kürzlich zu mir, «daß ich unbewußt ein und dasselbe Prinzip anwandte. Ich fand mich mit dem Schlimmsten ab, was passieren konnte – in meinem Falle mit dem Sterben. Und dann versuchte ich, ihm die beste Seite abzugewinnen, indem ich aus der Zeitspanne, die mir noch verblieb, noch soviel Lebensgenuß herausholte, wie ich konnte ... *Wenn* ich», so fuhr er fort, «mich weiter innerlich abgequält hätte, nachdem ich mich eingeschifft hatte, dann würde ich ganz zweifellos die Rückreise in jenem Sarg unternommen haben! Doch ich entspannte mich – ich strich das Ganze aus meinem Gedächtnis. Und diese Gemütsruhe führte in mir zu einer Wiedergeburt der Kraft, die mir das Leben rettete.» (Earl P. Haney wohnt heute in Winchester, Massachusetts, 52, Wedgemere Avenue.)

Wenn es somit durch die Anwendung dieser Zauberformel Willis E. Carriers gelang, einen Lieferungsvertrag von zwanzigtausend Dollar zu retten, wenn ein New Yorker Kaufmann sich durch sie aus den Händen von Erpressern zu retten vermochte, wenn Earl P. Haney es mit ihrer Hilfe tatsächlich fertigbrachte, sein eigenes Leben zu retten – wäre es dann nicht vielleicht möglich, daß diese Formel auch eine Lösung für manche *Eurer* Probleme enthalten könnte? Wäre es nicht möglich, daß sie vielleicht sogar einige Probleme zu lösen vermöchte, die Ihr für unlösbar haltet?

Regel Nummer 2 ist also: Wenn Ihr ein Problem habt, über das Ihr Euch abhärmt, dann wendet Willis E. Carriers Zauberformel an, indem Ihr die folgenden drei Dinge tut:

1. Fragt Euch: «Was ist das Ärgste, das möglicherweise geschehen kann?»

2. Seht zu, daß Ihr Euch damit abfindet, wenn es sein muß.

3. Dann trachtet in aller Ruhe, dem Schlimmsten, wenn möglich, die Spitze abzubrechen.

34

Geschäftsleute, die nicht verstehen,
sich Aufregungen vom Leibe zu halten, sterben jung.
Dr. Alexis Carrel

Vor einiger Zeit läutete abends einer meiner Nachbarn an meiner Haustür und bestürmte mich, ich solle mich und meine Familie gegen Pocken impfen lassen. Er war einer von der Schar freiwilliger Helfer, die rundum in der ganzen Stadt New York an den Haustüren läuteten. Erschreckte Menschen standen stundenlang Schlange, um sich impfen zu lassen. Impfstationen wurden aufgemacht, nicht nur in Spitälern, sondern auch auf Feuerwehrposten, in Polizeigebäuden und größeren Fabriken. Über zweitausend Ärzte und Schwestern arbeiteten Tag und Nacht fieberhaft, um all diese Menschen zu impfen. Und was lag der ganzen Aufregung zugrunde? Acht Personen im Stadtgebiet des großen New York hatten Pocken bekommen, und zwei waren daran gestorben. Zwei Todesfälle bei einer Bevölkerung von nahezu acht Millionen!

Nun lebe ich seit über siebenunddreißig Jahren in New York, aber noch nie hat jemand an meiner Haustür geläutet, um mich vor jener Gemütserkrankung zu warnen, die sich durch Grübelei, Aufregung und Ängste aller Art kundtut – einer Krankheit, die im Laufe dieser siebenunddreißig Jahre zehntausendmal mehr Schaden angerichtet hat als die Blattern.

Keiner hat je auf meinen Klingelknopf gedrückt, um mir warnend mitzuteilen, daß in den Vereinigten Staaten heute je eine von zehn Personen auf einen nervösen Zusammenbruch rechnen kann, der in der Mehrzahl der Fälle von innerer Beunruhigung und Gefühlskonflikten hervorgerufen wird. Deshalb schreibe ich dieses Kapitel, um damit an Eurer Haustür zu läuten und Euch eine Warnung zuzurufen.

Dr. Alexis Carrel, der große Mediziner und Nobelpreisträger, hat gesagt: «Geschäftsleute, die es nicht verstehen, sich Aufregungen vom Leibe zu halten, sterben jung.» Dasselbe gilt auch für Hausfrauen, Pferdeärzte und Maurergesellen.

Vor ein paar Jahren benutzte ich meine Ferienzeit, um mit Dr. O. F. Gober, einem der Vertrauensleute der Santa-Fé-Eisenbahn, eine Autotour durch Texas und Neu-Mexiko zu machen. Unterwegs kamen wir auf die Auswirkungen eines unruhigen Gemütes zu sprechen, und da sagte Dr. Gober: «Siebzig Prozent aller Patienten, die zum Arzt gehen, könnten sich ebensogut selber kurieren, wenn sie es nur verständen, sich ihrer Ängste und Sorgen zu entledigen. Glauben Sie aber ja nicht, daß ich damit sagen will, die Leiden dieser Menschen seien Einbildung. O nein, sie sind so wirklich wie rasendes Zahnweh und zuweilen hundertmal ernster. Ich spreche von Krankheiten wie nervöse Verdauungsstörungen, gewisse Magengeschwüre, Herzleiden, Schlaflosigkeit, manche Arten von Kopfschmerz und einige paralytische Erscheinungen.

Diese Krankheiten sind wirklich. Ich weiß, was ich damit sage, denn ich habe selbst zwölf Jahre lang an einem Magengeschwür gelitten. Furcht führt zu Selbstquälerei. Selbstquälerei macht einen gereizt und nervös und greift die Magennerven an, sie verwandelt normale Magensäfte in anormale und ruft häufig Magengeschwüre hervor.»

Dr. Joseph F. Montague, der Verfasser des Buches «Nervous Stomach Trouble» (Nervöses Magenleiden) äußert sich ganz ähnlich, wenn er sagt: «Magengeschwüre bekommt man nicht von dem, was man ißt. Man bekommt sie von dem, wovon man aufgefressen wird.»

Und Dr. W. C. Alvarez von der Mayo-Klinik sagte: «Geschwüre flammen oft auf oder verschwinden, je nach dem Auf und Ab der Gemütsbewegungen.»

Diese Feststellung war belegt durch Untersuchungen an 15 000 Patienten, die in der Mayo-Klinik wegen Magengeschwüren behandelt wurden. Von fünf solcher Patienten hatten vier keinerlei körperliche Veranlassung zu ihren Magenleiden. Furcht, Aufregung, Haß, übermäßiger Egoismus sowie Unfähigkeit, sich den Gegebenheiten der Welt anzupassen – das war es, worauf sich ihre Magenleiden und Magengeschwüre zum großen Teil zurückführen ließen.

Magengeschwüre können zum Tode führen. Nach einer Statistik in der Zeitschrift «Life» stehen sie jetzt an zehnter Stelle auf der Liste der tödlichen Krankheiten.

Vor kurzem wechselte ich einige Briefe mit Dr. Harold C. Habein von der Mayo-Klinik. Dieser Arzt hielt an der Jahresversammlung des Amerikanischen Industrieärzte-Verbandes einen Vortrag, in dem er über Untersuchungen berichtete, die er an 176 Geschäftsleuten in leitender Stellung mit einem Durchschnittsalter von 44,3 Jahren angestellt hatte. *Er sagte, daß über ein Drittel dieser Geschäftsleute an einer dieser drei Störungen litt, die sich auf ein Leben in steter Hochspannung zurückführen ließen – an Herzkrankheit, Geschwüren der Verdauungsorgane oder hohem Blutdruck.* Man stelle sich das einmal vor: ein Drittel unserer Geschäftsleute in verantwortlichen Stellungen richten sich körperlich zugrunde, indem sie sich Herzleiden, Magengeschwüre und hohen Blutdruck zuziehen, ehe sie ihr fünfundvierzigstes Jahr erreicht haben. Ein schöner Preis für Erfolg im Leben! Und kann man das überhaupt Erfolg nennen, wenn ein Mensch mit Magengeschwüren und Herzkrankheit dafür büßen muß, daß er geschäftlich vorankommt? Was wäre es dem Menschen nütze, so er die ganze Welt gewänne – und seine Gesundheit verlöre? Selbst wenn einer die ganze Welt besäße, könnte er doch nur in einem einzigen Bett auf einmal schlafen und nur drei Mahlzeiten täglich zu sich nehmen. Das kann auch ein Straßenarbeiter – und der wird sich vermutlich eines gesünderen Schlafes erfreuen, wird sein Essen mit mehr Behagen verzehren als ein auf hohen Touren laufender Prokurist oder Generaldirektor. Ich möchte, offen gestanden, lieber ein armseliger «sharecropper»* in Alabama mit einem Banjo auf dem Knie sein, als daß ich mit fünfundvierzig Jahren meine Gesundheit darangäbe, nur um vielleicht Leiter einer Eisenbahngesellschaft oder Zigarettenfabrik zu sein.

Und da gerade von Zigaretten die Rede ist: vor kurzem fiel der bekannteste Zigarettenfabrikant der Welt plötzlich tot um. Während er in den kanadischen Wäldern Erholung suchte, ereilte ihn ein Herzschlag. Millionen hatte er angehäuft – und fiel mit einundsechzig Jahren tot um! Wahrscheinlich hatte er Jahre seines Lebens um das verschachert, was man «geschäftlichen Erfolg» nennt.

Meiner Ansicht nach war dieser führende Zigarettenfabrikant mit all seinen Millionen nicht halb so erfolgreich wie mein Vater, ein Farmer aus Missouri, der in seinem neunzigsten Jahre starb, ohne einen Dollar zu hinterlassen.

Die berühmten Gebrüder Mayo haben festgestellt, daß über die

---

* Sharecropper = in den Vereinigten Staaten ein kleiner Landwirt, der seine Pacht mit einem gewissen Anteil seines Ernteertrages bezahlt. Die Worte «mit einem Banjo auf dem Knie» sind einem viel gesungenen Schlager entnommen. – Die Übersetzerin.

Hälfte unserer Krankenhausbetten von Leuten mit Nervenstörungen beansprucht werden. Und doch sind die Nerven dieser Patienten, wenn man sie bei der Obduktion unter einem stark vergrößernden Mikroskop betrachtet, in den meisten Fällen anscheinend so gesund wie die des Boxers Jack Dempsey. Ihre «Nervenstörungen» beruhen nicht auf einer anatomischen Veränderung der Nerven selbst, sondern auf der Einwirkung von Gefühlen wie Enttäuschung, Bitterkeit über Zurücksetzungen, Angst, Selbstquälerei, Mutlosigkeit, Verzweiflung. Schon Plato sagte, es sei «der größte Fehler der Ärzte, daß sie trachten, den Körper zu heilen, ohne zu versuchen, den Geist zu heilen; denn Körper und Geist sind eines und sollten nicht getrennt behandelt werden».

Die medizinische Wissenschaft brauchte dreiundzwanzig Jahrhunderte, um diese große Weisheit zu erkennen. Erst heute beginnen wir, eine neue Art der Medizin zu entwickeln, *psychosomatische Medizin* genannt, welche Geist und Körper zugleich behandelt. Es ist höchste Zeit, daß dies geschieht, denn obwohl die Medizin die furchtbaren *durch feststellbare Keime verursachten* Krankheiten zum Teil ausgerottet hat – Seuchen wie Pocken, Cholera, gelbes Fieber und Dutzende von anderen Geißeln der Menschheit, von denen Millionen verfrüht hinweggerafft wurden, hat sie bisher versagt im Kampfe gegen jene schweren Schädigungen von Körper und Geist, die nicht durch Krankheitskeime, sondern durch gefühlsmäßige Einwirkungen verursacht werden – durch Furcht, Sichquälen, Haß, Enttäuschung und Verzweiflung. Die Opfer dieser Gemütserkrankungen nehmen allerorten mit katastrophaler Schnelligkeit zu.

Die Ärzte haben errechnet, daß je einer von zwanzig jetzt lebenden Amerikanern einmal einen Teil seines Lebens in einer Anstalt für Geisteskranke verbringen wird. Von je sechs im Zweiten Weltkrieg stellungspflichtigen jungen Leuten unseres Landes mußte einer als geistig krank oder defekt ausgeschaltet werden.

Auf welchen Ursachen beruht geistige Erkrankung? Niemand kennt sie alle. Doch ist es höchstwahrscheinlich, daß in vielen Fällen Angst und Selbstquälerei dabei mitsprechen. Das angsterfüllte, sich ständig gehetzt fühlende Individuum, das sich in der harten Welt der Realitäten nicht zurechtfinden kann, bricht jede Beziehung zu seiner Umgebung ab, zieht sich in seine private, selbstgeschaffene Traumwelt zurück und löst auf solche Weise seine Angstprobleme.

Während ich schreibe, liegt vor mir ein Buch von Dr. Edward

Podolsky mit dem Titel «Sorge dich nicht mehr – und werde gesund». Hier ein paar Kapitelüberschriften aus diesem Buch:

Was Aufregungen für das Herz bedeuten
Hoher Blutdruck wird durch Aufregung genährt
Rheumatismus kann auf Sorge und Aufregung beruhen
Ängstigt Euch nicht so sehr – Eurem Magen zuliebe
Wie eine ruhelose Gemütsverfassung zu Erkältungen
    führen kann
Wie Aufregungen auf die Schilddrüse einwirken
Sorgenvolles Gemüt und Zuckerkrankheit.

Ein weiteres aufschlußreiches Buch über dasselbe Thema ist «Man Against Himself» (Der Mensch – sein eigener Feind) von Dr. Karl Menninger, der zu der Psychiatergruppe der Mayo-Klinik gehört. Dr. Menningers Buch ist eine aufsehenerregende Darstellung der Folgen, die eintreten, wenn man sich von destruktiven Gefühlen beherrschen läßt. Wer aufhören möchte, sein eigener Feind zu sein, der lese dieses Buch.

Selbst der gesündeste Mensch kann erkranken, wenn er sich sorgt. Diese Entdeckung machte auch General Grant in den letzten Tagen des amerikanischen Bürgerkriegs. Die Geschichte geht so: Grant hatte die Stadt Richmond seit neun Monaten belagert. Die hungrigen und zerlumpten Truppen seines Gegners, des Generals Lee, waren geschlagen. Ganze Regimenter desertierten geschlossen. Andere hielten in ihren Zelten Andachten ab, schrien, weinten, hatten Visionen. Das Ende war nahe. Lees Truppen legten Feuer an die Baumwoll- und Tabaklagerhäuser in Richmond, brannten das Zeughaus nieder und flüchteten bei Nacht, während haushohe Flammen die Finsternis durchbrachen. Grant verfolgte sie hitzig, indem er von beiden Seiten sowie von hinten auf die Konföderierten eindrang. Gleichzeitig schnitt ihnen Sheridans Kavallerie den Vormarsch ab, indem sie die Bahnbrücken niederriß und Nachschubzüge angriff.

Grant, der von einer so heftigen Migräne befallen war, daß er kaum die Augen öffnen konnte, blieb hinter seiner Armee zurück und machte auf einer Farm halt. «Ich verbrachte die Nacht damit», so erzählt er in seinen Memoiren, «daß ich Senffußbäder nahm und mir Senfpflaster auf Handgelenke und Nacken legte, in der Hoffnung, es werde mir am Morgen besser gehen.»

Am nächsten Morgen ging es ihm tatsächlich von einem Augenblick auf den anderen plötzlich gut. Doch nicht ein Senfpflaster hatte die Heilung herbeigeführt, sondern ein Reiter, der mit einem Schreiben von General Lee die Landstraße heraufgaloppiert kam. In dem Briefe stand, Lee sei zur Übergabe bereit.

«Als der Offizier, der die Botschaft überbrachte, bei mir ankam», schreibt Grant, «litt ich noch an der Migräne. Doch im Augenblick, als ich den Inhalt des Schreibens sah, war ich geheilt.»

Offenbar hatten Sorge, Spannung und Aufregung Grant krank gemacht. Die Heilung erfolgte im gleichen Augenblick, als seine Gemütsempfindung in Zuversicht und die Gewißheit seines Erfolges und Sieges umschlug.

Siebzig Jahre später stellte Henry Morgenthau junior, Finanzminister der Regierung Franklin Delano Roosevelt, fest, daß ihm vor Aufregung so schlecht werden konnte, daß er sich schwindlig fühlte. In seinem Tagebuch verzeichnet er, wie furchtbar er sich aufregte, als der Präsident, um den Weizenpreis in die Höhe zu treiben, an einem einzigen Tage 4,4 Millionen Bushel* ankaufte. «Mir wurde buchstäblich schwindlig», erzählt er, «während die Transaktion ihren Lauf nahm. Ich mußte heimgehen und mich nach Tisch zwei Stunden zu Bett legen.»

Wenn ich mich davon überzeugen will, wohin die Aufregung einen Menschen treiben kann, brauche ich jedoch nicht erst in die Bibliothek oder zu einem Arzt zu gehen. Ich brauche nur aus dem Fenster meiner Wohnung, wo ich dieses Buch schreibe, hinauszublicken. Dann sehe ich in ein und demselben Block ein Haus, in dem jemand vor Aufregung einen Nervenzusammenbruch erlitt, und ein zweites Haus, wo ein Mann sich derart sorgte, daß er zuckerkrank wurde. Während an der Börse die Aktien fielen, stieg in seinem Blut und Urin der Zuckergehalt an.

Als der berühmte französische Philosoph Montaigne zum Bürgermeister seiner Heimatstadt Bordeaux ernannt wurde, sagte er zu seinen Mitbürgern: «Ich bin bereit, eure Angelegenheiten in meine Hände zu nehmen – nicht aber in meine Leber und meine Lunge.»

Jener Nachbar von mir hatte die Geschehnisse an der Börse in seinen Blutstrom aufgenommen – und daran ging er beinahe zugrunde.

* Weizenmaß. (Die Übersetzerin)

Aufregung kann einen Menschen mit schwerem Rheumatismus und mit Arthritis strafen und in den Rollstuhl bringen. Dr. Russell L. Cecil, vom Medizinischen Institut der Cornell University, ist eine weltbekannte Autorität auf dem Gebiete der Arthritis; von ihm stammt folgende Aufzählung der häufigsten Ursachen, die zu diesem Leiden führen:

1. Ehelicher Schiffbruch.
2. Finanzielles Unglück, finanzielle Sorgen.
3. Einsamkeit und Selbstquälerei.
4. Langgehegter Groll.

Selbstverständlich sind diese vier Gemütslagen bei weitem nicht die einzigen Ursachen von Arthritis. Dazu gibt es deren zu viele verschiedene Arten, die auf mannigfaltigen Ursachen beruhen. Allein, um es zu wiederholen: die *gewöhnlichsten* Ursachen, die der Arthritis zugrunde liegen, sind die vier von Dr. Russell L. Cecil aufgezählten. So war zum Beispiel ein Freund von mir während der Zeit der wirtschaftlichen Depression so übel daran, daß die Gasgesellschaft ihm das Gas absperrte und die Bank eine Hypothek auf sein Haus als verfallen erklärte. Da bekam seine Frau urplötzlich einen schmerzhaften Anfall von Arthritis, der trotz Arzneien und Diät nicht zum Stillstand kam, bis sich ihre finanzielle Lage wieder gebessert hatte.

Sorgen können sogar hohle Zähne zur Folge haben. Dr. William I. L. McGonigle sagte in einer Ansprache an den amerikanischen Zahnärzteverband, daß «unliebsame Empfindungen, die von Sorgen, Angst, Nörgelei und so weiter hervorgerufen werden... den Kalziumhaushalt des Körpers stören und zu hohlen Zähnen führen können». Dr. McGonigle erzählte in diesem Zusammenhang die Geschichte eines seiner Patienten, der immer vorzügliche Zähne gehabt hatte, bis er sich über die plötzliche Erkrankung seiner Frau zu grämen begann. Innerhalb der drei Wochen, die sie im Krankenhaus verbrachte, bekam er neun hohle Zähne, deren Ursache einzig in seinem Gemütszustand zu suchen war.

Kennt Ihr jemand mit einer zu reichlich produzierenden Schilddrüse im akuten Stadium? Ich kenne solche Leute, und ich kann Euch sagen, daß sie zittern und beben und aussehen, als seien sie dauernd zu Tode erschrocken. Und darauf kommt es schließlich auch heraus. Die für die Körperfunktionen so wichtige Schilddrüse ist bei ihnen aus dem Leim gegangen. Sie beschleunigt die Herztätigkeit, und der ganze Körper rast darauflos wie ein Hochofen mit weit offenen Luftkanälen. Wird diesem Zustand nicht Einhalt geboten, sei es auf chirurgischem Wege oder durch sonstige Behandlung, dann kann es geschehen, daß der Kranke stirbt, das heißt «sich ausbrennt».

Kürzlich reiste ich mit einem Freund, der an dieser Krankheit leidet, nach Philadelphia. Wir suchten einen berühmten Spezialisten auf – einen Arzt, der diese Art Leiden seit achtunddreißig Jahren behandelt. Was für Ratschläge, glaubt Ihr, hatte er an der Wand seines Wartezimmers hängen – in großen Buchstaben auf ein Holzbrett gemalt, so daß all seine Patienten sie lesen konnten? Hier sind sie. Ich schrieb sie mir auf der Rückseite eines Briefumschlages ab, während ich saß und wartete:

Entspannung und Erholung

Die Wiederaufbaukräfte, welche am besten entspannen,
sind: gesunde Religiosität, Schlaf, Musik und Lachen.
Habt Vertrauen zu Gott – lernt gut schlafen – erfreut
Euch guter Musik – gewinnt dem Leben seine komische
Seite ab – und Gesundheit und Glück wird Euer sein.

Die erste Frage, die jener Arzt meinem Freund stellte, war: «Was für Gemütsaufwallungen haben Ihren Zustand herbeigeführt?» Er warnte meinen Freund hierauf ernstlich, falls er nicht aufhöre, sich innerlich zu zerquälen, könne er sich leicht noch weitere Komplikationen zuziehen – Herzleiden, Magengeschwüre oder Zuckerkrankheit. «Alle diese Krankheiten», sagte der hervorragende Mediziner, «sind miteinander verwandt, sind Vettern ersten Grades.» Selbstverständlich sind sie Vettern ersten Grades – sind sie doch alle der Sorge und Aufregung entsprungen!

Als ich Merle Oberon, den berühmten Filmstar, interviewte, vertraute sie mir an, sie habe sich fest vorgenommen, sich nie mehr im Leben zu sorgen und aufzuregen, denn dadurch würde sie ihren größten Vorteil, ihr gutes Aussehen, aufs Spiel setzen.

«Als ich zuerst den Versuch unternahm, zum Film zu kommen», erzählte sie mir, «war ich von Sorgen und Ängsten erfüllt. Ich war gerade von Indien angekommen und kannte keinen Menschen in London, wo ich mir eine Stellung suchen wollte. Ich meldete mich bei verschiedenen Filmdirektoren, aber keiner engagierte mich, und das bißchen Geld, das ich hatte, neigte sich seinem Ende zu. Zwei Wochen lang hatte ich nichts zu essen und zu trinken als Salzbiskuits und Wasser. Ich hatte jetzt nicht nur Sorgen, sondern dazu auch noch Hunger. Ich überlegte mir: Vielleicht bist du närrisch, vielleicht gelingt es dir nie, zum Film zu kommen. Schließlich fehlt dir ja jede Erfahrung, noch nie im Leben hast du Theater gespielt – was kannst du ins Feld führen außer einem leidlich hübschen Gesicht?

Ich trat vor den Spiegel. Aber als ich hineinblickte, merkte ich, was Sorge und Aufregung daraus gemacht hatten. Ich sah, wie sich Falten bildeten, ich sah, was für einen verängstigten Ausdruck ich bekommen hatte. Da sagte ich zu mir: Das mußt du augenblicklich ändern! Das einzige, was dir von Nutzen sein kann, ist dein bißchen Schönheit, und wenn du dich so grämst, wird das bald dahin sein!»

Kaum etwas anderes im Leben verleiht einer Frau so leicht ein altes, verbittertes Aussehen, wie ein Gemüt, das sich dauernd quält. Solch eine Gemütsverfassung erzeugt einen chronisch vergrämten oder chronisch mürrischen Ausdruck und macht das Gesicht hart und faltig. Das Haar kann davon ergrauen und unter Umständen sogar ausfallen. Gram und Sorge können den Teint ruinieren und alle Arten von Ausschlag und Pusteln hervorrufen.

Unter allen Krankheiten fordern verschiedene Herzleiden heute in Amerika die meisten Todesopfer. Im Zweiten Weltkrieg verlor fast eine Drittelmillion Soldaten ihr Leben auf dem Schlachtfeld, in der gleichen Zeitspanne aber starben zwei Millionen aus der Zivilbevölkerung an Herzkrankheiten – und davon die Hälfte an einer Art Herzleiden, das durch Aufregung und ein Leben der Hochspannung herbeigeführt wird. Ja, Herzleiden ist einer der Hauptgründe, die Dr. Alexis Carrell seinen oben zitierten Ausspruch eingaben: «Geschäftsleute, die nicht verstehen, sich Aufregungen vom Leibe zu halten, sterben jung.»

Unsere Neger in den Südstaaten, und auch die Chinesen, leiden selten an der Herzkrankheit, die durch Aufregungen hervorgerufen wird, denn sie nehmen die Dinge mit Ruhe. Zwanzigmal so viele Ärzte wie Landarbeiter erliegen solchen Herzkrankheiten. Die Ärzte müssen eben den hohen Preis für das angespannte Leben bezahlen, das sie führen.

«Der liebe Gott mag uns unsere Sünden vergeben», lautet ein Ausspruch von William James, «unser Nervensystem jedoch tut dies nie.»

Man höre eine weitere erschreckende und fast unglaubliche Tatsache: die Anzahl der Amerikaner, die alljährlich Selbstmord begehen, ist größer als die Zahl derer, die an den fünf verbreitetsten Infektionskrankheiten sterben.

Warum dies? Die Antwort heißt: «Aufregung und Sorge.»

Wenn die grimmigen chinesischen Heerführer ihre Gefangenen martern wollten, pflegten sie sie an Händen und Füßen gefesselt unter einen Wasserbehälter zu setzen, der unaufhörlich tropfte ... tropfte ... tropfte, Tag und Nacht. Diese stetig auf den Kopf des Gefangenen niederfallenden Wassertropfen wurden von diesem schließlich wie Hammerschläge empfunden – und machten ihn wahnsinnig.

Dauernde Sorge wirkt nun wie das stetige Tropf – Tropf – Tropf des Wassers; und dieses stete Tropf – Tropf – Tropf in ihrem Innern treibt die Menschen oftmals zu Wahnsinn und Selbstmord.

Als ich noch ein junger Dorfbursche war und in Missouri lebte, stand ich jedesmal Todesängste aus, wenn ich Billy Sunday* das Höllenfeuer des Jenseits schildern hörte. Nie aber sagte er ein Wort von dem Höllenfeuer der körperlichen Qualen, denen sich die Menschen unserer Welt und Zeit so unbedacht aussetzen, wenn sie sich durch Sorgen zermürben. Wer das tut, es chronisch tut, der wird vielleicht eines Tages einem Leiden zum Opfer fallen, das zu den grauenhaftesten und schmerzvollsten Geißeln der Menschheit gehört: der Angina pectoris.

Ist Euer Leben Euch lieb? Möchtet Ihr gerne lange leben und Euch guter Gesundheit erfreuen? Dann macht es, wie Dr. Alexis Carrell uns rät. Er sagt: «Wer sich inmitten des Tumultes der modernen Großstadt seinen Seelenfrieden bewahrt, ist immun gegen nervöse Leiden.»

Könnt Ihr das – Euch inmitten des Tumultes der modernen Großstadt Euren Seelenfrieden wahren? Beim normalen Menschen lautet die Antwort «ja, unbedingt ja». Die meisten von uns sind stärker, als sie sich selber zutrauen. Wir verfügen über innere Reserven, die

---

* Billy Sunday, ein amerikanischer Volksprediger, der zu jener Zeit mit seiner krassen Rhetorik viel Staub aufwirbelte. – Die Übersetzerin.

44

wir wahrscheinlich noch nie angezapft haben. Thoreau lieh dieser Tatsache in seinem unsterblichen Buch «Walden» mit den Worten Ausdruck: «Ich kenne nichts Erhebenderes als die dem Menschen zweifellos innewohnende Fähigkeit, sein Leben durch bewußtes Streben auf eine höhere Ebene zu heben ... Wenn einer zuversichtlich in der Richtung auf seine Träume hin vorwärtsschreitet und sich bemüht, das Leben zu führen, welches ihm vorschwebt, dann wird er Erfolg haben, weit über all das hinaus, was er in gewöhnlichen Stunden für möglich hielt.»

Sicherlich verfügen viele unter den Lesern dieses Buches über nicht weniger Willensstärke und innere Kraftquellen als zum Beispiel Olga K. Jarvey aus Cœur d'Alene im Staate Ohio. Sie hat erkannt, daß sie vermag, sich selbst unter den tragischsten Umständen von Sorge und Selbstquälerei freizuhalten. Ich bin fest überzeugt, daß wir das alle auch können, wenn wir nur den alten, uralten Wahrheiten nachleben, die in diesem Buche erörtert werden. Hier ist Olga K. Jarveys Geschichte, wie sie selbst sie für mich aufgeschrieben hat. ‹Vor achteinhalb Jahren war ich zum Tode verurteilt, zu langsamem, qualvollem Sterben – an Krebs. Die größten medizinischen Kapazitäten unseres Landes, die Brüder Mayo, hatten den Urteilsspruch bestätigt. Ich war am Ende des Lebens angelangt – vor mir tat sich der letzte Abgrund auf! Und ich war jung – ich wollte nicht sterben! In meiner Verzweiflung telefonierte ich meinem alten Hausarzt in Kellogg und klagte ihm weinend meine Herzensnot. Doch er entgegnete mit mißbilligender Stimme: ,Aber Olga, was ist nur mit Ihnen los? Ist denn Ihre ganze Courage davongeschwommen? Natürlich werden Sie sterben, wenn Sie so weiterjammern. Ja, ja, Ihnen ist das Schlimmste widerfahren. Schön. Dann müssen Sie sich darauf einstellen! Hören Sie vor allem auf, sich selbst so zu zerquälen. Trachten Sie lieber, der Sache irgendwie beizukommen!' Da tat ich augenblicklich und auf der Stelle ein Gelübde – ich schwor mir selbst so hoch und heilig, daß ich mir dabei die Nägel tief ins Fleisch bohrte und kalte Schauer mir den Rücken hinabliefen: Ich quäle mich nicht mehr ab! Ich heule nicht länger! Und wenn es seine Richtigkeit damit hat, daß der Geist dem Körper überlegen ist, dann will ich den Beweis dafür erbringen! Ich will und ich werde leben!

In so fortgeschrittenen Fällen wie dem meinen, wo keine Radiumtherapie angewandt werden kann, besteht die übliche Behandlung, die sich über dreißig Tage zu erstrecken pflegt, in Röntgenbestrahlungen von 10¹/₂ Minuten täglich. Ich unterzog mich 49 Tage lang Bestrahlungen von 14¹/₂ Minuten täglich. Und obgleich aus meinem abgezehrten Körper die Knochen wie Felsspitzen an einem kahlen Abhang hervorstanden, obgleich meine Füße sich anfühlten wie Blei, *ängstigte ich mich nicht!* Nicht ein einziges Mal weinte ich! *Ich lächelte!* Jawohl, ich zwang mich tatsächlich zu lächeln.

Ich bin freilich nicht so töricht, anzunehmen, daß man durch Lächeln Krebs heilen könne. Doch ich glaube fest, daß eine heitere Geisteshaltung dem Körper hilft, Krankheit zu überwinden. Jedenfalls vollzog sich an mir eine jener Wunderheilungen, die bei Krebs vorkommen. Ich habe mich nie wohler gefühlt als während der letzten Jahre, und das verdanke ich Dr. McCafferys herausfordernden Kämpferworten: ,Stellen Sie sich darauf ein. Hören Sie auf sich zu quälen. Trachten Sie, der Sache beizukommen!'»

Ich schließe dieses Kapitel mit einer Wiederholung seines Titels, der Worte von Dr. Alexis Carrell: *«Geschäftsleute, die es nicht verstehen, sich Aufregungen vom Leibe zu halten, sterben jung.»*

Die fanatischen Anhänger des Propheten Mohammed ließen sich häufig Koranverse auf die Brust tätowieren. Ich würde am liebsten jedem einzelnen meiner Leser die Überschrift dieses Kapitels auf die Brust tätowieren: «Geschäftsleute, die es nicht verstehen, sich Aufregungen vom Leibe zu halten, sterben jung.»

Hat Dr. Carrell damit *Sie* gemeint?

Leicht möglich.

Der erste Teil ganz kurz

Regel Nummer 1: Wollt Ihr lernen, Aufregung und innere Ängste zu vermeiden, dann macht es so wie Sir William Osler – lebt «in fest abgeriegelten Tagesfächern» (oder, wie er es auch nannte, «in zeitdichten Schotten»). Grübelt nicht über das nach, was kommen könnte. Lebt einfach einen Tag nach dem anderen bis zum Schlafengehen zu Ende.

Regel Nummer 2: Wenn Euch wieder einmal ein MISSGESCHICK (groß geschrieben!) aufs Korn nimmt oder Euch in die Enge treiben will, dann gedenkt Willis H. Carriers und seiner Zauberformel, indem Ihr

46

a) Euch die Frage vorlegt: Was kann mir schlimmstenfalls geschehen, wenn ich keine Lösung für meine Schwierigkeit finde?

b) Euch mit dem Schlimmsten abfindet – wenn es sein muß;

c) in aller Ruhe versucht, die schlimmsten Folgen – mit denen Ihr Euch im Geiste ja schon vertraut gemacht habt – nach Möglichkeit abzuwenden oder doch abzuschwächen.

Regel Nummer 3: Vergeßt nie, welch unermeßlichen Schaden Ihr Eurer Gesundheit zufügen könnt, wenn Ihr Euch sorgt und aufregt. «Geschäftsleute, die es nicht verstehen, sich Aufregungen vom Leibe zu halten, sterben jung.»

Zweiter Teil

Grundprinzipien der Analyse von Sorgen

Wie man quälende Probleme analysiert und zur Lösung bringt

Sechs Knechte hab' ich, bieder und brav,
Die lehrten mich alles, was ich kann.
Sie heißen das Was, das Wie, das Wo,
Warum und Wer und Wann.   Rudyard Kipling

Vermag Willis H. Carriers Zauberformel, die wir aus Teil I, Kapitel 2, kennen, alle quälenden Probleme zu lösen? Nein, das bestimmt nicht.

Was also *ist* die Antwort? Die Antwort ist, daß wir dahin gelangen müssen, mit Sorgen aller Art fertig zu werden, indem wir die drei grundlegenden Stufen der Problemanalyse beherrschen lernen. Diese drei Stufen sind:

1. Den Tatbestand genau feststellen.
2. Diesen Tatbestand analysieren.
3. Einen Beschluß fassen und danach handeln.

Das alles sei ja selbstverständlich? Nun freilich. Schon Aristoteles lehrte es – und hielt sich daran. Und Ihr und ich, wir alle müssen uns gleichfalls daran halten, sofern wir die Probleme meistern wollen, die uns bedrängen und uns unsere Tage und Nächte zur Hölle machen.

Nehmen wir die erste Regel: *den Tatbestand feststellen*. Warum ist das so wichtig? Weil wir ohne genaue Kenntnis der Tatsachen gar nicht darangehen können, unser Problem vernünftig zu erwägen. Ohne die Tatsachen vermögen wir nichts, als uns verworrenen Grübeleien zu überlassen. Meine persönliche Weisheit? Nein, die des seligen Herbert H. Hawkes, der zweiundzwanzig Jahre lang Dekan des Columbia College an der Columbia University war. Er hat in seinem Leben über zweihunderttausend Studenten geholfen, ihre quälenden Probleme zu lösen, und er sagte einmal zu mir: «Verworrenheit ist die Hauptursache eines zerquälten Gemüts.» Weiter erklärte er: «Gut die Hälfte aller Sorge und Aufregung in der Welt kommt daher, daß die Menschen Beschlüsse zu fassen versuchen, ehe sie noch recht wissen, worauf sich ihre Beschlüsse zu gründen haben. Wenn zum Beispiel eine schwierige Entscheidung vor mir liegt, die ich am nächsten Dienstag um drei Uhr treffen muß, dann versuche ich gar nicht erst, zu einem Beschluß zu gelangen, ehe der nächste Dienstag gekommen ist. Bis dahin verlege ich mich ausschließlich darauf, sämtliche auf die betreffende Angelegenheit bezüglichen Tatsachen zu ermitteln. Ich beunruhige mich nicht; ich rege mich nicht auf. Ich mache mir keine schlaflosen Nächte. Ich konzentriere mich einfach darauf, den Tatbestand festzustellen. Und wenn dann der betreffende Dienstag angerollt kommt und ich all meine Tatsachen schön beisammen habe, findet das Problem gewöhnlich ganz von selbst seine Lösung.»

Ich fragte Dekan Hawkes, ob er damit sagen wolle, daß er überhaupt niemals Aufregung oder innere Unruhe empfinde. «Jawohl», bestätigte er. «Ich kann, wie ich glaube, ehrlich behaupten, daß ich Sorge und Aufregung völlig aus meinem Leben ausgemerzt habe. Ich bin nämlich zu folgender Einsicht gekommen: sobald jemand sich nur genügend Zeit nimmt zu einer sachlichen, unparteiischen Feststellung des Tatbestandes, verflüchtigt sich seine Beunruhigung fast immer im Lichte der gewonnenen Erkenntnis.»

Daß ich es gleich wiederhole: *Sobald sich jemand genügend Zeit nimmt zu einer sachlichen, unparteiischen Feststellung des Tatbestandes, verflüchtigt sich seine Beunruhigung fast immer im Lichte der gewonnenen Erkenntnis.*

Was aber tun statt dessen die meisten von uns? Wenn wir uns überhaupt mit den Tatsachen befassen – und Thomas Edison sagte in vollem Ernst: «Es gibt keine Ausrede auf der Welt, die einem Menschen zu schlecht wäre, wenn er sich vor dem Nachdenken drücken möchte» – wenn wir uns also überhaupt mit den Tatsachen befassen, dann hetzen wir meist gleich Hühnerhunden solchen Tatsachen nach, mit denen wir unsere vorgefaßte Meinung stützen können, und kümmern uns einfach nicht um alle anderen. Uns liegt eben nur an den Tatsachen, die unsere Handlungen rechtfertigen, die sich mühelos in unser Wunschdenken einfügen und unsere bestehenden Vorurteile festigen.

André Maurois drückt das so aus: «Alles, was mit unseren persönlichen Wünschen im Einklang steht, scheint uns wahr, alles übrige erzürnt uns.»

Kann es dann wundernehmen, daß es uns so schwer fällt, eine Antwort auf unsere Probleme zu finden? Würden wir uns nicht der gleichen Schwierigkeit gegenübersehen, wenn wir eine Rechenaufgabe höheren Grades zu lösen suchten unter der Annahme, daß zweimal zwei fünf ist? Und doch gibt es eine Menge Menschen, die sich selbst und anderen das Leben zur Hölle machen, weil sie darauf beharren, daß zweimal zwei fünf sei – oder am Ende gar fünfhundert! Was ist dagegen zu machen? Wir müssen unsere Gefühle aus unserem Denken ausschalten und, wie Dekan Hawkes sagte, die Tatsachen «auf sachliche, unparteiische Weise» festzustellen suchen.

Das ist beileibe keine leichte Sache, wenn wir von innerer Unruhe gepeitscht werden, denn in solchen Augenblicken rennen unsere Gefühle gern mit uns davon.

Hier aber sind zwei Ratschläge, die mir selbst schon manchmal geholfen haben, Abstand von meinen Problemen zu gewinnen, so daß ich die Sachlage auf klare, leidenschaftslose Weise zu beurteilen vermochte.

1. Wenn ich versuche, den Tatsachen auf die Spur zu kommen, rede ich mir selbst ein, ich wolle mir die gewünschte Auskunft nicht für mich, sondern für jemand anderen verschaffen. Das ermöglicht es mir, zu einer kalten, unparteiischen Beurteilung des Beweismaterials zu gelangen und eine gefühlsmäßige Reaktion auszuschalten.

2. Wenn ich versuche, den Tatsachenbestand über das mich bedrängende Problem zu ermitteln, gebe ich zuweilen vor, ich sei der Rechtsbeistand der Gegenpartei. Mit anderen Worten, ich bemühe mich, alle gegen mich sprechenden Umstände zu erfahren – alle die Umstände, die meinen Wünschen zuwiderlaufen, alle die Umstände, vor denen ich am liebsten die Augen schließen möchte.

Hierauf pflege ich sowohl meine Seite der Angelegenheit wie die der Gegenpartei niederzuschreiben – und komme gewöhnlich zu dem Ergebnis, daß die Wahrheit irgendwo in der Mitte zwischen diesen beiden Extremen liegt.

Das, worauf ich hinauswill, ist folgende Erwägung: niemand – weder einer meiner Leser noch ich selbst, weder Einstein noch der Oberste Gerichtshof der Vereinigten Staaten – ist so übergescheit, daß er einen intelligenten Beschluß über eine Frage fassen könnte, ohne erst die damit verbundenen Tatsachen zu kennen. Thomas Edison wußte das. Als er starb, hinterließ er zweitausendfünfhundert Notizbücher voller Fakten über die Probleme, mit denen er jeweils beschäftigt gewesen war.

Regel Nummer 1 zur Lösung unserer Probleme ist also: Setzt Euch in den Besitz der Tatsachen. Macht es wie Dekan Hawkes: unternehmt keinen Versuch, Eure Probleme zu lösen, ohne erst auf unparteiische Weise sämtliche Tatsachen erkundet zu haben.

Alle Tatsachen in der Welt können indes nichts nützen, bis wir sie analysiert und gedeutet haben.

Bittere Erfahrung hat mich gelehrt, daß es weitaus leichter ist, einen Tatbestand zu analysieren, wenn man ihn schriftlich niederlegt. Schon die bloße Niederschrift aller hineinspielenden Umstände und eine klare Darlegung unseres Falles hilft uns ein gutes Stück vorwärts auf dem Wege zu vernünftiger Beschlußfassung. Charles Kettering sagt darüber: «Ein klar formuliertes Problem ist ein halb gelöstes Problem.»

Laßt mich Euch zeigen, wie sich das alles praktisch auswirkt. Und da die Chinesen sagen, daß ein Bild tausend Worte aufwiegt, ist es vielleicht am besten, ich zeige Euch im Bilde, wie ein Mann genau das, was wir soeben erörtern, in die konkrete Tat umsetzte.

Nehmen wir den Fall von Galen Litchfield – einem Mann, den ich seit mehreren Jahren kenne. Er ist einer der erfolgreichsten amerikanischen Geschäftsleute im Fernen Osten. Mr. Litchfield befand sich 1942, als die Japaner in Shanghai einfielen, in China. Hier ist seine Geschichte, wie er sie mir erzählte, als er einmal bei mir zu Besuch war:

«Kurz nachdem die Japaner Pearl Harbour angegriffen hatten, kamen sie in dichten Massen nach Shanghai geschwärmt. Ich war damals dort Geschäftsführer der Asiatischen Lebensversicherungsgesellschaft. Sie schickten uns einen ‚militärischen Liquidator‘ auf den Hals und befahlen mir, ihm bei der Liquidierung unseres Geschäftsvermögens behilflich zu sein. Es blieb mir keine Wahl. Entweder ich verstand mich dazu, oder... Und das ‚oder‘ war der gewisse Tod.

Ich tat also, als führte ich alles aus, was mir aufgetragen wurde. Aber wir besaßen unter anderem ein Paket Wertpapiere im Betrage von 750 000 Dollar, und dieses ließ ich aus meiner Aufstellung weg, weil es unserer Tochtergesellschaft in Hongkong gehörte und mit den Shanghaier Papieren nichts zu tun hatte. Trotzdem fürchtete ich, daß ich in Teufels Küche geraten würde, falls die Japaner mir auf die Schliche kämen. Und das dauerte nicht lange.

Ich war nicht im Büro, als sie die Sache entdeckten, aber mein erster Buchhalter war dort. Er berichtete mir, der japanische Admiral habe einen Wutanfall bekommen, mit den Füßen gestampft und geflucht, mich einen Dieb und Verräter geschimpft. Ich hatte der japanischen Armee Trotz geboten! Was das hieß, wußte ich. Sie würden mich ins ‚Brückenhaus‘ werfen!

Das Brückenhaus – die Folterkammer der japanischen Gestapo! Mehrere meiner persönlichen Freunde hatten es vorgezogen, sich selbst das Leben zu nehmen, als sich dorthin abführen zu lassen. Andere Freunde waren dort gestorben, nachdem sie zehn Tage lang verhört und gefoltert worden waren. Und jetzt stand mir selbst das Brückenhaus bevor!

Was ich tat? Es war Sonntagnachmittag, als ich die Nachricht erhielt. Ich hätte wohl eigentlich zu Tode erschrocken sein sollen. Und ich wäre es auch gewesen, hätte ich nicht eine besondere Technik gehabt, meine Probleme in Angriff zu nehmen. Seit Jahren hatte ich mich stets, wenn mich etwas beunruhigte oder ängstigte, sofort an die Schreibmaschine gesetzt, um zwei Fragen hinzuschreiben – und die Antworten darauf ebenfalls:

1. Worüber beunruhige ich mich?
2. Was kann ich dagegen tun?

Früher versuchte ich diese Fragen zu beantworten, ohne sie hinzuschreiben. Das habe ich aber seit Jahren aufgegeben, denn es zeigte sich, daß es meine Gedanken klärte, wenn ich sowohl Fragen wie Antworten niederschrieb. Somit ging ich an jenem Sonntagnachmittag sofort auf mein Zimmer in der Shanghaier YMCA und holte meine Schreibmaschine hervor. Dann schrieb ich:

1. Worüber bin ich beunruhigt?

Ich fürchte, morgen ins Brückenhaus geworfen zu werden.

Darauf kam die zweite Frage daran:

2. Was kann ich tun, um das abzuwenden?

Die nächsten Stunden verbrachte ich damit, über die vier Wege nachzudenken, die einzuschlagen mir offenstand, und sie nebst ihren voraussichtlichen Folgen aufzuschreiben. Das Ergebnis war dies:

1. Ich kann versuchen, mich dem japanischen Admiral zu erklären. Aber er ‚nicht sprechen Englisch‘. Versuche ich, ihm die Sache mittels eines Dolmetschers zu erklären, dann bringe ich ihn womöglich von neuem in Wut. Das kann den Tod bedeuten, denn er ist grausam und wird mich lieber ins Brückenhaus schmeißen, als sich auf Erörterungen einlassen.

2. Ich kann versuchen zu entkommen. Unmöglich. Sie spüren mir die ganze Zeit nach. Ich muß mich jedesmal eintragen, wenn ich

mein Zimmer in der YMCA verlasse oder betrete. Falls ich versuche zu entkommen, werde ich wahrscheinlich ergriffen und erschossen werden.
3. Ich kann hier in meinem Zimmer bleiben und mich nicht mehr im Büro sehen lassen. Tue ich das, so erregt es sicher den Argwohn des Admirals, und er wird wahrscheinlich Soldaten nach mir ausschicken und mich ins Brückenhaus werfen lassen, ohne daß ich die Möglichkeit hatte, ein einziges Wort zu meiner Verteidigung zu sagen.
4. Ich kann Montagmorgen wie gewöhnlich ins Büro hinunter gehen. In diesem Falle besteht die Möglichkeit, daß der japanische Admiral so viel zu tun hat, daß er nicht an das denkt, was ich getan habe. Und selbst wenn er daran denkt, hat er sich inzwischen vielleicht etwas beruhigt, so daß er mich in Frieden läßt. Wenn das geschieht, bin ich gerettet. Aber selbst wenn er mich nicht in Frieden läßt, bleibt mir dann immer noch die Möglichkeit eines Versuches, ihm die Sache zu erklären. Also gewinne ich, wenn ich mich am Montagmorgen wie üblich im Büro einfinde, zwei Chancen, dem Brückenhaus zu entgehen.

Sobald ich die Sache so durchdacht und beschlossen hatte, dem vierten Plan gemäß zu handeln, das heißt am Montag wie gewöhnlich ins Büro zu gehen, fühlte ich eine ungeheure Erleichterung.

Als ich am Tag darauf ins Büro kam, fand ich den japanischen Admiral vor, der mit einer Zigarette im Mundwinkel dasaß. Wie gewöhnlich blickte er mich durchdringend an – doch er sagte nichts. Sechs Wochen später kehrte er gottlob nach Tokio zurück, und meine Sorgen hatten ein Ende.

Wie ich schon sagte, verdanke ich mein Leben meinem Entschluß, mich an jenem Sonntagnachmittag an die Schreibmaschine zu setzen und die verschiedenen Maßnahmen schriftlich auszuarbeiten, die ich ergreifen könnte, sodann die voraussehbare Folge jeder einzelnen Maßnahme hinzuschreiben und endlich in aller Ruhe meinen Entschluß zu fassen. Hätte ich das unterlassen, so wäre ich vielleicht unsicher gewesen, hätte gezaudert und mir vom Augenblick eine Handlungsweise eingeben lassen, die sich dann als verkehrt erwiesen hätte. Wenn ich nicht gründlich über meine schwierige Lage nachgedacht und einen Beschluß gefaßt hätte, würde ich den ganzen Sonntagnachmittag in unsinniger Aufregung zugebracht haben. Ich hätte in der Nacht darauf jedenfalls nicht geschlafen, wäre am Montag früh verstört und zermürbt im Büro erschienen, und dies allein hätte leicht den Argwohn des japanischen Admirals erwecken und ihn zum Vorgehen gegen mich reizen können.

Die Erfahrung hat mir Mal um Mal den ungeheuren Wert der ruhigen Entschlußfassung bewiesen. Schuld daran, daß Menschen so oft nervöse Zusammenbrüche erleiden und ein Höllendasein führen, ist ihre Unfähigkeit, zu einem Entschluß zu kommen, die Unfähigkeit, sich aus dem immer wieder rundum führenden Gedankenkreislauf zu lösen, der sie verrückt macht. Ich finde, daß fünfzig Prozent meiner Sorgen sich in nichts auflösen, sobald ich einmal zu einem klaren, bestimmten Entschluß komme; weitere vierzig Prozent verflüchtigen sich gewöhnlich, sobald ich den Entschluß in die Tat umzusetzen beginne.

Auf diese Weise jage ich etwa neunzig Prozent meiner Ängste und Sorgen zum Teufel, indem ich viererlei tue, nämlich:

1. Genau aufschreibe, worüber ich mich sorge.
2. Aufschreibe, was ich dagegen tun kann.
3. Beschließe, was ich tun werde.
4. Unverzüglich beginne, diesen Entschluß auszuführen.»

Galen Litchfield ist zurzeit Fernöstlicher Direktor für die Firma Starr, Park & Freeman Inc., 111, John Street, New York, die Vertreterin großer Versicherungs- und Finanzinteressen.

Wie ich bereits sagte, ist Galen Litchfield tatsächlich heute einer der bedeutendsten Geschäftsleute in Asien. Und dieser Mann bekannte mir, daß er einen großen Teil seines Erfolges dieser Methode der Analysierung und sofortigen Inangriffnahme von Lebensschwierigkeiten verdankt.

Warum ist diese Methode so hervorragend? Weil sie durchschlagend und konkret ist und unmittelbar auf den Kern der Schwierigkeit losgeht. Hinzu kommt, daß sie ihren Höhepunkt in der dritten und unumgänglichen Regel findet: Tut etwas dagegen! Wenn wir nämlich nicht zum Handeln schreiten, ist unser ganzes Tatsachenfeststellen, unsere ganze Analyse nutzlose Kraftvergeudung und Zeitverschwendung.

Das hat auch William James bestätigt: «Sobald einmal ein Entschluß gefaßt ist und seine Ausführung bevorsteht, dann macht euch augenblicklich von jeder Verantwortungsbeschwertheit und aller Sorge um den Ausgang frei.» James meint damit, man solle, wenn man einmal zu einem sorgsam erdachten, auf Tatsachen beruhenden Entschluß gelangt sei, auch sofort *zum Handeln schreiten*. Nicht einhalten und wieder zu überlegen anfangen. Nicht erst ins Zaudern geraten, sich ängstigen und wieder zurückweichen. Sich nicht in Zweifeln an sich selbst verlieren, welche andere Zweifel im Gefolge haben. Nicht fortwährend über die Schulter zurückblicken.

Ich fragte einmal Waite Phillips, einen der größten Ölgewaltigen von Oklahoma, wie er seine Beschlüsse in die Tat umzusetzen pflege. Er antwortete: «Ich finde, über einen gewissen Punkt hinaus immer weiter über Probleme nachzudenken, kann nur zu Verwirrung und Beunruhigung führen. Es kommt einmal der Zeitpunkt, von dem an jedes weitere Nachforschen und Nachdenken schädlich ist. Es kommt der Zeitpunkt, wo wir uns entscheiden und handeln müssen und uns nicht länger um Vergangenes kümmern dürfen.»

Warum wendet nicht auch Ihr auf der Stelle Galen Litchfields Technik an, um irgendeine Schwierigkeit, die Euch gerade bedrückt, der Lösung entgegenzuführen?

Hier habt Ihr die Frage Nummer 1. – *Worüber beunruhige ich mich?* (Bitte die Antwort hier einsetzen.)

Frage Nummer 2. – *Was kann ich dagegen tun?* (Antwort auf diese Frage bitte hier aufschreiben.)

Frage Nummer 3. – *Was werde ich dagegen tun?*

Frage Nummer 4. – *Wann fange ich mit diesen Gegenmaßnahmen an?*

Wenn Ihr Geschäftsleute seid, sagt Ihr Euch jetzt wahrscheinlich sofort: «Dieses Kapitel hat ja eine lächerliche Überschrift! Ich leite mein Geschäft nun seit neunzehn Jahren, und wenn jemand genau darüber Bescheid weiß, bin zweifellos ich es. Und da kommt einer daher und will mir erzählen, wie ich fünfzig Prozent meiner geschäftlichen Sorgen ausschalten kann – das ist ja der reinste Blödsinn!»

Nicht schlecht geurteilt – genauso hätte ich vor ein paar Jahren selbst reagiert, wäre mir diese Überschrift vor Augen gekommen. Sie verspricht eine Menge – und Versprechen und Halten ist zweierlei.

Seien wir darum ganz ehrlich: vielleicht kann ich Euch *nicht* helfen, fünfzig Prozent Eurer geschäftlichen Sorgen loszuwerden. Letzten Endes ist dazu niemand imstande außer Euch selbst. Was ich hingegen tun *kann*, ist, Euch zu zeigen, wie andere Leute es getan haben – und Euch das übrige dann selbst zu überlassen.

Man erinnert sich vielleicht, daß ich weiter vorn den weltbekannten Arzt Dr. Alexis Carrell anführte und daß er sagte: «Geschäftsleute, die es nicht verstehen, sich Aufregungen vom Leibe zu halten, sterben jung.»

Wenn nun Sorge und Aufregung so ernste Folgen haben, wäret Ihr dann nicht schon ganz zufrieden, wenn ich Euch helfen könnte, nur zehn Prozent Eurer Sorgen loszuwerden?... Ja?... Gut! Dann will ich jetzt berichten, wie ein Geschäftsmann in verantwortlicher Stellung nicht fünfzig Prozent seiner Sorgen, sondern fünfundsiebzig Prozent der gesamten Zeit ausschaltete, die er vordem in Konferenzen zu verbringen pflegte, um auf diese Art für seine geschäftlichen Probleme eine Lösung zu finden.

Und diese Geschichte dreht sich nicht etwa um einen «Herrn Maier» oder «Herrn X», oder «einen Bekannten von mir aus Ohio» – nebelhafte Angaben also, die niemand nachprüfen kann. Sie betrifft einen durchaus wirklichen Menschen – Leon Shimkin, Teilhaber und Generaldirektor eines der angesehensten Verlagshäuser in den Vereinigten Staaten: Simon & Schuster, Rockefeller Center, New York 20.

Hier ist Leon Shimkins Erlebnis in seinen eigenen Worten:

«Fünfzehn Jahre lang verbrachte ich fast die Hälfte jedes einzelnen Geschäftstages damit, Konferenzen abzuhalten und Schwierigkeiten zu erörtern. Was sollten wir tun – dies oder das – oder überhaupt nichts? Dabei pflegten wir nervös und gereizt zu werden; uns auf unseren Stühlen zu drehen und zu winden; im Zimmer hin und her zu rennen; hitzig zu diskutieren und im Kreise herumzulaufen. Wenn der Abend hereinbrach, war ich jedesmal völlig erschöpft. Ich war ganz gewärtig, diese Existenz bis zu meinem Lebensende fortzuführen, denn fünfzehn Jahre lang hatte ich es nun schon getan, und es war mir nie eingefallen, daß man es auch besser machen könnte. Wer mir gesagt hätte, ich könnte drei Viertel der ganzen Zeit, die ich auf diesen quälenden Konferenzen verbrachte, und drei Viertel meiner nervösen Anspannung ausschalten – den hätte ich einen halbirren, unbekümmert drauflos lebenden Klubsesseloptimisten gescholten. Und doch dachte ich mir selbst einen Plan aus, der genau dies zuwegebrachte. Seit acht Jahren halte ich mich an diesen Plan. Er hat Wunder gewirkt – sowohl in bezug auf meine Gesundheit und Leistungsfähigkeit wie auf mein Lebensglück.

Das klingt wie ein Zauberkunststück – aber gleich einem solchen ist die Sache ungeheuer einfach, sobald man weiß, wie es gemacht wird.

Hier haben Sie das Geheimnis: Zunächst einmal machte ich eines Tages einfach Schluß mit dem Verfahren, das ich die letzten fünfzehn Jahre in meinen Konferenzen angewandt hatte – und das damit begann, daß meine sorgenbeschwerten Mitarbeiter alle Einzelheiten der Vorfälle ausbreiteten, die nicht wunschgemäß verlaufen waren, und mit der Frage endete: ‚Was sollen wir tun?‘ Zweitens erließ ich eine neue Anweisung – die Anweisung, daß jeder, der mir eine Schwierigkeit zu unterbreiten wünschte, zuerst ein Memorandum ausarbeiten und vorlegen mußte, das folgende vier Fragen beantwortete:

Erste Frage: *Worin besteht die Schwierigkeit?*

(In den alten Tagen pflegten wir ein bis zwei Stunden in nervösen Erörterungen zu verbringen, ohne daß jemand einen genauen und konkreten Begriff davon hatte, um was es sich im besonderen handelte. Wir steigerten einander dabei in eine erregte Stimmung hinein und besprachen unsere Probleme, ohne uns je die Mühe zu geben, erst aufzuschreiben, worin die besondere Schwierigkeit bestand.)

Zweite Frage: *Was ist die Ursache der Schwierigkeit?*

(Wenn ich heute auf meine Laufbahn zurückblicke, bin ich entsetzt über die vergeudeten Stunden, die ich in erregten Erörterungen zubrachte, ohne jemals die der Schwierigkeit zugrundeliegenden Umstände genau festzustellen zu suchen.)

Dritte Frage: *Welches sind sämtliche sich bietenden Lösungen der Schwierigkeit?*

(Früher ging es so zu, daß einer der Anwesenden irgendeine Lösung vorschlug. Ein anderer erhob dann Einwände dagegen. Man wurde erregt und kam oft völlig vom Gegenstand ab, und am Schluß der Konferenz hatte gewöhnlich kein einziger die verschiedenen Möglichkeiten aufnotiert, die sich boten, um der Schwierigkeit Herr zu werden.)

Vierte Frage: *Welche Lösung schlagen Sie vor?*

(Gewöhnlich hatte ich bei einer Konferenz einen Mann vor mir, der sich seit Stunden den Kopf über irgendeine Situation zerbrochen hatte und dessen Gedanken im Kreise herum liefen, ohne daß er überhaupt sämtliche möglichen Auswege durchdacht und dann hingeschrieben hätte: ,Das und das empfehle ich zu tun.'

Heute kommen meine Mitarbeiter nur selten mit ihren Schwierigkeiten zu mir. Warum? Weil sie herausgefunden haben, daß sie zur Beantwortung dieser vier Fragen die Sachlage genau feststellen und dann ihre Schwierigkeiten durchdenken müssen. Und haben sie das einmal getan, dann finden sie in drei Vierteln aller Fälle, daß sie mich überhaupt nicht mehr um Rat zu fragen brauchen, weil die angemessene Lösung ganz von selbst herausspringt, wie ein Stück Brot aus einem elektrischen Röstapparat. Und selbst in Fällen, wo noch eine gemeinsame Beratung nötig ist, beansprucht unsere Besprechung nur etwa ein Drittel der früher benötigten Zeit, weil sie sich auf geordneten, logischen Bahnen einem vernunftgemäßen Schlusse zubewegt.)

Heute wird in der Firma Simon & Schuster bedeutend weniger Zeit damit zugebracht, sich über Dinge, die nicht klappen wollen, zu *beunruhigen* und sie zu *erörtern*; dafür wird in der Richtigstellung auftauchender Schwierigkeiten bedeutend mehr *geleistet*.»

«Vor Jahren», so erzählt mein Freund Frank Bettger, «als ich zuerst den Verkauf von Versicherungspolicen aufnahm, war ich von grenzenloser Liebe und Begeisterung für meine Arbeit erfüllt. Dann fing es an, schlecht damit zu gehen, und darüber verlor ich so gründlich allen Mut, daß ich meine Tätigkeit zu hassen begann und schon daran dachte, sie aufzugeben. Ich glaube, ich hätte es wirklich getan – wäre mir nicht eines Samstagmorgens die Idee gekommen, mich hinzusetzen und zu versuchen, ob ich nicht meinen Schwierigkeiten auf den Grund kommen könnte.

1. Zunächst fragte ich mich: ,*Worin besteht eigentlich die Schwierigkeit?*' Sie bestand in folgendem: *Meine Ausbeute stand in gar keinem Verhältnis zu der riesigen Anzahl von Geschäftsbesuchen, die ich machte.* Einen Kunden halbwegs zu gewinnen, das war meist gar nicht schwierig. Kam aber der kritische Augenblick, wo der Verkauf der Prämie abgeschlossen werden sollte, so sagte der Kunde gewöhnlich: ,Nun schön, Mr. Bettger, ich will mir's überlegen. Kommen Sie doch mal wieder vorbei.' All die mit diesen Nachgreifbesuchen vergeudete Zeit hatte bei mir zu einer tiefen Niedergeschlagenheit geführt.

2. Ich legte mir die Frage vor: ,*Was für Lösungen bieten sich dafür?*' Um jedoch hierauf Antwort geben zu können, mußte ich erst einmal die Tatsachen feststellen. So blätterte ich meine Eintragungen der letzten zwölf Monate durch und sah mir die Zahlen darin genau an. *Da machte ich eine verblüffende Feststellung!* Schwarz auf weiß zeigte sich, daß siebzig Prozent meiner Policenverkäufe beim allerersten Besuch abgeschlossen worden waren! Dreiundzwanzig Prozent waren beim zweiten Besuch abgeschlossen worden. Und nur *sieben Prozent meiner Abschlüsse* waren jenen dritten, vierten oder fünften Besuchen zu verdanken, die mich ganz elend machten und soviel Zeit in Anspruch nahmen! Mit anderen Worten, ich vergeudete einen vollen halben Arbeitstag für denjenigen Teil meines Geschäfts, der mir nur sieben Prozent Erfolg brachte!

3. ,*Was ergibt sich daraus?*' Die Antwort war klar und eindeutig. Ich ließ sofort alle Bemühungen fallen, die mehr als zwei Besuche erforderten, und benutzte die so gewonnene Zeit, mir neue Verkaufschancen aufzubauen. Das Ergebnis war unerhört. In ganz kurzer Zeit hatte ich den Barwert jedes Besuches, den ich machte, von 2,80 Dollar auf 4,27 Dollar erhöht!»

Heute ist Frank Bettger einer der bekanntesten Versicherungsleute des Landes. Er arbeitet für die Fidelity Mutual in Philadelphia und schreibt alljährlich Policen in der Höhe von einer Million Dollar aus. Und doch war er nahe daran, die Flinte ins Korn zu werfen. Er war nahe daran, das Fehlschlagen seiner Bemühungen als gegeben hinzunehmen – bis er in der *Analysierung* seiner Schwierigkeiten einen glückbringenden Wegweiser zum Erfolg entdeckte.

Könnt auch Ihr diese Fragen auf *Eure* geschäftlichen Schwierigkeiten anwenden? Ich wiederhole meine Behauptung: Sie *können* fünfzig Prozent aller Geschäftssorgen ausschalten. Hier sind diese Fragen noch einmal:

1. Worin besteht die Schwierigkeit?
2. Was ist die Ursache der Schwierigkeit?
3. Welches sind sämtliche sich bietenden Lösungen der Schwierigkeit?
4. Zu welcher Lösung raten Sie?

Der zweite Teil ganz kurz

Regel Nummer 1: Stellt den Tatbestand genau fest. Denkt daran, was Dekan Hawkes von der Columbia-Universität sagte: «Die Hälfte aller Aufregung und Sorge in der Welt kommt davon, daß die Menschen ihre Beschlüsse zu fassen versuchen, ehe sie noch recht wissen, worauf diese sich zu gründen haben.»

Regel Nummer 2: Erwägt sämtliche Tatsachen eingehend, dann faßt einen Beschluß.

Regel Nummer 3: Ist der Beschluß durch sorgfältige Erwägung einmal gefaßt, so handelt! Zaudert nicht, Eure Entscheidung in die Tat umzusetzen, und laßt alle Angst über das Ergebnis fahren.

Regel Nummer 4: Wenn Ihr oder jemand, mit dem Ihr zu tun habt, im Begriffe steht, Euch übermäßiges Kopfzerbrechen über irgendeine Schwierigkeit zu machen, dann schreibt Euch die folgenden Fragen auf ein Stück Papier und beantwortet sie:

a) Worin besteht die Schwierigkeit?
b) Was ist die Ursache der Schwierigkeit?
c) Was für Lösungen kann es geben?
d) Welches ist die beste Lösung?

Neun Ratschläge, wie man den größten Gewinn aus diesem Buch ziehen kann

1. Wollt Ihr gern alles aus diesem Buche herausholen, was herauszuholen ist, dann gibt es dafür eine wesentliche, unumgängliche Voraussetzung, die unendlich viel wichtiger ist als alle Regeln und

alle Technik. Erfüllt Ihr diese eine, grundsätzliche Bedingung nicht, so nützen Euch tausend Lernvorschriften nur wenig. Besitzt Ihr hingegen diese ausschlaggebende Fähigkeit, dann könnt Ihr Wunder vollbringen, auch wenn Ihr keine einzige Vorschrift darüber lest, wie man meinem Buche den größten Nutzen abgewinnen kann.

Was aber ist diese wunderwirkende Voraussetzung? Nichts weiter als *eine tiefe, drängende Begier zu lernen, eine krafterfüllte Entschlossenheit, Euch das Sorgen abzugewöhnen und von nun an zu leben.*

Und wie könnt Ihr diesen Drang in Euch entwickeln? Indem Ihr Euch ständig gegenwärtig haltet, wie wesentlich diese Grundsätze für Euch sind. Stellt Euch recht lebhaft vor, um wieviel reicher und glücklicher Ihr leben könnt, wenn Ihr sie einmal beherrscht. Sagt Euch immer und immer wieder: «Meine Gemütsruhe, mein Glück, meine Gesundheit, ja vielleicht sogar mein Einkommen werden auf lange Sicht zum großen Teil davon abhängen, ob ich die alten, selbstverständlichen und ewigen Wahrheiten, wie dieses Buch sie lehrt, praktisch verwerte.»

2. Lest jedes einzelne Kapitel erst einmal geschwind durch, um einen allgemeinen Überblick zu erlangen. Vermutlich werdet Ihr Euch sodann versucht fühlen, gleich zum nächsten Abschnitt überzugehen. Tut dies aber nicht – es sei denn, Ihr lest das Buch rein zur Unterhaltung. Lest Ihr es jedoch, um Eurer Sorgen ledig zu werden und leben zu lernen, so blättert wieder zurück und *lest jedes Kapitel von neuem gründlich durch.* Auf die Länge erspart Ihr Euch damit Zeit und richtet mehr aus.

3. *Haltet häufig im Lesen inne, um über das Gelesene nachzudenken.* Fragt Euch, auf welche Art und bei welcher Gelegenheit Ihr jeden einzelnen der Ratschläge praktisch anwenden könnt. Eine derartige Lektüre wird Euch viel weiter fördern, als wenn Ihr durch das ganze Buch hindurchjagt gleich einem Windhund, der einem Kaninchen nachsetzt.

4. *Lest mit einem Bleistift, Rotstift oder einer Feder in der Hand, und wenn Ihr an eine Stelle kommt, die eine Euch nützlich erscheinende Anregung enthält, so streicht sie an der Seite an.* Ist es eine Anregung allererster Güte, dann unterstreicht jeden Satz oder macht ein paar Kreuze am Rand. Durch Ankreuzen und Unterstreichen wird ein Buch nicht nur interessanter, sondern auch leichter verständlich und übersichtlicher.

5. Ich habe einen Bekannten, der seit fünfzehn Jahren Leiter eines großen Versicherungskonzerns ist. Er liest jeden Monat von neuem sämtliche Verträge durch, die seine Gesellschaft ausstellt. Jawohl, Monat für Monat und Jahr für Jahr liest er dieselben Verträge wieder durch. Warum? Weil die Erfahrung ihn gelehrt hat, daß es die einzige Art ist, wie er ihre Bedingungen klar im Gedächtnis behalten kann.

Ich verbrachte einmal nahezu zwei Jahre damit, ein Buch über öffentliches Reden zu schreiben; und doch finde ich, daß ich es mir von Zeit zu Zeit wieder ansehen muß, um mich zu erinnern, was ich selber geschrieben habe. Es ist erstaunlich, wie schnell wir vergessen.

Wollt Ihr also wirklichen, dauernden Nutzen aus diesem Buch ziehen, so denkt nicht, es einmal rasch zu überfliegen sei genug. Nachdem Ihr es gründlich durchgearbeitet habt, solltet Ihr jeden Monat ein paar Stunden erübrigen, um Euch von neuem damit vertraut zu machen. Legt es vor Euch auf Euren Schreibtisch, wo Ihr es jeden Tag seht. Blättert oft darin. Prägt Euch dauernd die reichen Möglichkeiten zu weiterer Besserung ein, die noch vor Euch liegen. Erinnert Euch daran, daß der Gebrauch dieser Grundsätze nur durch stete aktive Wachsamkeit und kraftvolle praktische Anwendung zur zweiten Natur werden kann. Einen anderen Weg gibt es nicht.

6. Bernard Shaw bemerkte einmal: «Wenn man einen Menschen etwas lehrt, wird er es niemals lernen.» Shaw hatte ganz recht. *Lernen ist ein aktiver Vorgang. Wir lernen, indem wir tun. Wünscht Ihr also die Grundsätze, über die Ihr Euch in diesem Buch informiert, zu meistern, so tut etwas. Wendet diese Regeln bei jeder Gelegenheit an.* Tut Ihr das nicht, so werdet Ihr sie rasch vergessen haben. Man merkt sich nur das, was man ständig befolgt.

Wahrscheinlich wird es Euch schwer fallen, diese Ratschläge die ganze Zeit anzuwenden. Ich weiß das, denn obwohl ich selbst das Buch geschrieben habe, finde ich es dennoch oft schwer, alles zu beobachten, was ich darin befürworte. Vergeßt daher beim Lesen nicht, daß es Euch nicht lediglich darum zu tun ist, Euch zu informieren. Ihr seid dabei, neue Gewohnheiten anzunehmen. O ja, Ihr seid dabei, eine neue Lebensweise zu finden. Das braucht Zeit und Beharrlichkeit und tägliche Übung.

Schlagt darum dieses Buch oftmals auf. Betrachtet es als ein praktisches Handbuch zur Überwindung tagtäglicher Sorgen und Aufregungen. Und wenn sich irgendeine Schwierigkeit unliebsam vor Euch erhebt, dann regt Euch nicht gleich auf. Tut nicht, was «natürlich» ist, daß heißt, handelt nicht impulsiv, denn das ist gewöhnlich falsch. Wendet Euch stattdessen an diese Seiten und seht Euch die Abschnitte wieder an, die Ihr unterstrichen habt. Und dann bemüht Euch, es auf die neue Art zu versuchen, und Ihr werdet erleben, welche Wunder sie für Euch zu wirken vermag.

7. Falls Ihr Euren Frauen für jedes Mal, wenn sie Euch bei einem Verstoß gegen einen der hier empfohlenen Grundsätze ertappen, eine kleine Geldbuße versprecht, dann werden sie Euch schnell an ihre Befolgung zu gewöhnen wissen!

8. Schlagt bitte Seite 218 dieses Buches auf und lest nach, wie der Wall-Street-Bankier H. P. Howell und der alte Benjamin Franklin ihre Fehler korrigierten. Warum bedient Ihr Euch nicht der von den beiden angewandten Techniken, um zu überprüfen, wie es mit Eurer eigenen Anwendung der hier erörterten Grundsätze steht? Tut Ihr das, so werden sich zwei Dinge ergeben:
Erstens werdet Ihr feststellen, daß Ihr in einem spannenden und unbezahlbaren Erziehungsprozeß begriffen seid.
Zweitens werdet Ihr finden, daß Eure Fähigkeit, mit den Sorgen Schluß zu machen und statt dessen einfach zu leben, wachsen und gedeihen wird wie die Krone eines grünenden Baumes.

9. Führt ein Tagebuch – und verzeichnet darin Eure Triumphe in der Anwendung dieser Grundsätze. Seid ausführlich. Gebt Namen, Daten und Erfolge an. Das Führen eines solchen Buches wird Euch zu neuen und größeren Anstrengungen anspornen. Und wie fesselnd diese Aufzeichnungen für Euch sein werden, wenn sie Euch, Jahre später, eines Abends wieder einmal in die Hände fallen!

Mit kurzen Worten

1. Fördert in Euch eine tiefe, drängende Begier, Euch die Grundsätze zu eigen zu machen, wie man seinen Sorgen ein Ende bereitet.

2. Lest jedes Kapitel zweimal, bevor Ihr das folgende in Angriff nehmt.

3. Fragt Euch beim Lesen oft, in welcher Weise Ihr die gegebenen Ratschläge verwenden könnt.

4. Unterstreicht alles Wichtige.

5. Schlagt allmonatlich das Buch wieder auf.

6. Wendet die darin enthaltenen Grundsätze bei jeder Gelegenheit an. Benutzt das Buch als praktischen Wegweiser zur Lösung Eurer tagtäglichen Schwierigkeiten.

7. Macht aus Euren Bemühungen ein lustiges Spiel, indem Ihr einem Freund eine kleine Geldsumme versprecht, so oft er Euch bei einem Verstoß gegen einen dieser Grundsätze ertappt.

8. Prüft allwöchentlich nach, was für Fortschritte Ihr gemacht habt. Fragt Euch, was für Fehler Ihr begangen, worin Ihr es besser gemacht, welche Lehren für die Zukunft Ihr aus Euren Erlebnissen gezogen habt.

9. Führt ein Tagebuch (und legt es zu diesem Buch), worin Ihr verzeichnet, wann und wie Ihr die besprochenen Grundsätze angewandt habt.

Dritter Teil

Wie man sich das Sorgen abgewöhnt,
ehe es einen zugrunde richtet

Nie werde ich jene Nacht vergessen, als Marion J. Douglas – (dies ist nicht sein richtiger Name; ich habe auf seinen Wunsch einen anderen gewählt) – in einem meiner Abendkurse für Erwachsene uns anderen seine Lebensgeschichte erzählte. Zweimal, so begann er, habe ein furchtbarer Schlag ihn und seine Frau getroffen. Das erste Mal, als sie ihr heißgeliebtes fünfjähriges Töchterchen verloren. Damals glaubten sie kaum, über ihren Verlust hinwegkommen zu können. «Bis», so sagte er, «Gott uns nach zehn Monaten wieder ein Töchterchen schenkte. Doch nach fünf Tagen starb auch dieses.»

Dieser zweifache Verlust erwies sich als fast zuviel. «Ich kam nicht darüber hinweg», erzählte uns der hartgeprüfte Vater. «Ich schlief nicht mehr, ich aß nicht mehr, ich fand keine Ruhe mehr, konnte nie entspannen. Meine Nerven waren völlig erledigt, mein Glaube an das Leben war geschwunden.» Schließlich zog er mehrere Ärzte zu Rate. Der eine empfahl ihm Schlafmittel, der andere eine Reise. Er versuchte beides, doch ohne jeden Erfolg. «Es war mir», so sagte er, «als säße mein ganzer Körper in einem Schraubstock, der sich fester und fester um mich zusammenzog.» Der Kummer hatte ihn innerlich verkrampft, wie jeder verstehen wird, der ähnliches erlebt hat.

«Doch gottlob war mir noch ein Kind geblieben – ein vierjähriger Junge. Er verhalf mir zur Lösung meiner Bedrängnis. Eines Nachmittags, als ich müßig dasaß und meinem Selbstmitleid nachhing, sagte er zu mir: ‚Vati, willst du mir nicht ein Schiff bauen?‘ Ich hatte keine Lust, ein Schiff zu bauen. Aber mein Sohn läßt nicht so leicht locker! Und schließlich mußte ich nachgeben.

Es dauerte ungefähr drei Stunden, bis das Spielzeug gebaut war. Als es fertig war, wurde mir bewußt, daß diese drei Stunden die ersten Stunden geistiger Entspannung gewesen waren, die ich seit Monaten erlebt hatte!

Diese Entdeckung versetzte meiner Lethargie einen Stoß und veranlaßte mich, ein wenig nachzudenken – zum erstenmal seit Monaten. Es wurde mir dabei klar, daß es schwierig ist, sich zu sorgen, während man mit etwas beschäftigt ist, das Planen und Überlegen erfordert. In meinem Falle hatte das Bauen des Schiffleins meinen Kummer knockout geschlagen. Daher beschloß ich, mir von jetzt an Beschäftigung zu verschaffen.

Am nächsten Abend ging ich im ganzen Haus von Zimmer zu Zimmer, um eine Liste all der Dinge zusammenzustellen, die getan werden mußten. Es zeigte sich, daß Dutzende von Reparaturen nötig geworden waren: Büchergestelle, Treppenleitern, Vorfenster, Jalousien, Türdrücker, Schlösser, tropfende Wasserhahnen. So erstaunlich es klingen mag – im Laufe von vierzehn Tagen hatte ich auf meiner Liste 242 verschiedene Posten, die erledigt werden wollten.

Das meiste davon habe ich während der letzten zwei Jahre besorgt. Außerdem habe ich mein Leben mit anregender Tätigkeit aller Art erfüllt. Zweimal wöchentlich besuche ich in New York Abendkurse für Erwachsene. In meiner eigenen Stadt beteilige ich mich an gemeinnützigen Unternehmungen und bin jetzt Vorsitzender der Schulbehörde. Ich wohne einer großen Anzahl von Sitzungen bei. Ich helfe, Sammlungen für das Rote Kreuz und andere gute Zwecke zu veranstalten. Ich habe jetzt so viel zu tun, daß mir keine Zeit bleibt, mich zu sorgen.»

Keine Zeit, sich zu sorgen! Genau das sagte auch Winston Churchill, als er im Höhepunkt des Krieges achtzehn Stunden täglich arbeitete. Als er gefragt wurde, ob ihn seine ungeheure Verantwortung nicht beklemme, erwiderte er: «Ich habe zuviel zu tun. Ich habe keine Zeit, mich zu ängstigen.»

Charles Kettering saß in der gleichen Klemme, als er sich mit der Erfindung eines Selbstanlassers für Autos trug. Mr. Kettering war bis vor kurzem, das heißt bis er in den Ruhestand trat, Vizepräsident der weltbekannten General Motors Research Corporation (Forschungsabteilung der General-Motors-Werke). In jenen Tagen aber war er so mittellos, daß er einen Heuboden als Laboratorium benutzen mußte. Um die nötigen Lebensmittel zu beschaffen, mußte er fünfzehnhundert Dollar aufbrauchen, die seine Frau mit Klavierstunden verdient hatte; danach mußte er eine Anleihe von fünfhundert Dollar auf seine Lebensversicherung aufnehmen. Ich fragte seine Frau, ob sie sich in einer derartigen Zeit nicht geängstigt habe. «Doch», antwortete sie, «ich ängstigte mich so sehr, daß ich nicht schlafen konnte. Aber mein Mann sorgte sich gar nicht, dazu blieb ihm keine Zeit, denn er ging vollkommen in seiner Arbeit auf.»

Der große Wissenschafter Pasteur sprach einmal von dem «Frieden, der sich in Bibliotheken und Laboratorien findet». Warum findet sich dort Friede? Weil die Menschen, die in Laboratorien und Bibliotheken arbeiten, gewöhnlich von ihren Aufgaben zu sehr in Anspruch genommen werden, um für persönliche Sorgen Zeit zu behalten. Forscher haben selten nervöse Zusammenbrüche. Für derartigen Luxus bleibt ihnen keine Zeit.

Wie kommt es, daß etwas so Einfaches wie hinreichende Beschäftigung mithelfen kann, Angst und Sorge zu vertreiben? Das beruht auf einem Gesetz – einem der fundamentalsten Gesetze, die die Psychologie je entdeckt hat. Das Gesetz lautet: keinem menschlichen Gehirn – und sei es das genialste – ist es möglich, zugleich an mehr als *eine Sache* zu denken. Das wollt Ihr nicht recht glauben? Nun gut, dann wollen wir einmal ein Experiment anstellen.

Lehnt Euch etwa gleich einmal zurück, schließt die Augen und versucht, im selben Augenblick an den Eiffelturm und an irgend etwas, das Ihr morgen früh tun wollt, zu denken. (Nur zu, versucht es!)

Nicht wahr, Ihr habt feststellen müssen, daß Ihr *abwechselnd* an das eine oder andere denken konntet, aber niemals an beides zugleich? Nun, das gleiche hat Gültigkeit im Bereich der Gefühle. Wir können uns nicht frohgemut und voller Eifer einer fesselnden Tätigkeit hingeben und zu gleicher Zeit in niederdrückender Sorge verharren. Die eine Empfindung vertreibt die andere. Diese einfache Erkenntnis ermöglichte es während des Krieges den Psychiatern der Sanitätskorps, solche Wunder zu vollbringen.

Wenn Soldaten durch die Erlebnisse, die sie während der Schlacht gehabt hatten, in einen Zustand gerieten, den die Ärzte als «psychoneurotisch» bezeichneten, wurde ihnen eine «Beschäftigungskur» verordnet.

Jede einzelne Minute im Dasein dieser Leute, die unter Nervenschock litten, stand im Zeichen einer Tätigkeit – gewöhnlich im Freien – zum Beispiel Fischen, Jagen, Ballspielen, Photographieren, Anlegen von Gärten, auch Tanzen. Es wurde ihnen keine Zeit gelassen, über ihre furchtbaren Eindrücke nachzugrübeln.

«Beschäftigungstherapie» nennt man heute die Heilmethode, bei der die Seelenheilkunde Arbeit verschreibt, als wäre sie eine Medizin. Neu ist sie nicht. Die alten griechischen Ärzte priesen sie bereits fünfhundert Jahre vor Christi Geburt!

Auch zu Benjamin Franklins Zeit wurde sie angewandt – von den Quäkern. Ein Mann, der im Jahre 1774 ein Quäkersanatorium besuchte, war ganz entsetzt, als er die geisteskranken Insassen Flachs spinnen sah. Er glaubte, die armen Unglücklichen würden schandbar ausgebeutet, bis die Quäker ihm erklärten, sie hätten herausgefunden, ihren Patienten ginge es tatsächlich besser, wenn sie ein wenig arbeiteten. Es beruhigte die Nerven.

Jeder Nervenarzt wird Euch bestätigen, daß Arbeit – Sichbeschäftigen – eines der wirksamsten Betäubungsmittel für kranke Nerven ist. Das fand der englische Dichter Henry W. Longfellow selber heraus, als er seine junge Gattin verlor. Seine Frau war eines Tages dabei, Siegellack über einer Kerze zu schmelzen, als ihre Kleider Feuer fingen. Obwohl Longfellow auf ihr Schreien sofort herbeieilte, starb sie an den erlittenen Verbrennungen. Eine Zeitlang marterte die Erinnerung an dieses entsetzliche Erlebnis Longfellow so sehr, daß er fast wahnsinnig wurde. Zu seinem Glück nahmen seine drei kleinen Kinder seine Aufmerksamkeit in Anspruch. Seinen Gram zurückdrängend, beschloß Longfellow, ihnen Vater und Mutter zugleich zu sein. Er ging mit ihnen spazieren, erzählte ihnen Geschichten, spielte mit ihnen. In seinem Gedicht «The Children's Hour» (Die Stunde der Kinder) hat er dieses kameradschaftliche Verhältnis verewigt. Daneben übersetzte er Dante. Und all diese Aufgaben beschäftigten ihn so, daß er sich selbst vollkommen vergaß und schließlich seinen Seelenfrieden wiedergewann. Auch Tennyson erklärte, als er seinen intimsten Freund, Arthur Hallam, verlor: «Ich muß mich im Tätigsein verlieren, damit ich nicht vor Verzweiflung vergehe.»

Die meisten von uns brauchen sich nicht besonders anzustrengen, um sich «im Tätigsein zu verlieren», dafür sorgt schon unsere tägliche Arbeit, die uns in ihre Tretmühle einspannt. Doch die Stunden nach getaner Arbeit – das sind die gefährlichen. Just in dem Augenblick, wo wir frei sind und unsere Muße genießen könnten, gehen die heimtückischen Teufel der Sorgen zum Angriff auf uns über. Das ist die Stunde, da wir uns zu fragen beginnen, wohin das alles nur führen soll; ob wir uns in einem toten Geleise festgefahren haben;

ob der Chef «etwas damit sagen wollte», als er morgens diese Bemerkung hinwarf; oder etwa auch, ob wir eine Glatze bekommen. Sobald wir unbeschäftigt sind, neigen wir dazu, eine Art geistiges Vakuum in uns entstehen zu lassen. Wie jeder Physikstudent jedoch weiß, «duldet die Natur kein Vakuum». Das Innere einer elektrischen Glühbirne ist vermutlich in unserem Erfahrungsbereich das, was einem Vakuum am nächsten kommt. Zerbrecht die Birne – und die Natur treibt Luft hinein, um den theoretisch leeren Raum auszufüllen.

Ebenso eilt die Natur, das leere Gemüt anzufüllen. Womit? In der Regel mit Empfindungen. Warum? Weil Empfindungen der angstvollen Sorge, der Furcht, des Hasses, der Eifersucht und des Neides mit der urtümlichen Kraft und dynamischen Energie des Dschungels daherrasen. Gefühle dieser Art sind so gewaltsam, daß sie alle friedlichen, glücklichen Gedanken und Empfindungen mit Leichtigkeit aus unserem Gemüt verjagen.

James L. Mursell, Professor der Pädagogik am Lehrerseminar in Columbia, drückt dies sehr gut aus, wenn er sagt: «Am leichtesten fällt man innerer Beängstigung zum Opfer und läßt sich davon aufreiben, wenn das Tagewerk beendet ist – nicht etwa, während man mitten drin steht. Dann hat die Phantasie freies, ungezügeltes Spiel und malt uns alle erdenklichen lächerlichen Möglichkeiten aus, vergrößert jeden kleinen Mißgriff tausendfach. Zu solcher Stunde», fährt er fort, «gleicht der menschliche Geist einem Motor, der ohne Belastung arbeitet. Er rast dahin und droht, seine Lager zu verschleißen oder sogar sich selbst in Stücke zu reißen. Seine Sorgen heilt man am besten, indem man sich einer gründlichen, konstruktiven Beschäftigung hingibt.»

Um diese Wahrheit zu erkennen und in die Tat umzusetzen, braucht man indes kein Universitätsprofessor zu sein. Während des Krieges traf ich eine Hausfrau aus Chicago, die mir erzählte, wie sie ganz allein entdeckte, daß «man seine Sorgen am besten heilt, indem man sich einer gründlichen, konstruktiven Beschäftigung hingibt». Ich machte die Bekanntschaft dieser Frau und ihres Mannes im Speisewagen, als ich von New York nach meiner Farm in Missouri reiste. (Schade, daß ich ihren Namen nicht erfuhr, denn ich gebe nie gern Beispiele ohne die dazugehörigen Personen- und Straßennamen – Angaben, die einer Geschichte den Stempel der Echtheit verleihen.)

Das Ehepaar erzählte mir, daß sein Sohn am Tage nach Pearl

Harbour in die Armee eingetreten sei. Die Frau sagte, sie habe vor lauter Sorge um diesen einzigen Sohn ihre Gesundheit nahezu zugrunde gerichtet. Wo war er? War er in Sicherheit? Oder an der Kampffront? Würde er verwundet werden? Fallen?

Als ich sie fragte, wie sie über ihre Ängste hinweggekommen sei, antwortete sie: «Ich machte mir zu schaffen.» Zuerst, sagte sie, habe sie ihr Mädchen entlassen und versucht, sich im Hause allein genügend zu beschäftigen. Doch das verschlug nicht viel. «Das Schlimme war», erklärte sie, «daß ich die Hausarbeit fast mechanisch verrichten konnte, ohne denken zu müssen. Während ich die Betten machte und das Geschirr spülte, wurde mir klar, daß ich eine andere Art von Arbeit nötig hatte, die mich körperlich und zugleich auch geistig von früh bis spät in Atem halten würde. So nahm ich einen Posten als Verkäuferin in einem großen Warenhaus an.

Das half», fuhr sie fort. «Ich geriet sofort in einen Wirbel von Tätigkeit aller Art hinein: Kunden schwirrten um mich her, fragten nach Preisen, Größen, Farben. Nicht eine Sekunde blieb mir, um an irgend etwas anderes zu denken, als an meine unmittelbaren Pflichten. Und wenn der Abend kam, konnte ich an nichts anderes denken, als meine schmerzenden Füße vom Boden wegzukriegen. Sobald ich zu Nacht gegessen hatte, fiel ich ins Bett und verlor augenblicklich das Bewußtsein. Ich hatte weder Zeit noch Kraft, mich zu sorgen.»

Sie hatte selber entdeckt, was John Cowper Powys meinte, als er in «The Art of Forgetting the Unpleasant» (Die Kunst, das Unangenehme zu vergessen) sagte: «Eine gewisse behagliche Sicherheit, ein gewisser tiefer innerer Friede, eine Art glücklicher Fühllosigkeit beschwichtigt die Nerven des Menschentiers, wenn es in die ihm zugewiesene Aufgabe vertieft ist.»

Was für ein Segen, daß es so ist! Osa Johnson, die berühmteste Forschungsreisende der Welt, erzählte mir kürzlich ebenfalls, wie sie Befreiung von Gram und Sorgen fand. Vielleicht habt Ihr ihre Lebensgeschichte gelesen. Sie heißt «I Married Adventure» (Ich heiratete Abenteuer). Wenn je eine Frau sich dem Abenteuer vermählte, dann sicherlich diese. Als sie sechzehn war, heiratete sie Martin Johnson, der sie aus ihrer Heimatstadt Chanute in Kansas mit sich nach den wilden Dschungelpfaden von Borneo nahm. Ein Vierteljahrhundert lang bereiste dieses Ehepaar aus Kansas die ganze Welt, um Filme über das aussterbende Wildtierleben in Asien und Afrika zu drehen. Als sie vor neun Jahren wieder nach Amerika

73

zurückkamen, unternahmen sie eine Vortragsreise, um ihre berühmten Filme zu zeigen. Von Denver aus nahmen sie ein Flugzeug nach der Küste. Das Flugzeug stieß gegen einen Berg. Martin Johnson wurde augenblicklich getötet. Osa, so sagten die Ärzte, würde nie wieder ihr Bett verlassen können. Doch sie hatten die Rechnung ohne Osa gemacht. Ein Vierteljahr danach saß sie wieder in einem Krankenstuhl und hielt Vorträge vor gefüllten Sälen. Mehr als hundert Vorträge veranstaltete sie – alle vom Krankenstuhl aus. Als ich sie fragte, warum sie das getan hätte, antwortete sie: «Ich tat es, um keine Zeit für Kummer und Sorge zu haben.»

Osa Johnson hatte dieselbe Wahrheit entdeckt wie Tennyson ungefähr ein Jahrhundert zuvor: «Ich muß mich im Tätigsein verlieren, damit ich nicht vor Verzweiflung vergehe.»

Admiral Byrd kam zu der gleichen Erkenntnis, als er fünf Monate lang mutterseelenallein in einer Hütte lebte, die in der großen, den Südpol deckenden Eiskappe buchstäblich begraben war – einer Eishülle, die die ältesten Geheimnisse der Welt birgt und einen unbekannten Erdteil deckt, größer als die Vereinigten Staaten und Europa zusammengenommen. Fünf Monate verbrachte Admiral Byrd dort allein. Keine andere lebende Kreatur existierte in einem Umkreis von hundert Meilen. Die Kälte war so groß, daß er hören konnte, wie sein Atem gefror und kristallisierte, während der Wind ihn an seinen Ohren vorbeitrieb. In seinem Buch «Allein» erstattet Byrd genauen Bericht über jene fünf Monate, die er in der grauenerregenden, seelenverschlingenden Finsternis zubrachte. Die Tage waren so schwarz wie die Nächte. Er mußte sich beschäftigen, wollte er nicht den Verstand verlieren.

«Abends», so schreibt er, «bevor ich die Laterne ausblies, gewöhnte ich mich daran, mir die Arbeit des kommenden Tages einzuteilen. Es handelte sich etwa darum, mir eine Stunde Arbeit am Fluchttunnel zu verschreiben, eine halbe Stunde Schneeschaufeln, eine Stunde für das Aufrichten der Brennstofftrommeln, eine Stunde, in der ich Bücherbretter in die Wände des Lebensmitteltunnels zu schneiden hatte, und zwei Stunden, um eine gebrochene Achse am Schlitten zu erneuern . . .

Es war wundervoll», fährt er fort, «die Zeit auf solche Weise einteilen zu können. Es verschaffte mir ein ungemeines Gefühl der Herrschaft über mich selbst . . .» Und er fügte hinzu: «Ohne dieses oder etwas Gleichwertiges wären die Tage zwecklos verstrichen;

und hätte ihnen kein Zweck innegewohnt, so würden sie geendet haben, wie solche Tage immer enden – in Verfall.»

Achtet nochmals auf diesen letzten Satz: «Ohne einen Zweck würden die Tage geendet haben, wie solche Tage immer enden, in Verfall.»

Wenn wir also unter innerer Beunruhigung leiden, dann wollen wir daran denken, daß wir Arbeit, gute, altmodische Arbeit als Arzneimittel anwenden können. Dies behauptete keine geringere Autorität als Dr. Richard C. Cabot, seinerzeit Professor der klinischen Medizin an der Harvard-Universität. In seinem Buch «What Men Live By» (Wovon der Mensch lebt) schreibt Dr. Cabot unter anderem: «Als Arzt war es mir vergönnt, zu erleben, wie durch Arbeit zahlreiche Patienten Heilung fanden, die an seelischer Zitterlähmung litten, einer Folgeerscheinung von Gefühlen des Zweifels, der Unentschiedenheit, des Schwankens und der Verängstigung... Der Mut, den unsere Arbeit uns einflößt, gleicht dem Vertrauen in uns selbst, welchem Emerson unauslöschlichen Glanz verliehen hat.»

Wenn wir nicht für ausreichende Beschäftigung sorgen, wenn wir herumsitzen und uns Grübeleien überlassen, dann werden wir eine Unmenge jener Empfindungen ausbrüten, die Charles Darwin mit einem unübersetzbaren Wort die «Wibbergibbers» zu nennen pflegte. Diese Wibbergibbers sind eine moderne Spielart der einstmaligen «Kobolde», die darauf ausgehen, uns innerlich auszuhöhlen und unsere Tatkraft und Willensstärke zu lähmen.

Ich kenne in New York einen Geschäftsmann, der die «Wibbergibbers» bekämpfte, indem er so viel Arbeit übernahm, daß ihm keine Zeit blieb, sich zu ängstigen und zu sorgen. Sein Name ist Tremper Longman, und sein Büro befindet sich Wall Street No. 40. Er war eine Zeitlang Schüler eines meiner Abendkurse, und eine Ansprache, die er uns einmal darüber hielt, wie man mit seinen Sorgen fertig werden kann, war so interessant, so befeuernd, daß ich ihn nach der Stunde zu einem späten Nachtessen in ein Restaurant einlud. Bis lange nach Mitternacht blieben wir sitzen und unterhielten uns über seine Erlebnisse. Hier ist das, was er mir damals erzählte:

«Vor achtzehn Jahren war ich so zerquält, daß ich keinen Schlaf mehr fand. Ich war nervös, gereizt und voller Ängste. Ich fühlte, daß ich geradewegs einem Nervenzusammenbruch entgegensteuerte. Und ich hatte auch alle Ursache, mich zu ängstigen. Ich war Finanzverwalter der Crown Fruit & Extract Company, 418, West Broadway, New York. Wir hatten eine halbe Million Dollar in Erdbeeren investiert, die in Dosen von etwa vier Liter Inhalt eingemacht und an Fabrikanten von Speiseeis verkauft wurden. Zwanzig Jahre lang hatten wir es so gehandhabt, als mit einem Schlag unsere Verkäufe ein Ende nahmen, weil die großen Eisfabriken ihren Umsatz rasch vergrößerten und Zeit und Geld sparten, wenn sie in Fässern eingemachte Erdbeeren kauften.

Nicht genug damit, daß wir mit unverkäuflichen Erdbeeren im Werte von einer halben Million Dollar dasaßen – wir waren zudem noch vertraglich zur Abnahme von Erdbeeren für eine weitere Million Dollar während des folgenden Jahres verpflichtet! Bereits hatten wir 350 000 Dollar Bankkredit aufnehmen müssen. Diese Anleihe konnten wir weder zurückzahlen noch erneuern. Kein Wunder, daß es mit meinem Schlaf aus war.

Ich fuhr Hals über Kopf nach Watsonville in Kalifornien, wo sich unsere Fabrik befand, und versuchte unseren Geschäftsführer davon zu überzeugen, daß die Verhältnisse sich geändert hatten, daß wir vor dem Ruin ständen. Doch er wollte es nicht glauben. Er machte unsere New Yorker Geschäftsleitung für alle Schwierigkeiten verantwortlich – sagte, wir verständen eben nichts von Verkauf.

Nach tagelangen Vorstellungen brachte ich ihn endlich dahin, daß er einwilligte, das Konservieren der Früchte einzustellen und uns unsere laufenden Vorräte auf dem Frischobstmarkt in San Francisco verkaufen zu lassen. Damit war unser Problem zum größten Teil gelöst und ich hätte aufhören sollen, mich immer weiter zu sorgen. Doch das konnte ich nicht. Das Sichsorgen ist nun einmal eine Gewohnheit, und ich hatte sie angenommen.

Zurück in New York, begann ich, mir um alles und jedes Sorgen zu machen: um die Kirschen, die wir in Italien, die Ananas, die wir in Hawaii kauften, und so weiter und so weiter. Ich war nervös, aufgeregt, konnte nicht schlafen und war, wie schon eingangs bemerkt, auf dem besten Wege zu einem Nervenzusammenbruch.

Schließlich sah ich ein, daß es so nicht weitergehen konnte, und da griff ich in meiner Verzweiflung zu einer Lebensweise, die mich von meiner Schlaflosigkeit heilte und meinen Ängsten ein Ende bereitete: ich machte mir zu tun. Ich machte mir so viel zu tun mit Dingen, die all meine Kräfte in Anspruch nahmen, daß mir einfach keine Zeit blieb, mich zu sorgen. Bis dahin hatte ich sieben Stunden täglich gearbeitet. Nun begann ich, jeden Tag fünfzehn, ja sechzehn

Stunden zu arbeiten. Jeden Morgen war ich punkt acht im Büro, und dort blieb ich allnächtlich bis um Mitternacht. Ich nahm neue Pflichten auf mich, stürzte mich in neue Verantwortungen. Wenn ich nach Mitternacht nach Hause kam, war ich so erschöpft, daß ich wie ein Klotz ins Bett fiel und sofort einschlief.

Dieses Programm hielt ich nahezu drei Monate lang durch. Ich hatte mir nun das Sorgen abgewöhnt, und so kehrte ich zu einem normalen Arbeitstag von sieben oder acht Stunden zurück. Dieser Vorfall liegt jetzt achtzehn Jahre zurück. Ich habe seither nie mehr über Schlaflosigkeit oder nervöse Beängstigung zu klagen gehabt.»

George Bernard Shaw hatte recht. Er faßte das alles zusammen, als er sagte: «*Das Geheimnis des Sichunglücklichfühlens ist, daß man Muße hat, sich darum zu kümmern, ob man glücklich ist oder nicht.*» Kümmert Euch also nicht darum, denkt nicht darüber nach! Spuckt in die Hände und macht Euch an die Arbeit. Dann wird Euer Blut zu zirkulieren anfangen, Euer Kopf wird sich klären – und sehr bald wird dieses ganze positive Emporwallen der Lebenskraft in Eurem Körper Euch die Sorgen austreiben. Seid tätig. Bleibt tätig. Es ist die billigste Arznei, die es auf der Welt gibt – und eine der wirksamsten.

Hier habt Ihr also Regel Nummer 1, um der Gewohnheit des Sichsorgens ein Ende zu bereiten:
Macht Euch zu schaffen. Wer Sorgen hat, muß sich im Tätigsein verlieren, um nicht vor Verzweiflung zu vergehen.

Laßt Euch von den Käfern nicht unterkriegen! 7

Hier ist eine dramatische Geschichte, die ich vermutlich bis an mein Lebensende nicht vergessen werde. Sie wurde mir von Robert Moore, 14, Highland Avenue, Maplewood, New Jersey, erzählt.

«Im März des Jahres 1945», sagte er, «machte ich die wichtigste Erfahrung meines Lebens, die mich mehr gelehrt hat als alle anderen. Es trug sich 276 Fuß unter Wasser vor der Küste Indochinas

zu. Ich war einer der achtundachtzig Mann an Bord des Untersee-
boots Baya S. S. 318. Wir hatten durch Radar festgestellt, daß ein
kleiner japanischer Geleitzug sich auf uns zu bewegte. Als der Morgen dämmerte, tauchten wir, um anzugreifen. Durch das Periskop
sah ich einen Zerstörer, ein Tankschiff und einen Minenleger. Wir
feuerten drei Torpedos auf den Geleitzerstörer, verfehlten ihn aber.
Alle drei Torpedos müssen einen Konstruktionsfehler gehabt haben.
Der Zerstörer setzte seine Fahrt fort, ohne zu ahnen, daß er
attackiert worden war. Wir machten uns eben bereit, das letzte Schiff,
den Minenleger, anzugreifen, als es plötzlich schwenkte und direkt
auf uns zuhielt. (Ein japanisches Flugzeug hatte uns sechzig Fuß
unter Wasser aufgespürt und unsere Position dem Minenleger ge-
funkt.) Wir gingen auf 150 Fuß nieder, um nicht entdeckt zu werden,
und machten uns auf eine Unterwasserbombe gefaßt. Wir sicherten
die Luken mit zusätzlichen Schließhaken, und um unser Unterseeboot
vollkommen lautlos zu machen, schalteten wir Ventilation, Kühlsystem und sämtliche elektrischen Apparate aus.

Drei Minuten später war die Hölle los. Sechs Unterwasserbomben
explodierten rund um uns her und stießen uns bis auf den Meeres-
boden hinunter – auf eine Tiefe von nur 276 Fuß. Entsetzen erfaßte
uns. Es ist gefährlich, in weniger als tausend Fuß unter Wasser
angegriffen zu werden – unter fünfhundert Fuß bedeutet es fast das
sichere Ende. Und der Angriff auf uns erfolgte in wenig mehr als
der Hälfte von fünfhundert Fuß Wasser – etwa knietief, konnte
man es nennen, was Sicherheit anbetraf. Fünfzehn Stunden lang
fuhr dieser japanische Minenleger fort, Unterwasserbomben auszu-
senden. Wenn so eine Bombe siebzehn Fuß von einem Unterseeboot
entfernt explodiert, bekommt es durch die Erschütterung ein Leck.
Dutzende von solchen Geschossen explodierten fünfzig Fuß von
uns. Wir hatten Befehl zu ‚sichern‘, das heißt ganz still in unseren
Kojen zu liegen und Ruhe zu bewahren. Ich war so schreckgelähmt,
daß ich kaum zu atmen vermochte. Immer wieder sagte ich mir: ‚Das
ist der Tod! ... Das ist der Tod!‘ Nachdem die Ventilatoren und
das Kühlsystem ausgeschaltet waren, stieg die Temperatur im Boot
bald auf fast 40 Grad Celsius; doch mich fror vor lauter Angst so
sehr, daß ich einen Sweater und eine pelzgefütterte Jacke überzog
und trotzdem vor Kälte zitterte. Die Zähne klapperten mir. Ich
brach in kalten, klebrigen Schweiß aus. Fünfzehn Stunden lang
dauerte der Angriff. Dann hörte er plötzlich auf. Anscheinend hatte

der japanische Minenleger seinen Vorrat an Unterwasserbomben erschöpft und dampfte nun ab. Diese fünfzehn Stunden schienen mir wie fünfzehn Millionen Jahre. Mein ganzes Leben zog an mir vorüber. Ich dachte an all das Schlechte, das ich je begangen, an all die sinnlosen Kleinigkeiten, über die ich mich früher einmal aufgeregt hatte. Bevor ich zur Flotte ging, war ich Bankbeamter gewesen. Damals hatte ich mich über die langen Arbeitsstunden geärgert, über die schlechte Bezahlung, die ungünstigen Beförderungsaussichten. Ich hatte mich gesorgt, weil mein Haus nicht mir gehörte, weil ich mir kein neues Auto leisten, meiner Frau keine schönen Kleider kaufen konnte. Wie ich meinen alten Chef haßte, der fortwährend nörgelte und schalt! Ich dachte daran, in welch gereizter, mürrischer Stimmung ich abends heimzukommen und mit meiner Frau über Kleinigkeiten zu streiten pflegte. Auch über eine Narbe an meiner Stirn hatte ich mich geärgert, eine häßliche Schnittwunde von einem Autounfall her.

Wie groß all diese Kümmernisse mir vor Jahren erschienen waren! Und wie unsinnig sie mir vorkamen, als die Unterwasserbomben mich ins Jenseits zu befördern drohten. In diesen Augenblicken legte ich ein Gelübde ab, daß ich, sollte ich je wieder das Licht der Sonne erblicken, nie, nie, niemals wieder mich ängstigen und sorgen wollte. Nie! Nie!! Nie!!! In jenen fürchterlichen fünfzehn Stunden im Unterseeboot lernte ich mehr an Lebenskunst, als ich in vier Jahren des Bücherstudiums an der Universität von Syracuse gelernt hatte.»

Oft sehen wir den großen Prüfungen im Leben mutig und gefaßt entgegen – und lassen uns dann von den kleinen Dingen des Alltags, den «Nackenschmerzen», unterkriegen. Dies ist eine Anspielung auf eine Eintragung in dem berühmten Tagebuch von Samuel Pepys, die über die Enthauptung Sir Harry Vanes berichtet. Als Sir Harry – so schreibt Pepys – das Schafott bestieg, bat er nicht um sein Leben, sondern – er bat den Scharfrichter, nicht die Stelle an seinem Nacken zu treffen, an der er einen schmerzhaften Furunkel hatte!

Auch das sollte Admiral Byrd in der furchtbaren Kälte und Finsternis der Polarnächte entdecken: daß seine Leute sich mehr über die «Schmerzen im Nacken» aufregten als über die großen Dinge, die sie bedrohten. Ohne zu klagen, ertrugen sie die Gefahren und Härten ihrer Lage, ertrugen sie die oft sechzig Grad unter Null erreichende Kälte. «Aber», so schreibt Byrd, «ich könnte Schlafkameraden nennen, die nicht mehr miteinander redeten, weil sie einander beschuldigten, ihre Ausrüstungsgegenstände gelegentlich ein paar Zentimeter weit auf den dem anderen zustehenden Raum hinübergeschoben zu haben; und ich kannte einen, der nicht essen konnte, wenn er in der Messe nicht ein Plätzchen fand, von wo aus er den ‚Fletcheristen' nicht vor Augen hatte, der feierlich jeden Bissen achtundzwanzigmal kaute, bevor er ihn hinunterschluckte.

In einem Polarlager», schloß Admiral Byrd, «vermögen Bagatellen dieser Art selbst beherrschte Männer an den Rand des Wahnsinns zu treiben.»

Und Sie hätten hinzufügen können, Admiral Byrd, daß «Bagatellen» im ehelichen Leben die Menschen oft an den Rand des Wahnsinns treiben und «das halbe Herzeleid auf der Welt» verschulden.

Wenigstens behaupten die Behörden das. So erklärte zum Beispiel Richter Joseph Sabath aus Chicago, nachdem er als Schiedsrichter bei mehr als vierzigtausend unglücklichen Ehen fungiert hatte: «Meist sind es Bagatellen, durch welche Ehen unglücklich werden.» Und Frank S. Hogan, Distrikt-Staatsanwalt im Staate New York, sagt: «Reichlich die Hälfte aller Fälle in unseren Strafkammern haben ihren Ursprung in Kleinigkeiten. Wirtshausaufschneiderei, häusliche Streitigkeiten, eine verletzende Bemerkung, ein geringschätziges Wort, ein grobes Dreinfahren – dies sind die kleinen Dinge, die zu tätlichen Angriffen und Mord führen. Nur wenigen unter uns geschieht gröbliches, krasses Unrecht. Die kleinen Demütigungen, die wir erleiden, geringfügige Schmähungen, kleine Püffe, denen unsere Eitelkeit ausgesetzt wird – sie sind es, die das halbe Herzeleid auf der Welt verschulden.»

Als Eleanor Roosevelt jung verheiratet war, machte sie sich tagelang Gedanken darüber, daß ihre neue Köchin eine schlechte Mahlzeit serviert hatte. «Wenn das heute geschähe», sagte Mrs. Roosevelt, «würde ich die Achseln zucken und es im nächsten Moment vergessen haben.» Bravo – so verläuft die gefühlsmäßige Reaktion eines reifen Menschen. Selbst Katharina die Große, eine absolute Selbstherrscherin, pflegte nur zu lachen, wenn eine Mahlzeit mißraten war.

Meine Frau und ich waren einmal zum Essen bei Freunden aus Chicago eingeladen. Beim Tranchieren des Fleisches mußte der Mann etwas verkehrt gemacht haben. Ich merkte es nicht, und hätte ich es gemerkt, so wäre es mir auch gleich gewesen. Seine Frau aber sah es und putzte ihn in unserer Gegenwart herunter. «John», rief sie, «paß auf, was du machst! Wirst du denn nie lernen, vorzuschneiden, wie sich's gehört?»

Dann wandte sie sich an uns: «Immer macht er es falsch. Er gibt sich einfach keine Mühe.» Möglich, daß er sich beim Tranchieren keine Mühe gab; aber ich muß ihm dafür hoch anrechnen, daß er sich zwanzig Jahre lang bemühte, mit ihr zu leben. Ich hätte offen gestanden lieber ein Paar Würstchen mit Senf in friedlicher Umgebung verspeist, als zur Begleitmusik ihrer Schimpferei chinesische Ente und Haifischflossen angeboten zu bekommen.

Kurz nach diesem Erlebnis hatten meine Frau und ich ein paar Gäste zum Essen bei uns. Wir erwarteten ihr Eintreffen jeden Augenblick, als meine Frau merkte, daß drei der Servietten nicht zum Tischtuch paßten.

«Ich lief rasch in die Küche», erzählte sie mir später, «und hörte von der Köchin, daß die drei Servietten in die Wäsche geschickt worden seien. Die Gäste waren an der Tür. Zum Umdecken blieb keine Zeit. Am liebsten hätte ich losgeheult. Ich konnte nur eines denken: ,Warum muß dieses dumme Versehen mir den ganzen Abend verderben?' Dann dachte ich: ,Ja, muß es denn das?' So ging ich ins Speisezimmer mit dem festen Vorsatz, mich gut zu unterhalten, und das tat ich auch. Viel lieber wollte ich, daß meine Freunde mich für eine liederliche Hausfrau hielten», erklärte sie mir, «als für eine nervöse und launenhafte. Im übrigen ist mir nicht aufgefallen, daß jemand das Versehen mit den Servietten bemerkte!»

Eine bekannte juristische Maxime lautet «De minimis non curat lex» – mit Kleinigkeiten gibt sich das Gesetz nicht ab. Und das sollten auch diejenigen nicht, die dazu neigen, sich aufzuregen – sonst ist es mit der Gemütsruhe aus.

Meistenteils genügt es schon, um dem ärgerlichen Ansturm von Bagatellen zu widerstehen, daß man den gefühlsmäßigen Schwerpunkt verlagert – die Sache von einem neuen und angenehmeren Gesichtspunkt aus betrachtet. Mein Freund Homer Croy, der Verfasser von «They Had to See Paris» und einem Dutzend weiterer Bücher, führt ein prächtiges Beispiel dafür an, wie man dies bewerkstelligen kann. Als er einmal an einem Buche arbeitete, machte ihn das Knattern in den Heizkörpern seiner New Yorker Wohnung ganz verrückt. Der Dampf klopfte und zischte – und er selbst zischte vor Ärger ebenfalls.

«Dann», sagte Homer Croy, «ging ich mit ein paar Freunden ins

Zeltlager. Während ich lauschte, wie die trockenen Zweige in unserem Campfeuer knisterten, mußte ich unwillkürlich denken, daß dies ein ganz ähnliches Geräusch sei wie das Klopfen in meinen Heizkörpern. Warum aber sollte das eine mir angenehm in den Ohren klingen und das andere aufreizend? Als ich wieder nach Hause kam, sagte ich mir deshalb: ‚Das Krachen der Äste im Feuer hörte sich nett an. Das Geräusch in den Heizröhren klingt fast ebenso – also werde ich jetzt einschlafen und mich nicht mehr darüber ärgern.‘ Und das tat ich. Ein paar Tage lang bemerkte ich das Geräusch in der Heizung noch, danach hörte ich es überhaupt nicht mehr.»

Disraeli sagte einmal: «Das Leben ist zu kurz, um klein zu sein.» «Diese Worte», kommentiert André Maurois, «haben mir über manche unerfreuliche Erfahrung hinweggeholfen. Oft lassen wir uns durch nichtige Dinge, die wir kaum beachten und sofort vergessen sollten, aus dem Gleichgewicht bringen ... Hier sind wir auf dieser Erde, haben nur noch wenige Jahrzehnte vor uns, und doch gehen wir mancher unersetzlichen Stunde verlustig, weil wir über Mißlichkeiten nachbrüten, an die übers Jahr weder wir selbst noch andere mehr denken werden.

Nein, lieber wollen wir unser Leben solchen Taten und Empfindungen widmen, die es wert sind, großen Gedanken, echten Gefühlen der Zuneigung und Tätigkeiten, die den Tag überdauern. Denn das Leben ist zu kurz, um klein zu sein.»

Selbst eine so hochstehende Persönlichkeit wie Rudyard Kipling vergaß zuweilen, daß «das Leben zu kurz ist, um klein zu sein». Was kam dabei heraus? Er führte gegen seinen Schwager den berühmtesten Prozeß in der Geschichte des amerikanischen Staates Vermont – einen Prozeß, der solches Aufsehen erregte, daß ein Buch darüber geschrieben wurde: «Rudyard Kiplings Vermont Feud» (R. Kiplings Vermonter Fehde).

Das ging so zu: Kipling heiratete ein junges Mädchen aus Vermont, Caroline Balestier, baute sich ein wunderschönes Haus in der Vermonter Stadt Brattleboro, und ließ sich dort nieder, wie er annahm, für den Rest seines Lebens. Sein Schwager, Beatty Balestier, wurde Kiplings bester Freund, mit dem er Arbeit und Erholung teilte.

Dann kaufte Kipling Balestier ein Stück Land ab, wobei ausgemacht war, daß Balestier berechtigt sein sollte, das Heu darauf zu mähen. Eines Tages aber traf Balestier Kipling dabei an, wie er auf seiner Wiese einen Blumengarten anlegte. Der Zorn wallte in ihm hoch. Er schimpfte mörderlich. Kipling blieb ihm nichts schuldig. Die Luft über den grünen Hügeln von Vermont begann zu rauchen!

Wenige Tage später, als Kipling mit dem Fahrrad unterwegs war, versperrte ihm plötzlich sein Schwager, der in einem Zweispänner saß, den Weg und zwang Kipling, vom Fahrrad zu springen. Und Rudyard Kipling, der Mann, der geschrieben hatte: «Sofern du ruhiges Blut bewahren kannst, wenn alle rundumher den Kopf verlieren und dir die Schuld geben...» verlor den Kopf und schwor, Balestier zu verklagen. Ein sensationeller Prozeß folgte. Aus allen Großstädten strömten Berichterstatter nach Brattleboro. Die Neuigkeit verbreitete sich in der ganzen Welt. Doch Kipling erreichte nichts, als daß er infolge des Streites seinen amerikanischen Wohnsitz mit seiner Frau für immer verlassen mußte. Soviel Zorn und Bitterkeit wegen einer Bagatelle – einer Ladung Heu!

Zwei Jahrtausende früher schon hatte Perikles gesagt: «Kommt, Ihr Herren, wir setzen uns zu lange auf Kleinigkeiten fest.» Ja, wahrhaftig, das tun wir!

Hier ist noch eine Geschichte – eine der interessantesten, die Dr. Harry Emerson erzählt hat –, eine Geschichte über die Schlachten, die ein Riese der Wälder gewann und verlor:

Am Abhang von Longs Peak in Colorado liegt die Ruine eines riesenhaften Baumes. Naturkundige sagen, er habe über vierhundert Jahre lang dort gestanden. Er war ein kleiner Sämling, als Kolumbus in San Salvador landete, und halbhoch, als die «Pilgerväter» Plymouth gründeten. Im Laufe seines langen Lebens wurde er vierzehnmal vom Blitz getroffen, und die unzähligen Lawinen und Stürme vierer Jahrhunderte donnerten über ihn hinweg. Alles überstand er. Endlich aber griff ein Heer von Käfern den Riesenbaum an und fällte ihn bis zum Grunde. Die Insekten fraßen sich durch die Borke hindurch und zerstörten allmählich den Baum von innen heraus, indem sie ihn mit ihren schwachen, doch unablässigen Angriffen entkräfteten. Ein Riese der Wälder, gegen den die Jahrhunderte nichts vermocht hatten, den der Blitz nicht zerrissen, der Sturm nicht niedergeworfen hatte, ihn fällten schließlich Käfer, so klein, daß ein Mensch sie zwischen Daumen und Zeigefinger zu zerquetschen vermag.

Gleichen wir nicht allesamt diesem schlachtengewohnten Riesen der Wälder? Glückt es uns nicht oft, irgendwie die größeren Stürme, die Lawinen und Blitzschläge des Daseins zu überstehen, nur um uns schließlich von den kleinen Käfern des Kummers Herz und Gemüt langsam zerfressen zu lassen – kleinen Käfern, die man zwischen Daumen und Zeigefinger zerquetschen könnte?

Vor ein paar Jahren fuhr ich mit Charles Seifred, dem Vorsitzenden der Straßenkommission des Staates Wyoming, und mehreren seiner Freunde durch den Teton National Park in diesem Staate. Wir wollten alle den Besitz John D. Rockefellers im Park besichtigen. Doch das Auto, in dem ich saß, schlug einen verkehrten Weg ein, verirrte sich und langte erst eine volle Stunde, nachdem alle anderen Wagen bereits eingefahren waren, am Tore des Besitztums an. Mr. Seifred hatte den Schlüssel zu dieser Privateinfahrt in Händen, daher wartete er eine ganze Stunde lang bis zu unserer Ankunft in dem heißen, moskitoverseuchten Walde auf uns. Diese Moskitos hätten einen Heiligen zur Raserei treiben können. Doch Charles Seifred hatten sie nicht aus der Fassung gebracht. Während er auf uns wartete, schnitzte er sich eine Pfeife aus einem Zweig, den er von einer Espe abgeschnitten hatte. Wetterte er gegen die Moskitos, als wir endlich ankamen? Keine Spur. Er blies auf seiner Pfeife. Diese Pfeife habe ich mir aufgehoben als Andenken an einen Mann, der es verstand, Bagatellen auf den ihnen zukommenden Platz zu verweisen.

Und hier habt Ihr Regel Nummer 2 zum Abgewöhnen von Ärger und Angst:
Laßt Euch von den kleinen Dingen des Lebens, die wir als unwichtig betrachten und gleich beiseite schieben sollten, nicht aus der Fassung bringen. Denkt daran, daß «das Leben zu kurz ist, um klein zu sein».

Ich wurde auf einer Farm in Missouri groß. Als ich eines Tages meiner Mutter half, Kirschen zu entsteinen, fing ich an zu weinen. «Dale, worüber heulst du in aller Welt?» wollte meine Mutter wissen. Ich schluchzte: «Ich hab' Angst, daß ich mal lebendig begraben werd'!»

In jenen Kindertagen steckte ich voller Kümmernisse. Gab es ein Gewitter, dann ängstigte ich mich, daß ich vom Blitz getroffen werden könnte. Waren die Zeiten schwer, so hatte ich Angst, wir würden nicht genug zu essen haben. Ich hatte Angst, nach meinem Tode in die Hölle zu kommen. Ich hatte Todesangst davor, daß ein größerer Junge namens Sam White meine großen Ohren abschneiden würde – was er zu tun gedroht hatte. Ich quälte mich vor Angst, daß die Mädels mich auslachen würden, wenn ich den Hut vor ihnen abnahm. Ich quälte mich vor Angst, kein Mädchen würde mich je heiraten wollen. Ich beunruhigte mich darüber, was ich nach der Trauung einmal zu meiner Frau sagen würde. Ich stellte mir vor, wir würden in irgendeiner Dorfkirche heiraten und dann in einer ländlichen Kutsche mit Fransenbehang nach der Farm zurückfahren ... und wie konnte ich es anstellen, um während dieser Rückfahrt nach Hause das Gespräch in Gang zu halten? Wie nur – wie? Gar manche Stunde erwog ich dieses welterschütternde Problem, während ich hinter dem Pflug herschritt.

Wie die Jahre verstrichen, fand ich heraus, daß neunundneunzig Prozent der Dinge, über die ich mir den Kopf zerbrochen hatte, niemals eintraten.

So hatte ich, wie gesagt, früher einmal schreckliche Angst vor dem Blitz; jetzt aber weiß ich, daß meine Chance, vom Blitz getroffen zu werden, laut der Statistik des Nationalen Sicherheitsrates nicht größer als eins zu dreihundertfünfzigtausend ist.

Meine Angst, lebendig begraben zu werden, war noch unsinniger. Ich kann mir selbst für die Zeit, bevor die Einbalsamierung gebräuchlich wurde, nicht vorstellen, daß unter zehn Millionen Menschen auch nur einer lebendig begraben wurde. Und doch weinte ich aus Furcht vor diesem Geschick.

Von je acht Personen stirbt eine an Krebs. Falls ich also etwas zum Angsthaben suchte, hätte ich mich eher vor Krebs ängstigen sollen, als vor dem Blitzschlag oder dem Lebendigbegrabenwerden. Freilich waren das alles die Ängste eines Knaben und Halbwüchsigen. Allein viele Ängste Erwachsener sind genau so unsinnig. Wir alle könnten wahrscheinlich neun Zehntel unserer Ängste auf der Stelle loswerden, wenn wir nur lange genug innerlich Ruhe halten wollten, um ausfindig zu machen, ob nach der Wahrscheinlichkeitsrechnung unsere Befürchtungen überhaupt gerechtfertigt sind.

Die weltbekannte Versicherungsgesellschaft Lloyd's in London hat ungezählte Millionen verdient, weil die Menschen ganz allgemein dazu neigen, sich über Möglichkeiten zu beunruhigen, die in der Folge nur selten zur Wirklichkeit werden. Der Londoner Lloyd wettet mit seinen Kunden, daß die Mißgeschicke, derentwegen sie sich zum voraus ängstigen, niemals eintreffen. *Nur nennt er es nicht «wetten» – er nennt es «eine Versicherung aufnehmen». Tatsächlich jedoch ist es eine Wette, gestützt auf die Wahrscheinlichkeitstheorie.* Die genannte Versicherungsgesellschaft macht seit zwei Jahrhunderten glänzende Geschäfte, und sofern die menschliche Natur sich nicht ändert, wird sie weitere fünfzig Jahrhunderte lang nicht minder glänzende Geschäfte machen, indem sie Schuhe und Schiffe und Siegellack und was es sonst auf der Welt gibt, gegen Unfälle versichert, die der Wahrscheinlichkeitsrechnung nach nicht annähernd so häufig eintreten, wie die Leute meinen.

Wenn wir uns dieses Wahrscheinlichkeitsgesetz etwas näher ansehen, werden wir erstaunt sein über die Tatsachen, die sich ergeben. Wüßte ich zum Beispiel, daß ich innerhalb der nächsten fünf Jahre an einer Schlacht teilzunehmen hätte, die so blutig verliefe wie die Endkämpfe im Zweiten Weltkrieg, dann würde ich so furchtbar erschrecken, daß ich die höchste Lebensversicherung aufnähme, die ich nur erschwingen könnte. Ich würde mein Testament machen und mein Haus bestellen. «Aller Wahrscheinlichkeit nach werde ich nicht lebend aus dieser Schlacht hervorgehen», würde ich mir sagen, «darum tue ich gut daran, wenn ich den paar Jahren, die mir bis dahin bleiben, noch möglichst viel abgewinne.» Der Wahrscheinlichkeitsrechnung zufolge aber verhält es sich tatsächlich so, daß man genau ebenso gefahrvoll lebt, genau ebenso vom Tod bedroht ist, wenn man in Friedenszeiten vom fünfzigsten bis zum fünfundfünfzigsten Lebensjahr einfach auf der Welt ist, wie wenn man an einer äußerst blutigen Schlacht teilnimmt. In Amerika zum Beispiel sterben in Friedenszeiten ebenso viele Menschen pro Tausend zwischen fünfzig und fünfundfünfzig, wie im gleichen Verhältnis von den 163 000 Mann fielen, die in der Schlacht von Gettysburg kämpften.*

Ich habe mehrere Kapitel des vorliegenden Buches in der James Simpson gehörenden Num-Ti-Gah Lodge am Ufer des Bow-Sees im kanadischen Felsengebirge geschrieben. Als ich einmal im Sommer dort weilte, machte ich die Bekanntschaft von Mr. und Mrs. Herbert H. Salinger aus San Francisco, 2298, Pacific Avenue. Mrs. Salinger, eine Frau von heiterem, gleichmäßigem Temperament, machte mir den Eindruck, daß sie sich wahrscheinlich nie im Leben aufregte. Als wir eines Abends miteinander vor dem lodernden Kaminfeuer saßen, fragte ich sie, ob sie je im Leben Nervosität und Angst kennengelernt habe. «Kennengelernt?» gab sie zurück. «Mein Leben ist beinahe davon zugrunde gerichtet worden. Ehe ich lernte, meine Ängste zu überwinden, lebte ich elf Jahre lang in einer selbstgeschaffenen Hölle. Ich war reizbar und leicht erregt, immer in Hochspannung. Jede Woche einmal fuhr ich im Autobus von San Mateo, wo ich wohnte, zum Einkaufen nach San Francisco. Doch selbst während ich meinen Einkäufen nachging, wurde ich meine Nervosität nicht los und zerbrach mir über alles mögliche den Kopf: ob ich nicht etwa das Bügeleisen eingeschaltet auf dem Bügelbrett vergessen, ob das Haus inzwischen Feuer gefangen hatte, oder ob das Mädchen davongelaufen sei und die Kinder alleingelassen habe. Womöglich waren sie auf ihren Rädern ausgefahren und unter ein Auto geraten, waren schon tot! Mitten in meinen Besorgungen arbeitete ich mich oft in eine Aufregung hinein, bis mir der kalte Schweiß ausbrach und ich auf die Straße hinauseilte, um heimzufahren und zu sehen, ob alles in Ordnung sei. Kein Wunder, daß meine erste Ehe in die Brüche ging.

Mein zweiter Mann ist Rechtsanwalt – ein ruhiger, präzis denkender Mann, der sich niemals aufregt. Wenn ich nervös und ängstlich zu werden begann, pflegte er zu mir zu sagen: ‚Reg dich doch nicht so auf. Wir wollen uns die Sache mal näher betrachten ... Was beun-

---

* Bei der pennsylvanischen Stadt Gettysburg errang General Meade 1863 im Amerikanischen Bürgerkrieg seinen berühmten Sieg über die verbündeten Südstaaten. – Die Übersetzerin.

ruhigt dich eigentlich so? Laß uns doch erst sehen, ob nach der Wahrscheinlichkeitsrechnung überhaupt anzunehmen ist, daß es so kommt.'

Ich entsinne mich zum Beispiel noch einer bestimmten Autofahrt,
die wir machten. Wir fuhren gerade auf einer weichen Straße, als ein
schrecklicher Platzregen losbrach.

Der Wagen kam ins Schleudern und Rutschen, wir konnten ihn
nicht mehr steuern. Ich war überzeugt, wir würden im Straßengraben
landen, doch mein Mann sagte immer wieder: ,Ich fahre ganz langsam. Es ist unwahrscheinlich, daß etwas Ernstes passiert. Selbst wenn
der Wagen in den Graben rutschen sollte, wird uns der Wahrscheinlichkeitsrechnung nach nichts geschehen.' Seine Ruhe und Sicherheit
wirkten beruhigend auf mich.

Einen Sommer gingen wir zum Camping in die kanadischen Rocky
Mountains. Einmal hatten wir unsere Zelte über 2000 Meter hoch
aufgeschlagen, als in der Nacht ein Sturm losbrach und sie in Fetzen
zu reißen drohte. Die Zelte waren mit Seilen an einer hölzernen
Plattform befestigt. Das äußere Zelt wurde vom Wind hin- und her-
gerissen, daß es zitterte und quietschte und ächzte. Jeden Augenblick
war ich gewärtig, daß unser Zelt sich losreißen und durch die Luft
wirbeln würde. Ich war halbtot vor Angst. Doch mein Mann wiederholte unablässig: ,Nimm doch Vernunft an, liebes Kind, wir machen
diesen Ausflug mit Brewsters Reisebüro. Brewsters wissen schon, was
sie tun. Seit sechzig Jahren schlagen sie in diesen Bergen Zeltlager
auf. Dieses Zelt hat schon viele Unwetter ausgehalten. Es ist bisher
nicht davongeflogen und wird der Wahrscheinlichkeitsrechnung gemäß auch heute nacht nicht fortgeweht werden. Aber selbst falls das
geschehen sollte, können wir immer noch in einem anderen Zelt
Schutz finden. Also reg dich nicht auf...' Ich gehorchte ihm und
schlief die übrige Nacht fest und ruhig.

Vor ein paar Jahren fegte eine Kinderlähmungsepidemie durch
unseren Teil von Kalifornien. In früheren Tagen hätte ich mich darüber entsetzlich aufgeregt. Doch mein Mann überredete mich, mit
Ruhe zu handeln. Wir trafen alle Vorsichtsmaßregeln, die wir konnten: wir hielten unsere Kinder von Menschenansammlungen fern
und ließen sie nicht zur Schule und ins Kino gehen. Durch Nach-
frage bei der Gesundheitsbehörde fanden wir heraus, daß selbst
während der schlimmsten Kinderlähmungsepidemie, die Kalifornien
bis dahin je gekannt hatte, nur 1835 Kinder im ganzen Staate Kalifornien davon ergriffen worden waren, und daß gewöhnlich die

Anzahl zwischen zwei- und dreihundert lag. So traurig diese Zahlen auch sind, sagten wir uns trotzdem, daß nach der Wahrscheinlichkeitsrechnung die Bedrohung jedes einzelnen Kindes sehr gering war.

Das Wort ‚Der Wahrscheinlichkeitsrechnung gemäß wird es nicht eintreten‘ hat mich von neunzig Prozent meiner Ängste befreit und hat die letzten zwanzig Jahre meines Lebens so schön und friedlich gemacht, wie ich es mir nie erträumt hätte.»

General George Crook – wohl der größte indianische Feldherr der amerikanischen Geschichte, sagt in seiner Selbstbiographie, daß «fast aller Kummer und alle unglücklichen Gefühle der Indianer aus ihrer Einbildung und nicht aus der Wirklichkeit» stammten. Wenn ich über die vergangenen Jahrzehnte zurückblicke, erkenne ich, daß dies auch auf die meisten meiner eigenen Sorgen zutrifft.

Auch Jim Grant hat die gleiche Erfahrung gemacht. Als Inhaber der Obstverteilungsgesellschaft James A. Grant, 204, Franklin Street, New York, pflegt er zehn bis fünfzehn Wagenladungen Orangen und Grapefruits aus Florida auf einmal zu bestellen. Wie er mir erzählte, schlug er sich früher immer mit Gedanken wie diesen herum: «Wenn nun ein Eisenbahnunglück geschieht? Wenn dabei meine Früchte überallhin davonrollen? Wenn nun eine Brücke einstürzt, während meine Güterwagen gerade darüberfahren?» Natürlich war das Obst ja versichert. Allein er hatte Angst, er könnte seinen Absatz verlieren, falls er nicht rechtzeitig lieferte. Er beunruhigte sich so sehr, daß er schon fürchtete, er hätte Magengeschwüre, und einen Arzt aufsuchte. Der Arzt sagte, ihm fehle nichts Organisches, nur seine Nerven spielten ihm gern Streiche. «Da ging mir ein Licht auf», erzählte mir Jim, «und ich begann, mich selbst auszuforschen. ‚Höre, Jim Grant‘, sagte ich zu mir selbst, ‚wieviele Wagenladungen Obst sind dir im Laufe der Jahre durch die Hände gegangen?‘ Die Antwort lautete: ‚Nahezu fünfundzwanzigtausend.‘ Dann forschte ich weiter: ‚Und wie viele sind davon zu Schaden gekommen?‘ Die Antwort war: ‚Oh – vielleicht fünf.‘ Da sprach ich zu mir selbst: ‚Was, nur fünf von fünfundzwanzigtausend? Weißt du, was das heißt? Ein Verhältnis von fünftausend zu eins. Mit anderen Worten, es ist nach der auf Erfahrung beruhenden Wahrscheinlichkeitsrechnung fünftausend gegen eins anzunehmen, daß nicht einer deiner Obstwaggons zu Schaden kommt. Wozu also die ganze Aufregung?‘

Darauf wandte ich ein: ‚Aber es kann doch wirklich mal eine

Brücke einstürzen!' Sofort fragte ich zurück: ,Wie viele Waggons hast du denn bisher wegen eines Brückeneinsturzes verloren?' Die Antwort lautete: ,Keinen einzigen.' Da sagte ich zu mir: ,Bist du nicht ein Narr, daß du vor lauter Aufregung riskierst, dir Magengeschwüre zuzuziehen wegen einer Brücke, die noch nie eingestürzt ist, und eines Eisenbahnunglücks, gegen das eine Wahrscheinlichkeit von fünftausend zu eins spricht?'

Als ich es so betrachtete», schloß Jim Grant seinen Bericht, «da kam ich mir unglaublich töricht vor und beschloß auf der Stelle, von nun an der Wahrscheinlichkeitsrechnung die Sorge um meine Angelegenheiten zu überlassen. Seither habe ich nie wieder etwas von meinem ,Magengeschwür' gespürt!»

Als Al Smith Statthalter von New York war, pflegte er auf die Angriffe seiner Feinde immer einfach zu erwidern: «Wir wollen mal untersuchen, was wirklich an der Sache ist ... sehen wir uns also die Tatsachen an.» Und dann ging er daran, diese Tatsachen aufzuzählen. Das nächstemal, wenn wir uns über Dinge beunruhigen, die geschehen könnten, täten wir gut, uns an das Rezept des klugen alten Al Smith zu halten, erst einmal festzustellen, was für eine Grundlage für unsere Ängste besteht. Diesem Rezept folgte auch Frederick J. Mahlstedt, als er fürchtete, im Grabe zu liegen. Hier ist seine Geschichte, so wie er sie in einer unserer Erwachsenenklassen in New York vortrug:

«Anfang Juni 1944 lag ich in einem Schützengraben in der Nähe der ,Omaha'-Küste*. Ich diente bei der 999. Nachrichten-Kompagnie, die sich in der Normandie gerade ,eingegraben' hatte. Als ich mich in dem Graben nun so umsah – es war nicht mehr als ein viereckiges Loch im Boden – da dachte ich: ,Das hier sieht gerade wie ein Grab aus.' Wie ich mich dann hinlegte und zu schlafen versuchte, fühlte es sich auch an wie ein Grab. Ich konnte mir nicht helfen – ich mußte denken: ,Vielleicht ist es wirklich mein Grab!' Als um 11 Uhr die deutschen Kampfflugzeuge anzufliegen begannen und die Bomben krachten, verging ich fast vor Angst. Die ersten zwei oder drei Nächte tat ich überhaupt kein Auge zu. Nach der vierten oder fünften Nacht waren meine Nerven völlig erledigt. Es war mir klar, daß, wenn ich dagegen nichts täte, ich bald glatt wahnsinnig werden

---

* Ein von den Amerikanern so benannter Abschnitt der Invasionsfront im Juni 1944.

würde. Also führte ich mir selbst dringlich zu Gemüt, daß nun ja bereits fünf Nächte vergangen waren und ich noch immer am Leben sei, genau wie alle meine Kameraden. Nur zwei von ihnen hatten Verwundungen erlitten, und auch diese waren nicht von Bomben verursacht worden, sondern von Splittern aus unseren eigenen Luftabwehrgeschützen. Da beschloß ich, meiner Angst schleunigst ein Ende zu machen, indem ich etwas Konstruktives unternahm. Ich baute ein dickes Holzdach über meinem Schützengraben, um mich gegen Flakgeschosse zu sichern. Ich malte mir aus, über ein wie weites Gelände meine Einheit verteilt war. Ich sagte mir, ich könne nur durch einen Volltreffer in diesem tiefen, schmalen Graben getötet werden, und rechnete aus, daß dafür nicht einmal eine Wahrscheinlichkeit von eins zu zehntausend bestand. Nachdem ich zu dieser Einstellung gelangt war, beruhigte ich mich und schlief nach ein paar Nächten selbst während Bombenangriffen.»

Die Flotte der Vereinigten Staaten bediente sich der Statistiken über Mittelwerte, um ihren Leuten Mut und Zuversicht einzuflößen. Ein Matrose erzählte mir einmal, er und seine Kameraden hätten Todesängste ausgestanden, als sie auf ein Schweroktan-Tankschiff abkommandiert wurden. Sie glaubten allesamt, ein mit Schweroktan-Benzin geladenes Tankschiff müßte, falls es einen Torpedotreffer erhielt, himmelhoch explodieren und alle darauf Befindlichen ins Jenseits befördern.

Doch das Flottenkommando der Vereinigten Staaten wußte besser Bescheid. Daher veröffentlichte es genaue Zahlen, die bewiesen, daß von hundert torpedierten Tankdampfern sechzig flott blieben, und daß von den vierzig, welche sanken, nur fünf in weniger als zehn Minuten untergingen. Das bedeutete, daß Zeit blieb, das Schiff zu verlassen – bedeutete auch sehr geringfügige Verluste an Menschenleben. Ob das half, die Stimmung zu verbessern? «Diese Kenntnis von der Wahrscheinlichkeitsrechnung machte meinem Beben und Zittern ein radikales Ende», sagte Clyde W. Maas aus St. Paul, Minnesota, 1969, Walnut Street, der mir diese Geschichte anvertraut hat. «Die ganze Besatzung schöpfte Mut. Wir wußten nun, daß wir eine Chance hatten, nach der Wahrscheinlichkeitsrechnung vermutlich nicht getötet zu werden.»

Hier ist Regel Nummer 3 zum Abgewöhnen von Angst und Furcht: *«Sehen wir uns den Tatsachenbericht genau an.»* Überlegen wir uns

folgendes: «Welche Wahrscheinlichkeit besteht der Wahrscheinlich-
keitsrechnung zufolge, daß das Geschehnis, vor dem ich solche Angst
habe, je eintreten wird?»

Verbündet Euch mit dem Unvermeidlichen 9

Als kleiner Junge spielte ich einmal mit ein paar Freunden auf dem
Estrich einer unbewohnten alten Blockhütte im Nordwesten von
Missouri. Ich kletterte aus dem Dachfenster und an der Außenwand
hinunter. Dann blieb ich einen Augenblick lang auf einem Fenster-
sims stehen und setzte zum Sprung an. An meinem linken Zeigefinger
trug ich einen Ring. Mit dem blieb ich im Sprunge an einem Nagel-
kopf hängen und riß mir den Finger ab.

Ich schrie laut. Ich war vor Schmerz fast betäubt. Ich war sicher,
nun sterben zu müssen. Doch nachdem die Wunde verheilt war,
machte ich mir keinen Augenblick weiter Gedanken über das Geschehene. Was hätte das auch genützt? Ich schickte mich ins Unvermeidliche.

Heute vergeht oft mehr als ein Monat, ohne daß ich überhaupt
daran denke, daß ich an der linken Hand nur den Daumen und drei
Finger habe.

Vor ein paar Jahren lernte ich einen Mann kennen, der in einem
New Yorker Bürohaus einen Warenlift bediente. Es fiel mir auf, daß
seine linke Hand vom Gelenk an fehlte. Ich erkundigte mich, ob ihn
der Verlust der Hand sehr störe. «Ach nein», antwortete er, «ich
denke fast nie daran. Das einzige Mal, daß ich daran erinnert werde,
ist, wenn ich mir eine Nadel einfädeln will – ich bin nämlich nicht
verheiratet.»

Es ist erstaunlich, wie rasch wir lernen, uns in fast jede Lage zu
schicken, wenn wir dazu gezwungen sind – und wie schnell wir uns
ihr anpassen und die Sache vergessen.

Ich denke oft an eine Inschrift auf der Ruine eines mittelalter-
lichen Doms in Amsterdam. Sie verkündet auf flämisch: «So ist es.
Anders kann es nicht sein.»

Auf der Wanderung durch die Jahrzehnte unseres Lebens stoßen wir alle auf eine Menge unliebsamer Situationen, die «so sind», die «nicht anders sein können». Wir haben dann die Wahl, ob wir sie als unabwendbar annehmen und uns ihnen anpassen, oder ob wir unser Dasein durch innere Widersetzlichkeit vergiften und vielleicht schließlich einen nervösen Zusammenbruch erleiden wollen.

Hier ist ein weiser Rat eines meiner Lieblingsphilosophen, William James. *«Schickt Euch willig darein»*, mahnte er. *«Bejahung des Geschehenen ist der erste Schritt zur Überwindung der Folgen eines jeden Unglücks.»*

Elisabeth Connley aus Portland in Oregon, 2840, NE 49th Avenue, mußte hartes Lehrgeld zahlen, ehe sie das begriff. Hier ist ein Brief, den sie mir kürzlich schrieb: «Am gleichen Tage, als Amerika den Sieg unserer Streitkräfte in Nordafrika feierte», heißt es darin, «erhielt ich ein Telegramm vom Kriegsministerium, in dem stand, daß mein Neffe – der Mensch, der mir am nächsten stand – vermißt werde. Kurz darauf kam ein zweites Telegramm mit der Nachricht von seinem Tod.

Ich war erstarrt vor Schmerz. Bis dahin hatte ich immer gefunden, daß ich Glück im Leben habe. Meine Arbeit sagte mir zu. Ich hatte geholfen, diesen Neffen zu erziehen. Für mich verkörperte er das Schönste und Beste von jungem Mannestum. Immer hatte ich mich für alles, was ich gab, reich bezahlt gefühlt ... Und nun kam diese Nachricht. Meine ganze Welt brach zusammen. Ich hatte das Gefühl, nun hätte ich nichts mehr, wofür es sich lohnte, zu leben. Ich vernachlässigte meine Arbeit, vernachlässigte meine Freunde. Ich ließ alles gehen, wie es wollte, war bitter und voll von innerem Groll. Warum mußte mein lieber Neffe mir genommen werden? Warum mußte dieser gute Junge, vor dem noch das ganze Leben lag, getötet werden? Ich konnte mich nicht darein finden. Mein Kummer war so überwältigend, daß ich beschloß, meine Stellung aufzugeben und fortzugehen, um mich in Tränen und Bitterkeit zu vergraben.

Ich räumte gerade meinen Schreibtisch aus, um mich zur Abreise fertig zu machen, als mir ein Brief in die Hand fiel, den ich ganz vergessen hatte – ein Brief meines gefallenen Neffen, den er mir vor Jahren zum Tode meiner Mutter geschrieben hatte. ,Natürlich werden wir alle sie sehr vermissen', stand darin, ,und ganz besonders Du. Doch ich weiß, Du wirst den Kopf oben behalten. Dafür wird schon Deine persönliche Lebensauffassung sorgen. Ich werde nie all das Schöne und Wahre vergessen, das Du mich gelehrt hast. Wo ich auch sein werde, wie weit wir auch getrennt sein mögen, stets werde ich daran denken, wie Du mich lehrtest, heiter zu sein und das, was kommt, wie ein Mann zu tragen.'

Ich las diesen Brief, las ihn immer wieder. Es war mir, als stände er da neben mir und spräche zu mir. Er schien mir zu sagen: ,Warum tust Du nicht selbst, was Du mich lehrtest? Behalte den Kopf oben, was auch geschehen möge. Verbirg Deinen persönlichen Kummer unter einem Lächeln und lebe Dein Leben weiter.'

So kehrte ich in meine Stellung zurück. Ich war nicht länger bitter und widersetzlich. Ich wiederholte mir immer wieder: ,Es ist geschehen. Ich kann es nicht ändern. Ich kann und will mein Leben weiterleben, wie er es von mir wollte.' Ich widmete all meine Kräfte und Fähigkeit meiner Arbeit. Ich schrieb Briefe an Soldaten – an die Söhne anderer Leute. Ich trat einer Abendklasse für Erwachsenenbildung bei, um neue Interessen, neue Freunde zu erwerben. Ich kann selbst die Änderung kaum begreifen, die sich in mir vollzogen hat. Ich habe es aufgegeben, über die Vergangenheit zu trauern, die für ewig dahin ist. Jeden Tag durchlebe ich jetzt mit Freudigkeit – so wie es mein Neffe gewollt hätte. Ich habe mein Schicksal willig angenommen. Und ich lebe jetzt ein volleres und erfüllteres Leben, als ich es je zuvor gekannt habe.»

Elisabeth Connley, drüben in Portland, Oregon, hat gelernt, was wir alle früher oder später zu lernen haben: nämlich, daß wir das Unabwendbare willig annehmen und ihm die Hand bieten müssen. «So ist es. Anders kann es nicht sein.» Leicht ist das nicht zu lernen. Selbst gekrönte Könige müssen es sich immer wieder ins Gedächtnis rufen. Der verstorbene König Georg V. von England hatte diese Worte gerahmt in seiner Bibliothek im Buckingham-Palast hängen: «Teach me neither to cry for the moon nor over spilt milk» (wörtlich: Lehre mich, weder nach dem Mond zu begehren noch über vergossene Milch zu jammern). Schopenhauer drückt den gleichen Gedanken so aus: «Ein guter Vorrat von Resignation ist von größter Wichtigkeit als Wegzehrung für die Lebensreise.»

Es versteht sich, daß nicht unsere Lebensumstände allein uns glücklich oder unglücklich machen. Was wir empfinden, wird dadurch bestimmt, wie wir auf diese Umstände reagieren. Jesus sagte, das Himmelreich sei in uns. Das stimmt auch für das Reich der Hölle.

Wir können alle Unglück und furchtbares Erleben ertragen und darüber triumphieren – wenn wir es müssen. Vielleicht meinen wir, wir könnten es nicht, allein wir besitzen überraschend starke innere Kräfte, die uns hindurchsteuern werden, wenn wir nur Gebrauch von ihnen zu machen bereit sind. Wir sind stärker, als wir denken.

Der nun verstorbene Schriftsteller Booth Tarkington pflegte zu sagen: «Alles vermöchte ich zu ertragen, was mir das Leben auferlegen könnte, nur eines nicht: Blindheit. Das könnte ich nie ertragen.»

Doch eines Tages, als er in den Sechzigern war, blickte Tarkington auf den Teppich zu seinen Füßen – und die Farben verschwammen vor seinen Augen. Er konnte das Muster nicht mehr erkennen. Er ging zum Augenarzt und erfuhr dort die furchtbare Wahrheit: daß er sein Augenlicht verlieren werde. Das eine Auge war schon fast blind, das andere auf dem Wege dazu. Das, was er auf der Welt am meisten fürchtete, hatte ihn getroffen.

Und wie verhielt sich Tarkington diesem «Furchtbarsten» gegenüber? Sagte er innerlich: «Jetzt ist es da! Das ist das Ende von allem?» Nein – zu seinem eigenen Erstaunen fühlte er sich ganz heiter. Er rief sogar seinen Humor zu Hilfe. «Flecken», die vor seinen Augen vorbeischwammen und sein Sehvermögen abschnitten, setzten ihm stark zu. Dennoch pflegte er, wenn der größte von diesen Flecken ihm wieder vor dem Auge schwamm, mit Worten wie diesen darüber zu scherzen: «Je – da ist Großvater wieder! Wo er an diesem schönen Morgen wohl hinwill?»

Wie vermöchte das Schicksal je einen solchen Geist zu bezwingen? Es vermochte es nicht. Als völlige Dunkelheit sich über ihn breitete, sagte Tarkington: «Ich fand, daß ich den Verlust meines Augenlichtes hinnehmen konnte, wie eben ein Mann alles andere auch hinnimmt. Selbst wenn ich *alle meine fünf Sinne* verlöre, könnte ich, das weiß ich, innerlich im Geiste weiterleben. Denn der Geist ist es, in dem wir sehen, und der Geist, in dem wir leben, ob wir es wissen oder nicht.»

In der Hoffnung, sein Sehvermögen wiederzuerlangen, mußte sich Tarkington innerhalb eines Jahres zwölf Operationen unterziehen. Nur unter Lokalanästhesie! Lehnte er sich dagegen auf? Er wußte, es mußte sein. Er wußte, er konnte nicht daran vorbeikommen, daher war die einzige Art und Weise, sein Leiden zu verringern, es mit Haltung anzunehmen. Im Spital weigerte er sich, ein Privatzimmer zu beziehen und ließ sich in einen Krankensaal legen, wo er mit

anderen zusammen sein konnte, die auch Schlimmes erdulden mußten. Diese versuchte er aufzuheitern. Und als er wiederholte Operationen über sich ergehen lassen mußte – sich dessen, was mit seinen
Augen geschah, völlig bewußt – bemühte er sich, zu betonen, wie
begünstigt er sei. «Wie wunderbar!» sagte er. «Wie wunderbar, daß
die Wissenschaft heute so weit ist, ein so zartes Gebilde wie das
menschliche Auge operieren zu können!»

Ein Durchschnittsmensch würde wohl innerlich zusammenbrechen,
wenn er mehr als zwölf Operationen und Blindheit auf sich nehmen
müßte. Tarkington aber sagte: «Ich möchte dieses Erleben nicht für
ein glücklicheres eintauschen.» Es lehrte ihn Schicksalsbejahung. Es
lehrte ihn, daß nichts, was das Leben ihm bringen konnte, stärker
sein würde, als seine Kraft, es zu ertragen. Es lehrte ihn das, was
auch der englische Dichter Milton entdeckte: «Es ist kein Unglück,
blind zu sein, es ist nur ein Unglück, die Blindheit nicht ertragen zu
können.»

Margaret Fuller, die bekannte amerikanische Frauenrechtlerin,
sprach einmal folgendes Glaubensbekenntnis aus: «Ich bejahe das
Weltall!»

Als der grämliche alte Thomas Carlyle dies in England zu hören
bekam, knurrte er: «Sie tut bei Gott gut daran!» Jawohl, und bei
Gott, wir täten alle miteinander ebenfalls gut daran, das Unvermeidliche zu bejahen!

Wenn wir uns dagegen auflehnen und bitter werden, ändern wir
damit ja nicht das Unabänderliche, nein, uns selbst ändern wir. Ich
weiß es. Ich habe es versucht.

Ich weigerte mich einst, eine unabwendbare Situation hinzunehmen, der ich mich gegenübersah. Ich spielte den Narren und
lehnte mich auf und wollte einfach nicht. Meine Nächte machte ich
mir selbst zu einer Hölle der Schlaflosigkeit. Alles, was ich vermeiden wollte, zog ich mir dadurch erst recht zu. Und schließlich
mußte ich mich nach einem Jahr der Selbstquälerei doch in das
fügen, wovon ich gleich gewußt hatte, daß ich es nicht ändern konnte.

Vor Jahren schon hätte ich mit dem alten Walt Whitman ausrufen sollen:

> Oh, könnte ich doch Nacht, Stürme, Hunger,
> Lächerlichkeit, Unfall und Abweisung
> Hinnehmen wie Bäume und Tiere es tun.

Ich habe zwölf Jahre meines Lebens mit Landarbeit zugebracht, aber nie habe ich es erlebt, daß eine Kuh Fieber bekam, weil die Weide wegen Trockenheit verdorrte oder von kalten Niederschlägen durchweicht wurde, oder weil ihr Liebster einer anderen Kuhschönheit den Hof machte. Tiere nehmen Nacht und Sturm, Hunger und Kälte gelassen hin, deshalb brechen sie nie mit den Nerven zusammen oder legen sich Magengeschwüre zu; sie werden auch nie verrückt.

Spreche ich dafür, daß wir uns einfach *allem* Mißgeschick, das uns begegnet, widerstandslos beugen? Nicht im allermindesten! Das wäre reiner Fatalismus. Solange noch Aussicht besteht, eine Situation zu retten, sollten wir darum kämpfen. Sagt die Vernunft uns jedoch, daß wir es mit etwas zu tun haben, das so ist – und nicht anders sein kann – dann laßt uns im Namen unserer gesunden Geistesverfassung weder zurück- noch vorwärtsblicken und auch nicht nach etwas jammern, was nun einmal nicht ist.

Der verstorbene Dekan Hawkes von der Columbia-Universität sagte mir einmal, er habe sich einen Kindervers zum Motto gewählt:

> Für jedes Leiden, das uns befällt,
> Gibt's ein oder kein Mittel auf der Welt.
> Wenn's eines gibt, versuch es zu finden,
> Gibt's aber keins, mußt dein Leid überwinden.

Während ich dieses Buch schrieb, interviewte ich eine Reihe führender amerikanischer Geschäftsleute und war beeindruckt von der Feststellung, daß sie mit dem Unabwendbaren Hand in Hand arbeiteten und allgemein ein erstaunlich sorgenfreies Dasein genossen. Im anderen Falle wären sie sicherlich unter den Lasten, die sie trugen, zusammengebrochen. Nachstehend einige Beispiele davon, wie ich das meine.

J. P. Penney, der Gründer der über ganz Amerika verbreiteten Penney-Warenhäuser, sagte zu mir: «Ich würde mich nicht sorgen, und wenn ich jeden Dollar verlöre, den ich besitze, denn ich sehe nicht ein, wozu Sichsorgen nützlich sein könnte. Ich mache meine Sache so gut ich kann und überlasse das, was daraus wird, dem Ratschluß der Götter.»

Henry Ford äußerte sich sehr ähnlich. «Wenn ich mit dem Gang der Dinge nicht fertig werden kann, lasse ich sie selbst mit sich fertig werden.»

Und als ich K. T. Keller, den Vorsitzenden der Chrysler Corporation, fragte, wie er Aufregungen vermeide, antwortete er mir: «Wenn ich mich einer schwierigen Situation gegenübersehe und etwas dagegen tun kann, so tue ich es. Kann ich nichts tun, dann denke ich einfach nicht mehr daran. Ich beunruhige mich niemals über das Kommende, weil ich weiß, daß kein Mensch auf der Welt herausknobeln kann, was künftig einmal geschehen wird. Wie viele Mächte gibt es, die auf die Zukunft Einfluß haben werden! Wissen, was hinter diesen Mächten steht, oder sie begreifen, kann niemand. Wozu also sich darüber aufregen?» Es würde K. T. Keller sicher verlegen machen, wenn man ihm sagte, er sei ein Philosoph. Er ist einfach ein tüchtiger Geschäftsmann. Dennoch stieß er auf dieselbe Lebensweisheit, welche von Epiktet vor nahezu zwei Jahrtausenden in Rom gelehrt wurde. «Es gibt nur einen Weg zum Glück», predigte Epiktet den Römern, «und der besteht darin, sich nicht über Dinge zu sorgen, die sich der Beeinflussung durch unseren Willen entziehen.»

Sarah Bernhardt, die «göttliche Sarah», lieferte ein hervorragendes Beispiel dafür, wie man sich dem Unvermeidlichen verbünden kann. Ein halbes Jahrhundert lang war sie in vier Erdteilen die unbestrittene Königin der Bühnenkunst gewesen, die mehr als alle anderen geliebte Schauspielerin von Gottes Gnaden. Dann, als sie einundsiebzig und bankrott war – denn sie hatte ihr ganzes Vermögen verloren – erklärte ihr Arzt, Professor Pozzi in Paris, sie müsse sich ein Bein amputieren lassen. Auf der Überfahrt über den Atlantischen Ozean war sie während eines Sturmes auf Deck hingefallen und hatte sich schwer am Bein verletzt. Sie bekam Venenentzündung. Ihr Bein verkümmerte. Sie litt so große Schmerzen, daß der Arzt schließlich zu der Überzeugung gelangte, das Bein müsse abgenommen werden. Er fürchtete sich beinahe davor, der stürmisch veranlagten, erregbaren «göttlichen Sarah» anzukündigen, was geschehen müsse, und war durchaus darauf gefaßt, daß die Schreckensnachricht einen hysterischen Ausbruch heraufbeschwören werde. Doch er hatte sich getäuscht. Sarah sah ihn einen Augenblick lang still an, dann sagte sie gefaßt: «Wenn es sein muß, dann muß es sein.» Das Schicksal wollte es so.

Als sie in den Operationssaal gefahren wurde, stand ihr Sohn weinend dabei. Mit einer fröhlichen Handbewegung winkte sie ihm zu und sagte lächelnd: «Geh nicht fort. Ich komme gleich zurück.»

Auf dem Weg in den Operationssaal rezitierte sie eine Szene aus einem ihrer Stücke. Jemand fragte sie, ob sie dies tue, um sich selbst Mut zu machen. «Nein», sagte sie, «um den Ärzten und Schwestern Mut zu machen. Die Sache wird sie angreifen.»

Nachdem sie sich von der Operation erholt hatte, bereiste Sarah Bernhardt von neuem die Welt und entzückte ihre Zuhörer weitere sieben Jahre lang.

«Sobald wir aufhören, uns gegen das Unabwendbare zu wehren», schreibt Elsie McCormick in einem Artikel in «Reader's Digest», «machen wir Energie frei, die uns befähigt, ein reicheres Leben zu schaffen.»

Niemand auf der Welt hat genug Seelen- und Körperkraft, um das Unabwendbare zu *bekämpfen* und sich gleichzeitig mit dem, was ihm bleibt, ein neues Leben aufzubauen. Ihr müßt Euch für das eine oder andere entscheiden. Entweder Ihr beugt Euch unter den unabwendbaren Hagelwettern des Lebens – oder Ihr widersteht ihnen und zerbrecht dabei!

Das erlebte ich einst auf einer Farm, die ich im Staate Missouri besitze. Dort pflanzte ich einmal eine Reihe Bäume an, etwa zwanzig an der Zahl. Zuerst schossen sie mit erstaunlicher Schnelligkeit empor. Dann brach eines Tages ein Unwetter los, und der Hagel überzog alle Zweige mit einer dicken Eisschicht. Doch statt sich gutwillig unter ihrer Last zu beugen, widerstanden ihm meine Bäume voller Stolz, brachen unter ihrer Bürde nieder – und mußten beseitigt werden. Sie hatten sich die Weisheit der Wälder des Nordens nicht zu eigen gemacht. Ich bin Hunderte von Meilen durch die immergrünen Wälder Kanadas gefahren, nie aber bin ich einer von Eis oder Unwetter geknickten Fichte oder Kiefer begegnet. Diese immergrünen Wälder verstanden es, sich zu beugen, ihre Äste zu senken, mit dem Unvermeidlichen in Gemeinschaft zu treten.

Die Meister des Jiu-Jitsu, der «sanften Kunst» der japanischen Selbstverteidigung, lehren ihre Schüler sich zu «beugen gleich der Weide, statt zu widerstehen gleich der Eiche».

Wieso, meint Ihr, halten Eure Autopneus der Straße stand, ohne darunter zu leiden? Zu Anfang versuchten die Fabrikanten einen Reifen zu erzeugen, der den Stößen der Straße Widerstand leisten könnte. Er hing bald in Fetzen herunter. Dann verlegten sie sich auf Reifen, die die Stöße der Straße zu absorbieren vermochten. Dieser Reifen «hielt durch». Wir alle werden uns als dauerhafter erweisen und glatter dahinfahren, wenn wir es lernen, die Unebenheiten und harten Stöße auf der steinigen Straße des Lebens aufzufangen.

Was geschieht mit uns, wenn wir den Püffen des Lebens Widerstand leisten, anstatt sie aufzufangen? Was geschieht, wenn wir uns weigern, «gleich der Weide» uns zu beugen und uns darauf versteifen, gleich der Eiche uns zu wehren? Die Antwort ist einfach. Wir schaffen uns damit eine Reihe innerer Konflikte. Wir treiben uns selbst in eine gespannte, gereizte, rastlose und neurotische Gemütsverfassung hinein.

Gehen wir noch weiter, lehnen wir die harte Welt der Wirklichkeiten ab und flüchten in eine selbstgeschaffene Traumwelt, dann verlieren wir den Verstand.

Während des Krieges blieb Millionen angstvoller Soldaten nichts übrig, als sich entweder in das Unausweichliche zu finden oder unter der Last zusammenzubrechen. Ich will dies durch den Fall William H. Casselius', 7126, 76th Street, Glendale, New York, veranschaulichen. Hier ist ein preisgekrönter Vortrag, den er vor einer meiner Erwachsenenklassen in New York hielt:

«Kurz nachdem ich in die Küstenwache eingetreten war, wurde ich an eine der brenzligsten Stellen auf unserer Seite des Atlantischen Ozeans geschickt. Sie machten mich zum Aufseher eines Munitionsdepots. Mich – einen Reisenden in Knallbonbons – machten sie zum Munitionsaufseher! Schon der bloße Gedanke, er stehe auf Tausenden von Tonnen Sprengstoff, genügt, um einem Knallbonbonverkäufer das Blut gerinnen zu machen. Nur zwei Tage lang wurde ich in meinen neuen Pflichten unterwiesen; und das, was ich dabei erfuhr, erfüllte mich mit noch größerem Schrecken. Nie werde ich meinen ersten Auftrag vergessen. An einem dunklen, kalten, nebligen Tag erhielt ich meinen Befehl auf dem offenen Hafendamm von Caven Point, Bayonne, New Jersey.

Ich wurde nach Raum Nummer fünf meines Schiffes kommandiert und mußte dort unten mit fünf Werftleuten arbeiten. Es waren kräftige Burschen, aber von Explosivstoffen verstanden sie nicht die Spur. Und die verluden allerschwerste Bomben, sogenannte ,Bezirksbomben', von denen jede eine Tonne TNT enthielt, genug, um das ganze verflixte Schiff in Rauch und Asche zu verwandeln! Diese Bomben wurden an zwei Kabelschlingen herabgelassen. Ich konnte nichts anderes denken als: Wenn nun eins von diesen Kabeln sich losmachte – oder riß! Junge, Junge, stand ich eine Angst aus! Ich zitterte nur so. Mein Mund war ausgetrocknet. Meine Knie versagten. Mein Herz klopfte zum Zerspringen. Aber weglaufen konnte ich nicht. Das wäre Desertion gewesen, Entehrung – auch für meine Eltern. Und mich selbst konnten sie wegen Desertierens erschießen. Nein, ausreißen durfte ich nicht. Ich mußte dableiben. Ich sah zu, wie achtlos diese Werftarbeiter mit den schweren Bomben umgingen. Jeden Augenblick konnte das Schiff in die Luft fliegen. Nachdem ich mich eine Stunde oder auch länger diesen schaudervollen Gefühlen überlassen hatte, besann ich mich allmählich und nahm wieder etwas Vernunft an. Ich schalt auf mich selbst ein: ,Soso – also in die Luft gesprengt wirst du! Na, und? Das merkst du ja überhaupt nicht! Jedenfalls wird's ein leichter Tod sein. Viel angenehmer, als an Krebs draufzugehen. Sei doch kein Narr. Erwartest du etwa, ewig zu leben? Du hast dieses Kommando auszuführen – sonst stellen sie dich an die Wand. Also ist's wirklich gescheiter, du tust es gern.'

In dieser Weise redete ich mir stundenlang zu und begann mich dadurch wohler zu fühlen. Schließlich überwand ich meine Angst und Furcht, indem ich mich zwang, die unabänderliche Situation hinzunehmen.

Diese Lektion werde ich nie vergessen. Wenn ich mich jetzt je wieder versucht fühle, mich über etwas aufzuregen, was ich doch nicht ändern kann, zucke ich die Achseln und sage: ,Denk nicht mehr dran.' Ich finde, daß das hilft – selbst einem Knallbonbonreisenden.»

Hurra! Lassen wir den Knallbonbonreisenden von der «Pinafore» dreimal hochleben!

Abgesehen von der Kreuzigung Jesu ist der Tod des Sokrates die berühmteste Sterbeszene in der Geschichte der Menschheit. Noch in zehntausend Jahrhunderten werden die Menschen Platos unsterbliche Schilderung dieser Szene lesen und lieben – eine der herrlichsten und bewegendsten Seiten der gesamten Literatur. Mehrere athenische Männer, die auf den alten barfüßigen Sokrates neidisch und eifersüchtig waren, hatten falsche Anklagen gegen ihn erhoben und setzten durch, daß ihm der Prozeß gemacht und er zum Tode verurteilt wurde. Als der ihm freundlich gesinnte Gefängniswärter Sokrates den Giftbecher zu trinken gab, sprach er zu dem Philosophen: «Suche das, was sein muß, leicht zu tragen.» Dies tat Sokrates. Er sah dem Tod mit einer Ruhe und Ergebung ins Auge, die ans Göttliche grenzte.

«Suche das, was sein muß, leicht zu tragen.» Diese Worte wurden

dreihundertneunundneunzig Jahre vor der Geburt Christi gesprochen. Doch unsere angstzerquälte Zeit bedarf ihrer heute mehr
denn jede vorhergehende. *«Suche das, was sein muß, leicht zu
tragen.»*

Im Laufe der letzten acht Jahre habe ich sozusagen jedes Buch
und jeden Zeitungsartikel, der mir unter die Augen kam, gelesen,
sofern auch nur das mindeste über die Überwindung von Angst
und Sorge darin zu finden war. Soll ich meinen Lesern verraten,
welches der weiseste Rat war, den ich in dieser ganzen Lektüre
entdeckte? Nun gut, hier ist er, in knappe Worte zusammengefaßt –
Worte, die wir uns alle miteinander an unseren Badezimmerspiegel
kleben sollten, damit wir uns jedesmal, wenn wir uns das Gesicht
waschen, zugleich auch unser Gemüt von Angst und Sorge rein-
waschen können. Dieses unschätzbare Gebet stammt aus der Feder
von Dr. Reinhold Niebuhr, Professor für angewandtes Christentum,
Union Theological Seminary, Broadway, New York:

> Möge Gott mir die Heiterkeit verleihen,
> Das, was ich nicht abwenden kann, zu bejahen;
> Den Mut, das, was ich ändern kann, zu ändern;
> Und die Weisheit, den Unterschied zu erkennen.

Und hier ist schließlich noch einmal Regel Nummer 4 zur Überwindung unserer Ängste:
Verbündet Euch mit dem Unvermeidlichen!

«Limitiert» Eure Sorgen! 10

Möchtet Ihr gern erfahren, wie man an der Börse Geld verdient?
Nun, das möchten viele Leute, und wüßte ich die Antwort darauf,
so könnte ich mein Buch um mehr als den tausendfachen Preis verkaufen. Immerhin aber läßt sich eine empfehlenswerte Methode anwenden, die schon manchem zum Erfolg verholfen hat. Die folgende Erfahrung wurde mir von Charles Roberts mitgeteilt, einem

Börsenmakler, dessen Büro sich in New York, 17, East 42nd Street, befindet.

«Ursprünglich kam ich aus Texas nach New York. Ich brachte zwanzigtausend Dollar mit, die ich für meine Freunde an der Börse investieren sollte», erzählte Charles Roberts. «Ich bildete mir ein, ich wüßte über den ganzen Börsenrummel Bescheid – aber ich verlor jeden Cent. Zwar machte ich schöne Gewinne durch gewisse Transaktionen, zum Schluß aber ging mir alles flöten.

Daß mein eigenes Geld verloren war», fuhr Mr. Roberts fort, «machte mir nicht so sehr viel aus; aber daß ich meine Freunde um das ihre gebracht hatte, war mir schrecklich, obwohl sie die Verluste gut tragen konnten. Es graute mir davor, ihnen wieder unter die Augen zu treten, nachdem unser Wagnis so unglücklich ausgegangen war, doch zu meinem Erstaunen benahmen sie sich nicht nur sehr anständig in der Angelegenheit, sondern erwiesen sich dazu noch als unheilbare Optimisten.

Ich wußte, daß ich mehr oder weniger aufs Geratewohl spekuliert und mich dabei zum großen Teil auf mein Glück und die Meinung anderer verlassen hatte. Wie H. I. Phillips sich ausdrückte, hatte ich ,nach dem Gehör auf der Börse gespielt'.

Jetzt begann ich über meine Fehler nachzudenken und beschloß, ehe ich mich wiederum auf den Aktienmarkt wagte, herauszufinden, wie alles dort zuging. Also suchte und fand ich die Bekanntschaft eines der erfolgreichsten Spekulanten aller Zeiten: die von Burton S. Castles. Ich dachte, von ihm würde sich eine Menge lernen lassen, denn seit Jahren stand er im Rufe, dauernd Glück zu haben, und ich sagte mir, eine solche Laufbahn könne nicht allein auf Zufall oder reinem Glück beruhen.

Er fragte mich etwas darüber aus, wie ich bisher vorgegangen sei, und erklärte mir dann den Grundsatz, den ich heute für den wichtigsten bei allen Börsengeschäften halte. ,Ich gebe bei jedem Engagement, in das ich mich einlasse, ein Limit auf', sagte er. ,Wenn ich zum Beispiel einen Posten zu, sagen wir, fünfzig Dollar pro Aktie erwerbe, limitiere ich sie sofort zu fünfundvierzig.' Das bedeutet, daß das Aktienpaket, sobald es bis zu fünf Punkt gegenüber dem Kaufpreis gefallen ist, automatisch verkauft werden würde, wodurch der Verlust auf fünf Punkt beschränkt bliebe.

,Wenn Sie von Anfang an intelligent disponieren', fuhr der alte Meister fort, ,dann werden Ihre Gewinne sich auf durchschnittlich zehn, fünfundzwanzig, ja sogar fünfzig Punkte belaufen. Und indem Sie Ihre Verluste auf fünf Punkte limitieren, können Sie getrost bei der Hälfte Ihrer Transaktionen fehlgehen und werden dennoch eine Menge Geld verdienen.'

Ich machte mir dieses Prinzip sogleich zu eigen und habe es seither ständig angewandt. Es hat mir und meinen Kunden Tausende von Dollars erspart.

Nach einer Weile wurde mir klar, daß der Grundsatz des Limitierens nicht nur an der Börse, sondern auch sonst im Leben förderlich sein könne. So begann ich, außer finanziellen Sorgen auch andere Sorgen mit Limiten zu belegen. Bald limitierte ich alles und jedes, was mich ärgerte und verdroß, und das hat wahre Wunder gewirkt.

So habe ich zum Beispiel eine regelmäßige Verabredung zum Mittagessen mit einem Freund, der gewöhnlich sehr unpünktlich ist. In früheren Tagen pflegte er mich meine halbe Mittagspause lang warten zu lassen, bis er endlich auftauchte. Schließlich erzählte ich ihm von meiner neuen Gewohnheit, Unannehmlichkeiten zu limitieren. ‚Bill‘, erklärte ich ihm, ‚mein Limit auf die Wartezeit bei unseren Verabredungen beträgt genau zehn Minuten. Kommst du mehr als zehn Minuten zu spät, so ist es Essig mit unserem gemeinsamen Lunch und ich verschwinde von der Bildfläche.'»

Menschenskind! Ich wünschte bloß, auch ich hätte mir schon vor Jahren angewöhnt, alles zu limitieren – meine Ungeduld, meine Übellaunigkeit, meine Rechthaberei, meine Reuegefühle und alles andere, was mich geistig und seelisch belastete. Warum hatte ich nicht soviel Einsehen, um jede Situation, die meine Gemütsruhe bedrohte, abzuwägen und mir zu sagen: «Höre, Dale Carnegie, diese Sachlage ist genau soundsoviel Quälerei wert, und nicht mehr.» – Warum war ich nur so töricht?

Immerhin darf ich ein wenig gesunde Vernunft, die ich mindestens bei einer Gelegenheit bewies, für mich in Anspruch nehmen. Es war noch dazu eine ernste Gelegenheit – eine Krise in meinem Dasein – eine Krise, während welcher ich zusehen mußte, wie meine Träume und Zukunftspläne und die Arbeit von Jahren in Dunst aufgingen. Das geschah folgendermaßen: Als ich anfangs Dreißig war, nahm ich mir vor, Romane zu schreiben. Ich wollte mindestens ein zweiter Jack London oder Thomas Hardy werden. Es war mir so ernst mit meinem Vorhaben, daß ich zwei Jahre in Europa verbrachte, wo ich in der Zeit der wilden Inflation nach dem Ersten

Weltkrieg mit meinen Dollars sehr billig leben konnte. Zwei Jahre blieb ich dort und verfaßte mein Meisterwerk. Ich nannte es «Der Schneesturm» – ein Titel, der großartig paßte, denn die Aufnahme, die der Roman bei den Verlegern fand, war so kalt wie je nur ein Schneesturm war, der über die weiten Flächen Dakotas heulte. Als mein literarischer Agent mir sagte, das Buch sei wertlos, ich hätte keine Begabung, keinen Sinn fürs Romanschreiben, stand mir das Herz fast still. Wie betäubt verließ ich sein Büro. Es hätte mir kaum schlimmer zumute sein können, wenn er mir einen Keulenschlag auf den Kopf versetzt hätte. Ich war ganz vernichtet. Nun stand ich an einem Scheideweg meines Lebens und mußte einen ungeheuren Entschluß fassen. Was sollte ich tun? Wohin mich wenden? Wochen vergingen, bis ich endlich meine Betäubung abschüttelte. Zu jener Zeit hatte ich die Redensart «Limitiert Eure Sorgen» noch nie vernommen. Doch in der Rückschau wird mir klar, daß ich gleichwohl danach handelte. Ich schrieb meine zweijährige Quälerei mit meinem Roman als das ab, was sie gewesen war: ein lobenswertes Experiment, und begann dann, auf neuen Wegen vorwärtszuschreiten. Ich widmete mich wieder der Abhaltung von Abendkursen und schrieb in meiner freien Zeit Biographien und Bücher der gleichen Art wie das vorliegende.

Ob ich über meinen damaligen Entschluß froh bin? Froh? Das ist gar kein Wort dafür. Jedesmal, wenn ich daran denke, möchte ich am liebsten vor lauter Freude auf der Straße zu tanzen anfangen! Ich kann ehrlich sagen, daß ich seither nie auch nur einen Tag, eine Stunde an Gefühle der Trauer verschwendet habe, weil ich kein zweiter Thomas Hardy geworden bin.

Eines Nachts vor hundert Jahren, als in den Wäldern, die den Walden-Weiher umsäumen, eine Schleiereule ihren Schrei ausstieß, tauchte Henry Thoreau seinen Gänsekiel in die selbstgemachte Tinte und trug in sein Tagebuch die Worte ein: «Die Kosten einer Sache stellen den Aufwand an dem dar, was ich Leben nenne, und zu dem wir uns früher oder später einmal zu verstehen haben werden.»

Um es anders auszudrücken: wir sind Narren, wenn wir zu teuer für etwas bezahlen, wenn wir zuviel von unserer Lebenssubstanz dafür hingeben müssen.

Das taten zum Beispiel Gilbert und Sullivan, die zusammen als Textdichter und Komponist eine Reihe der bezauberndsten Operetten schufen, die je die Welt entzückt haben, darunter den «Mikado».

Sie verstanden es vortrefflich, fröhliche Worte und lustige Weisen aufs Papier zu werfen, doch wie sie ihr eigenes Dasein froh gestalten könnten, davon verstanden sie bedauerlich wenig. Wegen des Preises für einen Teppich, den Sullivan für das ihnen gemeinsam gehörende Theater gekauft hatte, machten sie einander das Leben zur Hölle. Als Gilbert die Rechnung für diesen Teppich zu Gesicht bekam, geriet er außer sich, und die Sache führte dazu, daß sie miteinander prozessierten und solange sie lebten kein Wort mehr miteinander sprachen. Wenn Gilbert das Libretto für eine neue Operette fertig hatte, sandte er es Sullivan durch die Post zu. Und wenn Sullivan es dann in Musik gesetzt hatte, schickte er das neue Werk gleichfalls mit der Post an seinen Mitarbeiter zurück. Wurden sie zusammen vor den Vorhang gerufen, so standen sie an entgegengesetzten Ecken der Bühne und verbeugten sich nach verschiedenen Richtungen, nur damit sie einander nicht zu Gesicht bekamen. Sie waren nicht so gescheit, ihren Groll zu limitieren – so wie Lincoln es tat.

Als während des Bürgerkrieges einige Freunde des Präsidenten scharf über seine erbitterten Feinde herzogen, sagte Lincoln zu ihnen: «Ihr fühlt mehr persönlichen Groll gegen sie als ich selbst. Möglich, daß ich zu wenig habe; aber ich fand immer, es sei nicht der Mühe wert. Der Mensch hat keine Zeit, sein halbes Leben in Gezänk zu verbringen. Sobald jemand aufhört, mich anzugreifen, höre ich meinerseits auf, ihm das Vergangene vorzuwerfen.»

Wenn nur meine alte Tante Edith etwas von Lincolns Geist der Verzeihung in sich gehabt hätte! Sie und Onkel Frank lebten auf einer stark hypothekenbelasteten Farm, die von Unkraut strotzte und einen unergiebigen, von Gräben durchzogenen Boden besaß. Das Leben war schwer für sie, jeden roten Heller mußten sie zweimal umdrehen. Nun tat Tante Edith aber nichts lieber, als dann und wann ein paar neue Vorhänge oder sonstige Kleinigkeiten zu erstehen, um ihre kahlen Stuben etwas freundlicher herzurichten. Derartige kleine Luxusgegenstände pflegte sie auf Kredit in Dan Eversoles Schnittwarenhandlung in Maryville, Missouri, zu kaufen. Onkel Frank beunruhigten diese Ausgaben. Er hatte die Abneigung des Bauern gegen alles Schuldenmachen, und so sagte er Dan Eversole heimlich, er solle seiner Frau nichts mehr auf Kredit verabfolgen. Als sie das erfuhr, geriet sie außer sich – und noch fünfzig Jahre, nachdem es geschehen war, war sie außer sich darüber. Ich hab' sie die Geschichte erzählen hören – nicht bloß einmal, sondern viele Male. Als ich sie das letzte Mal sah, sie war damals in den Siebzigern, sagte ich zu ihr: «Tante Edith, sicher war es unrecht von Onkel Frank, dich so zu demütigen. Aber findest du, ehrlich gesagt, nicht, daß dein Gekränktsein nach einem halben Jahrhundert bedeutend schlimmer ist als das, was er getan hat?» Doch ich hätte ebensogut gegen eine Wand reden können.

Tante Edith zahlte teuer für den Groll und die bitteren Erinnerungen, die sie nährte. Sie bezahlte dafür mit ihrem Seelenfrieden.

Als Benjamin Franklin sieben Jahre alt war, beging er einen Fehler, den er sich siebzig Jahre lang merkte. Als siebenjähriger Junge verliebte er sich in eine Pfeife. Er war so hingerissen davon, daß er in den Spielzeugladen ging, seine sämtlichen Kupferstücke auf dem Ladentisch ausbreitete, und die Pfeife verlangte, ohne sich überhaupt nach ihrem Preis zu erkundigen. «Dann ging ich heim», schrieb er siebzig Jahre später an einen Freund, «und lief voller Entzücken über meinen Schatz pfeifend durchs ganze Haus.» Doch als seine älteren Geschwister herausbekommen hatten, daß er viel mehr für seine Pfeife bezahlt hatte, als sie eigentlich kostete, lachten sie ihn gehörig aus, so daß er vor Ärger zu weinen begann.

Noch nach Jahren, als Franklin eine weltbekannte Persönlichkeit und amerikanischer Botschafter in Frankreich war, erinnerte er sich, daß das Bewußtsein, zuviel für seine Pfeife bezahlt zu haben, ihm «mehr. Kummer verursacht hatte, als die Pfeife ihm Freude bereitete».

Letzten Endes aber war die Lehre, die Franklin aus dem Vorfall zog, doch billig. «Als ich erwachsen wurde», so schreibt er, «und in die Welt hinaus kam und das Tun der Menschen beobachtete, fand ich, daß ich vielen, sehr vielen begegnete, die *zuviel für ihre Pfeife bezahlten. Kurz gesagt* scheint mir, daß die Menschen einen großen Teil allen Unglücks, das sie trifft, selbst auf sich herabbeschworen, weil sie den Wert der Dinge falsch einschätzen und *zuviel für ihre Pfeifen bezahlen.»*

Gilbert und Sullivan gaben zuviel für ihre Pfeifen. Desgleichen Tante Edith. Und auch Dale Carnegie – häufig genug im Leben. Ebenso der unsterbliche Leo Tolstoi, der Verfasser von zwei Romanen, die zu den größten der Weltliteratur gehören – «Krieg und Frieden» und «Anna Karenina». Der «Encyclopaedia Britannica» zufolge war Leo Tolstoi während der letzten zwei Jahrzehnte seines

Lebens «vermutlich der meistverehrte Mann auf der ganzen Welt». Während voller zwei Jahrzehnte vor seinem Tode – von 1890 bis 1910 – pilgerte ein endloser Strom von Bewunderern nach seinem Wohnsitz, um einen Blick auf sein Antlitz zu tun, den Ton seiner Stimme zu hören, ja vielleicht den Saum seines Kittels zu berühren. Jeder Satz, den er äußerte, wurde notiert, fast als sei es göttliche Offenbarung. Wenn es sich jedoch um Leben handelte – um ganz gewöhnliches tägliches Leben – nun, da bewies Tolstoi noch weniger Vernunft als der siebenjährige Benjamin Franklin! Es ging ihm überhaupt alle und jede Vernunft ab.

Damit meine ich dies: Tolstoi heiratete ein Mädchen, das er tief liebte. In der Tat waren sie anfangs so glücklich miteinander, daß sie niederzuknien und Gott zu bitten pflegten, er möge diesem ekstatisch glücklichen Zusammenleben Dauer verleihen. Doch Tolstois junge Frau war eifersüchtig veranlagt. Sie verkleidete sich oftmals als Bäuerin, um ihm nachzuspionieren, selbst im Walde draußen. Sie hatten furchtbare Auftritte miteinander. Allmählich nahm ihre Eifersucht selbst ihren eigenen Kindern gegenüber solche Ausmaße an, daß sie einmal zu einer Flinte griff und ein Loch in die Photographie ihrer Tochter schoß. Ein andermal wälzte sie sich mit einem Opiumfläschchen an den Lippen auf dem Boden und drohte, Selbstmord zu begehen, während die Kinder in einem Winkel kauerten und vor Entsetzen schrien.

Und was tat Tolstoi? Nun, ich kann es ihm nicht vorwerfen, wenn er aufsprang und die Möbel in Stücke hieb – er war ja wirklich bis aufs Blut gereizt worden. Doch er tat weit Schlimmeres. Er führte ein geheimes Tagebuch. Ja – ein Tagebuch, worin er alle Schuld seiner Gattin zuschob. Das war *seine* «Pfeife»! Er war fest entschlossen, dafür zu sorgen, daß die kommenden Geschlechter *ihn* freisprechen und seiner Frau die gesamte Schuld geben sollten. Was aber tat seine Frau alldem gegenüber? Nun, sie riß ganze Seiten aus dem Tagebuch heraus und verbrannte sie – wie nicht anders zu erwarten war. Sie fing auch selber ein Tagebuch an, in welchem *er* die Rolle des Bösewichts spielte. Auch einen Roman schrieb sie unter dem Titel «Wessen Schuld?», worin sie ihn als Haustyrannen und sich selbst als Märtyrerin hinstellte.

Und wozu das alles? Warum verwandelten diese zwei Menschen ihr gemeinsames Heim in das, was Tolstoi selbst «ein Irrenhaus» nannte? Offenbar gab es dafür mehrere Gründe. Der eine Grund bestand darin, daß es der dringende Wunsch der beiden Ehegatten war, der Nachwelt ihren Standpunkt einzuprägen. Jawohl, über unsere, über ihrer Nachwelt Meinung machten sie sich Sorgen! Als ob es uns nicht völlig gleichgültig wäre, wer der schuldige Teil war! Wir haben ja zuviel mit unseren eigenen Problemen zu schaffen, um uns auch nur eine Minute lang den Kopf über die Tolstoische Ehe zu zerbrechen. Was für einen Preis diese beiden unglückseligen Leute für ihre Pfeife bezahlten! Fünfzig Jahre lebten sie in einer Hölle, einfach weil keiner von beiden vernünftig genug war zu rufen: «Schluß damit!» Weil keiner genügend Urteil über wahre Lebenswerte besaß, um zu sagen: «Wir vergeuden unser Leben. Jetzt wollen wir es genug sein lassen!»

Ja, ich bin ehrlich überzeugt, daß eines der größten Geheimnisse zur Erlangung wahren inneren Friedens in einem vernünftigen Sinn für Lebenswerte besteht. Und ich glaube, wir könnten augenblicklich fünfzig Prozent all unserer Sorgen loswerden, wenn wir uns eine Art privaten Goldstandards zulegen könnten – eine Währung, die uns einen Maßstab dafür gibt, was die Dinge uns, auf unser Leben bezogen, wert sind.

Darum ist hier Regel Nummer 5 zum Abgewöhnen von Sorge und Selbstzermürbung, bevor sie Euch zugrunde richten:

So oft wir uns versucht fühlen, eine schlechte Sache zu teuer mit den Werten unseres Lebens zu bezahlen, sollten wir sofort einhalten, um uns folgende drei Fragen vorzulegen:

1. *Wie wichtig ist mir überhaupt diese ganze Angelegenheit, mit der ich mich so herumquäle?*
2. *An welchem Punkt soll ich sie «limitieren» – und dann vergessen?*
3. *Wieviel darf ich allerhöchstens für diese Pfeife bezahlen? Habe ich am Ende bereits mehr dafür gegeben, als sie wert ist?*

Während ich diesen Satz niederschreibe, werfe ich einen Blick aus dem Fenster und sehe in meinem Garten Spuren eines Dinosaurus – Dinosaurusspuren, in Stein und Schiefer eingebettet. Ich habe diese Spuren vom Peabody-Museum der Yale-Universität gekauft und besitze auch ein Schreiben des Kurators des Museums, worin steht, daß sie 180 Millionen Jahre alt sind. Selbst ein Vollidiot würde nicht im Traum daran denken, 180 Millionen Jahre zurückzugehen, um diese Spuren zu ändern. Und doch wäre das kein bißchen törichter, als sich zu sorgen, weil man keine 180 Sekunden zurückgehen und das ändern kann, was da geschah. Dies aber und nichts anderes tun viele von uns. Selbstverständlich vermögen wir allerlei zu tun, um die *Folgen* dessen, was vor 180 Sekunden geschehen ist, abzuschwächen; ändern aber können wir das Geschehene nachträglich nicht mehr.

Nur eine einzige Art, das Vergangene konstruktiv auszuwerten, gibt es auf Gottes grünem Schemel hienieden: die nämlich, unsere einmal gemachten Fehler in Ruhe zu analysieren und Nutzen daraus zu ziehen – und sie dann in Vergessenheit zu versenken.

Ich weiß wohl, daß das wahr ist. Habe ich aber stets genug Mut und Vernunft aufgebracht, um danach zu handeln? In Beantwortung dieser Frage möchte ich meinen Lesern über ein phantastisches Erlebnis berichten, das ich vor Jahren hatte. Ich ließ mir damals über dreimal hunderttausend Dollar durch die Finger schlüpfen, ohne einen Pfennig daran zu verdienen. Das ging so zu: Ich organisierte ein Volksbildungsunternehmen in großem Maßstab, eröffnete Zweigstellen in verschiedenen Städten und gab eine Menge Geld für Betriebskosten und Reklame aus. Meine Kurse nahmen mich jedoch so stark in Anspruch, daß ich weder Zeit noch Lust hatte, mich um die finanzielle Seite des Unternehmens zu kümmern. Ich war zu naiv, um einzusehen, daß ich einen gewitzten Geschäftsführer brauchte, der die Ausgaben kontrollierte.

Schließlich, es war etwa ein Jahr danach, machte ich eine ernüchternde, ja erschreckende Entdeckung. Ich fand heraus, daß wir trotz unserer riesigen Einnahmen nicht den geringsten Gewinn erzielt hatten. Nach dieser Feststellung hätte ich nun zweierlei tun sollen.

Erstens hätte ich Verstand genug haben sollen, um zu handeln wie George Washington Carver, der Negerwissenschaftler, als er bei einem Bankkrach vierzigtausend Dollar einbüßte, die Ersparnisse seines ganzen Lebens. Als jemand ihn fragte, ob er wisse, daß er bankrott sei, antwortete er: «Ja, ich hab's gehört» – und fuhr dann fort mit seinen Vorlesungen. Er löschte den Verlust so restlos aus seinem Gedächtnis, daß er ihn nie wieder erwähnte.

Das zweite, was ich hätte tun sollen, ist dies: ich hätte meinen Fehler analysieren und die Lehre daraus ziehen sollen.

Offen gestanden tat ich nichts dergleichen. Statt dessen überließ ich mich einer endlosen Kümmernis. Monatelang war ich wie betäubt. Ich konnte nicht schlafen und nahm ständig ab. Statt eine Lehre aus diesem Riesenfehler zu ziehen, machte ich einfach weiter und wiederholte dasselbe in kleinerem Maßstab!

Ich schäme mich, meine Torheit einzugestehen; doch habe ich seither entdeckt, daß es «leichter ist, zwanzig Leuten beizubringen, wie man handeln sollte, als einer der zwanzig zu sein und der eigenen Lehre zu folgen».

Wie wünschte ich, so glücklich gewesen zu sein wie Allen Saunders von Bronx, New York, 939, Woodycrest Avenue, und wie er die George-Washington-Hochschule hier in New York besucht und bei Mr. Brandwine studiert zu haben!

Mr. Saunders erzählte mir, daß der Lehrer in seinem Hygiene-Kursus, Mr. Brandwine, ihm eine der wertvollsten Lehren seines ganzen Lebens gab. «Ich war noch keine zwanzig», sagte Allen Saunders, «aber selbst damals quälte und beunruhigte ich mich über alles. Ich konnte mich nie über Fehler hinwegsetzen, die ich gemacht hatte. Wenn ich eine Examenarbeit eingereicht hatte, lag ich nachts wach und kaute an den Fingernägeln aus Angst, ich sei durchgefallen. Immerzu durchlebte ich von neuem alles, was ich getan hatte, wünschte, ich hätte anders gehandelt, dachte über das nach, was ich gesagt hatte, und wünschte, ich hätte es besser gesagt.

Dann kam ein Morgen, an dem wir Hygiene hatten. Als wir in unser Klassenzimmer, das naturwissenschaftliche Laboratorium, traten, war der Lehrer, Mr. Brandwine, bereits da. Vor ihm auf dem Katheder stand groß und breit eine Flasche Milch. Wir setzten uns und blickten verwundert auf die Milch, denn wir konnten uns nicht denken, was sie mit dem Unterricht zu tun haben sollte. Da stand Mr. Brandwine plötzlich auf, schleuderte die Flasche mit großem

Krach in den Spülstein und brüllte: ‚Heult nicht über vergossene Milch!'

Dann ließ er uns alle an den Spülstein treten und den Schaden besehen. ‚Schaut es Euch gut an', sagte er zu uns, ‚denn ich möchte, daß Ihr Euch dieser Lektion bis zu Eurem Lebensende erinnert. Die Milch ist verschwunden – Ihr könnt sehen, daß sie weggeflossen ist. Und alles Jammern und Haareausraufen in der Welt kann nicht einen Tropfen davon wieder heraufbefördern. Mit etwas Vorsicht und Aufpassen hätte man diese Milch retten können. Jetzt aber ist's zu spät dafür – und alles, was wir tun können, ist, darauf zu verzichten, nicht mehr daran zu denken, und zum nächsten überzugehen.'

Diese eine kleine Demonstration», schloß Allen Saunders seinen Bericht, «hielt bei mir noch vor, nachdem ich längst alle meine Geometrie und mein Latein vergessen hatte. Sie hat mir tatsächlich während meiner ganzen vier Jahre auf der Hochschule mehr über praktische Lebensführung beigebracht als alles andere. Ich habe dadurch gelernt, daß ich es möglichst vermeiden muß, Milch zu verschütten; passiert es mir aber doch einmal, und sehe ich sie für immer wegfließen, dann darf ich nicht mehr daran denken.»

Vielleicht spotten jetzt manche meiner Leser darüber, daß ich soviel Aufhebens von einem abgedroschenen Sprichwort wie «Heult nicht über vergossene Milch!»* mache. Ja, ich weiß wohl, es ist banal, abgedroschen, eine Binsenwahrheit. Ich weiß, Ihr habt es tausendmal gehört. Aber ich weiß auch, daß diese abgedroschenen Sprichwörter den Extrakt der destillierten Weisheit aller Zeiten enthalten. Sie sind der lebendigen Erfahrung der menschlichen Rasse entsprungen und uns durch zahllose Generationen überliefert worden. Wenn Ihr auch alles läset, was die großen Weisen aller Zeiten je über das unnütze Sichsorgen geschrieben haben, Ihr würdet dennoch nichts Grundsätzlicheres und Tieferes lesen als solche abgedroschenen Redensarten wie «Geh nicht über die Brücke, bevor du hinkommst» (Don't cross your bridges until you come to them) oder «Heult nicht über vergossene Milch». Wollten wir nur diese Sprichwörter befolgen, statt sie gering zu achten, dann brauchten wir ein Buch wie dieses überhaupt nicht. In der Tat – wenn wir uns an all die alten

---

* Diese englische Redensart entspricht etwa unserem «sich ins Unabänderliche schicken» und hat im Deutschen kein wortgetreues Gegenstück. – Die Übersetzerin.

Sprichwörter hielten, dann würden wir ein fast vollkommenes Leben führen. Wissen ist indes noch nicht Macht, solange es nicht angewandt wird; und der Zweck meines Buches ist nicht, meinen Lesern etwas Neues zu verkünden. Sein Zweck ist, an all das zu erinnern, was jeder schon weiß; meinem Leser, wenn nötig, einen Puff zu versetzen und ihn so weit zu bringen, daß er sich endlich dazu aufrafft, die alten Regeln anzuwenden.

Ich war immer voll Bewunderung für einen Menschen wie Fred Fuller Shedd, der die Gabe besaß, eine alte Wahrheit auf neuartige, pittoreske Weise auszudrücken. Fred war Redakteur des «Philadelphia Bulletin». Als er einmal vor einer Gruppe von Studenten eine Ansprache hielt, fragte er sie plötzlich: «Wer von Euch hat schon einmal Holz gesägt? Der soll die Hand heben.» Das hatten die meisten schon getan, und viele Hände hoben sich. Dann fragte er: «Und wie viele haben schon einmal Sägemehl gesägt?» Keine einzige Hand hob sich.

«Nun freilich», rief Mr. Shedd da aus. «Sägemehl kann man doch nicht noch mal sägen – es ist ja schon gesägt! Und genauso geht es mit der Vergangenheit. Wenn Ihr anfangt, Euch über Dinge aufzuregen, die vorbei und erledigt sind, dann versucht Ihr nichts anderes, als Sägemehl zu sägen!»

Als Connie Mack, der große Baseballspieler, einundachtzig Jahre alt wurde, fragte ich ihn, ob er sich je im Leben über verlorene Spiele aufgeregt hätte.

«O ja, früher einmal», antwortete Connie. «Aber *die* Torheit habe ich längst abgelegt. Ich fand, daß es zu gar nichts nütze war. Man kann doch mit Wasser, das schon bachab geflossen ist, keine Mühlen treiben!»

Nein, Ihr könnt keine Mühlen treiben, könnt kein Holz sägen mit Wasser, das schon bachab geflossen ist. Aber Runzeln könnt Ihr Euch damit ins Gesicht und Geschwüre in den Magen sägen.

Beim letzten Erntedankfest saß ich beim Abendessen neben Jack Dempsey, und während wir den üblichen Truthahn mit Preißelbeersauce verspeisten, erzählte er mir von dem Boxkampf, bei dem er seinen Titel als Schwergewichtsmeister an Tunney verloren hatte. Das war natürlich ein harter Schlag für sein Selbstbewußtsein gewesen. «Mitten in diesem Kampf», so sagte er, «wurde mir urplötzlich klar, daß ich ein alter Mann geworden war... Am Ende der zehnten Runde war ich noch auf den Füßen, aber mehr ist darüber nicht zu sagen. Mein Gesicht war aufgeschwollen und zerhackt, meine Augen fast verklebt . . . Ich sah, wie der Schiedsrichter Gene Tunneys Hand zum Zeichen seines Sieges hochhob . . . Ich war also nicht mehr Weltmeister. Ich machte mich auf den Heimweg. Erst mußte ich durch die Menge hindurch bis in meinen Umkleideraum. Dabei suchten verschiedene Zuschauer mich bei der Hand zu fassen, andere hatten Tränen in den Augen.

Ein Jahr danach nahm ich es noch einmal mit Tunney auf. Doch es hatte keinen Zweck. Ich war ein für allemal erledigt. Es fiel mir schwer, mich darüber nicht zu grämen, doch ich sprach zu mir selber: ‚Ich will nicht in der Vergangenheit leben oder über verschüttete Milch flennen. Ich will diesen Kinnhaken einstecken und mich nicht davon knockout schlagen lassen!‘»

Und das tat Jack Dempsey. Wie er es machte? Indem er sich dauernd vorsagte: «Ich will mich nicht über Vergangenes grämen?» Nein. Denn das hätte nur dazu geführt, daß er erst recht an seinen Kummer denken mußte. Er tat es, indem er seine Niederlage willig auf sich nahm, sie als unwiderruflich betrachtete und sich sodann neuen Plänen, Plänen für die Zukunft zuwandte. Er tat es, indem er das Jack-Dempsey-Restaurant am Broadway und das Great Northern Hotel an der 57. Straße übernahm und selbst leitete. Er tat es, indem er Boxkämpfe veranstaltete und Boxvorstellungen abhielt. Er tat es, indem er sich so intensiv mit konstruktiver Arbeit beschäftigte, daß er weder die Zeit hatte, noch der Versuchung erlag, sich über das Vergangene zu grämen. «Die letzten zehn Jahre meines Lebens», so schloß Dempsey, «sind glücklicher gewesen als die Zeit, da ich Weltmeister war.»

Wenn ich Weltgeschichte und Lebensbeschreibungen lese oder Menschen in schwierigen Lebenslagen beobachte, dann bin ich immer von neuem erstaunt und begeistert über die Fähigkeit der Menschen, Sorgen und tragische Erlebnisse aus ihrem Dasein zu streichen und dann einigermaßen glücklich weiterzuleben.

Ich besuchte einst das New Yorker Zuchthaus Sing-Sing und fand zu meinem größten Erstaunen, daß die Sträflinge einen fast so glücklichen Eindruck machten wie der Durchschnitt der Leute draußen. Ich machte eine Bemerkung hierüber zu Lewis E. Lawes, dem damaligen Direktor von Sing-Sing, und er sagte mir, daß die Verbrecher bei ihrer Einlieferung ins Zuchthaus meist bitter und rachsüchtig sind. Doch nach einigen Monaten setzt sich die Mehrzahl der Intelligenteren unter ihnen über ihr Mißgeschick hinweg; sie passen sich ihrer neuen Daseinsart an, finden sich gelassen in ihr Zuchthausleben und suchen ihm die besten Seiten abzugewinnen. Direktor Lawes erwähnte insbesondere einen Sing-Sing-Sträfling – er war Gärtner von Beruf –, der bei der Pflege der Gemüse und Blumen innerhalb der Gefängnismauern zu *singen* pflegte.

Dieser Sträfling, der bei seiner Gartenarbeit sang, bekundete bedeutend mehr gesunde Vernunft als die meisten von uns. Er wußte:

> Der Finger schreibt und gleitet fort,
> Und all dein Frommsein, all dein Sinnen
> Lockt nie zurück ihn, daß er lösche eine Zeile,
> Noch spülen deine Tränen fort ein einzig Wort.

Warum also Tränen vergeuden? Natürlich haben wir alle uns Dummheiten und Mißgriffe zuschulden kommen lassen! Nun schön. Wer hätte das nicht? Selbst Napoleon verlor den dritten Teil all der wichtigen Schlachten, die er lenkte. Vielleicht ist unsere Schlagkraft im Durchschnitt nicht geringer als die Napoleons. Wer kann es wissen?

Aber wie dem auch sei: alle Pferde des Königs und alle des Königs Mannen können die Vergangenheit nicht wieder zusammenleimen.*

Laßt uns darum Regel Nummer 6 gut im Gedächtnis behalten, welche lautet:
Versucht nicht, Sägemehl zu sägen.

---

* Anspielung auf das bekannte Zitat «All the King's horses, and all the King's men . . .» Alle Pferde des Königs und alle des Königs Mannen (konnten den zerbrochenen Hampelmann nicht wieder heil machen) aus «Alice im Wunderland» von Lewis Carroll. – Die Übersetzerin.

Der dritte Teil ganz kurz

Regel Nummer 1: Macht Euch so viel zu tun, daß in Eurem Gemüt
kein Raum mehr für Sorge und Selbstquälerei bleibt. Emsige
Tätigkeit ist eines der besten Heilmittel, die es gibt, gegen die
«Wibbergibbers».

Regel Nummer 2: Gebt Euch nicht dem Jammern über Kleinigkeiten hin. Laßt Euch Euer Lebensglück nicht von Bagatellen
– diesen Termiten des Lebens – untergraben.

Regel Nummer 3: Bedient Euch des Gesetzes von der Wahrscheinlichkeitsrechnung, um Euren Sorgen das Urteil zu sprechen. Fragt
Euch: «Welche Wahrscheinlichkeit besteht überhaupt, daß dies
oder das eintritt?»

Regel Nummer 4: Macht gemeinsame Sache mit dem Unabwendbaren. Wenn Ihr wißt, daß es außerhalb Eurer Macht liegt, etwas
zu ändern oder noch einmal in Angriff zu nehmen, so sprecht zu
Euch selbst: «So ist es, anders kann es nicht sein.»

Regel Nummer 5: «Limitiert» Eure Sorgen. Stellt genau fest, wieviel Angst und Sorge eine Sache wert sein mag – und weigert Euch,
mehr daran zu verschwenden.

Regel Nummer 6: Laßt die Vergangenheit ihre Toten begraben.
Sägt kein Sägemehl.

Vierter Teil

Sieben Arten,
zu einer Lebenseinstellung zu gelangen,
die Frieden und Glück bringt

Vor ein paar Jahren wurde ich aufgefordert, am Radio folgende Frage zu beantworten: «Welches ist die wichtigste Lehre, die Sie je aus etwas gezogen haben?»

Ein leichte Aufgabe: bei weitem die entscheidendste Lektion, die sich mir eingeprägt hat, ist die Bedeutung dessen, was wir denken. Wüßte ich, was Ihr denkt, so wüßte ich auch, was Ihr seid. Denn unsere Gedanken sind es, die uns zu dem machen, was wir sind. Unsere geistige Einstellung ist das X, welches unser Schicksal bestimmt. Emerson sagte: «Der Mensch ist das, was er den Tag über denkt ...» Wie könnte er auch wohl etwas anderes sein?

Heute bin ich mit unumstößlicher Sicherheit davon überzeugt, daß das größte Problem, dem wir unsere Aufmerksamkeit zu schenken haben – eigentlich das *einzige* Problem, dem wir unsere Aufmerksamkeit zu schenken haben – darin besteht, die richtigen Gedanken zu wählen. Können wir das erst einmal, dann sind wir auf dem rechten Wege zur Bewältigung all unserer Probleme. Der große kaiserliche Philosoph, der das römische Reich regierte, Mark Aurel, faßte dies in neun Worten zusammen – *Worte, die Euer Geschick bestimmen können: «Unser Leben ist das, wozu unsere Gedanken es machen.»*

So ist es. Wenn wir frohe Gedanken denken, werden wir froh sein. Geben wir uns trübseligen Gedanken hin, so werden wir uns unglücklich fühlen. Ist unser Denken furchtbeschwert, so werden wir Furcht empfinden. Ist es von krankhafter Art, so werden wir wahrscheinlich erkranken. Ist es auf Mißerfolg gerichtet, dann ist Mißerfolg uns sicher. Beugen wir uns in Selbstmitleid, so werden alle anderen uns auszuweichen und zu meiden suchen. «Du bist», sagte Norman Vincent Peale, «nicht das, was du denkst, daß du bist; sondern was du *denkst*, das bist du.»

Gebe ich damit einem billigen Optimismus all unseren Schwierigkeiten gegenüber das Wort? O nein – so einfach ist das Leben leider nicht. Ich setze mich nur dafür ein, daß wir uns einer *positiven* statt einer negativen Haltung befleißen. Mit anderen Worten, wir sollen unsere Probleme wohl ernst nehmen, nicht aber uns darüber innerlich zerquälen. Was ist der Unterschied zwischen Ernstnehmen und Sichquälen? Hier ist ein Beispiel zur Veranschaulichung. Jedesmal, wenn ich die verkehrsreichen Straßen von New York kreuze, nehme ich das, was ich vorhabe, ernst – aber ich beunruhige mich nicht darüber. Ernstnehmen bedeutet, sich über vorliegende Schwierigkeiten klar zu werden und in aller Ruhe Maßregeln zu treffen, um ihnen zu begegnen. Sich beunruhigen aber führt nur dazu, daß man sich dauernd nutzlos im Kreise dreht, was einen ja schließlich verrückt machen muß.

Ein Mensch kann sehr wohl ernsthaft mit seinen ernsten Problemen beschäftigt sein und trotzdem mit erhobenem Kopf und einer Nelke im Knopfloch einherspazieren. Das habe ich an Lowell Thomas gesehen. Ich hatte einmal das Vergnügen, mit Lowell Thomas zusammenzuarbeiten, als ich seine weitbekannten Filme über die Feldzüge von Lord Allenby und Lawrence in Arabien während des Ersten Weltkriegs einführte. Er hatte mit seinen Assistenten Kriegsbilder an einem halben Dutzend Fronten gemacht; doch seine größte Leistung war der Bildbericht, den er über T. E. Lawrence und seine malerische arabische Armee zurückbrachte, sowie ein Filmbericht von Allenbys Eroberung des Heiligen Landes. Seine Lichtbildervorträge unter dem Titel «Mit Allenby in Palästina» und «Mit Lawrence in Arabien» waren eine Sensation in London und in der übrigen Welt. Die Londoner Opernsaison wurde um sechs Wochen verschoben, damit er seine abenteuerlichen Erlebnisse noch längere Zeit weiten Kreisen erzählen und seine Aufnahmen im Königlichen Opernhaus Covent Garden vorführen konnte. An seinen aufsehenerregenden Erfolg in London schloß sich ein Triumphzug durch zahlreiche Länder an. Danach verbrachte er zwei Jahre mit der Fertigstellung eines Filmberichtes über das Leben in Indien und Afghanistan. Dann begann er Pech zu haben, unglaubliches Pech, so daß schließlich das Unerhörte eintraf: eines Tages befand er sich gänzlich mittellos in London. Ich war damals mit ihm zusammen und erinnere mich, daß wir in billigen Massenrestaurants essen mußten. Wir hätten nicht einmal dort essen können, wenn sich Mr. Thomas nicht von einem Schotten Geld geborgt hätte – von James McBey, dem angesehenen Maler. Und jetzt komme ich zu der Pointe dieser Geschichte: Selbst als Lo-

weil Thomas mit Riesenschulden belastet war und schwere Enttäuschungen hinter sich hatte, nahm er seine Angelegenheiten wohl
ernst, aber er beunruhigte sich nicht darüber. Er wußte – ließ er sich
von den Rückschlägen unterkriegen, dann war er keinem Menschen,
seine Gläubiger inbegriffen, mehr etwas nütze. Daher machte er es
sich zur Regel, jeden Morgen beim Ausgehen eine Blume für sein
Knopfloch zu kaufen, worauf er mit erhobenem Kopf und elastischem
Schritt die Oxford Street durchmaß. Er hielt sich an positive, tapfere
Gedanken und sträubte sich, sein Mißgeschick die Oberhand gewinnen zu lassen. Für ihn gehörte sein augenblickliches Pech einfach mit
zum Gesamtablauf seines Lebens, und er sah es als das nützliche
Training an, das man durchmachen muß, wenn man es zu Großem
bringen will.

Unsere geistige Einstellung hat selbst auf unsere körperliche Leistung eine geradezu unglaubliche Wirkung. Davon gibt der bekannte
britische Psychiater J. A. Hadfield in seiner ausgezeichneten Bro-
schüre «Die Psychologie der Macht» ein schlagendes Beispiel. «Ich bat
drei Männer», heißt es darin, «sich einem Test über die Einwirkung
von Suggestion auf ihre Körperkraft zu unterwerfen. Ich verwendete
für diesen Zweck einen Dynamometer (Kraftmesser).» Diesen Apparat mußten die Versuchspersonen mit äußerster Kraft packen. Dies
ließ er sie unter dreierlei verschiedenen Bedingungen tun.

Als er sie in ihrem gewöhnlichen Wachzustand prüfte, betrug ihre
durchschnittliche Leistung hundertundein Pfund.

Als er sie in der Hypnose prüfte, nachdem er ihnen suggeriert
hatte, sie seien schwach und kraftlos, vermochten sie nur neunund-
zwanzig Pfund zu «drücken» – weniger als ein Drittel ihrer normalen
Leistung. (Einer der Männer war Berufsboxer; als ihm in der Hypnose gesagt wurde, er sei schwach, bemerkte er, sein Arm fühle sich
«winzig an, genau wie ein Kinderärmchen».)

Als Dr. Hadfield die drei hierauf ein drittes Mal prüfte, indem er
ihnen unter Hypnose sagte, sie seien außerordentlich stark, brachten
sie es auf durchschnittlich hundertzweiundvierzig Pfund. Sie steigerten also gegenüber der zweiten Prüfung ihre körperliche Kraft um
nahezu fünfhundert Prozent, solange sie von der positiven Empfindung erfüllt waren.

Solcherart ist die unermeßliche Macht der geistigen Einstellung.

Zur weiteren Veranschaulichung der Zauberkraft, die unseren Gedanken innewohnt, möchte ich jetzt eine der bemerkenswertesten

Episoden aus den Annalen Amerikas erzählen. Ein ganzes Buch könnte ich darüber schreiben, doch ich muß mich kurz fassen. An einem kalten Oktoberabend, kurz nach dem Ende des Bürgerkrieges, pochte eine heimatlose, bettelarme Frau, die wenig mehr war als eine Wanderin über Gottes Erde, an die Tür von «Mutter» Webster, der Frau eines einstmaligen Kapitäns, die in Amesbury in Massachusetts wohnte.

Als Mutter Webster öffnete, erblickte sie eine gebrechliche kleine Person, «kaum mehr als hundert Pfund Haut und Knochen und völlig verschüchtert». Die Fremde, die Mrs. Glover hieß, sagte, sie suche ein Heim, wo sie ein großes Problem, das sie Tag und Nacht nicht loslasse, durchdenken und ausarbeiten könne.

«Bleiben Sie doch hier», meinte Mrs. Webster. «Ich bin ganz allein in diesem großen Haus.»

Mrs. Glover hätte, solange sie wollte, bei Mutter Webster bleiben können, wäre nicht deren Schwiegersohn, Bill Ellis, eines Tages auf Urlaub von New York gekommen. Als er von Mrs. Glovers Anwesenheit erfuhr, brüllte er: «Ich will keine Vagabunden hier im Hause haben!» und warf die heimatlose Frau zur Tür hinaus. Es regnete heftig, und schaudernd blieb sie ein paar Minuten auf der Straße stehen, ehe sie weiterging, um sich nach einer neuen Zuflucht umzusehen.

Und jetzt kommt das Erstaunliche an der Geschichte. Diese «Vagabundin», die Ellis zum Hause hinaus geworfen hatte, war ausersehen, einmal soviel Einfluß auf das Denken der Menschheit zu gewinnen, wie kaum eine andere Frau der Welt. Sie ist jetzt Millionen von treuergebenen Anhängern als Mary Baker Eddy bekannt – die Gründerin der Christlichen Wissenschaft.

Ja – bis dahin hatte sie wenig mehr im Leben gekannt als Krankheit, Kummer und tieftraurige Erlebnisse. Ihr erster Mann war kurz nach der Heirat gestorben. Ihr zweiter Gatte verließ sie, um mit einer verheirateten Frau auf und davon zu gehen. Er sollte später im Armenhaus enden. Sie hatte nur ein Kind, einen Knaben, und war durch Armut, Krankheit und Eifersucht gezwungen, ihn wegzugeben, als er vier Jahre alt war. Sie verlor ihn gänzlich aus den Augen, und erst nach einunddreißig Jahren sollten die zwei sich wieder begegnen.

Auf Grund ihrer eigenen schwankenden Gesundheit hatte sich Mrs. Eddy schon seit Jahren für die «Wissenschaft der Heilung durch den Geist», wie sie es nannte, interessiert. Doch der dramatische Höhepunkt ihres Lebens ereignete sich erst, als sie nach Lynn in Massachusetts kam. Als sie an einem kalten Tag zur Stadt ging, rutschte sie aus und fiel auf die vereiste Straße. Der Fall raubte ihr das Bewußtsein, und als sie wieder zu sich kam, lag sie in rasenden Schmerzen da, denn ihr Rückgrat war verletzt worden. Der Arzt erwartete, daß sie sterben werde; sollte sie durch ein Wunder am Leben bleiben, so erklärte er, dann würde sie nie wieder gehen können.

Als sie so auf ihrem Bett lag, das, wie sie annahm, ihr Totenbett war, nahm Mary Baker Eddy ihre Bibel zur Hand. Göttliche Fügung, so behauptete sie, veranlaßte sie, die folgenden Verse aus dem Matthäusevangelium aufzuschlagen: «Und siehe, sie brachten zu ihm einen Gichtbrüchigen, der lag auf einem Bette. Und Jesus ... sprach zu ihm: Sei getrost, mein Sohn, deine Sünden sind dir vergeben ... Stehe auf, hebe dein Bett auf und gehe heim. Und er stand auf und ging heim.»

Diese Worte Jesu, so erklärte sie, erfüllten sie mit solcher Stärke, solchem Glauben, einem solchen inneren Aufwallen heilender Kraft, daß sie «sogleich aufstand und wandelte».

«Dieses Erlebnis», erzählt Mrs. Eddy, «brachte mir die gesetzmäßige Erkenntnis, auf welche Art ich mich selbst heilen und auch anderen Heilung bringen könne ... Ich erlangte die wissenschaftliche Überzeugung, daß die Allursache der Geist, daß jede Wirkung ein geistiges Phänomen ist.»

Dies war der Weg, auf dem Mary Baker Eddy die Gründerin und Hohepriesterin einer neuen Religion wurde – der Christlichen Wissenschaft, des einzigen großen Glaubensbekenntnisses, das je von einer Frau gestiftet wurde – einer Religion, die heute den Erdball umspannt.

Jetzt sagt Ihr wahrscheinlich zu Euch selbst: «Aha – dieser Carnegie macht Propaganda für die Christliche Wissenschaft.» Nein. Das ist ein Irrtum. Ich bin kein Mitglied dieser Kirche. Doch je älter ich werde, um so tiefer wird meine Überzeugung von der ungeheuren Macht der Gedanken. Nachdem ich fünfunddreißig Jahre damit verbracht habe, Erwachsene zu unterrichten, weiß ich, daß der Mensch Angst, Sorge und verschiedenerlei Krankheit vertreiben und sein Leben umwandeln kann, indem er andere Gedanken in sich großzieht. Ich weiß es! Ich weiß es!! Ich weiß es!!! Hunderte von Malen habe ich gesehen, wie solch unerhörte Verwandlungen sich ereigneten. Ich habe sie so oft gesehen, daß ich mich nicht mehr darüber verwundere.

Eine dieser schier unglaubhaften Verwandlungen, welche die Macht der Gedanken veranschaulichen, widerfuhr zum Beispiel einem meiner Schüler. Er hatte einen nervösen Zusammenbruch gehabt. Weshalb? Nun, wegen seiner Selbstquälerei. «Ich zerquälte mich über alles und jedes», erzählte mir dieser Schüler. «Es beunruhigte mich, daß mein Haar ausfiel; ich fürchtete, nie genug Geld verdienen zu können, um zu heiraten; ich glaubte, ich würde einmal keinen guten Vater abgeben; ich fürchtete, das Mädchen zu verlieren, daß ich zu heiraten wünschte; ich fand, meine Lebensgrundsätze seien nicht edel genug. Ich sorgte mich über den Eindruck, den ich bei anderen machte. Ich sorgte mich, weil ich glaubte, ich hätte Magengeschwüre. Ich vermochte nicht mehr zu arbeiten, gab meine Stellung auf. Meine innere Spannung wurde immer größer, bis ich wie ein Dampfkessel ohne Sicherheitsventil war. Der Druck wurde so unerträglich, daß irgendwo etwas nachgeben mußte – und das tat es auch. Wenn Sie nie einen nervösen Zusammenbruch gehabt haben, dann bitten Sie Gott, daß Sie nie einen bekommen, denn kein körperlicher Schmerz kann schlimmer sein als die furchtbare Qual eines gemarterten Geistes.

Ich hatte einen so schweren Zusammenbruch, daß ich nicht einmal mit meinen Angehörigen reden konnte. Ich hatte keine Kontrolle mehr über meine Gedanken. Ich war voller Ängste. Beim leisesten Geräusch fuhr ich auf. Ich mied die Menschen. Wegen nichts und wieder nichts brach ich in Tränen aus.

Jeder Tag war ein Martyrium. Ich glaubte, alle hätten mich verlassen – auch Gott. Ich erwog, ob ich nicht in den nahen Fluß springen sollte, um allem ein Ende zu machen.

Doch ich beschloß, statt dessen eine Reise nach Florida zu unternehmen, in der Hoffnung, ein Wechsel der Umgebung werde mir guttun. Während ich mich im Zug niederließ, reichte mein Vater mir einen Brief und sagte, ich möge ihn nicht öffnen, bevor ich in Florida angekommen sei. Ich erreichte Florida auf der Höhe der Touristensaison, und da ich kein Hotelzimmer fand, mietete ich ein Zimmer zum Übernachten in einer Garage. Ich versuchte, irgendeine Arbeit auf einem Frachtdampfer von Miami aus zu bekommen, hatte aber kein Glück. So verbrachte ich meine ganze Zeit am Strand. Ich fühlte mich in Florida noch elender als zu Hause, und so öffnete ich den Brief, den mein Vater mir mitgegeben hatte. Es hieß darin: ‚Mein Junge, Du bist jetzt tausendfünfhundert Meilen von zu Hause entfernt, aber es geht Dir dort nicht anders als hier, nicht wahr? Das wußte ich zum voraus, denn das, was all Deinen Kümmernissen zugrunde liegt, hast Du mitgenommen – Dich selbst. Deinem Körper fehlt ebensowenig etwas wie Deinem Geiste. Nicht die Umstände, in die Du geraten bist, setzen Dir so zu; sondern die Art, wie Du diese Umstände ansiehst. Es heißt: Wie der Mensch in seinem Herzen denket, so ist er. Wenn Dir das klar wird, mein Junge, dann komm heim, denn dann bist Du geheilt.'

Vaters Brief ärgerte mich. Ich sehnte mich nach Mitgefühl, nicht nach Belehrung. Ich war so wütend, daß ich damals beschloß, nie mehr heimzukehren. Am selben Abend schlenderte ich durch die Straßen von Miami und kam an einer Kirche vorbei, in der gerade Gottesdienst war. Da ich nichts Besseres vorhatte, schloß ich mich den anderen Kirchgängern an und lauschte einer Predigt über den Text: ‚Wer seinen Geist besiegt, ist mächtiger als derjenige, welcher eine Stadt nimmt.' Wie ich so in Gottes heiligem Hause saß und dort die gleichen Gedanken vortragen hörte, die Vater in seinem Brief geäußert hatte, fühlte ich, wie all der angesammelte Unrat aus mir weggefegt wurde. Zum erstenmal im Leben war ich imstande, klar und vernünftig zu denken. Es wurde mir klar, was für ein Narr ich gewesen war. Es entsetzte mich förmlich, mich in meinem wahren Licht zu sehen: da war ich und begehrte die ganze Welt und alle Menschen darin zu ändern, während doch das einzige, was der Änderung bedurfte, die Einstellung der Linse des Photoapparates war, als der mein Inneres mir auf einmal erschien.

Am nächsten Morgen packte ich meine Sachen und fuhr heim. Eine Woche darauf war ich wieder bei der Arbeit. Vier Monate später heiratete ich das Mädchen, das ich gefürchtet hatte zu verlieren. Heute sind wir mit unseren fünf Kindern eine glückliche Familie. Gott war gut zu mir, sowohl in äußerer wie in innerer Beziehung. Zur Zeit meines Zusammenbruchs war ich Vorarbeiter der Nachtschicht in einer kleinen Werkstatt von achtzehn Leuten. Heute bin ich Oberaufseher in einer Kartonfabrik und habe vierhundertfünfzig Arbeiter unter mir. Das Leben ist jetzt viel freundlicher und reicher. Ich glaube, ich weiß endlich seine wahren Werte zu schätzen. Wenn Augenblicke der Mißstimmung sich einschleichen wollen – wie es in jedermanns Leben geschieht – sage ich mir: ,Stell mal gleich die Linse wieder richtig ein' – und damit ist alles in Ordnung.

Ich kann ehrlich sagen, daß ich froh bin, den Zusammenbruch gehabt zu haben, weil ich dadurch auf harte Weise zu der Erkenntnis kam, welche Macht die Gedanken über unseren Geist und Körper haben. Jetzt weiß ich, wie ich meine Gedanken zu meinem Besten, statt zu meinem Schaden arbeiten lassen kann. Ich sehe ein, wie recht mein Vater hatte, wenn er schrieb, nicht äußere Umstände hätten all mein Leiden verschuldet, sondern meine innere Einstellung zu diesen Umständen. Sobald mir das klar wurde, war ich geheilt.» Dies die Erfahrung meines ehemaligen Studenten.

Ich bin zutiefst davon überzeugt, daß unser Seelenfrieden und alle Freude, die wir dem Leben abgewinnen, nicht davon abhängt, wo wir sind oder was wir haben oder wer wir sind, sondern einzig und allein von unserer geistigen Haltung. Äußere Umstände haben sehr wenig damit zu tun. Nehmen wir zum Beispiel den Fall unseres Nationalhelden John Brown, der hängen mußte, weil er das Zeughaus der Vereinigten Staaten in Harpers Ferry besetzte und die Sklaven zum Aufstand zu bewegen suchte. Auf seinem Sarg sitzend, wurde er zum Galgen abtransportiert. Der Wärter, der neben ihm saß, war nervös und ängstlich. Unser John Brown aber blieb kühl und gelassen. Er blickte zum Blue-Ridge-Gebirge in Virginien hinüber und rief aus: «Was für ein schönes Land! Noch nie habe ich Gelegenheit gehabt, es so richtig zu sehen.»

Oder nehmt den Fall von Robert Falcon Scott und seinen Gefährten – den ersten Engländern, die den Südpol erreichten. Ihre Rückfahrt war vielleicht die grauenvollste Reise, die je von Menschen unternommen wurde. Sie hatten nichts mehr zu essen – nichts mehr zum Heizen. Sie konnten nicht mehr vorwärtskommen, weil ein heulender Schneesturm elf Tage und Nächte hindurch vom Rand der Erde angerast kam – ein Sturm, der so scharf und wild daherbrauste, daß er Rillen ins Polareis schnitt. Scott und seine Gefährten wußten, daß sie sterben mußten; und für diesen äußersten Fall hatten sie sich einen Vorrat an Opium mitgebracht. Es war eine große Dose Opium, genügend, daß alle unter lieblichen Träumen auf ewig entschlummern konnten. Doch sie kümmerten sich nicht um das Betäubungsmittel und starben, indem sie «frohe, klingende Lieder» sangen. Das wissen wir, weil sich bei ihren vereisten Leichen, die acht Monate später von einer Suchpatrouille aufgefunden wurden, ein Abschiedsbrief befand.

Ja – wenn wir schöpferische Gedanken voll Mut und Gelassenheit hegen und pflegen, dann sind wir sogar imstande, die Schönheit der Natur zu würdigen, während wir auf unserem eigenen Sarg zum Galgen fahren; oder wir können unsere Zelte mit frohen, «klingenden Liedern» erfüllen, während wir zu Tode hungern und frieren. Milton in seiner Blindheit fand die gleiche Wahrheit vor dreihundert Jahren:

> Der Geist ist seine eigne Statt und in sich selbst
> Kann machen Höll' zum Himmel, Himmel zu der Hölle.

Napoleon und Helen Keller sind die anschaulichsten Beispiele für Miltons Feststellung: Napoleon besaß alles, wonach der Mensch allgemein strebt – Ruhm, Macht, Reichtum – und doch sagte er auf St. Helena rückblickend: «Ich habe in meinem Leben keine sechs glücklichen Tage gekannt», während die taubstumme und blinde Helen Keller erklärte: «Ich finde das Leben so schön!»

Wenn ein Leben, das ein halbes Jahrhundert gedauert hat, mich etwas gelehrt hat, so ist es, daß «nichts uns Frieden zu bringen vermag als wir selbst».

Ich versuche damit nur, zu wiederholen, was Emerson in seinem Essay über «Selbstvertrauen» abschließend so vorzüglich zusammengefaßt hat: «Ein politischer Triumph, eine Vermehrung deiner Einkünfte, die Genesung deiner Kranken, die Heimkehr eines abwesenden Freundes oder irgendein sonstiges, rein äußerliches Ereignis versetzt dich in gute Stimmung, so daß du meinst, nun breche eine gute Zeit für dich an. Glaub das nicht. Das kann nie so sein. Nichts vermag dir Frieden zu bringen als du selbst.»

Epiktet, der große stoische Philosoph, mahnte die Menschen, sie sollten sich lieber angelegen sein lassen, verkehrte Gedanken aus ihrem Geist zu bannen, als «ihren Körper von Geschwüren und Abszessen zu befreien».

Das sagte Epiktet vor nahezu zweitausend Jahren, und die moderne Medizin würde ihm recht geben. Dr. G. Canby Robinson erklärte, daß von je fünf in das Johns-Hopkins-Spital eingelieferten Patienten vier ihren Zustand zum Teil einer übermäßigen Nerven- und Gemütsbelastung zuzuschreiben hätten. Selbst in Fällen, wo organische Störungen vorlagen, traf dies häufig zu. «Letzten Endes», sagte er, «gingen diese auf unzureichende Anpassung an ihr Leben und seine Probleme zurück.»

Der große französische Denker Montaigne machte folgenden Satz zum Sinnspruch seines Lebens: «Der Mensch erleidet nicht soviel durch das, was ihm zustößt, wie durch die Art, in der er dieses Geschehen hinnimmt.»

Was will ich damit sagen? Habe ich die kolossale Frechheit, Euch – wenn Ihr von Sorgen bedrängt darniederliegt und Eure Nerven gespannt sind wie Drähte – ins Gesicht hinein zu behaupten, Ihr könntet unter solchen Umständen durch einen bloßen Willensakt Eure geistige Einstellung ändern? Jawohl, genau das meine ich! Und das ist noch nicht einmal alles. Ich will Euch zeigen, *wie* Ihr es machen könnt. Es mag eine kleine Anstrengung kosten, allein das Geheimnis ist einfach. William James, der von keinem anderen auf dem Gebiete der praktischen Psychologie übertroffen wird, machte einst die folgende Beobachtung: *«Das Handeln scheint dem Fühlen zu folgen, in Wirklichkeit aber gehen Handeln und Fühlen zusammen; und indem man sein Handeln, das unter der unmittelbaren Kontrolle des Willens steht, reguliert, kann man mittelbar auch das Fühlen regulieren, bei dem dies nicht der Fall ist.»*

Mit anderen Worten, William James sagt uns, daß wir zwar nicht augenblicklich unsere Empfindungen ändern können, einfach weil wir es so beschließen, daß wir aber unser Handeln ändern können. Und daß wir durch die Änderung unseres Handelns unsere Empfindungen automatisch mitändern.

«Derart», so erklärt er den Vorgang, *«ist es die allerwirksamste Methode zur Wiedergewinnung unserer Fröhlichkeit, wenn wir diese eingebüßt haben, daß wir eine fröhliche Haltung einnehmen und uns in Wort und Tat gebärden, als sei die Fröhlichkeit bereits wiedergekehrt.»*

Wirkt dieser einfache Trick? Wie eine Operation zur Gesichtsverschönerung wirkt er! Probiert es nur selbst aus. Setzt ein breites, treuherziges Lächeln auf; werft die Schultern zurück; holt ordentlich tief Atem; und singt ein Liedchen vor Euch hin. Wenn Ihr nicht singen könnt, dann pfeift. Könnt Ihr nicht pfeifen, so summt. Ihr werdet geschwind heraushaben, was William James meinte – daß es *physisch unmöglich* ist, niedergeschlagen und traurig zu bleiben, während Ihr Euch gebärdet, als ob Ihr strahlend glücklich wärt!

Das ist eine der kleinen grundlegenden Wahrheiten der Natur, die in unser aller Leben Wunder wirken kann. Ich kenne eine Frau in Kalifornien – ihren Namen will ich nicht nennen –, die all ihr Elend in vierundzwanzig Stunden loswerden könnte, wenn sie nur dieses Geheimnis wüßte. Sie ist alt und ist Witwe – das ist ja sicher traurig –, aber versucht sie etwa, sich glücklich zu gebärden? Nein; fragt man sie, wie es ihr gehe, dann antwortet sie: «Ach, mir geht's gut» – doch ihr Gesichtsausdruck und ihre weinerliche Stimme beteuern: «O Gott, wenn du nur wüßtest, was ich alles durchgemacht habe!» Es ist, wie wenn sie es einem vorwürfe, daß man in ihrer Gegenwart fröhlich ist. Hunderten von anderen Frauen geht es schlechter als ihr. Ihr Mann hat ihr eine Versicherung hinterlassen, durch die bis an ihr Lebensende für sie gesorgt ist, und sie hat verheiratete Kinder, die ihr ein Heim bereiten. Doch ich habe sie nur selten mit einem freundlichen Gesicht gesehen. Sie beklagt sich darüber, daß ihre Schwiegersöhne alle drei geizig und egoistisch seien – obwohl sie monatelang bei ihnen zu Gast ist. Sie beklagt sich auch, ihre Töchter machten ihr nie Geschenke – obwohl sie ihr eigenes Geld ängstlich hütet, «für mein Alter», wie sie sagt. Sie ist ein Unsegen für ihre arme Familie und für sich selbst. Aber müßte das so sein? Das ist das Traurigste dabei: sie könnte aus einer unglückseligen, trübseligen und verbitterten alten Frau zu einem verehrten und geliebten Mitglied ihrer Familie werden – wenn sie sich nur ändern *wollte*. Alles, was sie zu tun hätte, um eine solche Wandlung herbeizuführen, wäre, daß sie sich entschlösse, sich fröhlich zu *gebärden*; so zu tun, als hätte sie ein wenig Liebe zu verschenken – statt alle ihre Gefühle an ihr eigenes unglückliches und verbittertes Ich zu vergeuden.

Im Staate Indiana kenne ich einen Mann – H. J. Englert aus Tell City, 1335, 11th Street –, der heute nur deshalb noch am Leben ist, weil er dieses Geheimnis entdeckt hat. Vor zehn Jahren erkrankte er an Scharlach, und als die eigentliche Krankheit im Abklingen war, zeigte sich, daß er sich eine Nierenentzündung zugezogen hatte. Er konsultierte alle möglichen Ärzte – «selbst Quacksalber», sagte er zu mir –, doch nichts half.

Dann kamen vor einiger Zeit noch andere Komplikationen hinzu. Sein Blutdruck schoß in die Höhe. Wiederum ging er zum Arzt und erfuhr, daß sein Blutdruck der höchste war, den ein Mensch überhaupt haben kann. Es wurde ihm gesagt, sein Zustand werde sich ständig verschlechtern, und er täte gut daran, seine zeitlichen Angelegenheiten in Ordnung zu bringen.

«Ich ging heim», sagte er, «und vergewisserte mich, daß meine Versicherungsprämie bezahlt war, dann bat ich meinen Schöpfer um Vergebung für alles, was ich Unrechtes getan hatte, und überließ mich danach düsteren Grübeleien. Ich machte alle um mich herum unglücklich. Meine Frau und meine übrigen Angehörigen waren tief niedergedrückt, und ich selbst ging in der schwärzesten Depression einher. Doch als ich mich eine Woche lang so meinem Selbstbedauern hingegeben hatte, sprach ich zu mir: ,Du führst dich auf wie ein Narr! Vielleicht lebst du noch ein ganzes Jahr, warum also versuchst du nicht lieber, glücklich zu sein, solange du kannst?'

Ich straffte die Schultern, setzte ein Lächeln auf und bemühte mich zu tun, als sei alles normal. Ich gebe zu, daß es zuerst eine Anstrengung war – doch ich zwang mich, meinen Mitmenschen angenehm und heiter zu begegnen, und dadurch half ich nicht nur meiner Familie, ich half auch mir selbst.

Nach einer Weile begann ich mich besser zu *fühlen* – fast so wohl, wie ich vorgab, mich zu fühlen. Die Besserung hielt an. Und heute – Monate, nachdem ich eigentlich im Grabe liegen müßte – bin ich nicht nur glücklich, gesund und am Leben, sondern auch mein Blutdruck ist gesunken! Eines weiß ich gewiß: die Voraussage des Arztes hätte sich bestimmt als richtig erwiesen, wenn ich nicht aufgehört hätte, mich mit niederdrückenden ,Sterbegedanken' zu tragen. Doch ich verschaffte meinem Körper eine Chance, sich selbst zu kurieren, einfach dadurch, daß ich meine innere Einstellung änderte.»

Hier möchte ich meinen Lesern eine Frage stellen: wenn nichts als sein fröhliches Gebaren und das Denken positiver Gedanken des Muts und der Gesundheit diesem Manne sein Leben zu erhalten vermochten – welchen Grund hätten wir alle dann, unseren geringfügigen Kümmernissen und Depressionen auch nur noch eine Minute lang freies Spiel zu lassen? Warum uns selbst und alle um uns her unglücklich und verstimmt machen, wenn es uns möglich ist, eine glückliche Lage herzustellen, indem wir einfach frohen Mut an den Tag legen?

Vor Jahren las ich einmal ein Büchlein, das eine tiefe und nachhaltige Wirkung auf mich hatte. Es hieß «As a Man Thinketh» (Wie der Mensch denkt) von James Lane Allen, und es hieß darin:

«Wenn ein Mensch seine Gedanken über Menschen und Dinge ändert, wird er finden, daß sich Dinge und Menschen auch ihm gegenüber ändern... Laßt einen Menschen sein Denken radikal ändern, und er wird erstaunen ob der schnellen Wandlung, die alsbald in den äußeren Umständen seines Lebens eintreten wird. Die Menschen ziehen nicht das an sich heran, was sie begehren, sondern das, was sie sind ... Die Gottheit, welche uns unsere Ziele setzt, ist in uns selbst. Sie ist unser eigenes Ich ... Alles, was der Mensch leistet, ist das unmittelbare Ergebnis seiner eigenen Gedanken ... Wenn er seinen Gedanken einen höheren Inhalt gibt, dann kann der Mensch gar nicht anders als selbst einen Aufstieg nehmen, Schwierigkeiten meistern und etwas leisten. Sträubt er sich aber, sein Denken auf eine höhere Ebene zu heben, so kann er nur schwach und elend und unglücklich bleiben.»

Wie das erste Buch Moses erzählt, verlieh der Schöpfer dem Menschen die Herrschaft über die ganze weite Erde. Ein mächtiges Geschenk. Doch ich habe keine Verwendung für solche mehr als königlichen Vorrechte. Ich begehre nichts als Herrschaft über mich selbst – Herrschaft über meine Gedanken; Herrschaft über meine Ängste; Herrschaft über meinen Geist und meine Vernunft. Und das Wunderbare an der Sache ist, daß ich weiß, ich kann diese Herrschaft bis zu einem erstaunlichen Grad erlangen, sobald ich nur ernstlich will, einfach indem ich meine Handlungen kontrolliere – die dann ihrerseits wiederum meine Reaktionen kontrollieren.

Laßt uns daher dieser Worte von William James eingedenk bleiben: *«Vieles von dem, was wir Übel nennen ... kann oft in etwas belebend und förderlich Gutes umgewandelt werden, wenn der Betroffene seine furchtsame Einstellung in eine kämpferische ändert.»*

Kämpfen wir also um unser Glück, indem wir einem täglichen Programm des frohen und aufbauenden Denkens nachleben. Hier ist ein solches Programm. Es trägt die Überschrift «Nur gerade heute», und ich fand es so inspirierend, daß ich es in Hunderten von Exemplaren verschenkte. Die jetzt verstorbene Schriftstellerin Sibyl F. Partridge verfaßte es vor sechsunddreißig Jahren. Wenn wir es befolgen, werden wir die meisten unserer Sorgen und Ängste ausschalten und unseren Anteil an irdischer Lebensfreude unermeßlich vergrößern.

1. Nur gerade heute will ich glücklich sein. Damit nehme ich als wahr an, was Abraham Lincoln im folgenden sagte: «Die meisten Leute sind ungefähr so glücklich, wie sie sich zu sein vornehmen.» Glücklichsein kommt von innen; es hat nichts mit äußeren Umständen zu tun.

2. Nur gerade heute will ich versuchen, mich dem anzupassen, was ist, und nicht trachten, alles meinen eigenen Wünschen anzupassen. Ich will meine Familie, mein Geschäft, mein Tagesglück nehmen, wie sie kommen, und mich auf sie einstellen.

3. Nur gerade heute will ich gut für meinen Körper sorgen. Ich will ihm Bewegung verschaffen, ihn pflegen, ihn nähren, ihn weder mißbrauchen noch vernachlässigen, so daß ich aus ihm ein vollkommenes Werkzeug meines Willens bilde.

4. Nur gerade heute will ich versuchen, meinen Geist zu stärken. Ich will etwas Nützliches lernen. Ich will kein geistiger Müßiggänger sein. Ich will etwas lesen, das Anstrengung, Nachdenken und Konzentration erfordert.

5. Nur gerade heute will ich meine Seele auf drei Arten schulen: Ich will jemandem einen Dienst erweisen, ohne daß ein Dritter davon erfährt. Ich will mindestens zweierlei tun, was mir gegen den Strich geht, einfach zur Übung, so wie William James es anrät.

6. Nur gerade heute will ich mich anderen angenehm machen. Ich will so gut aussehen, wie ich kann, mich so kleidsam anziehen, wie möglich, will leise reden, anderen Höflichkeit erzeigen, mit Lob freigebig sein, überhaupt nicht kritisieren oder irgend etwas auszusetzen haben und auch nicht versuchen, jemand anderem Vorschriften oder Besserungsvorschläge zu machen.

7. Nur gerade heute will ich versuchen, einzig diesen Tag zu leben, nicht mein ganzes Daseinsproblem auf einmal ins Auge zu fassen. Zwölf Stunden lang kann ich mit Leichtigkeit Dinge tun, die mich im höchsten Grad erschrecken würden, müßte ich sie mein ganzes Leben lang aufrechterhalten.

8. Nur gerade heute will ich mir ein Programm machen. Ich will mir aufschreiben, was ich jede Stunde zu tun gedenke. Vielleicht halte ich es nicht genau ein, aber aufsetzen will ich es. Es wird zwei Plagen den Garaus machen: Eile und Unentschlossenheit.

9. Nur gerade heute will ich eine ruhige halbe Stunde ganz für

mich selbst bleiben und mich entspannen. Während dieser halben Stunde will ich zuweilen an Gott denken, um ein wenig mehr Perspektive in mein Leben zu bringen.

10. Nur gerade heute will ich furchtlos sein, und ganz besonders will ich keine Angst haben, glücklich zu sein, Schönes zu genießen, zu lieben, und zu glauben, daß die, welche ich liebe, mich wiederlieben.

Wenn wir eine geistige Einstellung erlangen wollen, die uns Frieden und Glück bringt, sollten wir Regel Nummer 1 befolgen: *Denkt und handelt frohgemut, dann wird Euch auch fröhlich zumute sein.*

Revanche ist ein teurer Spaß 13

Als ich vor Jahren Amerikas berühmtes Naturschutzgebiet, den Yellowstone-Park, bereiste, saß ich eines Abends mit anderen Touristen im Freien, einem dichten Nadelwäldchen gegenüber. Nicht lange, so erschien auf dem hell erleuchteten Platz vor uns das Tier, auf dessen Anblick wir gewartet hatten, der Schrecken des Waldes: der Grizzlybär, und begann den Küchenabfall zu verschlingen, der von der Küche eines der Parkhotels dorthin geschüttet worden war. Einer der Parkaufseher, Major Martindale, erzählte dabei von seinem Pferd herab den aufgeregten Touristen allerlei von den Lebensgewohnheiten der Bären. Er sagte, der Grizzlybär sei an Stärke jedem anderen Tier der westlichen Halbkugel überlegen, Büffel und Kodiakbären allenfalls ausgenommen. Gleichwohl bemerkte ich an jenem Abend, daß der Grizzly einem anderen Tier – allerdings nur einem einzigen – erlaubte, aus dem Walde zu kommen und die Mahlzeit im blendenden Schein der Hotellichter mit ihm zu teilen – einem Stinktier. Der Grizzly wußte ganz gut, daß er ein Stinktier mit einem einzigen Schlag seiner gewaltigen Pranken erledigen konnte. Warum tat er es also nicht? Weil er aus Erfahrung wußte, daß sich das nicht lohnte.

Die gleiche Erfahrung habe ich selbst gemacht. Als Bauernjunge fing ich oft vierbeinige Stinktiere an den Heckenpfaden von Missouri; und als Mann bin ich zweibeinigen Stinktieren auf den Straßen von New York begegnet. Trübe Erfahrungen haben mich gelehrt, daß es nicht der Mühe wert ist, mit der einen oder anderen Gattung anzubinden.

Wenn wir unsere Feinde hassen, geben wir ihnen Macht über uns: Macht über unseren Schlaf, unseren Appetit, unseren Blutdruck, unser Wohlbefinden und unser Glück. Unsere Feinde würden vor Wonne hüpfen, wüßten sie, in welchem Grade es ihnen gelungen ist, uns zu beunruhigen, innerlich zu zerreißen, sich an uns zu rächen! Unser Haß tut ihnen nicht im geringsten weh, allein unsere eigenen Tage und Nächte verwandelt er in ein höllisches Fieber.

Von wem, meint Ihr, stammt folgender Ausspruch: «Wenn selbstsüchtige Menschen Euch auszunützen suchen, dann streicht sie von Eurer Liste, versucht aber nicht, es Ihnen Eurerseits heimzuzahlen. Sobald Ihr versucht, jemandem etwas heimzuzahlen, schadet Ihr Euch selber mehr als dem anderen ...?» Solche Worte klingen doch, als hätte irgendein weltfremder Idealist sie sich ausgedacht. Aber keine Spur. Diese Worte kommen in einem Bericht der Polizeidirektion der amerikanischen Stadt Milwaukee vor.

In welcher Weise könntet Ihr Euch denn aber schaden, so denkt Ihr nun, wenn Ihr mit jemandem quitt werden wollt? In gar mancher Weise. Die Zeitschrift «Life» behauptet, man könne sich sogar gesundheitlich dadurch zugrunde richten. «Das hervorstechende Charaktermerkmal von Menschen mit hohem Blutdruck sind Rachegefühle», schreibt ein Mitarbeiter dieser Zeitschrift. «Werden solche Rachegefühle chronisch, dann haben sie erhöhten Blutdruck und Herzbeschwerden zur Folge.»

Ihr erseht daraus, daß Jesus nicht nur eine gesunde Moral verkündete, als er sagte «Liebet Eure Feinde», sondern daß er zugleich die modernsten medizinischen Erkenntnisse vorwegnahm. Als er predigte «Vergebet siebenzigmal siebenmal», sagte Jesus uns allen, wie wir uns vor hohem Blutdruck, Herzstörungen, Magengeschwüren und zahlreichen anderen Beschwerden hüten können.

Eine Bekannte von mir hatte kürzlich einen schweren Herzanfall. Ihr Arzt steckte sie ins Bett und verbot ihr, sich über irgend etwas zu ärgern oder aufzuregen, mochte geschehen was wollte. Die Ärzte wissen, daß jemand mit schwachem Herzen an einem Zornanfall sterben *kann*. Sagte ich sterben *kann*? Vor ein paar Jahren starb ein Restaurantbesitzer aus Spokane im Staate Washington tatsächlich an einem Zornanfall. Ich habe hier vor mir einen Brief von Jerry Swartout, dem Polizeidirektor jenes Ortes, worin er schreibt: «Vor ein paar Jahren führte William Falkaber, ein achtundsechzigjähriger Kaffeehausbesitzer in Spokane, seinen eigenen Tod herbei, indem er sich von einem Wutanfall über seinen Koch unterkriegen ließ, der sich nicht abgewöhnen wollte, Kaffee aus der Untertasse zu trinken. Das erboste Falkaber so sehr, daß er zu seinem Revolver griff und hinter dem Koch herzurennen begann. Doch mitten drin fiel er tot um – ein Herzschlag hatte ihn getroffen, während er noch mit der Hand den Revolver fest umklammert hielt. Der ärztliche Befund über die Todesursache ging dahin, daß seine Wut zum Versagen des Herzens geführt habe.»

Als Jesus sagte «Liebet Eure Feinde», lehrte er die Menschen zugleich, wie sie es machen müssen, um vorteilhafter auszusehen. Ich kenne Frauen – und auch Ihr kennt solche –, deren Gesichter der Haß hart und verrunzelt gemacht und die Rachsucht entstellt hat. Sämtliche Schönheitssalons auf der Welt würden nicht imstande sein, das Aussehen dieser Frauen auch nur halb so sehr zu verbessern, wie ein Herz voll Nachsicht, Zärtlichkeit und Liebe es vermöchte.

Der Haß vernichtet sogar unsere Fähigkeit, unser Essen recht zu genießen. In der Bibel ist das folgendermaßen ausgedrückt: «Es ist besser, ein Gericht Kraut mit Liebe, denn ein gemästeter Ochse mit Haß.»

Würden unsere Feinde sich nicht vor Vergnügen die Hände reiben, wenn sie wüßten, daß unser Haß auf sie uns alle Kraft raubt, uns matt und nervös macht, uns Herzbeschwerden verursacht und wahrscheinlich sogar unser Leben verkürzt?

Selbst wenn wir es nicht dahin bringen, unsere Feinde zu lieben, wollen wir doch wenigstens uns selbst lieben – genügend lieben, um unseren Feinden nicht zu gestatten, daß sie sich zu Herren über unser Glück, unser Wohlbefinden und unser Aussehen machen. Shakespeare sagte dies mit den Worten:

> Heizt nicht den Ofen euerm Feind so glühend,
> Daß er euch selbst versengt.

Als Jesus sagte, wir sollten unseren Feinden «siebenzigmal sieben-mal» vergeben, predigte er auch vernünftige Geschäftsgrundsätze. Während ich dies schreibe, liegt vor mir ein Brief von Georg Rona aus Uppsala, Schweden, Fradegatan 24. Nachdem Georg Rona jahre-lang als Rechtsanwalt in Wien tätig gewesen war, mußte er im Zweiten Weltkrieg nach Schweden fliehen. Er hatte kein Geld, und Arbeit bitter nötig. Da er verschiedene Sprachen beherrschte, hoffte er, bei irgendeiner Export- oder Importfirma eine Stellung als Korrespondent zu erhalten. Die meisten Firmen antworteten auf sein Anerbieten, daß sie während des Krieges keinen solchen Posten zu vergeben hätten, jedoch seinen Namen vormerken wollten – wie das so üblich ist. Ein Geschäftsinhaber jedoch schrieb Georg Rona folgendes: «Was Sie sich in bezug auf mein Geschäft ausgedacht haben, stimmt nicht. Ich brauche keinen Korrespondenten. Allein wenn ich einen brauchte, würde ich keinesfalls Sie engagieren, denn Sie können ja noch nicht einmal gutes Schwedisch schreiben. Ihr Brief strotzt von Fehlern.»

Als Georg Rona dieses Schreiben las, packte ihn die Wut. Was wollte dieser Schwede damit sagen, daß er ihm sein schlechtes Schwedisch vorwarf? Sein eigener Brief war ja voller Fehler! Also setzte Rona einen Antwortbrief auf, in dem er dem Mann ganz gehörig Bescheid sagte. Dann beruhigte er sich plötzlich, dachte nach: «Jetzt wart mal. Woher weiß ich denn, daß der Mann nicht recht hat? Ich habe zwar Schwedisch gelernt, aber meine Mutter-sprache ist es nicht, also mache ich wirklich vielleicht Fehler, über die ich mir keine Rechenschaft gebe. Wenn das so ist, so muß ich sicher gründlichere Sprachstudien treiben, wenn ich je eine Stellung erlangen will. Der Mann hat mir vielleicht einen Dienst erwiesen, wenn es auch nicht in seiner Absicht lag. Daß er sich so unliebens-würdig ausgedrückt hat, ändert ja nichts daran, daß ich ihm Dank schulde. Daher werde ich ihm nun schreiben und ihm dafür *danken*, was er getan hat.»

So zerriß Georg Rona also den vernichtenden Brief, den er zuerst geschrieben hatte, und ersetzte ihn durch einen neuen, in dem er sagte: «Es war sehr liebenswürdig von Ihnen, sich die Mühe zu machen, mir zu schreiben, zumal Sie ja keinen Korrespondenten brauchen. Es tut mir leid, daß ich mich in bezug auf Ihre Firma irrte; ich schrieb Ihnen, nachdem ich Erkundigungen eingezogen und erfahren hatte, daß Ihr Haus das führende der Branche ist. Daß ich in meinem Schreiben grammatische Fehler gemacht hatte, wußte ich nicht. Ich bedaure es sehr und schäme mich darüber. Ich werde mich von nun an mit größerem Fleiß dem Studium Ihrer Sprache widmen und meine Fehler zu verbessern suchen. Ich möchte Ihnen bestens dafür danken, daß Sie mir geholfen haben, den Weg zum Bessermachen einzuschlagen.»

Nach wenigen Tagen erhielt Rona einen zweiten Brief des Schweden, worin dieser ihn aufforderte, zu ihm zu kommen. Rona ging hin – und bekam eine Anstellung. Auf diese Weise fand Georg Rona heraus, daß «eine linde Antwort den Zorn stillt».

Wenn wir auch nicht fromm genug sein mögen, unsere Feinde zu lieben, so wollen wir doch wenigstens um unserer eigenen Gesundheit und unseres Lebensglücks willen ihnen verzeihen und nicht mehr an sie denken.

Das ist eine kluge Handlungsweise. «Unrecht erleiden oder ausgeraubt werden», sagte Konfuzius, «bedeutet nichts, sofern man sich nicht immer wieder daran erinnert.» Ich fragte einst General Eisenhowers Sohn John, ob sein Vater den Menschen je etwas nachtrage. «Nein», antwortete er, «Vater verschwendet nie eine Minute damit, daß er an Leute denkt, die er nicht mag.»

Es gibt eine alte Redensart, die besagt, daß ein Mensch, der sich nicht erzürnen *kann*, ein Narr, daß aber jener, der sich nicht erzürnen *mag*, ein Weiser ist.

Dies war die Politik, die William J. Gaynor, früher Bürgermeister von New York, befolgte. Von der Revolverpresse bitter angegriffen, wurde er das Opfer eines Attentats durch einen Irrsinnigen, der ihn durch einen Schuß schwer verwundete. Als er im Krankenhaus lag und mit dem Tode rang, sagte er: «Jeden Abend verzeihe ich allen Menschen alles.» Ist das zu idealistisch gesprochen? Zu mild und fein? Wer so denkt, möge nachlesen, was der große deutsche Philosoph Schopenhauer dazu zu sagen hat. Er sah das Leben als ein zweckloses und leiderfülltes Abenteuer an, malte alles in den düstersten Farben. Und doch rief Schopenhauer aus der Tiefe seiner Verzweiflung heraus: «Wenn möglich, sollte man gegen niemand Feindschaft empfinden.»

Ich fragte einmal Bernhard Baruch, den hochgeschätzten Ratgeber von sechs Präsidenten der Vereinigten Staaten – Wilson, Harding, Coolidge, Hoover, Roosevelt und Truman –, ob er sich je von den Angriffen seiner Gegner beunruhigen ließe. «Kein Mensch kann mich demütigen oder meine Gemütsruhe stören», antwortete er. «Dazu lasse ich es nicht kommen.»

Auch uns – Euch und mich – kann kein Mensch demütigen oder stören – *wenn wir es nicht zulassen.*

Stöcke und Steine können Wunden mir schlagen,
Doch Worte mich nie verletzen.

Zu allen Zeiten haben die Menschen jenen Nachfolgern Christi Verehrung dargebracht, die ihren Feinden nicht übelwollten. Ich habe oft im Jasper National Park in Kanada gestanden und bewundernd auf eine der schönsten Bergketten der westlichen Hemisphäre geblickt, die nach Edith Cavell benannt ist – der britischen Krankenschwester, die am 12. Oktober 1915 wie eine Heldin vor das deutsche Erschießungskommando trat, das sie als Spionin erschoß. Ihr Verbrechen? Sie hatte in Belgien, wo sie Dienst tat, französische und englische Soldaten bei sich verborgen gehalten, ihnen Essen gebracht, ihre Wunden gepflegt und ihnen geholfen, nach Holland zu fliehen. Als der englische Kaplan an jenem Oktobermorgen ·ihre Zelle in dem Brüsseler Militärgefängnis betrat, um sie für den Tod vorzubereiten, äußerte Edith Cavell zwei Sätze, die in Bronze und Granit festgehalten worden sind: «Ich weiß, daß Patriotismus nicht genug ist. Ich darf gegen niemand Haß oder Bitterkeit hegen.» Vier Jahre später wurde ihre Leiche nach England überführt, und in der Abtei von Westminster wurden Gedächtnisgottesdienste für sie abgehalten. Heute steht gegenüber der Londoner National Portrait Gallery die Statue der Frau, die zu den Unsterblichen Großbritanniens gehört. «Ich weiß, daß Patriotismus nicht genug ist. Ich darf gegen niemand Haß oder Bitterkeit hegen.»

Eine zuverlässige Art, unseren Feinden zu vergeben und sie zu vergessen, ist, uns ganz einer Sache zu widmen, die uns selbst an Bedeutung überragt. Dann werden uns die Beleidigungen und Feindseligkeiten, denen wir begegnen, gleichgültig lassen, weil wir von einem ganz und gar erfüllt sind: *unserer Sache.* Als Beispiel hiefür wollen wir ein ungeheuer dramatisches Geschehnis nehmen, das im Jahre 1918 in den Pinienwäldern Mississippis stattfinden sollte – ein Lynchgericht! Laurence Jones, ein farbiger Lehrer und Prediger, sollte gelyncht werden! Vor einigen Jahren besuchte ich die von

Laurence Jones gegründete Schule und sprach vor den versammelten Schülern. Heute ist diese Anstalt im ganzen Bereich der Vereinigten Staaten bekannt; doch der Vorfall, den ich erzählen will, hat sich lange vorher ereignet. Er fiel in die aufregenden und gemütsverwirrenden Tage des Ersten Weltkrieges. Durch Mississippi hatte sich ein Gerücht verbreitet, daß die Deutschen die Neger aufstachelten und sie anstifteten zu rebellieren. Laurence Jones, der Mann, der gelyncht werden sollte, war, wie bereits erwähnt, selbst Neger und angeschuldigt, seine Rasse zum Aufstand anstiften zu helfen. Eine Gruppe von Weißen, die vor der Kirche standen, hatte gehört, wie Laurence Jones seiner Gemeinde mit tönender Stimme zurief: «Das Leben ist eine Schlacht, in welcher jeder Neger seine *Rüstung* umschnallen und *kämpfen* muß, um am Leben zu bleiben und seine Ziele zu erreichen!»

«Kämpfen!» «Rüstung!» Das war genug. Die aufgeregten jungen Zuhörer galoppierten davon, in die Nacht hinein, sammelten eine Menge Volkes um sich und kehrten zu der Kirche zurück. Dort banden sie den Prediger mit einem Seil, schleiften ihn eine Meile weit ins Land, stellten ihn auf einen Haufen Scheite, zündeten Streichhölzer an und schickten sich an, ihn gleichzeitig zu hängen und zu verbrennen, als einer plötzlich schrie: «Der Lumpenkerl soll uns eine Predigt halten, bevor er brennt. Reden! Reden!» Laurence Jones, auf seinem Scheiterhaufen stehend, fing an zu reden; mit dem Strick um den Hals sprach er für sein Leben und seine *Sache.* Im Jahre 1907 hatte er an der Universität Iowa promoviert. Sein lauterer Charakter, seine Gelehrsamkeit und seine musikalische Begabung hatten ihn sowohl bei den Studenten wie bei der Fakultät beliebt gemacht. Nach seiner Promotion hatte er das Anerbieten eines Hotelindustriellen ausgeschlagen, der ihn geschäftlich etablieren wollte, und ebenso das Anerbieten eines reichen Mannes, seine musikalische Ausbildung zu finanzieren. Warum das? Weil er für eine Idee entflammt war. Nachdem er die Lebensgeschichte seines Rassengenossen Booker T. Washington gelesen hatte, hatte ihn der brennende Wunsch erfaßt, sein Leben der Erziehung der in tiefer Armut lebenden und oft nicht einmal des Lesens und Schreibens kundigen Mitglieder seiner Rasse zu weihen. So begab er sich in die rückständigste Gegend in den Südstaaten, die er ausfindig machen konnte, an einen Ort etwa fünfundzwanzig Meilen südlich von Jackson in Mississippi. Er versetzte seine Taschenuhr für einen

Dollar und fünfundsechzig Cents und gründete seine Schule in den offenen Wäldern, indem er sich eines Baumstumpfs als Katheder bediente. Laurence Jones erzählte diesen wütenden Männern, die auf den Augenblick warteten, ihn zu lynchen, von seinen Kämpfen um die Erziehung dieser unwissenden Jungen und Mädchen, die er zu guten Farmern, Mechanikern, Köchinnen, Haushälterinnen heranbilden wollte. Er erzählte ihnen von den Weißen, die ihm geholfen hatten, die «Kiefernwaldschule» zu errichten – Weiße, die ihm Land, Bauholz, Schweine, Kühe und Geld gegeben hatten, damit er in seiner Erziehungsarbeit fortfahren könne.

Als Laurence Jones späterhin gefragt wurde, ob er die jungen Leute nicht hasse, die ihn die Landstraße entlanggeschleift hatten, um ihn zu hängen und zu verbrennen, antwortete er, er sei *mit seiner Sache zu beschäftigt*, um zu hassen – *zu vertieft in etwas, das größer sei als er selbst. «Ich habe keine Zeit zu streiten»*, sagte er, *«keine Zeit zum Klagen. Und kein Mensch kann mich zwingen, so tief zu sinken, daß ich ihn hasse.»*

Während Laurence Jones mit echter und bewegender Beredsamkeit sprach, wie er so nicht für sich selbst, sondern für eine Sache plädierte, begann der Volkshaufe sich zu erweichen. Schließlich sagte ein alter Veteran aus dem Bürgerkrieg, der auch zuhörte: «Ich glaube, dieser Junge spricht die Wahrheit. Ich kenne die Weißen, deren Namen er erwähnt hat. Er leistet gute Arbeit. Wir haben uns geirrt. Wir sollten ihm beistehen, statt ihn zu hängen.» Der Veteran ging sodann mit dem Hut herum und sammelte über zweiundfünfzig Dollar für den Neger unter denselben Männern, die zusammengekommen waren, um den Gründer der «Kiefernwaldschule» aufzuknüpfen – den Mann, der sagte: «Ich habe keine Zeit zu streiten, keine Zeit zum Klagen. Und kein Mensch kann mich zwingen, so tief zu sinken, daß ich ihn hasse.»

Epiktet wies vor fast zwei Jahrtausenden darauf hin, daß wir ernten, was wir säen, und daß das Schicksal fast immer von uns verlangt, daß wir für unsere Übeltaten bezahlen. «Zum Schluß», sagt Epiktet, «wird jedermann für das, was er Übles getan hat, bezahlen müssen. Derjenige, der dies im Gedächtnis behält, wird gegen niemand erzürnt, über keinen empört sein, er wird andere nicht verleumden, keinen Menschen tadeln, keinen beleidigen, keinen hassen.»

Wahrscheinlich ist kein zweiter Mann in der Geschichte Amerikas so sehr angeklagt, gehaßt und betrogen worden wie Lincoln. Dennoch beurteilte Lincoln, Herndons klassischer Biographie zufolge, «die Menschen niemals nach der Sympathie oder Antipathie, die er für sie empfand. Wenn irgend etwas Bestimmtes verrichtet werden mußte, vermochte er einzusehen, daß sein Feind es genausogut tun konnte wie sonst jemand. Wenn jemand ihn beschimpft hatte oder sich persönlich übel gegen ihn benommen hatte, dabei aber für irgendeinen Posten der fähigste Anwärter war, dann gab Lincoln ihm diesen Posten, genauso selbstverständlich, wie er ihn einem Freund gegeben hätte... Ich glaube nicht, daß er je einen Menschen seines Postens enthob, weil er sein Gegner war oder weil er ihn nicht leiden konnte.»

Unter denjenigen, die Lincoln am heftigsten angriffen und schmähten, befanden sich vielfach gerade Menschen, denen er zu hohen Machtstellungen verholfen hatte. Dennoch hielt er, wie Herndon berichtete, an seinem Glauben fest, es dürfe «kein Mensch um dessentwillen, was er getan hat, gepriesen oder um dessentwillen, was er getan oder nicht getan hat, getadelt» werden, weil wir «alle die Kinder obwaltender Umstände und Verhältnisse, unserer Umgebung, Erziehung, erworbenen Gewohnheiten und erblichen Eigenschaften sind, welche die Menschen zu dem machen, was sie sind und immerdar bleiben werden».

Vielleicht hatte Lincoln recht. Wenn wir die gleichen körperlichen, geistigen und Gemütseigenschaften ererbt hätten wie unsere Feinde und wenn das Leben mit uns ebenso verfahren wäre wie mit ihnen, dann würden wir genauso handeln wie sie. Anders wäre es nicht möglich. Clarence Darrow pflegte zu sagen: «Alles wissen, heißt alles verstehen, und dabei bleibt kein Raum für Urteil und Verurteilung.» Deshalb wollen wir unsere Feinde, statt sie zu hassen, lieber bemitleiden und Gott danken, daß uns das Leben nicht zu dem gemacht hat, was sie sind. Statt geringschätzende Urteile und rachsüchtige Empfindungen auf unsere Feinde zu häufen, wollen wir ihnen lieber Verständnis, Sympathie, Hilfe, Verzeihung und Gebete entgegenbringen.

Ich bin der Sproß einer Familie, die allabendlich in der Heiligen Schrift zu lesen oder einen Bibelvers zu wiederholen pflegte und hierauf zum «Familiengebet» niederkniete. Noch heute höre ich, wie mein Vater in unserem einsamen Bauernhaus in Missouri diese Worte Jesu sprach – Worte, die die Menschen immer von neuem wiederholen werden, solange sie seine Ideale noch hochhalten: «Liebet Eure Feinde, segnet, die Euch fluchen, tut wohl denen, die Euch hassen, bittet für die, so Euch beleidigen und verfolgen.»

Mein Vater versuchte, diesen Worten Jesu nachzuleben; und sie verliehen ihm einen inneren Frieden, den die Mächtigen und die Herrscher der Erde oft vergebens gesucht haben.

Um Euch eine geistige Haltung zu eigen zu machen, die Euch Frieden und Glück bringen wird, solltet Ihr Regel Nummer 2 im Gedächtnis behalten. Sie lautet:

Laßt uns nie versuchen, mit unseren Feinden «quitt» zu werden, denn dadurch schaden wir uns selbst weit mehr als ihnen. Wir wollen es halten wie General Eisenhower: niemals eine Minute damit vergeuden, daß wir an Leute denken, die wir nicht mögen.

Tut Ihr dies, so werdet Ihr Euch nie über Undankbarkeit aufregen   14

Kürzlich machte ich in Texas die Bekanntschaft eines Geschäftsmannes, der vor Empörung kochte. Man hatte mir vorher schon gesagt, er werde mir die Ursache in der ersten Viertelstunde unserer Bekanntschaft erzählen. Und das tat er auch. Der Vorfall, der ihn so erzürnt hatte, lag schon elf Monate zurück, aber er kochte noch immer innerlich. Er konnte von gar nichts anderem reden. Er hatte zehntausend Dollar in Weihnachtsgratifikationen an seine vierunddreißig Angestellten verteilt – das machte durchschnittlich dreihundert Dollar für jeden einzelnen – und kein einziger hatte sich dafur bei ihm bedankt. «Ich bedaure nur», so beschwerte er sich bitter, «daß ich ihnen überhaupt einen Cent gegeben habe!»

«Der Zornige», sagt Konfuzius, «ist immer voller Gift.» Dieser Mann war so voller Gift, daß er mir ehrlich leid tat. Er war ein Mann um die Sechzig. Nun haben die Lebensversicherungsgesellschaften errechnet, daß wir durchschnittlich ein wenig über zwei Drittel der Spanne zwischen unserem gegenwärtigen Alter und achtzig Jahren leben. Also hatte dieser Mann – wenn alles gutging – vermutlich noch vierzehn bis fünfzehn Lebensjahre vor sich. Und nun hatte er bereits fast ein ganzes der wenigen ihm verbleibenden Jahre verschwendet durch seine Bitterkeit und seinen Groll über einen Vorfall, der erledigt und vorbei war. Er tat mir leid.

Statt sich in Unwillen und Selbstbedauern zu ergehen, hätte er sich vielleicht fragen sollen, *warum* er keine Anerkennung für sein Geschenk erhielt. Möglich, daß er seine Angestellten zu schlecht bezahlte und zu schwer arbeiten ließ. Möglich, daß sie eine Weihnachtsgratifikation nicht als Geschenk ansahen, sondern als verdientes Geld. Möglich, daß er so kritisch und unnahbar zu sein pflegte, daß keiner wagte oder wünschte, ihm zu danken. Möglich, daß sie der Ansicht waren, er hätte ihnen den Bonus nur gegeben, weil ein Großteil vom Geschäftsgewinn ohnehin für Steuern draufging.

Anderseits waren vielleicht die Angestellten selber egoistisch, schäbig, von schlechtem Benehmen. Vielleicht dies. Vielleicht das. Ich weiß nicht mehr darüber als Ihr. Aber ich weiß, daß Dr. Samuel Johnson sagte: «Dankbarkeit ist eine Frucht, die sorgfältige Pflege verlangt. Bei unfeinen Menschen gedeiht sie nicht.»

Worauf ich hinauskommen möchte, ist dies: *der Mann hatte den menschlichen und betrüblichen Fehler begangen, Dankbarkeit zu erwarten.* Er besaß einfach keine Menschenkenntnis.

Wenn Ihr einem Menschen das Leben gerettet hättet, würdet Ihr dann Dank von ihm erwarten? Vielleicht ja. Samuel Leibowitz, der ein berühmter Anwalt war, bevor er Richter wurde, rettete *achtundsiebzig* Menschen davor, daß sie zum Tod auf dem elektrischen Stuhl verurteilt wurden. Wie viele von diesen, glaubt Ihr, nahmen sich die Zeit, um Samuel Leibowitz zu danken oder ihm etwa einmal eine Weihnachtskarte zu senden? Wie viele? Ratet ... Ganz recht – keiner.

Christus heilte zehn Aussätzige an einem Nachmittag – doch wie viele davon blieben da, um Ihm zu danken? Nur einer. Schlagt es im Lukas-Evangelium nach. Als Christus sich zu seinen Jüngern umwandte und sie fragte: «Wo sind die anderen neun?», waren sie alle davongelaufen. Verschwunden ohne ein Wort des Dankes! Und nun eine Frage: Warum sollten wir – Ihr oder ich oder jener Kaufmann aus Texas – mehr Dankbarkeit für unsere kleinen Hilfeleistungen erwarten, als sie Jesus Christus zuteil wurde?

Und wenn es sich erst um Geldangelegenheiten handelt! Ach, dann wird die Sache noch viel hoffnungsloser. Charles Schwab erzählte mir, er habe einmal einen Bankkassierer, der mit Geldern, die der Bank gehörten, auf der Börse spekuliert hatte, vor dem Zuchthaus gerettet, indem er ihm die fehlende Summe zur Verfügung stellte. War der Kassierer dankbar? O ja, eine kleine Weile wohl. Dann aber wandte er sich gegen Schwab und verleumdete ihn und sagte ihm üble Dinge nach – dem gleichen Menschen, der ihn vor dem Zuchthaus bewahrt hatte!

Wenn Ihr einem Eurer Verwandten eine Million Dollar schenktet, würdet Ihr dann erwarten, daß er sich dankbar zeigte? Das tat Andrew Carnegie. Doch wenn Andrew Carnegie nur wenig später aus dem Grabe auferstanden wäre, würde er nicht wenig entsetzt gewesen sein, zu hören, wie dieser Verwandte auf ihn fluchte. Warum? Weil der olle Andy (wie man ihn genannt hatte) 365 Millionen Dollar für allerlei wohltätige Zwecke hinterlassen und seinen Verwandten «mit einer lumpigen Million» – so sagte er – abgefunden hatte.

So geht es im Leben. Die menschliche Natur ist nun einmal so, ist von jeher so gewesen und wird sich vermutlich zu unseren Lebzeiten nicht ändern. Darum ist es am besten, man rechnet damit und sieht sie ebenso realistisch an, wie Mark Aurel, einer der weisesten Männer, die je auf dem römischen Kaiserthron saßen. In seinem Tagebuch heißt es an einer Stelle: «Heute werde ich mit Leuten zusammen sein, die zuviel reden – Leuten, die egoistisch und undankbar sind. Allein das soll mich weder erstaunen noch in Wallung versetzen, denn eine Welt ohne solche Menschen könnte ich mir nicht vorstellen.»

Das klingt vernünftig, was? Wenn wir einhergehen und uns über die Undankbarkeit der Menschen beklagen, wer kann etwas dafür? Die menschliche Natur – oder unsere Unkenntnis der menschlichen Natur? Erwarten wir doch keine Dankbarkeit! Wenn uns dann gelegentlich ein dankbarer Mensch begegnet, wird es eine herrliche Überraschung für uns sein. Im umgekehrten Falle aber werden wir uns nicht aufregen.

Hier ist die erste Feststellung, die ich in diesem Kapitel machen möchte: *Es ist nur natürlich, daß Menschen vergessen, sich dankbar zu zeigen; wenn wir also umhergehen und Dank erwarten, werden wir uns dadurch bestimmt selbst viel Kummer bereiten.*

Ich kenne eine Frau in New York, die sich immerfort beklagt, weil sie so einsam ist. Keiner von ihren Angehörigen hat Lust, in ihre Nähe zu kommen – und kein Wunder. Wenn man sie besucht, erzählt sie einem stundenlang, was sie alles für ihre Nichten getan hat, als sie Kinder waren. Sie hat sie gepflegt, als sie Masern hatten und Mumps und Keuchhusten; sie hat sie jahrelang bei sich aufgenommen; sie half der einen, daß sie eine Handelsschule besuchen konnte, und ließ die andere bei sich wohnen, bis sie sich verheiratete.

Besuchen ihre Nichten sie? O ja, dann und wann, aus Pflichtgefühl. Allein sie fürchten diese Besuche. Sie wissen, sie müssen dann stundenlang dasitzen und halbverschleierten Vorwürfen lauschen. Sie müssen sich eine endlose Litanei von bitteren Beschwerden und selbstbedauernden Seufzern anhören. Wenn diese Dame ihre Nichten dann nicht länger tyrannisieren und quälen und dazu bringen kann, daß sie sie besuchen, erleidet sie einen ihrer «Anfälle». Sie produziert eine Herzattacke.

Ist die Herzattacke echt? Ja gewiß. Die Ärzte sagen, sie habe ein «nervöses Herz» und leide an Herzklopfen. Die Ärzte sagen aber auch, daß sie nichts für sie tun können, weil ihr Leiden seinen Ursprung im Gemüt hat.

Was diese Frau wirklich nötig hat, das ist Liebe und aufmerksame Behandlung. Sie aber spricht von «Dankbarkeit». Doch Liebe und Dankbarkeit werden ihr nie zuteil werden, weil sie sie fordert. Sie selbst freilich findet, soviel könne sie verlangen!

Solche Frauen gibt es in der Welt zu Tausenden – Frauen, die wegen der «Undankbarkeit» anderer und ihrer eigenen Einsamkeit und der Vernachlässigung anderer krank sind. Sie sehnen sich wohl danach, geliebt zu werden, doch nie wird jemand sie lieben, bis sie aufhören, Liebe zu fordern und statt dessen selber beginnen, Liebe auszuteilen, Liebe ohne Erwartung irgendeines Entgelts.

Das soll nach reinem, unpraktischem, phantastischem Idealismus klingen? Nein, das ist es bestimmt nicht. Es ist im Gegenteil höchst bodenständige, gesunde Vernunft, ist eine rechte Art für uns alle, zu dem Glück zu gelangen, wonach wir uns sehnen. Ich weiß es. Ich habe es an meiner eigenen Familie erlebt. Mein Vater und meine Mutter schenkten oft und gern und einzig aus Freude am Helfen. Dabei waren wir arm – dauernd von Schulden erdrückt. Doch bei all unserer Armut brachten meine Eltern es zuwege, alljährlich ihren Beitrag an eine Waisenstiftung zu senden, das «Christian Home» im Staate Iowa. Vater und Mutter waren nie selber dort. Wahrscheinlich dankte ihnen nie jemand für ihre Gaben – abgesehen von dem üblichen Dankbrief – und doch fühlten sie sich reich belohnt, denn sie hatten die Freude, kleinen Kindern Gutes zu tun – ohne daß sie dafür Dankbarkeit erwarteten oder wünschten.

Nachdem ich das Elternhaus verlassen hatte, machte ich es mir zur Gewohnheit, Vater und Mutter zu Weihnachten immer einen Scheck zu senden und sie zu bitten, sie möchten sich doch dafür den oder jenen kleinen persönlichen Luxus gönnen. Doch das taten sie selten. Wenn ich kurz vor Weihnachten zu Hause eintraf, erzählte mir Vater gewöhnlich, was für Lebensmittel oder Heizmaterial sie für irgendeine «arme Witfrau» in der Stadt gekauft hatten, die eine Menge Kinder und kein Geld für das Notwendigste hatte. Welche Freude gewährte ihnen dieses Schenken – die Freude zu geben, ohne das Geringste dafür zurückzuerwarten!

Ich glaube, auf meinen Vater hätte fast des Aristoteles' Schilderung des idealen Menschen zutreffen können – des Menschen, der des Glücklichseins am würdigsten ist. «Der ideale Mensch», sagte Aristoteles, «fühlt Freude, wenn er anderen einen Dienst erweisen kann, jedoch Scham, wenn er Dienste von anderen verlangen muß. Denn es ist ein Zeichen der Überlegenheit, Gutes zu tun, aber ein Zeichen der Minderwertigkeit, es zu empfangen.»

Und hier ist die zweite Feststellung, die zu beweisen ich mich in diesem Kapitel bemühe: *Wenn wir Glück finden wollen, müssen wir aufhören, über Dankbarkeit oder Undankbarkeit nachzudenken, und allein um der inneren Gebefreudigkeit willen geben.*

Seit zehntausend Jahren reißen Eltern sich wegen der Undankbarkeit ihrer Kinder die Haare aus.

Selbst Shakespeares König Lear ruft aus:

> . . . . wie es schärfer nage
> Als Schlangenzahn, ein undankbares Kind
> zu haben! . . . .

Doch warum sollten Kinder dankbar sein – sofern wir sie nicht dazu erziehen? Undank ist natürlich – gleich dem Unkraut. Dankbarkeit gleicht der Rose. Sie muß gepflegt und gewartet und bewässert werden – und gehegt und umsorgt.

Wer trägt die Schuld, wenn unsere Kinder undankbar sind? Vielleicht wir selber. Wenn wir ihnen nie Dankbarkeit gegen andere beigebracht haben, wie können wir dann erwarten, daß sie sich uns gegenüber dankbar erweisen?

Ich kenne einen Mann in Chicago, der Ursache hat, sich über die Undankbarkeit seiner Stiefsöhne zu beklagen. Er arbeitete schwer in einer Kartonfabrik und verdiente selten mehr als vierzig Dollar die Woche. Dann heiratete er eine Witwe, und sie beschwatzte ihn, Geld zu borgen und ihre beiden großen Söhne studieren zu lassen. Aus seinem Wochenlohn von vierzig Dollar wöchentlich mußte er Essen, Miete, Kohlen, Kleider und außerdem die Zinsen auf das geliehene Geld bezahlen. Das tat er vier Jahre lang und schuftete dabei wie ein Sklave, ohne sich je zu beklagen.

Hatte er einen Dank dafür? Nein. Seine Frau sah das alles als ganz selbstverständlich an, und ihre Söhne gleichfalls. Es kam ihnen niemals in den Sinn, daß sie ihrem Stiefvater irgend etwas schuldig seien – nicht einmal Dank!

Wer trug die Schuld hieran? Die jungen Leute? Ja. Aber noch mehr ihre Mutter. Sie fand, es sei unrecht, ihre jungen Gemüter mit einem «Gefühl von Verpflichtung» zu belasten. Sie wollte nicht, daß ihre Söhne «gleich mit Schulden anfingen». Daher fiel es ihr niemals ein zu sagen: «Was für ein großartiger Charakter Euer Stiefvater ist, daß er Euch so durchs Studium hilft.» Statt dessen war ihre Einstellung die: «Ach, das ist das mindeste, was er tun kann.»

Sie glaubte, ihren Söhnen dadurch manches zu ersparen, in Wirklichkeit aber schickte sie sie ins Leben hinaus mit der gefährlichen Idee, die Welt habe für sie aufzukommen. Es *war* wirklich eine gefährliche Idee, denn einer der Söhne versuchte sich von seinem Arbeitgeber Geld zu «borgen» und endete hinter Schloß und Riegel.

Wir dürfen nicht vergessen, daß unsere Kinder weitgehend das sind, wozu wir sie machen. So ist zum Beispiel die Schwester meiner Mutter – Viola Alexander aus Minneapolis, 144, West Minnehaha Parkway – das leuchtende Beispiel einer Frau, die nie Anlaß gehabt hat, sich über den «Undank» von Kindern zu beklagen. Als ich noch ein Junge war, nahm Tante Viola ihre Mutter in ihr Heim auf, um sie mit liebender Sorge zu umgeben; und dasselbe tat sie für die Mutter ihres Mannes. Noch jetzt kann ich die Augen schließen und die beiden alten Damen vor dem Kaminfeuer in Tante Violas Farmhaus sitzen sehen. Waren sie «eine Last» für Tante Viola? Ja gewiß, sicherlich oft. Doch ihrem Benehmen nach würde das niemand gedacht haben. Sie hatte die beiden Alten *lieb* – daher verhätschelte sie sie, verwöhnte sie und tat alles, damit sie sich bei ihr daheim fühlten. Außerdem hatte Tante Viola auch noch sechs Kinder. Doch es wäre ihr nie in den Sinn gekommen, daß sie etwas besonders Edles tat oder einen Heiligenschein verdiente, weil sie die zwei alten Damen in ihr Haus aufgenommen hatte. Für sie war dies das Natürliche, das Richtige, das, was sie gern tat.

Wo ist Tante Viola heute? Nun, sie ist schon seit einigen zwanzig Jahren Witwe, und sie hat fünf erwachsene Kinder mit fünf verschiedenen Haushalten, die sich alle gegenseitig überbieten, damit sie zu ihnen kommt und bei ihnen lebt. Ihre Kinder vergöttern sie, können nie genug von ihr bekommen. Aus «Dankbarkeit»? Unsinn! Aus Liebe – nichts als Liebe. Diese Kinder atmeten während ihrer ganzen Jugend nur Liebe und strahlend warmes Menschentum. Ist es da ein Wunder, daß sie jetzt, da sich die Verhältnisse umgekehrt haben, Liebe zurückgeben?

Vergessen wir also nicht, daß wir, um dankbare Kinder großzuziehen, selbst dankbar sein müssen. Denken wir an das Sprichwort: «Wie die Alten sungen, so zwitschern die Jungen.» Und sie merken genau auf den Klang! Zum Beispiel: das nächste Mal, wenn wir dabei sind, in Gegenwart unserer Kinder geringschätzig über die freundliche Tat eines anderen zu sprechen, wollen wir einhalten. Nie darf man so etwas sagen wie: «Schau dir nur diese Aufwaschlumpen an, die Tante Suse zu Weihnachten geschickt hat. Sie hat sie selbst gestrickt, das hat sie natürlich keinen Cent gekostet!» So eine Bemerkung mag uns nebensächlich erscheinen – die Kinder aber fangen sie auf. Darum sagen wir besser: «Denkt nur, wie viele Stunden Tante Suse damit verbracht hat, uns das zu Weihnachten zu arbeiten! Ist das nicht lieb? Wir wollen ihr auch gleich einen Dankbrief schreiben.» Derart nehmen unsere Kinder vielleicht ganz von selbst die Gewohnheit an, Freundlichkeit zu würdigen und zu loben.

Und hier ist Regel Nummer 3 zur Vermeidung von Ärger und Aufregung über den Undank anderer:

A *Statt uns über Undank aufzuregen, wollen wir ihn voraussetzen. Denken wir daran, daß Jesus zehn Aussätzige an einem Tage heilte – und daß nur ein einziger ihm dafür dankte. Warum sollten wir mehr Dank erwarten, als er Jesus zuteil wurde?*

B *Halten wir uns immer gegenwärtig, daß die einzige Art, auf die*
wir glücklich werden können, nicht darin besteht, Dankbarkeit
zu erwarten, sondern zu geben, und zwar um der Freude willen,
die im Geben liegt.

C *Laßt uns nicht vergessen, daß Dankbarkeit ein Charakterzug*
ist, den wir großziehen müssen! Wünschen wir also, daß unsere
Kinder dankbar seien, so müssen wir sie zur Dankbarkeit er-
ziehen.

Würdet Ihr das, was Ihr habt, 15
für eine Million Dollar eintauschen?

Ich kenne Harold Abbott seit Jahren. Er wohnt in Webb City, Missouri, 820, South Madison Avenue. Er war früher Geschäftsführer
meiner Vorlesungskurse. Eines Tages trafen wir uns in Kansas City,
und er fuhr mich nach meiner Farm in Belton, Missouri. Unterwegs
fragte ich ihn, wie er es mache, um sich nicht zu sorgen und aufzuregen, und er erzählte mir eine so beherzigenswerte Geschichte,
daß ich sie nie vergessen werde.

«Früher sorgte ich mich andauernd», sagte er, «aber an einem Früh-
jahrstag im Jahre 1934, als ich durch die Straßen von Webb City
ging, sah ich etwas, das alle meine Sorgen vertrieb. Das Ganze trug
sich in zehn Sekunden zu, aber in jenen zehn Sekunden lernte ich
mehr darüber, wie man leben sollte, als in den vorhergehenden zehn
Jahren. Während der letzten zwei Jahre hatte ich in Webb City eine
Kolonialwarenhandlung gehabt», fuhr Harold Abbott fort. «Dabei
hatte ich nicht nur alle meine Ersparnisse verloren, sondern mir auch
noch so viele Schulden aufgehalst, daß ich dann sieben Jahre daran
zurückzubezahlen hatte. Mein Kolonialwarengeschäft war am vorhergehenden Samstag geschlossen worden, und ich war gerade auf
dem Wege zur ‚Bank für Kaufleute und Bergarbeiter‘, um mir
genug Geld zu borgen, damit ich nach Kansas City gehen und mich
nach einer Stellung umsehen konnte. Ich schleppte mich vorwärts
wie ein geschlagener Mann. Ich hatte alles Selbstvertrauen verloren

und war kampfesmüde. Da sah ich plötzlich einen Mann die Straße herabkommen, der keine Beine hatte. Er saß auf einem kleinen Holzsitz, unter dem die Räder von Rollschuhen angebracht waren. Einen Holzklotz in jeder Hand, schob er sich die Straße entlang. Ich traf mit ihm zusammen, als er gerade die Straße überquert hatte und dabei war, sich ein wenig emporzuheben, um auf den Gehsteig zu gelangen. Während er seinen kleinen Holzsitz in eine Winkelstellung brachte, trafen seine Augen die meinen. Mit einem breiten Lächeln sprach er mich an: ,Guten Morgen, Herr, ein herrlicher Morgen, nicht wahr?' Als ich ihn so ansah, wurde mir auf einmal klar, wie reich ich sei. Ich hatte zwei Beine. Ich konnte gehen. Ich schämte mich meines Selbstbedauerns und sagte zu mir selbst: ,Wenn er ohne Beine froh, vergnügt und zuversichtlich sein kann, dann kann ich mit meinen Beinen das doch sicher auch.' Ich fühlte, wie eine Last von mir abfiel. Vorher hatte ich die Bank um einhundert Dollar angehen wollen. Nun aber hatte ich den Mut, um zweihundert zu bitten. Ich hatte vorgehabt, zu sagen, ich wolle nach Kansas City gehen, um zu *versuchen*, dort eine Stellung zu finden. Nun aber verkündete ich zuversichtlich, ich wolle nach Kansas City, um eine Stellung zu bekommen. Ich bekam das Geld; und ich bekam die Stelle.»

Ich fragte einmal Eddie Rickenbacker, was er daraus gelernt habe, als er und seine Gefährten einundzwanzig Tage lang auf Flößen hoffnungslos verloren im Pazifik umhertrieben. «Damals», sagte er, «lernte ich einsehen, daß ein Mensch, der soviel frisches Wasser zu trinken hat, wie er will, und soviel zu essen, daß er satt wird, keinen Anlaß hat, sich noch über irgend etwas in der Welt zu beklagen.»

Die Zeitschrift «Time» enthielt einmal einen Artikel über einen Sergeanten, der auf Guadalcanal verwundet worden war. Ein Granatsplitter hatte ihn am Hals getroffen, und er hatte sieben Bluttransfusionen bekommen. Da er nicht sprechen konnte, schrieb er seinem Arzt die Frage auf: «Bleibe ich am Leben?» Der Arzt antwortete: «Ja.» Er schrieb eine zweite Frage auf: «Werde ich wieder sprechen können?» Wiederum war die Antwort ja. Da schrieb er einen dritten Zettel, auf dem stand: *Wozu zum Donnerwetter mache ich mir dann eigentlich Sorgen?*

Wäre es nicht gut, Ihr würdet Euch auch fragen: «Wozu zum Donnerwetter mache ich mir eigentlich Sorgen?» Ihr werdet wahrscheinlich finden, daß es etwas verhältnismäßig Unwichtiges und Unbedeutendes ist.

Etwa neunzig Prozent aller Dinge in unserem Leben sind in Ordnung und etwa zehn Prozent sind nicht in Ordnung. Wollen wir glücklich sein, dann brauchen wir weiter nichts zu tun, als uns auf die neunzig Prozent zu konzentrieren, die in Ordnung sind, und die zehn Prozent, die es nicht sind, zu ignorieren. Möchten wir hingegen innerlich rastlos und bitter sein und gern Magengeschwüre bekommen, dann brauchen wir uns nur auf die zehn Prozent zu konzentrieren, die nicht in Ordnung sind, und die neunzig Prozent zu ignorieren, die herrlich sind.

Die Worte «Denke und danke» sind in England in vielen Kirchen der Cromwell-Zeit zu lesen. Diese Worte sollten auch in unser aller Herzen stehen. Denke und danke: denke an alles, wofür du dankbar zu sein hast, und danke Gott für alles Schöne und Gute, das wir haben.

Jonathan Swift, der Verfasser von «Gullivers Reisen», war der verheerendste Pessimist der englischen Literatur. Er trauerte so darüber, daß er geboren war, daß er an seinem Geburtstag stets Schwarz trug und fastete. Dennoch pries dieser größte aller Pessimisten in seiner Verzweiflung die überragenden, gesundheitsfördernden Kräfte der Heiterkeit und des Frohsinns. «Die besten Doktoren auf der Welt», erklärte er, «sind Dr. Diät, Dr. Ruhesam und Dr. Lustigmann.»

Wir alle können uns zu jeder Tagesstunde der Dienste des Dr. Lustigmann versichern, wenn wir nur unsere Aufmerksamkeit auf all die unerhörten Reichtümer richten, die unser sind – Reichtümer, die bei weitem die märchenhaften Schätze des Ali Baba übertreffen. Würdet Ihr Eure beiden Augen um eine Milliarde Dollar verkaufen? Wieviel würdet Ihr für Eure beiden Beine fordern? Eure Hände? Euer Gehör? Eure Kinder? Eure Familie? Addiert nur Eure Aktiva einmal, und Ihr werdet finden, daß Ihr um alles Gold, das von den Rockefellers, Fords und Morgans zusammengenommen aufgehäuft worden ist, das, was Ihr besitzt, nicht verkaufen würdet.

Allein würdigen wir alles dies? Ach nein. Wie Schopenhauer sagte: «Wir denken selten an das, was wir haben, jedoch immer an das, was uns fehlt.» Jawohl, die Neigung, «selten an das zu denken, was wir haben, jedoch immer an das, was uns fehlt», ist eine der größten Tragödien auf der Welt. Sie hat wahrscheinlich mehr Elend über die Menschen gebracht als sämtliche Kriege und Seuchen der Geschichte.

Sie war schuld, daß John Palmer «aus einem ordentlichen Kerl zu einem alten Brummbär» wurde. Ich weiß das, weil er es mir selbst erzählt hat.

Mr. Palmer wohnt in Paterson, New Jersey, Nr. 30 19th Avenue. «Kurz nachdem ich aus dem Krieg heimkam», sagte er, «fing ich ein eigenes Geschäft an. Ich arbeitete Tag und Nacht. Alles ging erfreulich. Dann hatte ich auf einmal Pech. Ich konnte keine Zubehörteile und Materialien mehr bekommen. Ich fürchtete, ich würde mein Geschäft aufgeben müssen, und sorgte mich so sehr, daß ich aus einem ordentlichen Kerl zu einem alten Brummbär wurde. Ich wurde so verbittert und erbost, daß – nun, damals wurde ich es nicht gewahr, aber jetzt weiß ich, daß ich sehr nahe daran war, mein glückliches Heim zu verlieren. Da sagte eines Tages einer meiner Angestellten, ein junger kriegsbeschädigter Bursche, zu mir: ,Du solltest dich wirklich schämen, Johnny. Du führst dich auf, als ob du der einzige Mensch auf der Welt wärst, der Sorgen hat. Gesetzt selbst den Fall, du mußt eine Zeitlang mal die Bude zumachen – was dann? Du kannst immer wieder anfangen, wenn die Zeiten normal werden. Du hast eine Menge, wofür du dankbar sein solltest. Trotzdem brummst du dauernd. Junge – wie ich mir wünschte, in deiner Haut zu stecken! Sieh mich mal an. Ich habe nur einen Arm, und mein halbes Gesicht haben sie mir weggeschossen, und trotzdem beklag' ich mich nicht. Wenn du mit dem Gemurr und Gebrumm nicht aufhörst, dann verlierst du nicht bloß dein Geschäft, sondern auch deine Gesundheit, dein Heim und deine Freunde!'

Diese Bemerkungen wirkten wie eine plötzlich angezogene Bremse auf mich. Sie brachten mir zum Bewußtsein, wie gut es mir eigentlich ging. Unverzüglich beschloß ich, daß ich mich ändern und wieder wie vorher sein wollte – und das tat ich auch.»

Eine Bekannte von mir, Lucile Blake, geriet bis hart an den Rand des Abgrunds, bevor sie es lernte, über das, was sie besaß, glücklich zu sein, statt sich über das zu kränken, was ihr fehlte.

Ich lernte Lucile vor Jahren kennen, als wir beide an der Columbia-Schule für Journalisten Kurzgeschichten schreiben lernten. Vor neun Jahren, als sie in Tucson, Arizona, lebte, hatte sie das erschreckende Erlebnis, das sie – doch nein, ich will sie selbst sprechen lassen.

«Ich hatte in einem Wirbel gelebt», fing sie an. «Ich studierte Orgel an der Universität von Arizona, war Leiterin einer Klinik für Sprachdefekte in der Stadt und erteilte gleichzeitig Unterricht in musikalischer Wertung. Ich ging zu Gesellschaften, Tanzereien, Mondscheinpartien zu Pferde. Eines Morgens hatte ich einen Kollaps. Mein Herz! ‚Sie müssen ein Jahr lang zu Bett liegen und vollständige Ruhe halten‘, sagte der Arzt. Er machte mir keine Hoffnung, daß ich je wieder voll leistungsfähig sein würde.

Ein Jahr lang im Bett! Leidend zu sein – vielleicht zu sterben! Ich war wahnsinnig erschrocken. Warum mußte dies mir geschehen? Was hatte ich getan, daß ich das verdiente? Ich weinte und jammerte. Ich war bitter und aufsässig. Doch ich gehorchte dem Arzt und legte mich ins Bett. Ein Nachbar von mir, Mr. Rudolf, ein Maler, tröstete mich: ‚Jetzt meinen Sie, es sei eine Tragödie, daß Sie ein Jahr lang im Bett liegen müssen. Doch das wird es nicht sein. Sie werden Zeit haben, zu denken und sich selbst kennenzulernen. In den nächsten paar Monaten werden Sie eine größere geistige Entwicklung durchmachen als in Ihrem ganzen früheren Leben.‘ Das beruhigte mich, so daß ich versuchte, zu neuen Werturteilen zu gelangen. Ich las Bücher, die anregend auf mich wirkten. Eines Tages hörte ich einen Radiovortrag, worin die Worte vorkamen: ‚Man kann nur dem Ausdruck verleihen, was man bewußt in sich hat.‘ Solche und ähnliche Worte hatte ich schon oft gehört, diesmal aber gingen sie mir tief ein und schlugen Wurzeln in mir. Ich beschloß, nur die Gedanken zu denken, aus denen heraus ich leben wollte, Gedanken der Freude, des Glücks und der Gesundheit. Jeden Morgen zwang ich mich beim Erwachen, mir all das ins Gedächtnis zu rufen, wofür ich dankbar zu sein hatte. Keine Schmerzen. Ein reizendes Töchterchen. Mein Augenlicht. Mein Gehör. Schöne Musik am Radio. Zeit zum Lesen. Gutes Essen. Gute Freunde. Ich war so aufgeräumt und hatte so viel Besuch, daß der Arzt ein Schild an meiner Tür anbrachte, damit nicht mehr als ein Besucher gleichzeitig zu mir hereinkomme, und auch das nur zu gewissen Stunden.

Seither sind neun Jahre verflossen, und ich führe jetzt ein reiches, tätiges Leben. Heute bin ich von tiefem Dank erfüllt für jenes Jahr, das ich im Bett zubrachte. Es war das wertvollste und glücklichste, das ich in Arizona verlebte. Die Gewohnheit, mir jeden Morgen alles aufzuzählen, was mir zuteil geworden ist, habe ich beibehalten. Sie ist eines meiner wertvollsten Besitztümer. Ich schäme mich zu sagen, daß ich erst dann wirklich leben lernte, als ich fürchtete, ich müßte sterben.»

Meine liebe Lucile Blake, Sie wissen es vielleicht selbst nicht, aber Ihnen ist die gleiche Lektion erteilt worden, die der berühmte englische Sprachforscher Samuel Johnson vor rund zwei Jahrhunderten lernen mußte. «Die Gewohnheit, jedes Geschehnis von seiner besten Seite anzusehen», sagte Dr. Johnson hierüber, «ist mehr wert als tausend Pfund Sterling im Jahr.» Und dies waren nicht etwa die Worte eines ausgemachten Optimisten, sondern eines Mannes, der zwanzig Jahre hindurch Angst, Hunger und Elend gekannt hatte, bis er zum Schluß als einer der hervorragendsten Schriftsteller seiner Zeit galt, dessen unübertroffene Unterhaltungsgabe höchste Bewunderung fand.

Logan Pearsall Smith packte eine Masse Weisheit in wenige Worte, als er sagte: «Nach zwei Dingen muß man im Leben trachten: einmal das zu erlangen, was man sich wünscht, und sodann, es zu genießen. Nur die Weisesten bringen das zweite fertig.»

Möchtet Ihr wissen, wie man selbst das Geschirrwaschen zu einem faszinierenden Erlebnis machen kann? Dann lest Borghild Dahls tieferlebtes Buch «Ich wollte sehen», das von der unerhörten Tapferkeit einer Frau zeugt, die ein halbes Jahrhundert so gut wie blind war. «Ich hatte nur ein Auge», schreibt sie, «und das war so mit dicken Narben bedeckt, daß ich nur einen kleinen Spalt an der linken Seite zum Sehen benutzen konnte. Ein Buch konnte ich nur erkennen, indem ich es dicht vors Gesicht hielt und das eine Auge mit aller Kraft nach links drehte.»

Doch sie wollte bei alledem durchaus nicht bemitleidet, durchaus nicht als «anders als andere» angesehen werden. Als Kind beteiligte sie sich gern an dem beliebten Hüpfspiel, das ihre kleinen Freunde spielten, doch konnte sie die Kreidestriche am Boden nicht erkennen. Daher ließ sie sich, sobald die anderen Kinder heimgegangen waren, am Boden nieder und kroch darüber hin, das Auge dicht an den Kreidestrichen. Jedes Fleckchen des Spielfeldes prägte sie sich ein, wo sie mit ihren Freundinnen zusammenzutreffen pflegte, und bald beherrschte sie alle Laufspiele ausgezeichnet. Zu Hause, wo sie lernte, hielt sie ihr Buch mit den großgedruckten Buchstaben so dicht vor die Augen, daß ihre Wimpern die Seiten berührten. Trotz ihrer großen Behinderung errang sie zwei akademische Grade.

Sie begann ihre Laufbahn in dem winzigen Dörfchen Twin Valley in Minnesota und brachte es mit der Zeit bis zur Dozentin in Journalismus und Literatur am Augustana College in Sioux Falls, South Dakota. Dort lehrte sie dreizehn Jahre lang, hielt Vorträge vor Frauenvereinen und sprach am Radio über Bücher und ihre Autoren. «Im Verborgenen», so schreibt sie, «hatte in mir stets die Furcht vor völliger Blindheit gelauert. Um ihrer Herr zu werden, hatte ich mir eine heitere, fast fröhliche Lebenseinstellung angewöhnt.»

Dann ereignete sich 1943, als sie zweiundfünfzig Jahre alt war, ein Wunder – eine Operation in der berühmten Mayo-Klinik. Nun konnte sie vierzigmal so gut sehen wie früher.

Eine neue und aufregende Welt der Schönheit tat sich vor ihr auf. Jetzt fand sie es sogar faszinierend, in der Küche Geschirr zu waschen. «Ich beginne mit dem weißen, flaumigen Seifenschaum in der Schüssel zu spielen», schreibt sie. «Ich tauche die Hand hinein und fange darin ein Bällchen mit winzigen Seifenblasen. Ich halte sie gegen das Licht, und in jeder davon kann ich die glänzenden Farben eines Miniaturregenbogens sehen.»

Und wenn sie durch das Fenster über dem Schüttstein blickte, sah sie «den Flügelschlag der grauschwarzen Sperlingsschwingen durch den dichten fallenden Schnee».

Sie fand solch tiefe innere Beglückung beim Anblick der Seifenblasen und der fliegenden Sperlinge, daß sie ihr Buch mit den Worten schloß:

«Lieber Herrgott, Vater unser im Himmel – ich danke dir. Ich danke dir.»

Denkt nur, sie dankte Gott dafür, daß sie Geschirr abwaschen durfte und Regenbogen in Seifenblasen und Spatzen durch den Schnee fliegen sehen konnte!

Ihr und ich, wir sollten uns schämen. Alle Tage unseres Daseins durften wir in einem Märchenland der Schönheit leben, doch wir waren zu blind, um zu sehen, zu satt, um zu genießen.

Wenn wir das Sorgen und Ängstigen aufgeben und zu leben anfangen wollen, dann ist Regel Nummer 4 hierfür:

Mach es wie die Sonnenuhr:
Zähl die heitern Stunden nur!

Finde dich selbst und sei du selbst: 16
denk immer daran,
daß kein anderer Mensch auf Erden so ist wie du

Vor mir liegt ein Brief von Mrs. Edith Allred aus Mont Airy in
Nordkarolina. «Als Kind», schreibt sie, «wog ich immer mehr, als
ich meiner Größe nach wiegen sollte, und durch meine Pausbacken
sah ich noch dicker aus, als ich war. Meine Mutter huldigte der
altmodischen Auffassung, daß man ein Kind nicht hübsch anzu-
ziehen brauche. Ihr Lieblingsausspruch war: ,Weit hält viel aus, doch
Eng reißt aus' – und dementsprechend kleidete sie mich. Nie durfte
ich auf eine Kindergesellschaft gehen, nie irgendein Vergnügen mit-
machen, und als ich in die Schule kam, beteiligte ich mich weder
an Spielen im Freien noch an der Turnstunde. Dadurch empfand ich
mich als ,anders' als die anderen und glaubte, niemand wolle etwas
von mir wissen.

Später verheiratete ich mich mit einem um mehrere Jahre älteren
Mann. Doch das änderte nichts an mir. Meine Schwiegereltern und
ihre Kinder hatten alle ein gleichmäßiges Temperament und großes
Selbstvertrauen; sie waren in meinen Augen alles das, was ich hätte
sein sollen, aber einfach nicht war. Ich tat mein möglichstes, es ihnen
gleichzutun, brachte es aber nicht fertig. Jeder Versuch, den sie machten, um mich aus meinem Schneckengehäuse hervorzulocken, trieb mich
nur um so tiefer in mich selbst zurück. Ich wurde nervös und reizbar.
Ich mied alle meine Bekannten. Zuletzt wurde es so schlimm mit
mir, daß ich zusammenschreckte, wenn es nur an der Haustür
klingelte. Mit mir war eben nichts zu wollen, sagte ich mir, und
meine größte Angst war, daß auch mein Mann das bald merken
würde. Daher fing ich an, so oft wir eine Gesellschaft besuchten, zu
tun, als sei ich sehr lustig, und das übertrieb ich dann immer. Ich
fühlte dabei selbst, daß ich es übertrieb, und hatte hinterher jedesmal
tagelang Katzenjammer. Schließlich machte das alles mich so unglücklich, daß ich fand, es hätte gar keinen Sinn, mein Dasein noch
länger hinzuschleppen, und begann, mich mit Selbstmordgedanken
zu tragen.»

Welches Ereignis lenkte das Leben dieser unglücklichen Frau in
andere Bahnen? Nichts als eine zufällige Bemerkung!

«Eine zufällige Bemerkung», fährt Mrs. Allred fort, «verwandelte mein ganzes Leben. Meine Schwiegermutter sprach eines Tages davon, wie sie ihre Kinder großgezogen hatte, und sagte: ‚Ganz gleich, was geschah, mir war immer die Hauptsache, daß sie sie selbst waren'... ‚Daß sie sie selbst waren...' Diese Bemerkung vollbrachte die Wandlung. Blitzartig erkannte ich, daß ich dieses ganze Elend über mich gebracht hatte, weil ich versuchte, mich einem Muster anzugleichen, das für mich nicht paßte.

Ich änderte mich über Nacht! Ich fing an, ich selbst zu sein. Ich suchte meine eigene Persönlichkeit zu ergründen. Suchte herauszufinden, *was ich war*. Ich überlegte mir, was meine Vorzüge seien. Ich unterrichtete mich auf jede Weise über Farben und Dinge der Mode und begann mich so zu kleiden, wie es mir stand. Ich gab mir Mühe, Freunde zu gewinnen. Ich trat einem Verein bei – zuerst nur einem kleinen – und starb fast vor Angst, wenn ich an die Reihe kam, einen Vortrag zu halten. Doch jedesmal, wenn ich sprach, faßte ich etwas mehr Mut. Es dauerte eine lange Zeit – aber heute bin ich glücklicher, als ich es je für möglich gehalten hätte. Bei der Erziehung meiner eigenen Kinder bin ich stets der Lehre eingedenk geblieben, die ich mir selbst erst durch solch bittere Erfahrung zu eigen machen mußte: ‚*Ganz gleich, was geschieht, sei immer du selbst!*'»

Die Frage, ob man bereit ist, seiner eigenen Natur gemäß zu handeln, ist «so alt wie die menschliche Geschichte», sagt Dr. James Gordon Gilkey, «und so weitverbreitet wie das menschliche Leben». In der Nichtbereitschaft, sich selber treu zu sein, liegt die verborgene Ursache vieler Neurosen und Psychosen und Komplexe. Angelo Patri, der Verfasser von dreizehn Büchern und Tausenden weitverbreiteter Zeitungsartikel über das Thema der Kindererziehung, sagt hierüber: «Niemand ist so unglücklich wie derjenige, der etwas anderes zu sein begehrt, als die Persönlichkeit, die er seinem Geist und Körper nach nun einmal ist.»

Die Sucht, etwas zu sein, was man nicht ist, hat besonders in Hollywood tiefe Wurzeln geschlagen. Sam Wood, einer der bekanntesten amerikanischen Filmregisseure, sagt, das größte Kopfzerbrechen, das ehrgeizige junge Schauspieler ihm zu verursachen pflegen, sei just dies: wie man sie veranlassen kann, sie selber zu sein. Sie möchten alle lieber zweitrangige Lana Turners oder drittklassige Clark Gables sein. Und Sam Wood sagt ihnen immer wieder und wieder: «Das

Publikum hat diese Nüance schon einmal gesehen! Es möchte jetzt mal wieder was anderes vorgesetzt bekommen.»

Bevor er Filme wie «Lebwohl, Mr. Chips» und «Wem die Stunde schlägt» drehte, war Sam Wood jahrelang in der Grundstückbranche tätig, für die er Verkäufer heranbildete. Er behauptet, in der Geschäftswelt hätten die gleichen Grundsätze Gültigkeit wie in der Welt des Films. Man richtet nirgendwo etwas aus, indem man sich als Affe gebärdet. Auch ein Papagei kann man nicht sein. «Ich weiß aus Erfahrung», sagt Sam Wood, «daß es am ratsamsten ist, Leute, die etwas anderes vortäuschen, als sie sind, so rasch wie möglich fallenzulassen.»

Ich fragte kürzlich Paul Boynton, Personalchef der Socony-Vaccum Oil Company, was der größte Fehler sei, in den die meisten Leute verfallen, wenn sie sich um eine Stelle bewerben. Er sollte es wissen. Er hat über sechzigtausend Anwärter vor sich gehabt und ein Buch mit dem Titel «Sechs Arten, eine Stellung zu erlangen» geschrieben. Er antwortete: «Der größte Fehler, den Leute, die eine Stellung suchen, zu machen pflegen, ist, daß sie nicht sie selbst sind. Statt sich offen zu geben und keine Flausen zu machen, suchen sie oft, einem die Antworten zu geben, von denen sie annehmen, man wolle sie hören. Doch das macht sich nicht bezahlt, denn niemand will sich etwas vortäuschen lassen. Niemand will falsches Geld.»

Die Tochter eines Trambahnschaffners mußte das auf harte Weise einsehen lernen. Sie wünschte sehnlich, Sängerin zu werden. Doch ihr Gesicht war ihr Unglück. Sie hatte einen großen Mund und vorstehende Zähne. Als sie das erstemal öffentlich sang – es war in einem Nachtklub –, versuchte sie, ihre Oberlippe herunterzuziehen, um ihr Gebiß zu verdecken. Sie versuchte, sich wie ein Filmstar zu geben. Was war der Erfolg? Sie machte sich lächerlich. Sie konnte auf diese Weise zu nichts kommen.

Allein in dem Nachtklub saß ein Mann, der das Mädchen singen hörte und fand, sie hätte Talent. «Hören Sie mal», sagte er geradezu, «ich habe Ihnen vorhin zugeschaut und ich weiß, was Sie verbergen möchten. Sie schämen sich Ihrer Zähne!» Das Mädchen wurde verlegen, doch der Mann fuhr fort: «Was schadet denn das? Ist es etwa ein Verbrechen, wenn man Raffzähne hat? Versuchen Sie doch nicht, sie zu verbergen! Machen Sie den Mund ordentlich auf, und die Zuhörer werden begeistert sein, sobald sie merken, daß Sie sich nicht genieren. Außerdem», setzte er verschmitzt hinzu, «können die Zähne, die Sie so gern verbergen möchten, noch mal Ihr Glück sein!»

Cass Daley befolgte seinen Rat und ließ ihre Zähne Zähne sein. Von da an dachte sie nur noch an ihr Publikum. Sie machte den Mund weit auf und sang mit solcher Lebensfreude und solchem Schwung, daß sie ein führender Film- und Radiostar wurde. Jetzt versuchen andere Sänger, es *ihr* nachzumachen!

Der berühmte William James sprach von Menschen, die sich nie selbst gefunden hatten, als er behauptete, daß der Durchschnittsmensch nicht mehr als zehn Prozent der in ihm schlummernden Geisteskräfte entwickelt. «Im Vergleich zu dem, was wir sein sollten», schrieb er, «sind wir nur zur Hälfte wach. Wir bedienen uns nur eines kleinen Teils unserer körperlichen und geistigen Fähigkeiten. Allgemein gesprochen, lebt das menschliche Individuum auf diese Art weit innerhalb der ihm gesteckten Grenzen. Es besitzt Kräfte verschiedenster Art, von denen es gewöhnlich fast nie Gebrauch macht.»

Wir alle besitzen solche Fähigkeiten, also wollen wir keinen Augenblick mehr vergeuden, indem wir uns sorgen, weil wir nicht wie andere Menschen sind. Du bist etwas Neues hier auf der Welt. Noch nie seit dem Anbeginn der Zeit hat es jemals jemanden genau wie dich gegeben; und niemals in der gesamten Zukunft der Menschheit wird es noch einmal jemand genau wie dich geben.

Die neue Wissenschaft der Erbforschung unterrichtet uns darüber, daß wir das, was wir sind, zum großen Teil auf Grund der vierundzwanzig Chromosomen sind, die unser Vater, und der weiteren vierundzwanzig, die unsere Mutter beigesteuert hat. Diese achtundvierzig Chromosomen umfassen all das, was für unser körperliches und geistiges Erbe bestimmend wirkt. In jedem Chromosom können, nach Amran Scheinfeld, «eine beliebige Anzahl Gene enthalten sein, vielleicht Dutzende, vielleicht Hunderte – und ein einziges davon kann in gewissen Fällen ausreichen, um das ganze Leben eines Menschen zu ändern». Wahrlich, wir sind «furchtbar und wunderbar» geschaffen.

Selbst nachdem dein Vater und deine Mutter zusammenkamen und sich vereinigten, bestand nicht mehr als eine Möglichkeit in 300 000 Milliarden, daß ganz genau die Person, die *du* bist, daraus hervorgehen würde. Mit anderen Worten, wenn du 300 000 Milliarden Geschwister besäßest, so hätten sie alle von dir verschieden sein können. Sind das alles bloße Vermutungen? Keineswegs. Es ist wissenschaftlich erwiesen. In Amerika ist ein Buch darüber unter dem Titel «Du und dein Erbe» (You and Heredity) von Amran Scheinfeld erschienen.

Ich kann mit Überzeugung von dem Thema «sei du selbst» sprechen, denn es berührt mich tief. Ich weiß darüber Bescheid. Ich weiß es aus bitterer Erfahrung, für die ich teuer bezahlt habe. Das ging so zu: als ich von den Kornfeldern Missouris zum erstenmal nach New York kam, schrieb ich mich in der Amerikanischen Akademie für dramatische Kunst ein, denn ich hatte vor, zur Bühne zu gehen. Ich hatte eine meiner eigenen Meinung nach brillante Idee, die mich ohne Umweg auf den Erfolg zusteuern sollte, eine Idee so einfach und unfehlbar, daß ich gar nicht begreifen konnte, wieso Tausende von ehrgeizigen Leuten sie nicht schon längst entdeckt hatten. Es war dies: ich wollte herausfinden, auf welche Art die berühmtesten Schauspieler jener Jahre ihre Wirkungen erzielen. Dann wollte ich die besten Eigentümlichkeiten eines jeden kopieren und auf solche Weise selbst ein hervorragendes, alles überbietendes Gesamtprodukt ihrer Leistungen werden. Wie albern! Wie unsinnig! Jahre meines Lebens mußte ich erst vergeuden, ehe es in meinem dicken Missourischädel dämmerte, daß ich ich selbst sein mußte und unmöglich jemand anders sein konnte.

Diese unselige Erfahrung hätte eine dauernde Lehre für mich sein sollen. Doch weit entfernt. Dazu war ich zu halsstarrig. Ich mußte das Ganze noch einmal eingebleut bekommen. Mehrere Jahre später machte ich mich daran, ein Buch zu schreiben, das, so hoffte ich, das beste seiner Art über Redegewandtheit werden sollte, welches je das Licht der Welt erblickt hatte. Dieselbe törichte Idee, die ich seinerzeit in bezug auf meine Theaterlaufbahn gehabt hatte, bemächtigte sich meiner auch diesmal wieder: ich wollte die Gedanken einer Menge anderer Schriftsteller *borgen* und sie alle in einem Buch vereinen – in einem Buche, das dann *alle* diese Gedanken umfassen würde. Also verschaffte ich mir ungezählte Bücher über Redekunst und wendete ein Jahr daran, alles darin Gesagte in mein Manuskript einzubauen. Doch endlich dämmerte es mir wiederum, daß ich wie ein Dummkopf handelte. Dieses Gemengsel aus den Ideen anderer, das ich da zusammengebraut hatte, war so künstlich, so todlangweilig, daß kein Geschäftsmann sich je hindurcharbeiten würde. So warf ich denn die Arbeit eines vollen Jahres in den Papierkorb und fing wieder von vorne an. Diesmal sagte ich mir: «Du mußt jetzt Dale Carnegie sein, mit all seinen Fehlern und seiner begrenzten Fähigkeit. Jemand anders kannst du nun einmal nicht sein.» So gab ich es auf, eine gedrängte Übersicht anderer sein zu wollen, rollte die Ärmel auf und tat, was ich gleich zu Anfang hätte tun sollen: ich schrieb ein Lehrbuch über öffentliches Reden aus meiner eigenen Erfahrung heraus, aus meinen Beobachtungen und Schlußfolgerungen als Redner und Lehrer. Für alle Zeiten – so hoffe ich – prägte ich mir ein, was Sir Walter Raleigh (nicht der historische aus der Zeit der Königin Elisabeth von England, sondern sein Namensvetter, der von 1904 an Professor für englische Literaturgeschichte in Oxford war) so treffend ausdrückte: «Ich kann kein Buch schreiben, das es mit Shakespeare aufnehmen könnte, aber ich kann ein Buch schreiben, das von mir ist.»

Sei du selbst. Handle nach dem klugen Rat, den Irving Berlin einmal George Gershwin erteilte. Als Berlin und Gershwin sich kennenlernten, war Berlin bereits ein berühmter Musiker, Gershwin aber erst ein aufstrebender junger Komponist, der knapp fünfunddreißig Dollar die Woche im New Yorker «Kunstbetrieb» verdiente. Gershwins Begabung machte solchen Eindruck auf Berlin, daß er ihm anbot, für das fast dreifache Gehalt sein musikalischer Sekretär zu werden. «Aber nehmen Sie mein Angebot nicht an», riet Berlin ihm. «Sonst könnten Sie am Ende ein zweitrangiger Berlin werden. Wenn Sie darauf beharren, Sie selbst zu bleiben, werden Sie dagegen eines Tages ein erstklassiger Gershwin sein.» – Gershwin nahm sich die Warnung zu Herzen und wurde so in langsamem Aufstieg einer der bedeutendsten amerikanischen Komponisten seiner Zeit.

Viele Größen, darunter Charlie Chaplin, Will Rogers, Mary Margaret McBride, Gene Autry und Millionen anderer Menschen mußten das, was ich in diesem Kapitel meinen Lesern einzuhämmern suche, auch lernen – und sie mußten ebenso teures Lehrgeld dafür bezahlen wie ich.

Als Charlie Chaplin seine ersten Rollen spielte, bestand der Regisseur, der die betreffenden Filme drehte, darauf, daß Chaplin einen beliebten deutschen Komiker jener Tage imitierte. Chaplin kam jedoch zu nichts, bis er selbst wurde. Bob Hope kann auf eine ähnliche Erfahrung zurückblicken: Jahre brachte er mit Singen und Tanzen zu – und kam zu nichts, bis er anfing, das Publikum mit seinen drolligen Weisheiten zu amüsieren, das heißt, einfach er selbst zu sein. Will Rogers schwang in einer Revue jahrelang den Lasso, ohne ein Wort zu sprechen. Er brachte es zu nichts, bis er sein einzigartiges humoristisches Talent entdeckte und zu reden begann, während er seinen Lasso wirbeln ließ.

Als Margaret McBride zuerst im Rundfunk mitwirkte, versuchte sie, sich als irische Komikerin zu produzieren, und war erfolglos. Als sie sich als genau das gab, was sie war – ein einfaches Landmädel aus Missouri –, wurde sie eine der beliebtesten Radiokünstlerinnen in New York.

Als Gene Autry versuchte, seinen Texasakzent loszuwerden, sich wie ein Herrchen aus der Stadt kleidete und vorgab, er sei aus New York, lachten die Leute hinter seinem Rücken. Doch als er anfing, sein Banjo zu zupfen und Cowboy-Balladen zu singen, erschloß sich Gene Autry eine Laufbahn, die ihn zum beliebtesten Cowboy der Welt machte, sowohl im Film wie am Radio.

Du bist hier auf der Welt etwas Neuartiges. Freue dich dessen. Nutze nach besten Kräften, was die Natur dir verliehen hat. Letzten Endes ist jede Kunstübung autobiographisch. Du kannst nur singen, was du bist. Du kannst nur malen, was du bist. Du mußt das sein, wozu deine Erlebnisse, deine Umwelt, deine Erbanlagen dich gemacht haben. Wie dein Geschick sich auch gestalten möge, du mußt deinen eigenen kleinen Garten pflegen. Wie es dir auch gehen möge, du mußt dein eigenes Instrument im Orchester des Lebens spielen.

Emerson schrieb in seinem Essay über «Selbstvertrauen»: «Jeder Mensch erlebt in seinem Bildungsgang eine Zeit, wo er zu der Überzeugung kommt, daß Neid Unwissenheit ist; daß Nachäffen Selbstmord ist; daß er sich selbst so hinnehmen muß, wie er ist, gehe es, wie es wolle; daß, wenngleich die Welt voll des Guten ist, kein Kernlein nährenden Korns ihm zufallen wird, ohne daß er das Fleckchen Erde, das ihm zugeteilt wurde, in mühevoller Arbeit bestellt. Die Macht, die ihm innewohnt, ist etwas Neues in der Natur; niemand als er weiß, was er zu tun imstande ist, und auch er weiß es nicht, bevor er es versucht hat.»

Und hier ist Regel 5 zur Erlangung einer geistigen Einstellung, die uns helfen wird, Frieden zu finden und unserer Ängste Herr zu werden:

Ahmt nicht andere nach. Erkennt Euer eigenes Ich und lernt, ihm gemäß zu handeln.

Wenn du eine Zitrone hast,   17
dann mach dir eine Limonade daraus *

Während ich an dem vorliegenden Buch schrieb, sprach ich eines
Tages in der Universität von Chicago vor und fragte den Kanzler,
Robert Maynard Hutchins, wie er es anstelle, sich nicht zu sorgen und
zu ängstigen. Er antwortete: «Ich habe mich immer bemüht, einen
Rat zu befolgen, den der verstorbene Julius Rosenwald, Generaldirektor von Sears, Roebuck & Co., mir gab: ,Wenn du eine Zitrone
hast, mach dir eine Limonade daraus.'»

So also handelt ein großer Erzieher. Ein Tor aber tut genau das
Gegenteil. Findet er, daß das Schicksal ihm eine Zitrone gereicht hat,
dann spricht er: «Ich bin erledigt. Es ist mein Schicksal. Meine Zukunft birgt keine Hoffnung.» Darauf fängt er an, gegen die Welt los-
zuziehen und sich einer Orgie des Selbstbedauerns zu überlassen.
Doch wird dem weisen Manne eine Zitrone gereicht, dann sagt er:
«Was kann ich aus diesem Mißgeschick lernen? Wie kann ich meine
Lage verbessern? Wie kann ich aus dieser Zitrone eine Limonade
machen?»

Nachdem er sein ganzes Leben lang die Menschen und ihre verborgenen Kraftreserven studiert hatte, erklärte der große Psychologe
Alfred Adler, eines der wundersamsten Merkmale des Menschen
sei «seine Macht, ein Minus in ein Plus zu verwandeln».

Hier ist die interessante und anregende Geschichte einer mir bekannten Frau, die eben dies tat. Ihr Name ist Thelma Thompson, und
sie wohnt Morningside Nummer 100 in New York. «Während des
Krieges», so begann sie mir ihr großes Erlebnis zu berichten, «war
mein Mann in einem militärischen Schulungslager in der Nähe der
Mojave-Wüste im Staat Neu-Mexico stationiert. Ich siedelte dorthin
über, um bei ihm zu sein. Ich haßte und verabscheute den Ort. Noch
nie im Leben hatte ich mich so unglücklich gefühlt. Mein Mann

---

* Diese Überschrift spielt auf einen amerikanischen Slang-Ausdruck an. Mit
«a lemon» (wörtlich: eine Zitrone) pflegt man in den Vereinigten Staaten ein
unsympathisches oder wenig anziehendes junges Mädchen zu bezeichnen.
«Eine Zitrone bekommen» entspricht also etwa unserem «in den sauren Apfel
beißen müssen». – Die Übersetzerin.

wurde zu Manövern in der Wüste abkommandiert, und ich blieb allein in einer winzig kleinen Hütte zurück. Die Hitze war unerträglich, 52° Celsius im Schatten eines Kaktus. Keine Seele, mit der man reden konnte, außer Mexikanern und Indianern – und die verstanden kein Englisch. Der Wind ging unentwegt, und alles was ich aß, ja selbst die Luft, die ich atmete, war voller Sand!

Es war mir so elend zumute, und ich hatte solches Mitleid mit mir selbst, daß ich meinen Eltern schrieb, ich gäbe es auf und käme nach Hause zurück. Ich sagte, ich könne es nicht eine Minute länger hier aushalten. Lieber säße ich im Gefängnis! Mein Vater sandte als Antwort nur zwei Zeilen – zwei Zeilen, die nie aufhören werden, in mir fortzuklingen – zwei Zeilen, die mein Leben von Grund auf umgestalteten:

Aus Gitterstäben blickten zwei, die lang gefangen.
Der eine sah den Straßenkot, der zweite Sterne hangen.

Ich las diese zwei Zeilen immer und immer wieder. Ich schämte mich meiner selbst. Ich beschloß, daß ich mich bemühen wollte, das Gute an meiner Lage herauszufinden. Ich wollte nach den Sternen Ausschau halten.

Ich freundete mich mit den Eingeborenen an und war überrascht, wie lebhaft sie reagierten. Als ich Interesse für ihre Weberei und Töpferei bekundete, machten sie mir ihre liebsten Stücke, die sie sich geweigert hatten, an Touristen zu verkaufen, zum Geschenk. Ich studierte die reizvollen Formen der Kaktusgewächse, der Yukkas und des ,Josuabaums'. Ich erfuhr, was der Präriehund für ein Geschöpf ist, beobachtete die Sonnenuntergänge in der Wüste und suchte nach Meermuscheln, die dort vor Jahrmillionen abgelagert worden waren, als der Sand der heutigen Wüste noch Ozeanboden war.

Was hatte diese erstaunliche Wandlung in mir bewirkt? Die Mojave-Wüste hatte sich nicht geändert. Die Indianer hatten sich nicht geändert. Ich selbst hatte mich geändert, hatte meine geistige Einstellung gewechselt. Und indem ich das tat, verwandelte ich ein jammervolles Erlebnis in das aufregendste Abenteuer meines Lebens. Ich fühlte mich von der neuen Welt, die ich da plötzlich entdeckte, angeregt und gefesselt. Sie regte mich so stark an, daß ich ein Buch darüber schrieb, einen Roman, der unter dem Titel ,Bright Ramparts'

(Lichte Rampen) veröffentlicht wurde... Ich hatte aus meinem selbstgeschaffenen Kerker hinausgeblickt und die Sterne geschaut.»

Thelma Thompson, Sie haben eine uralte Weisheit neu entdeckt, die die Griechen fünfhundert Jahre vor Christi Geburt schon lehrten: «Die besten Dinge sind die schwierigsten.»

Harry Emerson Fosdick hat dies im 20. Jahrhundert erneut ausgesprochen: «Glück ist nicht in erster Linie Vergnügen. Es ist in erster Linie Sieg.» Jawohl – das Siegesgefühl, das aus dem Gefühl vollbrachter Leistung kommt, aus der Überwindung von Schwerem, aus der Limonade, in die wir unsere sauren Zitronen verwandeln.

Ich besuchte einst in Florida einen glücklichen Farmer, der selbst aus einer giftigen Zitrone Limonade zu machen verstanden hatte. Als er seine Farm bekam, war er ganz niedergeschlagen. Das Land war so armselig, daß es sich weder zum Obstbau noch zur Schweinezucht eignete. Nichts gedieh darauf als Buscheichen und Klapperschlangen. Dann kam ihm eine Idee, die ihm gestatten würde, seine Passiva in Aktiva zu verwandeln: er wollte diese Klapperschlangen nach Kräften verwerten. Zu aller Leute Erstaunen fing er an, das Fleisch der Klapperschlangen in Dosen zu konservieren. Als ich vor ein paar Jahren auf der Farm abstieg, um ihn zu besuchen, fand ich, daß die Touristen seine Klapperschlangenfarm überfluteten – jährlich kamen ihrer zwanzigtausend. Sein Unternehmen blühte. Ich sah, wie das Gift aus den Zähnen seiner Schlangen weithin an Laboratorien versandt wurde, wo man es zu Gegengift verarbeitete; ich sah, wie Klapperschlangenhäute zu Phantasiepreisen verkauft wurden, um für Damenschuhe und Handtaschen verwendet zu werden. Ich sah, wie Konservenbüchsen mit Klapperschlangenfleisch an Kunden in der ganzen Welt geschickt wurden. Ich kaufte mir eine Ansichtskarte der Farm und gab sie beim Postamt des Dorfes auf, das zu Ehren des Mannes, der eine Giftzitrone in süße Limonade verwandelt hatte, den Namen «Rattlesnake*, Florida» erhalten hatte.

Während meiner vielfältigen Reisen, kreuz und quer durch unser ganzes Land mit all seinen Bewohnern, war es mir vergönnt, Dutzenden von Männern und Frauen zu begegnen, die ihre «Macht, ein Minus in ein Plus zu verwandeln», unter Beweis gestellt haben.

William Bolitho, der Verfasser von «Twelve Against the Gods» (Zwölf gegen die Götter) formulierte dies so: «Das Wichtigste im

---

* Rattlesnake = Klapperschlange. – Die Übersetzerin.

Leben ist nicht, daß man aus seinen Erfolgen Kapital schlägt. Das kann jeder Narr. Wirklich wichtig ist es, von seinem Mißgeschick zu profitieren. Dazu gehört Intelligenz, und darin liegt der Unterschied zwischen einem gescheiten Menschen und einem Toren.»

Diese Worte äußerte Bolitho, nachdem er bei einem Eisenbahnunfall ein Bein verloren hatte. Ich kenne einen Mann, der sogar beide Beine verloren und dennoch sein Minus in ein Plus verwandelt hat. Er heißt Ben Fortson. Ich machte seine Bekanntschaft in einem Hotellift in Atlanta im Staat Georgia. Als ich den Lift betrat, sah ich diesen heiter blickenden Mann, dem beide Beine fehlten, in einem Rollstuhl in der Ecke des Liftes sitzen. Als der Aufzug an seinem Stockwerk hielt, bat er mich freundlich, etwas beiseite zu treten, damit er seinen Rollstuhl besser handhaben könne. «Bitte verzeihen Sie die Bemühung», sagte er, und dabei überzog ein tiefes, herzerwärmendes Lächeln sein Gesicht.

Nachdem ich den Lift verlassen und in mein Zimmer gegangen war, vermochte ich an nichts anderes zu denken als an diesen frohgemuten Krüppel. So erfragte ich seine Zimmernummer und suchte ihn auf, damit er mir seine Geschichte erzähle.

«Es passierte im Jahre 1929», sagte er lächelnd. «Ich war ausgegangen, um mir eine Ladung Walnußzweige als Bohnenstangen für meinen Garten zu schneiden. Ich hatte die Stangen auf meinen Ford geladen und machte mich wieder auf die Heimfahrt. Plötzlich rutschte eine der Stangen unter den Wagen und keilte die Steuerung gerade in dem Augenblick fest, als ich eine scharfe Kurve nahm. Das Auto schoß über eine Böschung hinaus und schleuderte mich gegen einen Baum. Mein Rückgrat wurde dabei verletzt, und meine Beine wurden gelähmt.

Ich war vierundzwanzig, als das passierte, und seitdem habe ich nie wieder einen Schritt getan.»

Vierundzwanzig Jahre und für den Rest seines Lebens zum Rollstuhl verurteilt! Ich fragte ihn, wie er es mache, um sein Geschick so tapfer hinzunehmen, und er antwortete: «Ich tat es zuerst nicht.» Er habe gewütet und rebelliert, habe sein Schicksal verflucht. Doch als die Jahre verstrichen, wurde ihm klar, daß seine Auflehnung ihm nichts einbrachte als Bitterkeit. «Ich sah schließlich ein», sagte er, «daß andere Leute gütig und zuvorkommend gegen mich waren, und daß das mindeste, was ich meinerseits tun konnte, war, ebenfalls freundlich und zuvorkommend zu ihnen zu sein.»

Ich fragte, ob er nach all den Jahren noch finde, daß sein Unfall ein grausames Mißgeschick gewesen sei, und er antwortete ohne Zögern «Nein». Dann setzte er hinzu: «Jetzt bin ich beinahe froh, daß es so kam.» Nachdem er über den ersten Schock und Ingrimm hinweggekommen war, begann er nach seinen eigenen Worten in einer anderen Welt zu leben. Er verlegte sich aufs Lesen und gewann Geschmack an guter Literatur. In vierzehn Jahren hatte er mindestens vierzehnhundert Bücher gelesen, und diese Bücher hatten ihm neue Horizonte aufgetan und sein Leben in einem Maße bereichert, wie er es sich nie hätte vorstellen können. Er fing an, gute Musik zu hören und begeisterte sich jetzt an großen sinfonischen Werken, die ihn früher gelangweilt hätten. Die größte Änderung seines Lebens aber bestand darin, daß er jetzt Zeit zum Nachdenken hatte. «Zum erstenmal im Leben», sagte er, «war ich imstande, mir die Welt zu betrachten und einen Sinn für Werte in mir zu entwickeln. Und allmählich wurde mir klar, daß die meisten Dinge, nach denen ich gestrebt hatte, die Mühe überhaupt nicht wert waren.»

Durch seine Lektüre begann er, sich für Politik zu erwärmen. Dies führte ihn zum Studium von Fragen, die von öffentlichem Interesse waren, so daß er anfing, von seinem Rollstuhl aus Reden zu halten. Er wurde mit vielen Leuten bekannt und war bald seinerseits eine bekannte Persönlichkeit. Heute ist Ben Fortson – nach wie vor von seinem Rollstuhl aus – Minister im Staate Georgia!

Während der letzten fünfunddreißig Jahre, in denen ich in New York Erwachsene unterrichtet habe, fand ich heraus, daß viele Leute im späteren Leben vor allem ihre ungenügende Schulbildung beklagen. Viele meinen, keine akademische Bildung genossen zu haben, sei ein großer Nachteil. Solchen Schülern erzähle ich oft die Geschichte eines Mannes, der nicht einmal die Volksschule fertig durchmachte und in der größten Dürftigkeit groß wurde. Als sein Vater starb, mußten seine Freunde zusammenlegen, um den Sarg zu bezahlen. Seine Mutter, nun ganz auf sich selbst angewiesen, arbeitete zehn Stunden täglich in einer Schirmfabrik und brachte dann abends noch Heimarbeit mit, die sie bis elf Uhr nachts wachhielt.

Der Knabe, der unter solchen Verhältnissen groß wurde, interessierte sich sehr für eine Liebhaberbühne, die ein zu seiner Kirche gehöriger Klub gegründet hatte. Die Teilnahme an ihren Theateraufführungen weckte allmählich den Wunsch in ihm, sich im öffentlichen Reden zu versuchen. Dies wiederum führte ihn zur Politik.

Als er dreißig war, wurde er in die gesetzgebende Körperschaft des Staates New York gewählt. Doch er war völlig unvorbereitet für die Übernahme eines so verantwortlichen Amtes. Tatsächlich bekannte er mir, daß er überhaupt nicht gewußt habe, worum es sich dabei überhaupt handelte. Er studierte die langen, komplizierten Vorlagen, über die er seine Stimme abgeben sollte – doch was ihn anging, hätten sie genausogut auf chinesisch geschrieben sein können. Und als er gar zum Mitglied eines Ausschusses für Waldwirtschaft gemacht wurde, ehe er noch je selbst einen Fuß in den Wald gesetzt hatte, wurde er vollends verwirrt und beunruhigt. Es beunruhigte und verwirrte ihn nicht minder, als er zum Mitglied der Staatsbankkommission ernannt wurde, ehe er selbst noch je ein Bankkonto gehabt hatte, und er bekannte mir, er sei so mutlos gewesen, daß er um seine Entlassung aus der gesetzgebenden Körperschaft ersucht haben würde, hätte er sich nicht geschämt, sein Versagen seiner Mutter einzugestehen. In seiner Verzweiflung beschloß er, sechzehn Stunden täglich zu studieren und seine Zitrone der Unwissenheit in eine Limonade des Wissens zu verwandeln. Indem er danach handelte, verwandelte er sich aus einem Lokalpolitiker in eine bekannte Figur im nationalen Leben Amerikas und brachte es zu solchem Ansehen, daß die «New York Times» ihn «den am meisten geliebten Bürger von New York» nannte.

Ich spreche von Al Smith.

Zehn Jahre, nachdem Al Smith daran ging, sein Programm der politischen Selbsterziehung zu verwirklichen, war er die größte lebende Autorität in Regierungsfragen des Staates New York. Viermal hintereinander wurde er zum Gouverneur von New York gewählt – eine Auszeichnung, die nie von einem anderen erreicht wurde. 1928 wurde er von der Demokratischen Partei als Präsidentschaftskandidat aufgestellt. Sechs große Universitäten – darunter die berühmten Hochschulen Columbia und Harvard – verliehen diesem Manne, der es nie über die Volksschule hinausgebracht hatte, den Ehrendoktortitel.

Al Smith sagte mir, nichts von alledem würde geschehen sein, hätte er nicht sechzehn Stunden am Tage hart gearbeitet, um sein Minus in ein Plus zu verwandeln.

Je mehr ich die Laufbahnen von Menschen, die es zu etwas gebracht haben, verfolge, desto tiefer wird meine Überzeugung, daß eine erstaunlich große Anzahl unter ihnen deshalb Erfolg hatten, weil sie zu Anfang unter irgendeinem Handicap litten, das sie zu großer Anstrengung – zu reich belohnter Anstrengung – antrieb. William James sagt hierüber: «Gerade unsere Gebrechen werden uns zu unerwarteter Hilfe.»

Ja – höchstwahrscheinlich schrieb Milton schönere Verse, komponierte Beethoven herrlichere Musik, weil der erste blind, der zweite taub war.

Helen Kellers glanzvolle Laufbahn wurde erst dadurch inspiriert und zur Tatsache, daß sie taub und blind war.

Wäre Tschaikowski nicht durch so tiefe Enttäuschungen hindurchgegangen und durch seine unglückselige Ehe fast zum Selbstmord getrieben worden, so wäre er vermutlich nie imstande gewesen, seine wundervolle «Symphonie pathétique» zu komponieren.

Hätten Dostojewski und Tolstoi nicht so große seelische Martern erlitten, sie wären wohl nie dazu gelangt, ihre unsterblichen Romane zu schreiben.

«Wäre ich nicht lange Zeit so leidend gewesen», schrieb der Mann, der einen völlig neuen wissenschaftlichen Begriff vom Lebenden auf der Erde schuf, «dann hätte ich nicht soviel Arbeit leisten können, wie ich leistete.» So lautete Charles Darwins Bekenntnis, daß seine Kränklichkeit ihm auf unerwartete Art zum Segen geworden war.

Am gleichen Tage, als Darwin in England geboren wurde, erblickte in einer Blockhütte der Wälder von Kentucky ein anderes Kind das Licht der Welt. Sein Name war Lincoln – Abraham Lincoln. Wäre er in einer aristokratischen Familie aufgewachsen, hätte er an einer vornehmen Universität wie Harvard seinen Doctor juris machen können, und wäre ihm ein glückliches Eheleben beschieden gewesen, so würde er aller Wahrscheinlichkeit nach niemals in den Tiefen seines Herzens die bewegenden Worte gefunden haben, welche er in Gettysburg ins Buch der Geschichte schrieb, oder das weihevolle Gedicht, das er bei seiner zweiten Amtseinsetzung sprach – das schönste und edelste Bekenntnis, das je von einem Herrscher über Menschen abgelegt wurde: «Bosheit gegen niemand; Barmherzigkeit gegen alle ...»

Harry Emerson Fosdick schreibt in seinem Buch «Die Kraft des Durchhaltens» (The Power to See it Through): «Es gibt eine skandinavische Redensart, die sich mancher von uns wohl als inneren Aufruf zu eigen machen könnte – ‚Der Nordwind hat die Wikinger geschaffen'. Woher stammt nur die Auffassung, daß gesicherte und angenehme Lebensbedingungen, das Fehlen von Schwierigkeiten und die Vorteile des Wohlstandes je an sich einen Menschen gut oder glücklich zu machen vermögen? Im Gegenteil – wer sich selbst bemitleidet, der bemitleidet sich auch, wenn er auf einem Samtkissen liegt, während in der ganzen menschlichen Geschichte zu beobachten ist, daß Charakter und Glück denen zufiel, welche ihre persönliche Verantwortung tapfer auf sich nahmen, ganz gleich, ob sie in guten, schlechten oder mittelmäßigen Umständen lebten. Derart hat der Nordwind immer wieder Wikinger geschaffen.»

Selbst wenn uns aller Mut abgeht, so daß wir meinen, wir könnten doch nie im Leben unsere Zitronen in Limonade verwandeln – so gibt es doch zwei Gründe, warum wir es trotz alledem versuchen sollten, zwei Gründe, warum wir alles zu gewinnen und nichts zu verlieren haben.

Erster Grund: Vielleicht glückt es uns.

Zweiter Grund: Selbst wenn es uns nicht glückt, wird der bloße Versuch, unser Minus in ein Plus zu verwandeln, uns dazu zwingen, vorwärts statt rückwärts zu schauen; er wird aus negativen Gedanken positive Gedanken machen, wird schöpferische Energie freisetzen und uns zu solcher Aktivität anspornen, daß wir weder Zeit noch Lust haben, Vergangenem und längst Entschwundenem nachzutrauern.

Als Ole Bull, der berühmte Geiger, einmal ein Konzert in Paris gab, platzte mittendrin seine E-Saite. Doch Ole Bull spielte ruhig weiter auf den übrigen drei Saiten. «Das ist Leben», bemerkt hierzu Harry Emerson Fosdick, «wenn die E-Saite platzt und man auf drei Saiten zu Ende spielt.»

Das ist nicht nur Leben. Es ist *mehr* als Leben. *Es ist sieghaftes Leben.*

Wenn ich die Macht hätte, es zu tun, dann würde ich die nachstehenden Worte William Bolithos in unvergängliche Bronze eingraben und in jedem Schulhaus des ganzen Landes aufhängen lassen:

«Das Wichtigste im Leben ist nicht, daß man aus seinen Erfolgen Kapital schlägt. Das kann jeder Narr. Wirklich wichtig ist es, von seinem Mißgeschick zu profitieren. Dazu gehört Intelligenz, und darin liegt der Unterschied zwischen einem gescheiten Menschen und einem Toren.»

Um also eine geistige Einstellung zu erlangen, die uns Frieden und Glück bringt, sollten wir versuchen, uns Regel Nummer 6 zu Gemüte zu führen:
Wenn das Schicksal uns eine Zitrone verabreicht, so wollen wir trachten, eine Limonade daraus zu machen.

Wie man Trübsinn in vierzehn Tagen heilen kann 18

Als ich dieses Buch zu schreiben begann, setzte ich einen Preis von zweihundert Dollar für die nützlichste und anregendste wahre Erzählung über das Thema «Wie ich mit meinen Ängsten fertig wurde» aus.

Die drei Schiedsrichter für diesen Wettbewerb waren: Eddie Rickenbacker, Präsident der Eastern Air Lines, Dr. Stewart W. Mc Clelland, Rektor der Lincoln Memorial University, und H. V. Kaltenborn, Rundfunkkommentator. Wir erhielten indes zwei Einsendungen, die so hervorragend waren, daß es den Preisrichtern unmöglich war, zwischen ihnen zu entscheiden. So teilten wir den Preis. Hier ist eine der Geschichten, die den ersten Preis gewannen – die Geschichte von C. R. Burton aus Springfield, Missouri, 1067, Commercial Street.

«Ich verlor meine Mutter, als ich neun», schreibt Mr. Burton, «und meinen Vater, als ich zwölf Jahre alt war. Mein Vater kam durch einen Unfall ums Leben, meine Mutter aber ging eines Tages, es war vor neunzehn Jahren, einfach zum Hause hinaus und kam nicht wieder. Ich habe sie nie mehr gesehen. Auch meine zwei kleinen Schwestern, die sie mitnahm, sah ich nie wieder. Sie schrieb mir nicht einmal einen Brief, bis sie volle sieben Jahre weggewesen war. Mein Vater kam drei Jahre nach Mutters Fortgang ums Leben. Er hatte mit einem Partner zusammen ein Café in einer kleinen Stadt in Missouri gekauft, und als Vater einmal auf einer Geschäftsreise war, verkaufte sein Teilhaber das Café für Bargeld und machte sich davon. Einer von Vaters Freunden telegraphierte, er solle rasch heimkommen, und durch die Hast, mit der er diesem Rat folgte, wurde Vater das Opfer eines Autounfalls. Zwei Schwestern meines Vaters, beides arme, kranke alte Frauen, nahmen drei von uns Kindern zu sich. Mich und meinen kleinen Bruder wollte niemand haben. Wir waren auf die Barmherzigkeit unserer Stadt angewiesen. Wir waren besessen von der Angst, man könnte uns Waisen schelten und als Waisen behandeln, und diese Angst sollte sich bald als begründet herausstellen. Ich wohnte eine Zeitlang bei einer armen Familie des Städtchens. Doch es waren harte Zeiten, und das Familienoberhaupt verlor seine Stelle, so daß sie mich nicht mehr mitfüttern konnten. Dann nahmen mich Mr. und Mrs. Loftin zu sich auf ihre Farm, elf Meilen außerhalb der Stadt. Mr. Loftin war ein siebzigjähriger Greis, der mit Gürtelrose zu Bett lag. Er sagte zu mir, ich könne dableiben, ‚solange ich nicht lüge, nicht stehle und immer aufs Wort folge‘. Diese drei Vorschriften wurden mein Evangelium. Ich hielt mich streng daran. Ich kam in die Schule, aber schon gleich die erste Woche heulte ich wie ein kleines Mädchen, als ich heimkam. Die anderen Kinder nahmen mich zur Zielscheibe und machten sich über meine große Nase lustig und sagten, ich sei ‚doof‘ und schalten mich Waisenjunge. Ich war so tief verletzt, daß ich sie verhauen wollte, aber Mr. Loftin, der alte Farmer, redete mir gut zu: ‚Laß dir von mir sagen, daß mehr dazu gehört, von einer Balgerei wegzubleiben, als dazubleiben und um sich zu hauen.‘ Ich folgte auch seinem Rat, bis eines Tages ein Junge mir eine Handvoll Hühnerdung ins Gesicht schmiß. Da verdrosch ich ihn so, daß er die Engel im Himmel pfeifen hörte. Das verschaffte mir ein paar Freunde. Sie sagten, es sei dem anderen ganz recht geschehen.

Ich war sehr stolz auf eine neue Kappe, die Mrs. Loftin mir gekauft hatte. Da riß eines der größeren Mädchen sie mir eines Tages vom Kopf und füllte sie mit Wasser, was die Kappe natürlich ruinierte. Das Mädchen sagte, sie hätte es getan, damit das Wasser mein hitziges Temperament ein bißchen abkühle.

In der Schule weinte ich nie, aber sobald ich zu Hause war, heulte ich los. Bis mir eines Tages Mrs. Loftin einen Rat gab, der all meinen Sorgen und Ängsten ein Ende machte und meine Feinde in Freunde verwandelte. Sie sagte: ‚Ralph, wenn du dich nur nett um sie kümmern möchtest und versuchen, ihnen gefällig zu sein, dann würden sie ganz von selber aufhören, dich zu hänseln und dich Waisenjunge zu schimpfen.‘ Ich nahm mir diesen Rat zu Herzen. Ich lernte eifrig, aber obwohl ich bald Klassenerster wurde, beneideten mich die anderen nie, weil ich mir die größte Mühe gab, ihnen gefällig zu sein. Mehreren von den Jungen half ich ihre Aufgaben und Aufsätze machen. Für manche schrieb ich lange Reihen von Antworten auf. Ein Schüler schämte sich, seine Angehörigen wissen zu lassen, daß ich ihm half. So richteten wir es ein, daß er zu mir auf die Farm kam, während seine Eltern glaubten, er jage Opossums, wie er ihnen erzählt hatte. Er band dann seine Hunde in der Scheune fest, und wir lernten zusammen. Für einen anderen Jungen schrieb ich Buchbesprechungen, und mehrere Abende verbrachte ich damit, einem Mädchen Nachhilfe in Mathematik zu geben.

Der Tod hielt Einzug in unserer Nachbarschaft. Zwei alte Farmer starben und ein dritter Mann ließ seine Frau im Stich. Ich war das einzige männliche Wesen in vier Familien. Ich half den Witwen zwei Jahre lang, soviel ich konnte. Auf dem Wege nach und von der Schule machte ich bei ihren Höfen halt, hackte ihnen ihr Holz, molk ihre Kühe und tränkte ihr Vieh. Jetzt segneten mich alle, statt mir unfreundliche Worte zu geben. Alle sahen in mir einen Freund. Wie sie zu mir standen, das kam so recht zum Vorschein, als ich vom Flottendienst heimkehrte. Am ersten Tag, als ich wieder zu Hause war, kamen über zweihundert Farmer, mich zu besuchen. Manche von ihnen waren achtzig Meilen weit gefahren, und ihre Anteilnahme an mir war wirklich aufrichtig. Weil ich im Bemühen, anderen zu helfen, vollauf zu tun hatte und darin mein Glück fand, kenne ich kaum Sorgen. Und ‚Waisenjunge' hat mich seit dreizehn Jahren niemand mehr gerufen.»

Hoch lebe C. R. Burton! Er weiß, wie man Freunde gewinnt! Und er weiß auch, wie man mit seinen Sorgen fertig wird und sein Leben genießt.

Darauf verstand sich auch der verstorbene Dr. Frank Loope aus Seattle in Washington. Dreiundzwanzig Jahre lang hatte er ein schweres Leiden gehabt – Arthritis. Dennoch konnte Stuart Whithouse vom «Seattle Star» mir über ihn schreiben: «So manches Mal habe ich Dr. Loope interviewt, und *nie habe ich einen Mann gekannt, der so selbstlos war wie er und seinem Leben soviel abzugewinnen verstand.*»

Wie ging es zu, daß dieser bettlägerige Kranke seinem Leben soviel abgewann? Brachte er das durch Klagen und Kritisieren zuwege? Nein ... Dadurch, daß er in Selbstbedauern schwelgte und verlangte, als Mittelpunkt der allgemeinen Aufmerksamkeit betrachtet zu werden, dem jedermann zu Diensten stehen müsse? Nein ... Auch das nicht. Er tat es, indem er sich das Motto im Wappen der Prinzen von Wales zu eigen machte: *«Ich dien'.»* Er legte sich Listen mit den Namen anderer Kranker an und heiterte sowohl sie wie sich selbst auf, indem er ihnen fröhliche, muteinflößende Briefe schrieb. Ja, er organisierte einen Briefschreibeklub für Kranke und Leidende und veranlaßte sie, einander zu schreiben. Schließlich gründete er noch eine jetzt über ganz Amerika verbreitete Gesellschaft, die er den «Bund der Eingesperrten» nannte («The Shut-in Society»).

Von seinem Bett aus schrieb er durchschnittlich vierzehnhundert Briefe im Jahr und brachte Freude in das Leben Tausender von Kranken, indem er Radioapparate und Bücher für seine «Eingesperrten» beschaffte.

Was ist der Hauptunterschied zwischen Dr. Loope und einer Menge anderer Menschen? Ganz einfach der: Dr. Loope besaß die Herzenswärme eines Mannes, der ein Ziel, eine Sendung vor Augen hat. Es machte ihn froh, zu wissen, daß er das Werkzeug einer Idee war, die weit edler und bedeutungsvoller war als er selbst, statt, um mit Shaw zu reden, «ein egozentrisches Häuflein Krankheit und Verdrießlichkeit zu sein, das sich beschwert, weil die Welt sich nicht dazu hergeben will, es glücklich zu machen».

Und jetzt kommt die erstaunlichste Feststellung, die ich je aus der Feder eines großen Seelenarztes gelesen habe. Sie stammt von Alfred Adler. Er pflegte zu seinen Patienten, die an Melancholie litten, zu sagen: «Sie können in vierzehn Tagen geheilt werden, wenn Sie meiner Vorschrift folgen. Suchen Sie jeden Tag etwas ausfindig zu machen, wodurch Sie einem Menschen Freude bereiten können.»

Das klingt so unglaublich, daß ich mich veranlaßt fühle, ein paar Seiten aus Dr. Adlers prachtvollem Buch zu zitieren.

«Melancholie gleicht einer andauernden Wut, einem Groll gegen andere, obwohl der Patient, um die Fürsorge, Sympathie und Unterstützung anderer zu erlangen, nur von seiner eigenen Schuld bedrückt scheint. Das erste Erinnerungsbild eines Melancholikers sieht in der Regel etwa so aus: ,Ich weiß noch, daß ich gern auf der Couch gelegen hätte, aber mein Bruder lag schon darauf. Da weinte ich so sehr, daß er schließlich aufstand.'

Melancholiker zeigen oft die Neigung, sich durch Begehung von Selbstmord zu rächen, und es muß das erste Anliegen des Arztes sein, alles zu vermeiden, was ihnen als Vorwand zum Selbstmord dienen könnte. Selbst suche ich immer die ganze Spannung zu lösen, indem ich ihnen als erste Behandlungsregel einpräge: ‚Tun Sie nie etwas, das Sie nicht mögen.‘ Das scheint ein recht unerheblicher Rat, ich glaube aber, daß er an die Wurzel der Gemütsstörung greift. Wenn der Melancholiker alles tun kann, was ihm behagt, wen kann er dann noch anschuldigen? Für was könnte er sich rächen wollen? ‚Falls Sie ins Theater zu gehen oder sich Ferien zu nehmen wünschen‘, pflege ich zu sagen, ‚dann tun Sie es. Verlieren Sie unterwegs dann die Lust an Ihrem Vorhaben, so lassen Sie es einfach fallen.‘ Dies ist die beste Lage, in die man einen solchen Patienten versetzen kann. Sie befriedigt sein Streben nach Überlegenheit, denn gleich Gott kann er tun und lassen, was ihm gefällt. Anderseits paßt sie nicht recht zu seinem Lebensstil: hat er doch stets danach getrachtet, andere zu beherrschen – wie kann er das, wenn sie von vornherein mit allem einverstanden sind? Diese Regel erleichtert die Behandlung ungemein, und ich habe bei meinen Patienten nie einen Selbstmord zu verzeichnen gehabt.

Gewöhnlich erwidert der so Beratene: ‚Aber ich weiß gar nichts, was ich gern täte.‘ Dies habe ich schon so oft gehört, daß ich die Antwort darauf bereit habe: ‚Dann tun Sie wenigstens nichts, was Sie nicht gern täten.‘ Manchmal hingegen antwortet der Patient: ‚Ich möchte am liebsten den ganzen Tag im Bett bleiben.‘ Ich weiß, erlaube ich es ihm, so wird er es sofort nicht mehr tun wollen, und weiß auch, daß er sofort eine feindselige Haltung gegen mich einnehmen wird, sofern ich es ihm verbiete. Also erlaube ich es stets.

Das ist die eine Regel. Eine weitere richtet sich noch unmittelbarer gegen den gewohnten Lebensstil der Melancholiker. ‚Sie können innerhalb von vierzehn Tagen geheilt werden‘, erkläre ich ihnen, ‚wenn Sie folgendes tun: *Versuchen Sie, sich jeden Tag etwas auszudenken, womit Sie einem andern eine Freude bereiten können.*‘ Man stelle sich vor, wie dies sie treffen muß. Ihr ewiger Gedanke ist ja: ‚Wie kann ich jemanden ärgern?‘ Die Reaktionen auf meinen Rat sind denn auch höchst interessant. Einige antworten: ‚Das wird mir sehr leicht fallen. Das habe ich ja mein Leben lang getan.‘ Sie haben es aber natürlich nie getan, und so bitte ich sie, es sich noch einmal richtig zu überlegen. Sie überlegen es sich jedoch nicht. Dann sage ich: ‚Die beste Anwendung, die Sie von der Zeit vor dem Einschlafen machen können, ist, darüber nachzudenken, wie Sie jemandem eine Freude bereiten können. Damit werden Sie auf dem Wege zur Gesundung einen großen Schritt vorwärts tun.' Wenn ich sie am nächsten Tag wiedersehe, frage ich: ,Haben Sie sich überlegt, was ich Ihnen gestern vorschlug?' Die Antwort ist: ,Gestern abend schlief ich ein, sobald ich mich ins Bett gelegt hatte.' Natürlich muß man all das auf anspruchslose, freundliche Weise vorbringen und jeden Anschein der Überlegenheit vermeiden.

Andere pflegen zu entgegnen: ,Das könnte ich nie tun. Ich habe so viele Sorgen.' Diesen antworte ich: ,Beschäftigen Sie sich ruhig mit Ihren Sorgen. Trotzdem aber können Sie dann und wann anderen einen Gedanken schenken.' Stets versuche ich, ihr Interesse ihren Mitmenschen zuzuwenden. Viele sagen hierauf: ,Warum sollte ich anderen Freude zu machen suchen? Die anderen kümmern sich ja auch nicht um mich.' Dann erwidere ich: ,Weil Sie an Ihre Gesundheit denken müssen. Die anderen werden später auch leiden.' Nur sehr selten habe ich es erlebt, daß ein Patient mir sagte: ,Ich habe mir Ihre Anregung überlegt.' Mein ganzes Streben zielt dahin, das Gemeinschaftsgefühl des Patienten zu stärken, denn ich weiß, daß seiner Erkrankung ein Mangel an sozialem Gefühl zugrunde liegt, und ich will, daß auch er das einsieht. Sobald er gelernt hat, sich seinen Mitmenschen auf gleichem Fuße und im Geiste freundschaftlicher Zusammenarbeit zu nähern, ist er geheilt... Das bedeutungsvollste Gebot aller Religion ist von jeher das ,Liebe deinen Nächsten' gewesen... Stets zeigt es sich, daß derjenige den größten Schwierigkeiten begegnet und anderen den größten Schaden zufügt, dem seine Mitmenschen gleichgültig sind. Alle menschlichen Fehltritte entspringen letzten Endes einer solchen Einstellung... Wir können von einem Menschen nicht mehr verlangen, als daß er ein guter Arbeitskamerad, ein Freund seiner Mitmenschen und ein wahrhafter Gefährte in Liebe und Ehe sei. Und für den, von welchem wir dies sagen können, ist es das höchste Lob.»

Dr. Adler legt uns dringend ans Herz, jeden Tag eine gute Tat zu tun. Und was ist eine gute Tat? «Eine gute Tat», sagt der Prophet Mohammed, «ist eine solche, die ein Lächeln der Freude auf das Antlitz eines anderen zaubert.»

Warum aber hat eine gute Tat eine solch überraschende Wirkung auf den, der sie vollbringt? Weil wir beim Versuch, anderen Freude zu bereiten, aufhören, an uns selbst zu denken – an uns, das heißt die Quelle, der Angst und Sorge und Trübsinn entspringen.

Mrs. William T. Moon, die in New York, 521, Fifth Avenue, die «Moon Secretarial School» leitet, brauchte keine vierzehn Tage zum Nachdenken darüber, wie sie jemanden erfreuen könne, um ihre Melancholie loszuwerden. Sie machte es noch besser als Alfred Adler es empfiehlt – dreizehnmal besser. Sie wurde ihre Melancholie nicht in vierzehn Tagen los, sondern in *einem* Tag, indem sie sich ausdachte, wie sie ein paar Waisen Freude bringen könne.

Das trug sich folgendermaßen zu: «Im Dezember vor fünf Jahren», sagte Mrs. Moon, «war ich vollkommen in Kummer und Selbstmitleid versunken. Nach mehreren Jahren glücklicher Ehe hatte ich meinen Mann verloren. Beim Herannahen der Weihnachtsferien wurde meine Traurigkeit immer tiefer. Ich hatte noch nie im Leben ein Weihnachtsfest allein verbracht, und ich fürchtete mich vor diesem. Wohl hatten verschiedene Freunde mich zu sich eingeladen. Doch ich fühlte mich nicht zu Frohsinn aufgelegt und wußte, ich würde in lustiger Gesellschaft nur als Störenfried wirken. So lehnte ich die Einladungen alle ab. Je näher der Heilige Abend kam, desto tiefer versank ich in meinem Selbstbedauern, obwohl ich für vieles hätte dankbar sein sollen, da ja jeder von uns vieles hat, wofür er dankbar sein sollte. Am Tag vor Weihnachten verließ ich mein Büro um drei Uhr nachmittags und begann ziellos die Fifth Avenue hinaufzugehen, in der Hoffnung, meinen Trübsinn und mein Mitleid mit mir selbst irgendwie loszuwerden. Die weite Straße war durchwogt von einer fröhlichen und glücklichen Menschenmenge, und die Szenen, die sich meinen Augen darboten, brachten mir die schmerzliche Erinnerung an die glücklichen Jahre, die dahin waren, doppelt schmerzlich zum Bewußtsein. Ich vermochte den Gedanken nicht zu ertragen, daß ich nun in meine einsame, leere Wohnung heimgehen sollte. Ich wußte nicht mehr ein noch aus und konnte kaum die Tränen zurückhalten. Nachdem ich ziellos eine Stunde lang umhergewandert war, sah ich mich plötzlich einer Autobus-Haltestelle gegenüber. Ich dachte daran, wie mein Mann und ich oftmals einen uns fremden Bus genommen hatten, nur des Spaßes und der Spannung wegen, und so stieg ich in den ersten besten Wagen ein, der dort stand. Nachdem wir eine Zeitlang gefahren waren und den Hudsonfluß überquert hatten, hörte ich, wie der Schaffner sagte: ‚Endstation, alles aussteigen.' Ich stieg aus. Ich hatte keine Ahnung, wie die Stadt hieß. Es war ein stiller, friedlicher kleiner Ort. Als ich an einer Kirche vorbeikam, vernahm ich die weihevollen Klänge von ‚Stille Nacht, Heilige Nacht' und ging hinein. Es war niemand in der Kirche außer dem Organisten. Ich setzte mich unbemerkt in eine Ecke. Das Schiff war festlich geschmückt, und die Lichter an dem großen Christbaum ließen die Kugeln und Silberfäden ringsum aufleuchten gleich Myriaden von Sternen, die in den Strahlen des Mondes tanzen. Die langgezogenen Kadenzen der Orgel – und wohl auch der Umstand, daß ich seit dem Morgen ganz vergessen hatte, etwas zu essen – machten mich schläfrig. Ich war körperlich und seelisch müde und beladen und so schlummerte ich ein.

Als ich erwachte, wußte ich nicht, wo ich war und erschrak. Vor mir standen zwei kleine Kinder, die anscheinend hereingekommen waren, um sich den Christbaum anzusehen. Das eine, ein kleines Mädchen, zeigte mit dem Finger auf mich und sagte: ‚Ob die wohl der Weihnachtsmann gebracht hat?' Als ich die Augen öffnete, erschraken die Kinder ebenfalls. Sie waren ärmlich gekleidet. Ich fragte sie, wo ihr Vater und ihre Mutter seien. ‚Wir ha'm kein Vati un keine Mutti', antworteten sie. Da waren also zwei kleine Waisenkinder, die viel, viel schlechter dran waren, als ich es je gewesen war. Ich schämte mich bei ihrem Anblick meines Kummers und Selbstbedauerns. Ich zeigte ihnen den Christbaum und nahm sie dann mit und gab ihnen etwas zu essen. Ich kaufte ihnen auch Süßigkeiten und ein paar kleine Geschenke. Meine Einsamkeit war verflogen wie durch Zauberschlag. Die zwei Waisenkinder schenkten mir die ersten glücklichen, selbstvergessenen Stunden, die ich seit Monaten durchlebt hatte. Im Gespräch mit ihnen wurde mir so recht klar, wie bevorzugt ich mein Lebtag gewesen war. Ich dankte Gott, weil ich als Kind nur Weihnachtsfeste gekannt, die von der Liebe und Zärtlichkeit meiner Eltern verschönt waren. Die beiden Kleinen taten weit mehr für mich als ich für sie. Und diese Erfahrung bewies mir, wie nötig es ist, andere glücklich zu machen, damit man selbst glücklich sein kann. Ich fand, daß Frohsein ansteckend wirkt. Im Geben empfangen wir. Dadurch, daß ich jemand geholfen und Liebe gezeigt hatte, hatte ich meine eigene Sorge, meinen Kummer und mein Selbstmitleid überwunden, so daß ich mich wie neugeboren fühlte. Und ich war in der Tat zu einem neuen Menschen geworden – nicht nur für den Augenblick, sondern für all die Jahre, die folgten.»

Ich könnte ein ganzes Buch füllen mit Berichten über Menschen, die durch Selbstvergessen zu Gesundheit und Glück kamen. Nehmen wir zum Beispiel den Fall von Margaret Taylor Yates, einer der beliebtesten Frauen in der amerikanischen Flotte.

Mrs. Yates ist eigentlich Romanschriftstellerin, aber keine ihrer Kriminalgeschichten ist halb so interessant wie das wahre Erlebnis, das sie an jenem Schicksalsmorgen hatte, als die Japaner in Pearl Harbour unsere Flotte überfielen. Mrs. Yates war über ein Jahr lang sehr leidend gewesen – Herzgeschichten. Sie verbrachte zweiundzwanzig von vierundzwanzig Stunden im Bett, und der längste Ausflug, den sie unternahm, war ein Gang in den Garten, um ein Sonnenbad zu nehmen. Selbst dann konnte sie nicht allein gehen, sondern mußte sich auf das Mädchen stützen. Sie erzählte mir selbst, daß sie zu jener Zeit glaubte, zeitlebens ein kranker Mensch zu bleiben.

«Ich würde nie wieder zu einem richtigen Leben gekommen sein, hätten die Japaner nicht Pearl Harbour bombardiert und mich aus meiner Beschaulichkeit aufgeschreckt.

Als dies geschah», fuhr Mrs. Yates in ihrer Erzählung fort, «herrschte rundherum Chaos und Durcheinander. Eine der Bomben fiel so nahe bei unserem Haus, daß die Erschütterung mich aus dem Bett schleuderte. Militärlastwagen rasten überall herum, um die Frauen und Kinder der Heeresangehörigen in Schulgebäude zu bringen. Von dort aus telephonierte das Rote Kreuz allen denjenigen, die verfügbare Zimmer hatten, sie möchten Obdachlose bei sich aufnehmen. Da man beim Roten Kreuz wußte, daß ich ein Telephon neben meinem Bett hatte, baten sie mich, Nachrichten für sie zu vermitteln. So notierte ich mir, wo die verschiedenen Frauen und Kinder unserer Soldaten und Seeleute untergebracht waren, und ihren Männern wurde vom Roten Kreuz aus gesagt, sie möchten mich anrufen, um zu erfahren, was mit ihren Angehörigen geschehen sei.

Ich hörte bald, daß mein Mann unverletzt war. Ich gab mir Mühe, die anderen Frauen, die nicht wußten, ob ihre Männer noch lebten, aufzuheitern und die Witwen der Getöteten – und es waren deren viele – zu trösten. Zweitausendeinhundertsiebzehn Offiziere und Matrosen der Flotte und des Marinekorps waren umgekommen und neunhundertsechzig als vermißt gemeldet.

Zuerst antwortete ich vom Bett aus auf die Telephonanfragen, zu Anfang liegend, dann sitzend. Schließlich aber nahm mich meine Aufgabe so gefangen, daß ich meinen schwachen Gesundheitszustand ganz vergaß und aufstand, um mich an einen Tisch zu setzen. Indem ich anderen half, denen es soviel schlimmer ging als mir selbst, vergaß ich mein Leiden vollkommen, und seither habe ich mich nie wieder ins Bett gelegt, außer um meine acht Stunden in der Nacht zu schlafen. Es ist mir jetzt ganz klar, daß ich wahrscheinlich bis zum Ende meines Lebens eine halbkranke Frau geblieben wäre, wenn die Japaner nicht den Schlag gegen Pearl Harbour geführt hätten. Ich hatte es gut und bequem im Bett, ich wurde unausgesetzt bedient, und ich bin mir heute bewußt, daß ich damals, ohne mir davon Rechenschaft zu geben, meinen Willen, wieder zu Kräften zu kommen, verlor.

Der Angriff auf Pearl Harbour war eine der größten Tragödien in der Geschichte Amerikas, doch soweit ich persönlich betroffen bin, war er mit das Beste, was mir im Leben geschehen ist. Jene furchtbare Krise verlieh mir eine Kraft, die ich nie in mir selbst geahnt hatte. Sie zog meine Aufmerksamkeit von meinem eigenen Ich ab und richtete sie auf andere. Sie gab mir etwas Großes und Bedeutsames und Verantwortungsvolles zur Aufgabe. Ich hatte einfach keine Zeit mehr, an mich selbst zu denken oder mich um mich selbst zu sorgen.»

Ein Drittel all derer, die bei Nervenärzten Rat und Hilfe suchen, könnten sich wahrscheinlich selber helfen, wenn sie nur das täten, was Margaret Yates tat: sich für andere einsetzen. Habe ich mir das selbst ausgedacht? O nein – es entspricht ziemlich genau dem, was Professor Carl Jung sagt. Und wenn überhaupt jemand, so sollte er es wissen. «Etwa ein Drittel meiner Patienten», so lesen wir bei ihm, «leiden nicht an einer klinisch definierbaren Neurose, sondern an der Sinnlosigkeit und Leere ihres Daseins.» Um es anders auszudrücken: sie suchen durchs Leben zu kommen, indem sie vor vorüberfahrenden Autos den Daumen hochhalten, um mitgenommen zu werden, was ihnen nie gelingt. Daher eilen sie mit ihrem kleinen, sinnlosen, nutzlosen Dasein zum Seelenarzt. Nachdem sie zu spät angelangt sind, um sich einzuschiffen, bleiben sie auf der Schifflände stehen, machen alle anderen, nur sich selber nicht, verantwortlich und verlangen, die ganze Welt solle ihre egozentrischen Wünsche befriedigen.

Jetzt sagt Ihr vielleicht zu Euch selbst: «Na, mir können diese Geschichten nicht weiter imponieren. Ich könnte mich auch mal für ein paar Waisenkinder interessieren, wenn ich ihnen am Heiligen Abend begegnete, und wäre ich damals in Pearl Harbour gewesen, dann hätte ich nur zu gern dasselbe getan wie Margaret Yates. Aber bei mir liegen die Dinge eben anders. Ich führe ein ganz gewöhnliches, alltägliches Leben. Ich verrichte acht Stunden täglich eine langweilige Arbeit. Mir passiert nie etwas Außergewöhnliches. Wie kann ich dazukommen, mich für andere einzusetzen? Und warum sollte ich es überhaupt? Was käme dabei für mich heraus?»

Eine ganz plausible Frage. Ich will versuchen, sie zu beantworten. Wie alltäglich dein Leben auch sein mag, sicherlich führt es dich doch jeden Tag mit *irgendwelchen* Menschen zusammen. Wie trittst du ihnen gegenüber? Starrst du einfach bloß durch sie hindurch, oder suchst du herauszufinden, was sie bewegt? Nimm zum Beispiel den Briefträger, der alljährlich Hunderte von Kilometern läuft, damit alle ihre Post bekommen. Hast du dich je bemüht zu erfahren, wo *er* wohnt, oder ihn gefragt, ob er vielleicht ein Bild von seiner Frau und seinen Kindern bei sich habe? Hast du ihn einmal gefragt, ob seine Füße ihm nicht weh tun oder ob ihn seine Arbeit nicht gelegentlich langweilt?

Und wie ist es mit dem Botenjungen aus dem Lebensmittelgeschäft, mit dem Zeitungsverkäufer, mit dem Schuhputzer am Bahnhof? Sie alle sind doch Menschen, zum Bersten voll mit Sorgen und Träumen und persönlichen Ambitionen. Zum Bersten voll auch oft vor Verlangen, sich mit jemandem auszusprechen. Gibst du ihnen je dazu Gelegenheit? Legst du je ein eifriges, ehrliches Interesse an ihnen oder ihrem Dasein an den Tag? Solche Dinge sind's, die ich meine! Du brauchst nicht gleich eine Florence Nightingale oder ein Sozialreformer zu werden, um zu helfen, die Welt zu verbessern – deine eigene private Welt; du kannst morgen früh damit anfangen, mit den Leuten, denen du begegnest!

Was für dich dabei herauskommt? Mehr Glück – viel mehr; größere Befriedigung und größerer Stolz auf dich selbst. Aristoteles nannte diese geistige Haltung «einsichtsvollen Egoismus». Zoroaster sagte: «Anderen Gutes tun ist keine Pflicht. Es ist eine Freude, denn es mehrt deine eigene Gesundheit und Lebensfreude.» Und Benjamin Franklin faßte es in die einfachen Worte zusammen: «Wenn du zu anderen gut bist, bist du am besten zu dir selbst.»

«Keine andere Entdeckung der modernen Psychologie», schreibt Henry C. Link, Direktor des Psychological Service Center in New York, «hat in meinen Augen eine solche Bedeutung wie der wissenschaftlich erbrachte Beweis, daß es nötig ist, sich selbst aufzuopfern und in Zucht zu halten, um Selbsterfüllung und Glück zu finden.»

Die Beschäftigung mit anderen hilft einem nicht nur, sich von den eigenen Sorgen zu lösen, sie verschafft einem auch eine Menge Freunde und eine Menge Spaß. Wie? Darüber befragte ich einmal Professor William Lyon Phelps von der Yale-Universität und er antwortete mir folgendes:

«Ich betrete nie ein Hotel oder einen Friseurladen, ohne jedem, dem ich begegne, etwas Angenehmes zu sagen. Ich suche immer ein paar Worte zu finden, die den anderen als Einzelmenschen behandeln, nicht als bloßes Rad in einer Maschine. Zuweilen mache ich dem Mädchen, das mich im Laden bedient, ein Kompliment, indem ich ihr sage, was für hübsche Augen sie hat oder was für schönes Haar. Einen Barbier frage ich etwa, ob es ihn nicht ermüdet, den ganzen Tag stehen zu müssen. Oder ich erkundige mich, wie er dazu kam, diesen Beruf zu wählen, wie lange er darin tätig ist, wieviel Köpfe er wohl im Leben schon geschoren hat. Ich helfe ihm, dergleichen auszurechnen. Ich finde immer, daß die Leute vor Freude strahlen, wenn man für ihre Angelegenheiten Interesse zeigt. Ich schüttle gern dem Gepäckträger, der mir meine Reisetasche getragen hat, die Hand. Das bedeutet für ihn eine Aufmunterung, die lange vorhält. An einem besonders heißen Sommertag ging ich einmal im Zug in den Speisewagen zum Mittagessen. Der überfüllte Wagen war wie ein Hochofen und die Bedienung war schlecht. Als der Kellner endlich an meinen Tisch trat und mir die Speisekarte reichte, sagte ich: ‚Die Jungens da draußen in der heißen Küche müssen sicher unter der Hitze leiden.‘ Der Kellner begann zu fluchen, seine Stimme klang bitter. Zuerst glaubte ich, er sei zornig. ‚Allmächtiger Gott!‘ rief er aus, ‚da kommen die Leute hier herein und beklagen sich über das Essen. Sie schimpfen über die schlechte Bedienung und brummen über die Hitze und die Preise. Neunzehn Jahre lang habe ich mir angehört, wie sie alles und jedes kritisierten, und Sie sind der erste und einzige Mensch, der je ein mitfühlendes Wort für die Köche draußen in der irrsinnig heißen Küche geäußert hat. Ich wollte bei Gott, wir hätten mehr solche Passagiere wie Sie.‘

Der Kellner war äußerst erstaunt, daß ich der Negerköche als menschlicher Wesen gedacht hatte, nicht lediglich als Teile im Getriebe der Organisation einer großen Eisenbahn. Was die Leute brauchen», fuhr Professor Phelps fort, «das ist, daß man ihnen als

Menschen ein bißchen Aufmerksamkeit schenkt. Wenn ich unterwegs einem Mann mit einem schönen Hund begegne, mache ich stets eine Bemerkung darüber, wie schön das Tier sei. Wenn ich dann weitergehe und mich einmal umschaue, sehe ich häufig, wie der Mann seinen Hund streichelt und lobt. Meine Bewunderung hat seine Bewunderung neu belebt.

In England traf ich einmal einen Hirten und drückte ihm meine aufrichtige Bewunderung für seinen großen, intelligenten Schäferhund aus. Ich bat ihn auch, mir zu sagen, wie er ihn trainiert habe. Als ich dann im Weitergehen einen Blick über die Achsel zurückwarf, sah ich, wie der Hund dem Schäfer die Pfoten auf die Schulter gelegt hatte und sein Herr ihn streichelte. Indem ich ein wenig Interesse für beide bezeigte, hatte ich den Mann, den Hund und mich selbst glücklich gemacht.»

Könnt Ihr Euch vorstellen, daß ein Mann, der umhergeht und Gepäckträgern die Hand schüttelt, der Mitgefühl für die Köche in einem heißen Speisewagen zu erkennen gibt, und der Leuten auf der Straße sagt, wie sehr er ihren Hund bewundert – könnt Ihr Euch vorstellen, daß so ein Mann sauertöpfisch und von Sorgen geplagt sein und die Dienste eines Psychiaters nötig haben könnte? Nein, nicht wahr? So etwas versteht sich von selbst. Ein chinesisches Sprichwort drückt es auf diese Art aus: «Ein wenig Duft haftet stets an der Hand, die anderen Rosen reicht.»

Billy Phelps von Yale brauchte das keiner zu sagen. Er wußte es. Er lebte es.

Den folgenden Absatz sollten meine männlichen Leser vielleicht überspringen. Er wird sie nicht interessieren. Er berichtet, wie ein vergrämtes, unglückliches Mädchen mehrere Männer so weit brachte, daß sie ihr Heiratsanträge machten. Das Mädchen ist jetzt Großmutter. Vor ein paar Jahren verbrachte ich einmal eine Nacht in ihrem und ihres Gatten Heim. Ich hatte in ihrer Stadt einen Vortrag gehalten, und am nächsten Morgen fuhr sie mich etwa fünfzig Meilen weit, damit ich eine Zugverbindung an der Hauptlinie erreichte. Das Gespräch kam darauf, wie man Freunde gewinnt, und sie sagte: «Mr. Carnegie, ich will Ihnen jetzt etwas sagen, was ich noch nie einem Menschen gestanden habe – nicht einmal meinem Mann.» (Die Geschichte wird Euch übrigens nicht halb so interessant vorkommen, wie Ihr wahrscheinlich denkt.) Sie sagte mir, sie stamme aus einer sogenannten «feinen Familie» aus Philadelphia. «Es war das Unglück meiner Mädchenzeit», berichtete sie, «daß wir so arm waren. Wir konnten Einladungen nie in derselben Weise erwidern wie die anderen Mädchen meines Kreises. Meine Kleider waren nie von bester Qualität. Ich wuchs heraus, und dann saßen sie nicht mehr und waren oft altmodisch. Ich fühlte mich so gedemütigt und schämte mich so, daß ich mich oft in den Schlaf weinte. Schließlich verfiel ich aus schierer Verzweiflung auf den Gedanken, meine Tischherren auf Gesellschaften immer über sich selbst auszufragen, über ihre Erfahrungen, ihre Ideen, ihre Zukunftspläne. Das alles fragte ich nicht, weil ich mich besonders für die Antworten interessiert hätte, sondern um meinen Tischherrn zu beschäftigen, damit er sich meine unansehnlichen Kleider nicht allzu genau betrachte. Doch die Sache wirkte sich merkwürdig aus: dadurch, daß ich diese jungen Leute reden hörte und alles mögliche über sie erfuhr, erwachte in mir ein wirkliches Interesse für das, was sie zu sagen hatten. Manchmal wurde dieses Interesse so stark, daß ich vergaß, an meine Kleider zu denken. Was mich aber am allermeisten in Erstaunen setzte, war die Freude, die ich den jungen Leuten bereitete, weil ich eine so aufmerksame Zuhörerin war und sie veranlaßte, mir ihr Herz auszuschütten, so daß ich schließlich das beliebteste von allen Mädchen meines Kreises wurde und drei Heiratsanträge aus den Reihen dieser jungen Leute bekam.» (Da habt Ihr es, Mädchen – so wird's gemacht!)

Sicher sagen jetzt manche von denen, die dieses Kapitel gelesen haben: «All das Gerede, daß wir uns für andere interessieren sollten, ist ja nichts als lauter Blödsinn! Religiöses Geschwätz! Für mich ist das nichts. Ich will einmal zu Geld kommen – will einscheffeln, soviel ich kann – und gleich jetzt damit anfangen – und die übrigen dummen Hühner können meinetwegen zum Teufel gehen!»

Nun, wenn das Eure Meinung ist, dann habt Ihr ein Recht darauf. Wenn Ihr aber damit im Recht seid, dann sind alle großen Weisen und Lehrer der Menschheit seit dem Anbeginn der Geschichte – Jesus, Konfuzius, Plato, Aristoteles, Sokrates, der heilige Franziskus – sie alle sind dann im Unrecht gewesen. Weil Ihr aber vielleicht über die Lehren der großen Religionsstifter spottet, wollen wir einmal ein paar Atheisten zu Rate ziehen. Wenden wir uns zunächst an A. E. Housman, den vor nicht langer Zeit verstorbenen Dichter und Professor der Universität Cambridge, der zu den angesehensten Gelehrten seiner Zeit gehörte. Als er 1936 in Cambridge einmal eine Vorlesung über «Namen und Natur der Dichtkunst» hielt, erklärte er: «Die größte Wahrheit, die je geäußert wurde, und die tiefgründigste moralische Entdeckung aller Zeiten ist enthalten in dem Worte Jesu ‚Wer sein Leben suchet, der wird es verlieren; wer aber sein Leben verlieret um meinetwillen, der wird es finden‘.»

Das haben wir aus dem Munde von Predigern unser Leben lang gehört. Housman aber war Atheist, Pessimist, ein Mensch, der mit dem Selbstmord spielte. Und dennoch fand er, daß derjenige, der nur an sich selbst denkt, seinem Dasein nicht viel abgewinnen, sondern zeitlebens unglücklich sein wird. Wer sich aber im Dienste seiner Mitmenschen vergessen könne, werde die wahre Lebensfreude kennenlernen.

Vielleicht wirkt jedoch A. E. Housmans Auffassung noch nicht überzeugend genug auf meine Leser. So wollen wir noch den bekanntesten amerikanischen Gottesleugner des zwanzigsten Jahrhunderts, Theodore Dreiser, zu Rate ziehen. Dreiser verspottete sämtliche Religionen als Ammenmärchen und sah mit Shakespeares Macbeth im menschlichen Leben nur «ein Märchen, erzählt von einem Narr'n, voll Klang und Wut, bedeutend – nichts». Und trotz alledem setzte sich Dreiser für den einen, alle anderen überschattenden Grundsatz der Lehre Jesu ein – das Dienen zum Wohle anderer. «Wenn er (der Mensch) seiner Erdenspanne irgend Glück abgewinnen will», so schrieb Dreiser, «dann muß er sich Gedanken und Pläne darüber machen, wie er dazu beitragen kann, die Dinge nicht nur um seiner selbst, sondern um anderer willen zu bessern, denn eines Menschen Freude an sich selbst ist von seiner Freude an anderen und ihrer Freude an ihm abhängig.»

Wenn wir «die Dinge um anderer willen bessern» wollen – wie Dreiser es empfahl – dann laßt uns nicht zuwarten, damit die Zeit nicht ungenutzt verstreiche. «Ich werde auf diesem Weg nur einmal vorbeikommen. Möge ich darum alles Gute, was ich tun kann, und alle Güte, die ich anderen bezeigen kann, jetzt in die Tat umsetzen. Möge ich nichts aufschieben, nichts vernachlässigen, denn ich komme nie wieder diesen Weg gegangen.»

Wollt Ihr also Eure Sorgen bannen und Frieden und Glück erringen, so ist hier die Regel Nummer 7:
Vergeßt Euer eigenes Ich, indem Ihr Anteil an anderen nehmt. Vollbringt jeden Tag eine gute Tat, die ein Lächeln der Freude auf dem Antlitz eines Menschen weckt.

Der vierte Teil ganz kurz

Regel Nr. 1: Füllt Euer Gemüt mit friedvollen, mutigen, gesunden und hoffnungsfrohen Gedanken, denn «unser Leben ist das, wozu unsere Gedanken es machen».

Regel Nr. 2: Versucht nie, mit Euren Feinden «quitt» zu werden, denn damit schadet Ihr Euch selbst weit mehr als ihnen. Haltet es so wie General Eisenhower – vergeudet niemals eine Minute, indem Ihr Euch innerlich mit Menschen beschäftigt, die Ihr nicht mögt.

Regel Nr. 3a: Regt Euch nicht über Undank auf, setzt ihn vielmehr voraus. Denkt daran, daß Jesus zehn Aussätzige an einem Tage heilte, und daß nur ein einziger ihm dankte. Warum sollten wir mehr Dank erwarten, als Jesus zuteil wurde?

3b: Haltet Euch stets gegenwärtig, daß die einzige Art, glücklich zu werden, nicht die ist, Dank zu erwarten, sondern in der Freude liegt, um des Gebens willen zu geben.

3c: Vergeßt nicht, daß Dankbarkeit eine Eigenschaft ist, die man in sich großziehen muß. Wünschen wir also, daß unsere Kinder dankbar seien, so müssen wir sie zur Dankbarkeit erziehen.

Regel Nr. 4: Rechnet Euch aus, wieviel Grund zum Freuen Ihr habt – und nicht, wieviel Grund, Euch zu sorgen!

Regel Nr. 5: Ahmt nicht andere nach. Findet Euer eigenes Ich und handelt ihm gemäß, denn «Neid ist Unwissenheit» und «Nachahmung ist Selbstmord».

Regel Nr. 6: Reicht Euch das Schicksal eine Zitrone, so seht, ob Ihr nicht eine Limonade daraus machen könnt.

Regel Nr. 7: Vergeßt Euer eigenes Ich, indem Ihr versucht, ein wenig Glück in das Leben anderer zu bringen. «Wer gut zu anderen ist, ist am besten zu sich selber.»

Fünfter Teil

Das allerbeste Mittel,
um Angst und Sorge zu bannen

Wie ich schon erwähnt habe, wurde ich auf einer Farm in Missouri geboren und erzogen. Gleich den meisten Farmern jener Tage ging es meinen Eltern alles andere als rosig. Meine Mutter war Dorfschullehrerin gewesen und mein Vater ein Bauernknecht, der für zwölf Dollar die Woche arbeiten mußte. Mutter machte nicht nur meine Kleider selbst, sondern auch die Seife, womit wir unsere Sachen wuschen.

Bargeld gab es bei uns höchst selten – gewöhnlich nur einmal im Jahr, wenn wir unsere Schweine verkauften. Unsere Butter und unsere Eier brachten wir zum Krämer und handelten dafür Mehl, Zucker und Kaffee ein. Im Alter von zwölf Jahren hatte ich keine fünfzig Cents im Jahr, die ich für mich hätte ausgeben können. Ich weiß noch genau, wie wir einmal zu einer Feier des amerikanischen Nationaltages gingen und Vater mir zehn Cents schenkte, mit denen ich machen durfte, was ich wollte. Wie ein Krösus kam ich mir vor!

Ich hatte eine ganze Meile bis zu meiner Dorfschule, die aus einem einzigen Zimmer bestand. Selbst wenn tiefer Schnee lag und es dreißig Grad kalt war, ging ich hin, obwohl ich bis zu meinem vierzehnten Jahr nie Galoschen oder andere Überschuhe besaß. Den langen, kalten Winter hindurch waren meine Füße immer naß und eisig. Ich hätte mir als Kind gar nicht vorstellen können, daß es Leute gab, die im Winter warme, trockene Füße hatten.

Meine Eltern plackten sich Tag um Tag sechzehn Stunden lang ab, und doch kamen wir aus den Schulden nicht heraus und waren vom Unglück wie verfolgt. Es gehört zu meinen frühesten Erinnerungen, wie wir zusahen, als die Fluten des nahen Flusses sich über unsere Kornfelder und Heuwiesen dahinwälzten und alles mit sich fortrissen. In sieben Jahren wurde unsere Ernte sechsmal von den Fluten vernichtet. Ein Jahr nach dem anderen gingen unsere Schweine an Cholera ein, so daß wir sie verbrennen mußten. Noch heute brauche ich nur die Augen zu schließen, und ich habe wieder den beißenden Geruch des brennenden Schweinefleisches in der Nase.

In einem Jahr kamen die Fluten nicht. Wir hatten eine Rekord-Getreideernte, kauften Mastvieh und fütterten es mit unserem Korn. Doch es wäre auf dasselbe herausgekommen, wenn die Flut gekommen wäre, denn die Viehpreise fielen auf dem Chicagoer Markt, und nachdem wir unsere Tiere fettgemästet hatten, bekamen wir nur dreißig Dollar über den Preis, den wir für sie bezahlt hatten. Dreißig Dollar für die Arbeit eines ganzen Jahres!

Ganz gleich, was wir taten, immer verloren wir Geld dabei. Ich weiß noch, wie mein Vater einmal Mauleselfohlen kaufte. Drei Jahre lang fütterten wir sie durch, bezahlten dann Leute, um sie einzufahren – und das Ende vom Lied war, daß wir sie für weniger verkauften, als wir drei Jahre zuvor selbst gegeben hatten.

Nach zehn Jahren harter, erschöpfender Arbeit sahen wir uns nicht nur völliger Mittellosigkeit, sondern schweren Schulden gegenüber. Unsere Farm war mit Hypotheken belastet. So sehr wir uns auch anstrengen mochten, konnten wir doch nicht einmal die Hypothekenzinsen aufbringen. Die Bank, der wir verschuldet waren, beschimpfte und beleidigte meinen Vater und drohte, ihm die Farm wegzunehmen. Vater war siebenundvierzig Jahre alt. Nach über dreißig Jahren Schwerarbeit war ihm nichts geblieben als Schulden und Demütigung. Es war mehr, als er ertragen konnte. Er machte sich schwere Sorgen. Seine Gesundheit wurde immer schlechter. Er mochte nicht essen; trotz der harten körperlichen Arbeit, die er von früh bis spät auf dem Felde verrichtete, mußte er eine appetitanregende Medizin schlucken. Er nahm ab. Der Arzt sagte zu Mutter, in einem halben Jahr werde er tot sein. Vater sorgte sich so sehr, daß er nicht länger leben mochte. Ich habe Mutter oft sagen hören, daß sie ihm manchesmal, wenn er in die Scheune hinausgegangen war, um die Pferde zu füttern und die Kühe zu melken, und nicht so schnell wieder hereinkam, wie sie erwartete, in die Scheune nachlief, voller Angst, sie werde ihn dort an einem Balken hängend finden. Als er einmal aus Maryville heimfuhr, wo der Bankdirektor ihm gedroht hatte, die Hypothek zu kündigen, hielt er seine Pferde auf der Brücke über dem Fluß an, stieg aus und sah lange ins Wasser hinab, im Widerstreit mit sich selbst, ob er nicht lieber hineinspringen und allem ein Ende machen sollte.

Jahre später erzählte Vater mir, was ihn damals davon abgehalten habe, sei einzig Mutters tiefer, unerschütterlicher und freudiger Glaube gewesen, daß alles noch gut ausgehen werde, wenn wir nur Gott liebten und seine Gebote befolgten. Und Mutter behielt recht. Alles ging schließlich gut aus. Vater sollte noch weitere zweiundvierzig glückliche Jahre erleben. Er starb 1941 im Alter von neunundachtzig Jahren.

Während all dieser Jahre des Kampfes und Leids machte Mutter sich niemals Sorgen. Sie trug all ihre Kümmernisse im Gebet zu Gott. Jede Nacht bevor wir uns schlafen legten, pflegte Mutter ein Kapitel aus der Bibel zu lesen. Oft hörten wir aus Mutters oder Vaters Mund die tröstlichen Worte Jesu: «In meines Vaters Hause sind viele Wohnungen ... Ich gehe hin, Euch die Stätte zu bereiten ... auf daß Ihr seid, wo ich bin.» Dann knieten wir alle vor unseren Stühlen in jenem einsamen Bauernhaus in Missouri nieder und beteten zu Gott, er möge uns seine Liebe und seinen Schutz angedeihen lassen.

Als William James Philosophieprofessor an der Harvard-Universität war, sagte er einmal: «Freilich – religiöser Glaube ist das beste Heilmittel für Sorgen aller Art.»

Um das zu merken, braucht man nicht erst nach Harvard zu gehen. Meine Mutter fand es auf einem Bauernhof in Missouri heraus. Weder Überschwemmungen noch Schulden noch Mißgeschick konnten ihrem glücklichen, strahlend-frohen, sieghaften Geist etwas anhaben. Ich höre sie heute noch bei der Arbeit singen:

> Friede, o Friede so wunderbar,
> Verströmet vom Vater da droben,
> Erfüll' meine Seele immerdar
> Mit der göttlichen Liebe Wogen.

Mutter hätte es gerne gesehen, wenn ich mein Leben religiöser Arbeit gewidmet hätte. Ich dachte auch ernstlich daran, Auslandsmissionar zu werden. Dann besuchte ich das College, und im Laufe der Jahre kam allmählich ein Wandel über mich. Ich studierte Biologie, Naturwissenschaft, Philosophie und vergleichende Religionsgeschichte. Ich las Bücher über die Entstehung der Bibel und begann, an mancher ihrer Behauptungen zu zweifeln. Ich wurde skeptisch gegenüber vielen der engherzigen Lehren, die in jenen Tagen von den Landgeistlichen gepredigt wurden. Ich fühlte mich verwirrt. Gleich Walt

Whitman «fühlte ich ein seltsames, plötzliches Fragen in mir auf-
wallen». Ich wußte nicht mehr, was ich glauben sollte. Ich sah keinen
Zweck mehr im Leben. Ich hörte zu beten auf, wurde ein Agnostiker.
Ich glaubte, das ganze Leben sei sinn- und planlos. Ich glaubte, der
Mensch habe nicht mehr göttliche Bestimmung als die Dinosaurier,
die vor zweihundert Millionen Jahren die Erde bevölkert hatten.
Ich wußte, die Wissenschaft lehrte, die Sonne sei in einem langsamen
Abkühlungsprozeß begriffen, und wenn ihre Temperatur nur um
zehn Prozent sinke, könne keine Form des Lebens auf Erden be-
stehenbleiben. Ich spottete über den Begriff eines Gottes der Liebe,
der den Menschen als sein Abbild geschaffen hatte. Ich glaubte, die
Milliarden und Abermilliarden von Sonnen, die durch den schwar-
zen, kalten, leblosen Raum wirbeln, seien die Schöpfung einer blin-
den Kraft. Vielleicht waren sie überhaupt nicht erschaffen – vielleicht
hatten sie seit Ewigkeiten existiert, genau wie Zeit und Raum.

Behaupte ich heute, ich kenne die Antworten auf all diese Fragen?
Nein. Kein Mensch ist je imstande gewesen, das Geheimnis des
Weltalls zu erklären – das Geheimnis des Lebens. Wir sind von
Geheimnis umgeben. Das Funktionieren deines Körpers ist ein tiefes
Geheimnis. Ebenso die Elektrizität in deinem Haus. Die Blume im
Mauerritz. Das grüne Gras vor deinem Fenster. Charles F. Kettering,
der führende Geist im Forschungslaboratorium der General Motors,
hat dreißigtausend Dollar jährlich aus seiner eigenen Tasche für
Untersuchungen darüber ausgesetzt, warum das Gras grün ist. Er
behauptet, wenn wir wüßten, auf welche Weise das Gras Sonnenlicht, Wasser und Kohlensäure in Speisezucker umsetzt, könnten wir
unsere Zivilisation umwandeln.

Selbst das Arbeiten des Motors in unserem Auto ist ein tiefes
Geheimnis. Die Forschungslaboratorien der General Motors haben
viele Arbeitsjahre und Millionen von Dollars darangesetzt, herauszufinden, wie und warum ein Funken im Zylinder die Zündung
verursacht, die das Auto in Gang setzt; die Antwort wissen sie
immer noch nicht.

Der Umstand, daß wir all das Geheimnisvolle an unserem Körper
oder an der Elektrizität oder an einem Benzinmotor nicht verstehen,
hindert uns nicht, von dem allem Gebrauch zu machen und Freude
daran zu haben. Der Umstand, daß ich die Mysterien von Gebet und
Religion nicht begreife, hindert mich nicht länger, mich des volleren,
glücklicheren Lebens zu erfreuen, das die Religion schenkt. Endlich

ist mir die Weisheit der Worte Santayanas klargeworden: «Der Mensch ist nicht gemacht, das Leben zu verstehen, sondern es zu leben.»

Ich bin also zur Religion zurückgekehrt – doch nein, das wäre falsch ausgedrückt. Ich bin vielmehr *vorwärts* geschritten zu einer neuen Religionsauffassung. Ich habe nicht mehr das leiseste Interesse an den Glaubensunterschieden, welche die Kirchen trennen. Allein, ich interessiere mich brennend dafür, was die Religion für mich tun kann, genau wie ich mich dafür interessiere, was Elektrizität und gute Ernährung und Wasser für mich tun. Sie verhelfen mir zu einem reicheren, volleren, glücklicheren Leben. Nur tut die Religion weit mehr als das. Sie bringt mich in den Genuß geistiger Werte. Sie verleiht mir, um mit William James zu reden, *«neuen Lebensauftrieb ... mehr Leben, ein volleres, reicheres, befriedigenderes Leben.»* Sie gibt mir Glauben, Hoffnung und Mut. Sie hält Spannungen, Ängste, Befürchtungen und Sorgen fern. Sie gibt meinem Leben Ziel und Richtung. Sie trägt ungemein zu meinem Glücke bei. Sie verschafft mir überströmende Gesundheit. Sie ermöglicht es mir, mir «eine Oase des Friedens inmitten der wirbelnden Sandstürme des Lebens» zu schaffen.

Wie recht hatte Francis Bacon, wenn er vor dreihundertfünfzig Jahren sagte: «Ein wenig Philosophie neiget den Sinn des Menschen zum Gottlosen hin; doch Tiefe der Philosophie führet die Gemüter der Menschen der Religion entgegen.»

Ich erinnere mich der Tage, als so viel von dem Widerspruch zwischen Religion und Wissenschaft die Rede war. Sie sind vorbei. Die jüngste unter den Wissenschaften, die Psychiatrie, lehrt heute, was schon Jesus lehrte. Warum? Weil die Psychiater erkannt haben, daß Gebet und ein starker religiöser Glaube die Ängste und Sorgen, die Spannungen und Befürchtungen bannt, die an mehr als der Hälfte unserer Leiden schuld sind. Sie wissen, wie einer ihrer führenden Geister, Dr. A. A. Brill, sagt: «Wer wahrhaft religiös ist, bekommt keine Neurose.»

Wenn nichts an der Religion wäre, dann hätte das Leben keinen Sinn. Dann wäre es eine tragische Posse.

Ein paar Jahre vor seinem Tod interviewte ich Henry Ford. Ehe ich mit ihm zusammenkam, hatte ich mir gedacht, man werde ihm wohl die langen Jahre der Anstrengung anmerken, die ihn der Aufbau und die Verwaltung eines der größten Betriebe in der Welt gekostet hatten. Ich war daher überrascht, wie ruhig und gut und friedlich er mit achtundsiebzig aussah. Als ich ihn fragte, ob er sich je Sorgen mache, antwortete er: «Nein. Ich glaube, daß Gott sich um die Dinge kümmert und daß Er keinerlei Rat von mir braucht. Da Gott die Führung hat, glaube ich, daß alles sich schließlich zum Besten wenden wird. Was gäbe es da also, um sich Sorgen zu machen?»

Heutzutage werden selbst Psychiater zu modernen Evangelisten. Wenn sie in uns dringen, ein religiöses Leben zu führen, tun sie es jedoch nicht, damit wir dem höllischen Feuer der nächsten Welt entgehen mögen, sondern damit wir uns die Höllenfeuer des Diesseits ersparen – die Höllenfeuer von Magengeschwüren, Angina pectoris, nervösem Zusammenbruch und Geistesgestörtheit. Darüber kann man heute in einer ganzen Reihe einschlägiger Bücher lesen.

Ja, die christliche Religion ist eine Betätigung, die anfeuert und gesund macht. Jesus sagte: «Ich bin gekommen, daß sie das Leben und volle Genüge haben mögen.» Jesus stellte die leeren Formeln und die toten Rituale bloß, die zu seinen Lebzeiten für Religion ausgegeben wurden, und griff sie an. Er war ein Aufrührer. Er predigte eine neue Art des Gottesglaubens – einen Glauben, der die Welt zu erschüttern drohte. Darum wurde er gekreuzigt. Er predigte, daß die Religion für den Menschen da sein sollte – nicht der Mensch für die Religion; daß der Sabbat für den Menschen da sei, nicht der Mensch für den Sabbat. Er sprach mehr über die Furcht als über die Sünde. *Die falsche Art von Furcht ist Sünde* – eine Sünde gegen die eigene Gesundheit, eine Sünde gegen das reichere, vollere, glücklichere, muterfüllte Leben, für das Jesus sich einsetzte. Emerson nannte sich selbst einen «Professor der Wissenschaft von der Freude». Auch Jesus war ein Lehrer der «Wissenschaft von der Freude». Er empfahl seinen Jüngern an, sich «zu freuen und zu hüpfen».

Jesus erklärte, in der Religion gebe es nur zwei Dinge von Bedeutung: Gott von ganzem Herzen zu lieben, und unseren Nächsten wie sich selbst. Ein jeder, der dies tut, ist religiös, ganz gleich, ob er selbst es weiß oder nicht. Wie zum Beispiel mein Schwiegervater, Henry Price aus Tulsa in Oklahoma. Er strebt danach, sein Leben dieser goldenen Regel anzupassen, und es wäre ihm unmöglich, etwas Niedriges, Eigennütziges oder Unredliches zu tun. Allein, er geht nicht in die Kirche und bezeichnet sich als einen Agnostiker. Unsinn! Was macht einen Menschen zum Christen? Das werde ich John

Baillie beantworten lassen. Er war wohl der hervorragendste aller Professoren, die je an der Edinburger Universität Theologie gelehrt haben, und er sagte: «Was einen Menschen zum Christen stempelt, ist weder, daß er sich geistig zu gewissen Ideen bekennt, noch daß er sich einer bestimmten Regel unterwirft, sondern daß er einen bestimmten Geist sein eigen nennt und an einem bestimmten Leben teilhat.»

Wenn das einen Menschen zum Christen macht, dann ist Henry Price ein Christ edelster Art.

William James – der Vater der modernen Psychologie – schrieb einmal an seinen Freund Professor Thomas Davidson, er finde sich mit dem Verstreichen der Jahre «immer weniger imstande, ohne Gott auszukommen».

In einem der früheren Kapitel dieses Buches erwähnte ich, daß es die Preisrichter bei der Auswahl der besten Arbeit, die meine Schüler über das Thema «Sichsorgen» einsandten, so schwierig fanden, zwischen zwei ausgezeichneten Berichten zu entscheiden, daß der Gewinn geteilt wurde. Hier ist nun die zweite Geschichte, die den halben ersten Preis erhielt – das unvergeßliche Erlebnis einer Frau, die in harter Schule lernen mußte, daß sie «nicht ohne Gott auskommen» konnte.

Ich nenne diese Frau Mary Cushman, doch das ist nicht ihr wahrer Name. Sie hat Kinder und Enkel, denen es peinlich sein könnte, ihre Geschichte hier im Druck zu sehen, so daß ich mich einverstanden erklärte, ihre Persönlichkeit nicht preiszugeben. Die Frau selbst jedoch ist eine wirkliche – höchst wirkliche – Person. Erst vor ein paar Monaten saß sie in dem Lehnstuhl neben meinem Schreibtisch und erzählte mir ihre Geschichte. Hier ist sie:

«Während der Wirtschaftsdepression», so fing sie an, «verdiente mein Mann durchschnittlich achtzehn Dollar die Woche. Oft hatten wir nicht einmal das, denn er wurde nicht bezahlt, wenn er krank war – und das geschah oft. Er hatte eine Reihe kleinerer Unfälle, außerdem bekam er Mumps, Scharlach und verschiedene Anfälle von Grippe. Wir mußten unser Häuschen aufgeben, das wir mit eigenen Händen gebaut hatten. Wir schuldeten fünfzig Dollar für Lebensmittel – und hatten fünf Kinder satt zu machen. Ich wusch und bügelte für die Nachbarsfrauen und kaufte getragene Kleider im Laden der Heilsarmee, um sie für meine Kinder herzurichten. Ich wurde ganz krank vor Sorgen. Eines Tages beschuldigte der Inhaber des

Kolonialwarengeschäfts, dem wir die fünfzig Dollar schuldeten, meinen elfjährigen Jungen, er habe einige Bleistifte gestohlen. Weinend erzählte es mir das Kind. Ich wußte, daß er ehrlich war und dazu feinfühlig – und ich wußte, er war vor anderen Leuten beschimpft und gedemütigt worden. Das war der Tropfen, der das Faß zum Überfließen brachte. Ich dachte über all das Elend nach, das wir durchgemacht hatten und sah nirgends einen Lichtblick für die Zukunft. Ich muß wohl momentan vor Kummer den Verstand verloren haben, denn ich drehte meine Waschmaschine ab, ging mit meinem fünfjährigen Töchterchen ins Schlafzimmer und verstopfte alle Fensterritzen mit Papier und Lappen. Meine Kleine fragte: «Mammi, was machst du denn?» und ich antwortete ihr: «Ach, es zieht hier ein bißchen.» Dann drehte ich den Gasofen auf, den wir im Schlafzimmer hatten, zündete ihn aber nicht an. Als ich mich mit dem Kind aufs Bett legte, sagte es: «Mammi, das ist aber komisch – wir sind doch grade erst aufgestanden!» Doch ich erwiderte: «Macht nichts, wir wollen ein kleines Schläfchen machen.» Dann schloß ich die Augen und horchte, wie das Gas aus dem Ofen entwich. Nie werde ich jenen Gasgeruch vergessen...

Plötzlich schien mir, ich höre Musik. Ich lauschte. Ich hatte vergessen, das Radio in der Küche abzustellen. Nun, es war jetzt auch gleich. Doch die Musik erklang weiterhin, und nach einer kurzen Weile hörte ich jemand ein altes Kirchenlied singen:

> Jesus unser bester Freund
> Hilft uns Not und Sorge tragen.
> Im Gebet vor Gott zu bringen
> Erdenkummer, Erdenplagen.
> Oh, wie Glück und Ruh uns meiden,
> Oh, wieviel wir nutzlos leiden,
> Nur weil wir zu Gott nicht tragen
> Unsern Kummer, unsre Plagen!

Beim Anhören dieses Liedes wurde mir plötzlich klar, daß ich in einem tragischen Irrtum befangen gewesen war. Ich hatte all meine furchtbaren Kämpfe allein ausfechten wollen. Ich hatte nicht alles im Gebet vor Gott getragen... Ich sprang auf, drehte das Gas ab, öffnete die Tür und stieß die Fenster auf.

Den ganzen übrigen Tag weinte und betete ich. Nur daß ich nicht um Hilfe betete – nein, ich brachte Gott überströmenden Dank dar für all den Segen, den er mir geschenkt: fünf prächtige Kinder, alle gesund und wohlgestaltet, kräftig an Körper und Geist. Ich gelobte Gott, daß ich mich nie mehr so undankbar erweisen wolle. Und ich habe mein Versprechen gehalten.

Auch als wir unser Heim verloren und in ein kleines Dorfschulhaus ziehen mußten, das wir für fünf Dollar im Monat gemietet hatten, dankte ich Gott noch für dieses Häuschen. Ich dankte Ihm dafür, daß ich wenigstens ein Dach über dem Kopf hatte, unter dem wir warm und trocken sitzen konnten. Ich dankte Gott aufrichtig, weil es uns nicht noch schlimmer ging – und ich glaube, Er hörte mich. Denn mit der Zeit ging es aufwärts mit uns. Ach, freilich nicht sofort; aber als die Depression sich lichtete, verdienten wir etwas mehr. Ich bekam eine Stelle als Garderobiere in einem großen Klub auf dem Lande und verkaufte nebenher Strümpfe. Um sich genug für den Besuch der höheren Schule zu verdienen, nahm einer meiner Söhne Arbeit auf einer Farm an und molk morgens und abends dreizehn Kühe. Heute sind meine Kinder erwachsen und verheiratet, und ich habe drei liebe Enkelkinder. Wenn ich heute an jenen furchtbaren Tag zurückdenke, als ich das Gas aufdrehte, danke ich Gott immer und immer wieder, daß ich noch rechtzeitig ‚aufwachte‘. Wieviele Freuden würden mir entgangen sein, hätte ich jene Handlung ausgeführt! Wieviele wundervolle Jahre würde ich mir auf immer verscherzt haben. Wenn ich heute von jemandem höre, der seinem Leben ein Ende machen möchte, dann ist mir immer, als müsse ich laut ausrufen: ‚Tu es nicht – tu es nicht!‘ Auch die schwärzesten Augenblicke unseres Lebens gehen ja bald vorüber – und dann kommt die Zukunft . . .»

Hier in den Vereinigten Staaten begeht durchschnittlich alle fünfunddreißig Minuten jemand Selbstmord. Alle hundertundzwanzig Sekunden durchschnittlich wird ein Mensch verrückt. Die meisten dieser Selbstmorde – und wahrscheinlich viele der tragischen Fälle von Geisteskrankheit – hätten vermieden werden können, wäre diesen Menschen nur der Trost und Frieden geworden, die in Religion und Gebet zu finden sind.

Einer der hervorragendsten zeitgenössischen Psychiater, Dr. C. G. Jung, sagt in seinem Aufsatz «Die Beziehungen der Psychotherapie zur Seelsorge» auf Seite 16 der Original-Ausgabe: «Seit 30 Jahren habe ich eine Klientele aus allen Kulturländern der Erde. Viele

Hunderte von Patienten sind durch meine Hände gegangen: es waren in der Großzahl Protestanten, in der Minderzahl Juden und nicht mehr als fünf bis sechs praktizierende Katholiken.

Unter allen meinen Patienten jenseits der Lebensmitte, das heißt jenseits fünfunddreißig, ist nicht ein einziger, dessen endgültiges Problem nicht das der religiösen Einstellung wäre. Ja, jeder krankt in letzter Linie daran, daß er das verloren hat, was lebendige Religionen ihren Gläubigen zu allen Zeiten gegeben haben, und keiner ist wirklich geheilt, der seine religiöse Einstellung nicht wieder erreicht, was mit Konfession oder Zugehörigkeit zu einer Kirche natürlich nichts zu tun hat.»

William James sagte ungefähr das gleiche: *«Der Glaube ist eine der Kräfte, durch welche der Mensch lebt, und völlige Glaubensleere bedeutet Zusammenbruch.»*

Mahatma Gandhi, der größte Führer, den Indien seit Buddhas Zeit gesehen hat, hätte niemals durchzuhalten vermocht ohne die belebende, stärkende Macht des Gebetes. Woher ich das weiß? Weil Gandhi es selbst gesagt hat mit den Worten: «Ohne Gebet wäre ich schon längst wahnsinnig geworden.»

Tausende könnten ähnliches Zeugnis ablegen. Mein eigener Vater – nun, wie ich bereits gesagt habe, würde mein eigener Vater seinem Leben ein Ende gemacht haben, hätten ihn der Glaube und die Gebete meiner Mutter nicht davor bewahrt. Wahrscheinlich wäre Tausenden der gemarterten Seelen, die heute in unseren Irrenanstalten ihre verzweifelten Schreie ausstoßen, zu helfen gewesen, hätten sie sich nur an eine höhere Macht gewandt, statt ihre Lebensschlacht allein ausfechten zu wollen.

Wenn wir vom Unglück geschlagen und am Ende unserer Kraft angelangt sind, dann wenden sich viele von uns verzweiflungsvoll an Gott – «Wenn man in der Klemme sitzt, gibt es keine Gottlosigkeit». Warum aber warten, bis wir von Verzweiflung übermannt werden? Warum erneuern wir nicht tagtäglich unsere Kraft? Warum auch nur bis nächsten Sonntag warten? Seit Jahren habe ich die Gewohnheit, an *Wochennachmittagen* in leeren Kirchen einzukehren. Wenn ich denke, ich sei zu gehetzt und in Eile, um ein paar Minuten zum Nachdenken über geistige Dinge zu erübrigen, dann sage ich zu mir selbst: «Jetzt wart mal, Dale Carnegie, wart mal. Wozu all dieses fieberhafte Hetzen und Stürmen, kleiner Mann? Du hast es nötig, einmal einzuhalten und die rechte Perspektive zu den Dingen wiederherzustellen.» Zu solchen Zeiten betrete ich oft die erste beste Kirche, die ich offen finde, und es macht mir dabei gar nichts aus, wenn ich als Protestant etwa in ein katholisches Gotteshaus gerate. Ich sage mir dann bloß, daß ich in dreißig Jahren ja tot sein werde, daß aber die großen Geisteswahrheiten, die alle Kirchen lehren, ewig sind. Ich schließe die Augen und bete. Ich fühle, wie sich dabei meine Nerven beruhigen, mein Körper ausruht, meine Perspektive sich klärt, und wie ich vieles mit neuen Augen anzusehen beginne. Darf ich diese Übung auch den Lesern meines Buches anempfehlen?

Im Laufe der letzten sechs Jahre – so lange bin ich schon damit beschäftigt, es zu schreiben – habe ich Hunderte von Beispielen und konkreten Fällen darüber gesammelt, wie es Menschen gelang, durch Gebet ihrer Ängste und Sorgen Herr zu werden. In meinen Sammelschränken biegen sich die Mappen förmlich vor Material solcher Art. Nehmen wir etwa als typisches Beispiel die Geschichte eines mutlosen, hoffnungsarmen Bücherreisenden, John R. Anthony. Mr. Anthony ist heute Advokat in Houston, Texas, wo er sein Büro im Humble Building hat. Hier ist seine Lebensgeschichte, so wie er sie mir erzählt hat.

«Vor zweiundzwanzig Jahren machte ich mein privates Anwaltsbüro zu, um Vertreter eines amerikanischen juristischen Verlages in meinem Staat zu werden. Meine Spezialität bestand im Verkauf einer Serie von Fachwerken an Rechtsanwälte – einer für diese fast unentbehrlichen Serie.

Ich wurde gründlich und aufs beste in meine Aufgabe eingearbeitet. Ich hatte mir alles zu eigen gemacht, was ich meinen Kunden zu sagen hatte, und wußte auch alle treffenden Antworten auf alle möglichen Einwände. Bevor ich einem erhofften Käufer meinen Besuch machte, informierte ich mich erst über sein berufliches Ansehen, die Art seiner Praxis, seine politische Einstellung und seine Liebhabereien. All dies machte ich mir im Laufe unseres Gesprächs dann mit viel Geschick zunutze. Und doch stimmte etwas nicht. Ich erhielt einfach keine Aufträge.

Ich verlor den Mut. Tage und Wochen verstrichen, und ich verdoppelte meine Anstrengungen, war aber immer noch nicht imstande, genug Aufträge zu buchen, um auch nur meine Spesen zu decken. Da wurde ich von Angst und Furcht ergriffen. Ich traute mich schließlich kaum mehr, Besuche zu machen. Bevor ich mich aufraffen konnte, das Büro eines Kunden zu betreten, übermannte mich dieses

Angstgefühl derart, daß ich lange auf dem Gang vor der betreffenden Tür auf und ab schritt oder das Gebäude überhaupt wieder verließ, um rings um den Häuserblock zu laufen. Wenn ich dann auf solche Weise viel wertvolle Zeit vergeudet und mir selbst eingeredet hatte, ich fühle Mut genug, um aus schierer Willenskraft die Bürotür einzurennen, drückte ich die Klinke zaghaft nieder – in der halben Hoffnung, mein künftiger Abnehmer werde nicht anwesend sein!

Der Verkaufsdirektor meines Verlages drohte, meinen Vorschuß zu sperren, falls ich nicht mehr Aufträge einsandte. Daheim bat meine Frau flehentlich um Geld, um die Haushaltsrechnungen für sich und unsere drei Kinder zu bezahlen. Ich sorgte mich schrecklich. Täglich wurde ich verzweifelter. Wie schon gesagt, hatte ich mein Anwaltsbüro geschlossen und meine Klienten aufgegeben. Nun war ich bankrott. Ich hatte nicht Geld genug, meine Hotelrechnung zu begleichen, ja nicht einmal, um mir eine Fahrkarte nach Hause zurück zu kaufen. Auch fehlte mir der Mut, als geschlagener Mann heimzukehren, selbst wenn ich das Geld für die Fahrkarte aufgebracht hätte. Schließlich stapfte ich am traurigen Ende eines erfolglosen Tages zu meinem Hotelzimmer zurück – zum letztenmal, wie ich dachte. Was mich betraf, so war es so gut wie aus mit mir. Gedrückt und niedergeschlagen, wußte ich nicht mehr aus noch ein. Es lag mir kaum mehr etwas an Leben oder Sterben. Am liebsten wäre ich nie geboren worden. Zum Abendessen hatte ich an jenem Abend nichts als ein Glas heiße Milch, und selbst das war mehr, als ich erschwingen konnte. In jener Nacht begriff ich, warum ein Verzweifelter ein Hotelfenster in die Höhe schiebt und hinabspringt. Ich hätte es selbst tun können, wenn ich den Mut aufgebracht hätte. Ich fragte mich, was denn der Sinn des Lebens sei. Ich wußte es nicht. Ich fand keine Antwort auf die Frage.

Da niemand sonst da war, an den ich mich hätte wenden können, wandte ich mich an Gott. Ich begann zu beten. Ich flehte den Allmächtigen an, mir Licht und Verstehen und Führung zu schenken durch die dunkle, undurchdringliche Wildnis der Verzweiflung, die sich um mich geschlossen hatte. Ich bat Gott, mir zu helfen, damit ich Bestellungen auf meine Bücher bekäme und Frau und Kinder ernähren könnte. Als ich nach diesem Gebet wieder die Augen aufschlug, sah ich auf der Kommode meines einsamen Hotelzimmers eine Bibel liegen. Ich öffnete sie und las jene wunderbaren, unsterblichen Verheißungen Jesu, die schon zahllose Geschlechter von einsamen, sorgenerfüllten und geschlagenen Menschen aller Zeiten erleuchtet haben müssen – eine Rede Jesu, die er seinen Jüngern darüber hielt, wie man sich der Sorgen entledigt:

,Sorget nicht für Euer Leben, was Ihr essen und trinken werdet, auch nicht für Euern Leib, was Ihr anziehen werdet. Ist nicht das Leben mehr denn die Speise? und der Leib mehr denn die Kleidung? Sehet die Vögel unter dem Himmel, sie säen nicht, sie ernten nicht, und unser himmlischer Vater nährt sie doch. Seid Ihr denn nicht viel mehr als diese? ... Trachtet am ersten nach dem Reich Gottes und nach Seiner Gerechtigkeit, so wird Euch solches alles zufallen.'

Als ich so betete und diese Worte las, geschah ein Wunder: meine nervöse Spannung fiel von mir ab. Meine Ängste, Befürchtungen und Sorgen verwandelten sich plötzlich in Mut und Hoffnung und siegesgewissen Glauben, so daß mir warm ums Herz wurde.

Ich war glücklich, obwohl ich nicht genug Geld besaß, um meine Hotelrechnung zu bezahlen. Ich ging zu Bett und schlief fest – sorgenfrei – wie seit langen Jahren nicht.

Am nächsten Morgen hielt ich es kaum aus, bis die Bürozeit da war. Ich ging mit festen, sicheren Schritten durch den prachtvollen kalten Regentag auf die Bürotür meines ersten erhofften Kunden zu. Ich drückte die Klinke mutig und ohne Zaudern nieder. Sobald ich die Schwelle überschritten hatte, ging ich geradewegs, mit erhobenem Kopf, voller Energie und doch mit angemessener Würde lächelnd auf den betreffenden Herrn zu und sagte: ,Guten Morgen, Mr. Smith. Ich bin John R. Anthony von der All-American Lawbook Company!'

,O ja, ja', erwiderte er, ebenfalls lächelnd, und stand auf, um mir die Hand zu reichen. ,Freut mich, Sie zu sehen. Bitte nehmen Sie Platz!'

An jenem Tag steckte ich mehr Aufträge ein als vorher in Wochen. Stolz wie ein siegreicher Held kehrte ich abends ins Hotel zurück! Ich fühlte mich wie neu geboren. Und ich *war* neugeboren, weil ich mir eine neue, siegreiche Einstellung angeeignet hatte. Keine heiße Milch zum Abendessen diesmal! O nein – ich bestellte mir ein Beefsteak mit allem Drum und Dran. Von dem Tag an schossen meine Aufträge nur so in die Höhe.

In jener verzweifelten Nacht vor einundzwanzig Jahren erlebte ich in dem kleinen Hotel in Amarillo, Texas, meine Neugeburt. Meine äußere Lage am darauffolgenden Tag war genau die gleiche wie während der Wochen meines Versagens, in meinem Inneren aber hatte sich etwas Ungeheures zugetragen. Ich war mir plötzlich meiner Beziehung zu Gott bewußt geworden. Ein schwacher Mensch allein unterliegt leicht, aber ein Mensch, der in sich die Macht Gottes spürt, ist unbesieglich. Ich weiß das. Ich habe selbst erlebt, wie sie in mir wirksam wurde.

,Bittet, so wird Euch gegeben; suchet, so werdet Ihr finden; klopfet an, so wird Euch aufgetan.'»

Als Mrs. L. G. Beaird, 1421, 8th Street, Highland, Illinois, sich ihrem schwersten Erlebnis gegenübersah, entdeckte sie, daß sie Frieden und Ruhe erlangen konnte, indem sie niederkniete und sprach: «O Herr, dein Wille, nicht meiner, geschehe.»

«Eines Abends läutete unser Telefon», schreibt sie in einem Brief, der hier vor mir liegt. «Es läutete vierzehnmal, ehe ich den Mut fand, den Hörer abzunehmen. Ich wußte, es mußte das Krankenhaus sein, und ich hatte rasende Angst. Ich fürchtete, daß unser kleiner Junge im Sterben liege. Er hatte Meningitis. Er hatte schon Penicillin bekommen, aber davon begann seine Temperatur zu schwanken, und der Arzt fürchtete, die Krankheit sei ins Gehirn selbst gedrungen und könnte einen Gehirntumor hervorrufen – mit tödlichem Ausgang. Der Telefonanruf bestätigte meine Befürchtung. Das Krankenhaus rief an, um zu sagen, der Arzt bitte uns, sofort zu kommen.

Vielleicht können Sie sich die Qualen vorstellen, die mein Mann und ich durchmachten, als wir im Wartezimmer saßen. Alle anderen hatten ihre Kinder bei sich, nur wir saßen da und wußten nicht, ob wir je unser Bübchen wieder in den Armen halten würden. Als wir endlich in das Privatbüro des Arztes gerufen wurden, erfüllte sein Gesichtsausdruck uns mit Schrecken. Und seine Worte entsetzten uns noch mehr. Er sagte, die Aussicht, daß unser Kind am Leben bleiben werde, sei nur eins gegen vier. Wenn wir einen anderen Arzt wüßten, sollten wir ihn bitte herbeirufen.

Auf dem Nachhauseweg brach mein Mann zusammen, und indem er mit geballter Faust auf das Steuerrad hieb, sagte er: ,Betts, ich kann den kleinen Kerl nicht hergeben.' Haben Sie je einen Mann weinen sehen? Es ist nicht schön. Wir hielten den Wagen an und beschlossen, nachdem wir alles beredet hatten, in die Kirche zu gehen und zu beten, wenn es Gottes Wille sei, unser Kindchen zu sich zu nehmen, dann wollten wir uns darein ergeben. Ich sank in den Kirchenstuhl und sagte unter strömenden Tränen: ‚Nicht mein Wille geschehe, sondern deiner.'

Sobald ich diese Worte ausgesprochen hatte, wurde mir besser. Ein Gefühl des Friedens, wie ich es lange nicht gefühlt hatte, kam über mich. Den ganzen Heimweg hindurch wiederholte ich: ‚O Gott, dein Wille geschehe, nicht der meine.' Zum erstenmal seit einer Woche schlief ich in jener Nacht tief und fest. Ein paar Tage später rief der Doktor an, um uns zu sagen, daß Bobby die Krisis überstanden habe. Ich danke dem Herrgott für den kräftigen, gesunden vierjährigen Jungen, den wir heute haben.»

Ich kenne verschiedene Männer, die meinen, Religion sei bloß etwas für Frauen und Kinder und Pfarrer. Sie brüsten sich mit ihrer Männlichkeit, die ihnen erlaubt, ihren Lebenskampf allein auszufechten.

Wie erstaunt würden sie sein, wüßten sie, daß eine Reihe der berühmtesten «hundertprozentigen» Männer in der Welt Tag für Tag beten. So sagte mir beispielsweise der Boxweltmeister Jack Dempsey, daß er sich nie zu Bett lege, ohne sein Gebet zu verrichten. Er esse keine Mahlzeit, sagte er ferner, ohne Gott erst dafür zu danken. Wenn er für einen Boxkampf trainiere, bete er jeden Tag, und wenn er dann im Match sei, bete er vor jeder Runde kurz vor dem Klingelzeichen. «Das Beten» sagte er, «hilft mir, mit Mut und Zuversicht zu kämpfen.»

Der «hundertprozentig männliche» Edward R. Stettinius, ehemaliger hoher Angestellter der General Motors und United States Steel sowie ehemaliger Außenminister, sagte mir, er bete jeden Morgen und Abend um Führung und Erleuchtung.

Der «hundertprozentig männliche» J. Pierpont Morgan, der größte Finanzmann seiner Zeit, ging oft allein am Samstagnachmittag in die Trinity Church (Dreieinigkeitskirche) am oberen Ende der Wall Street, um dort im Gebet zu verharren.

Als der «hundertprozentig männliche» Eisenhower nach England flog, um den Oberbefehl über die britischen und amerikanischen Streitkräfte zu übernehmen, nahm er nur ein Buch mit ins Flugzeug – die Bibel.

Der «hundertprozentig männliche» General Mark Clark sagte mir, während des Krieges habe er jeden Tag in der Bibel gelesen und sei täglich im Gebet niedergekniet. Dasselbe taten Tschiang Kai-schek und Feldmarschall Montgomery – «Monty von El Alamein». Dasselbe tat Lord Nelson vor Trafalgar. Und dasselbe taten viele große amerikanische Heerführer.

All diese «hundertprozentig männlichen» Berühmtheiten fanden heraus, wie wahr William James' Feststellung ist: «Wir und Gott haben miteinander zu schaffen; und indem wir uns Seinem Einfluß erschließen, erfüllt sich unser tiefstes Schicksal.»

Ja, eine Menge «hundertprozentiger» Männer kommen zu derselben Auffassung. Zweiundsiebzig Millionen Amerikaner sind jetzt Mitglieder von Kirchen – ein noch nie erreichter Rekord. Wie schon gesagt, wenden sich heute selbst die Wissenschaftler der Religion zu. Ich führe hier Dr. Alexis Carrell an, der die höchste Ehrung gewann, deren ein Mann der Wissenschaft für würdig befunden werden kann – den Nobelpreis. In einem Artikel in «Reader's Digest» sagt er: «Gebet ist die machtvollste Form der Energie, die man erzeugen kann. Es ist eine Kraft, so wirklich wie die Schwerkraft der Erde. Als Arzt habe ich es erlebt, wie Menschen, bei denen jede andere Therapie versagt hatte, durch Gebet aus Krankheit und Schwermut herausgehoben wurden ... Gebet ist gleich Radium eine Quelle leuchtender, sich selbst erzeugender Energie ... Im Gebet suchen die Menschen ihre endliche Energie zu erhöhen, indem sie sich an die unendliche Quelle aller Energie wenden. Wenn wir beten, verknüpfen wir uns mit der unerschöpflichen Treibkraft, welche das Weltall in Schwingung setzt. Wir beten, ein Teil dieser Macht möge unseren Bedürfnissen zugeteilt werden. Schon durch das bloße Bitten darum werden unsere menschlichen Mängel ausgeglichen, und wir erheben uns gestärkt und gebessert ... Wann immer wir uns in innigem Gebet an Gott wenden, wandeln sich unser Körper und Geist zum Besseren. Es kann einfach nicht sein, daß ein Mensch auch nur einen einzigen Augenblick lang beten kann, ohne daß irgendeine günstige Wirkung sich einstellt.»

Admiral Byrd weiß, was es bedeutet, sich «mit der unerschöpflichen Treibkraft, die das Weltall in Schwingung setzt, zu verknüpfen». Daß er das konnte, errettete ihn aus der härtesten Prüfung seines Lebens. Davon erzählt er in seinem Buche «Allein». Im Jahre 1934 verbrachte er fünf Monate in einer Hütte, die unter der Eisdecke von Ross Barrier tief in der Antarktis eingebettet lag. Er war das einzige lebende Wesen südlich des achtundsiebzigsten Breitengrades. Über seiner Hütte rasten Schneestürme dahin; die Kälte sank auf 63 Grad unter Null, er war vollständig von endloser Nacht umgeben. Und dann merkte er zu seinem Entsetzen, daß er langsam durch Kohlengas aus seinem Ofen vergiftet wurde! Was konnte er tun? Die nächste Hilfe war 123 Meilen entfernt und konnte ihn unmöglich vor Ablauf mehrerer Monate erreichen. Er versuchte seinen Ofen und sein Lüftungssystem in Ordnung zu bringen, doch die Kohlendünste entwichen weiterhin. Sie schlugen ihn oft völlig zu Boden, wo er dann bewußtlos liegenblieb. Er konnte nicht essen; er konnte nicht schlafen; er wurde so schwach, daß er kaum mehr sein Lager zu verlassen vermochte. Er fürchtete oftmals, daß er nicht bis zum Morgen am Leben bleiben werde. Er war fest überzeugt, er werde in jener Hütte sterben, und ewiger Schnee werde seinen Körper überdecken.

Was sein Leben rettete? Eines Tages griff er in der Tiefe seiner Verzweiflung zu seinem Tagebuch und versuchte, seine Lebensauffassung darin niederzulegen. «Die menschliche Rasse», schrieb er, «ist nicht allein im Weltall.» Er gedachte der Sterne am Himmelszelt, der Ordnung im Wandel der Fixsterne und Planeten; dachte daran, wie die ewige Sonne zu ihrer Zeit wiederkehren würde, um selbst die Wüsteneien der Südpolgebiete zu erhellen. Und dann schrieb er in sein Tagebuch: *«Ich bin nicht allein.»*

Diese Erkenntnis, daß er nicht allein sei, nicht einmal in einem Loch im Eis am Ende der Welt – sie war es, die Richard Byrd rettete. «Ich weiß, daß dies mir durchhalf», sagt er. Und dann fährt er fort: «Nur wenige Menschen erschöpfen auch nur annähernd die ihnen innewohnenden Kräfte. Wir besitzen tiefe Urquellen der Kraft, die nie genutzt werden.» Richard Byrd lernte, diese Quellen der Kraft anzuzapfen und zu nutzen – indem er sich Gott zuwandte.

Glenn A. Arnold lernte inmitten der Kornfelder von Illinois dieselbe Lektion, die Admiral Byrd unter der Polareiskappe gelernt hatte. Mr. Arnold, seines Zeichens Versicherungsagent aus Chillicothe, Illinois, begann seine Ansprache über das Thema, wie man seiner Sorgen Herr wird, mit den Worten: «Vor acht Jahren schloß ich meine Haustür, so glaubte ich, zum letztenmal im Leben ab. Dann kletterte ich in mein Auto und fuhr auf den Fluß zu. Ich hatte versagt im Leben. Vor einem Monat war meine ganze kleine Welt über mir zusammengestürzt. Mein Elektrizitätsgeschäft war verkracht. Bei mir zu Hause lag meine Mutter im Sterben. Meine Frau trug unser zweites Kind. Die Arztrechnungen häuften sich. Wir hatten, um das Geschäft eröffnen zu können, alles verpfändet – unser Auto und unsere Möbel. Ich hatte sogar eine Anleihe auf meine Versicherungspolicen aufgenommen. Nun war alles hin. Ich konnte es nicht länger ertragen. Also kletterte ich in meinen Wagen und fuhr zum Fluß hinab – entschlossen, dem trüben Wirrsal ein Ende zu machen.

Ich fuhr ein paar Meilen weit ins Land hinein, bog von der Landstraße ab, setzte mich auf den Boden und weinte wie ein Kind. Dann fing ich an, wirklich nachzudenken – statt mich immer wieder angstvoll im Kreise zu drehen, versuchte ich, konstruktiv zu denken. Wie schlimm war meine Lage eigentlich? Könnte sie nicht noch schlimmer sein? War sie wirklich so hoffnungslos? Was konnte ich tun, um sie zu verbessern?

Da beschloß ich, mein ganzes Problem vor den Herrn zu tragen und Ihn zu bitten, sich seiner anzunehmen. Ich betete. Ich betete inbrünstig. Ich betete, als ob mein Leben davon abhinge – was ja tatsächlich auch so war. Und nun geschah etwas Merkwürdiges. Sobald ich all meine Schwierigkeiten einem Größeren, als ich selbst war, übergab, fühlte ich einen inneren Frieden, wie ich ihn seit Monaten nicht mehr gekannt hatte. Ich muß eine halbe Stunde dort gesessen haben, weinend und betend. Dann fuhr ich wieder heim und schlief so fest wie ein Kind.

Am nächsten Morgen erhob ich mich voller Zuversicht. Ich hatte nichts mehr zu befürchten, denn ich hatte Gott die Führung anvertraut. Mit erhobenem Kopf betrat ich ein Warenhaus meines Wohnorts und bewarb mich mit fester Stimme um eine Stelle als Verkäufer in der elektrischen Abteilung. Ich wußte, ich würde die Stelle bekommen. Und ich bekam sie. Ich bewährte mich, bis die ganze Abteilung des Krieges wegen zusammenkrachte. Darauf begann ich, Lebensversicherungspolicen zu verkaufen – wieder unter dem Schutz meines Großen Helfers. Das liegt erst fünf Jahre zurück. Heute sind alle meine Rechnungen bezahlt. Ich habe eine prachtvolle Familie, drei aufgeweckte Kinder, bin Hausbesitzer, habe ein neues Auto und besitze fünfundzwanzigtausend Dollar in Lebensversicherungspolicen.

Wenn ich jetzt zurückblicke, dann bin ich froh, daß ich alles verlor und so niedergeschlagen war, daß ich mich nach dem Fluß aufmachte – denn all dies Traurige hat mich gelehrt, auf Gott zu vertrauen; und jetzt fühle ich in mir einen Frieden und eine Zuversicht, die ich niemals für möglich gehalten hätte.»

Warum verschafft religiöser Glaube uns solchen Frieden und solche Ruhe und Überwindungskraft? Ich will William James auf diese Frage antworten lassen. Er sagt: «*Das stürmische Wogen der aufgeregten Oberfläche läßt die tiefen Gründe des Weltmeeres unangerührt; und demjenigen, welcher in größeren und dauernden Wirklichkeiten verankert ist, erscheinen die stündlichen Wechselfälle seines persönlichen Geschicks als verhältnismäßig unwichtige Dinge. Der wirklich gläubige Mensch ist daher nicht zu erschüttern und voll inneren Gleichmaßes, in ruhiger Bereitschaft jeder Pflicht gegenüber, die der Tag bringen mag.*»

Warum es nicht einmal mit Gott versuchen, wenn wir sorgenvoll und angsterfüllt sind? Warum nicht, wie Kant sagte, «einen Gottesglauben annehmen, weil wir einen solchen Glauben brauchen?» Warum uns nicht jetzt, sogleich, jener «unerschöpflichen Treibkraft, welche das Weltall in Schwingung setzt», verbinden?

Selbst wenn jemand von Natur aus oder auf Grund seiner Erziehung kein religiöser Mensch ist, ja, selbst wenn er durch und durch Skeptiker ist – Gebet vermag mehr, viel mehr zu helfen, als er vielleicht glauben mag, denn es ist *etwas Praktisches.* Was meine ich mit praktisch? Ich meine, daß Beten die folgenden drei grundlegenden seelischen Bedürfnisse erfüllt, die alle Menschen teilen, ob sie nun an Gott glauben oder nicht:

1. Beten hilft uns, das, was uns plagt, präzis in Worte zu fassen. In Kapitel 4 haben wir gesehen, daß es so gut wie unmöglich ist, mit einem Problem fertigzuwerden, solange es unklar und verschwommen bleibt. Beten ist auf seine Weise ein ganz ähnlicher Vorgang wie das Niederschreiben einer Schwierigkeit mit Feder und Tinte. Wenn wir um Hilfe – und sei es um Gottes Hilfe – aus einer Schwierigkeit bitten, so müssen wir sie in Worte fassen.

2. Beten gibt uns das Gefühl, als teilten wir unsere Bürde mit jemand, als seien wir nicht allein. Wenige von uns sind so stark, daß sie ihre schwersten Bürden, ihre quälendsten Sorgen ganz allein zu tragen vermögen. Zuweilen sind unsere Kümmernisse aber von so intimer Art, daß wir sie selbst mit unseren nächsten Verwandten und Freunden nicht erörtern können. Dann ist es Zeit, daß man betet. Jeder Psychiater wird uns sagen, daß es heilsam ist, jemand von unseren Sorgen und Ängsten zu erzählen, wenn wir durch langes Auf-

speichern unserer Seelenqualen nervös und gereizt geworden sind. Wenn wir niemand sonst haben, dem wir uns anvertrauen können – Gott haben wir immer.

3. Beim Beten tritt ein aktives *Tatprinzip* in Kraft. Es ist der erste Schritt zum *Handeln*. Ich zweifle, ob jemand Tag für Tag um irgend etwas beten kann, ohne Nutzen daraus zu ziehen – mit anderen Worten, ohne selbst etwas dazu zu tun, damit es sich verwirkliche. Dr. Alexis Carrell sagte ja: «Gebet ist die machtvollste Form der Energie, die man erzeugen kann.» Warum sollten wir dann keinen Gebrauch davon machen? Nennt sie Gott oder Allah oder Geist – wozu uns mit Definitionen herumschlagen, solange die geheimnisreichen Mächte der Natur sich unser annehmen?

Wie wäre es, wenn Ihr dieses Buch jetzt sofort zuklappt, in Euer Schlafzimmer ginget, die Türe zumachtet und dann niederknietet, um Euer Herz zu erleichtern? Ist Euer religiöser Glaube Euch abhanden gekommen, dann bittet den allmächtigen Gott inständig, er möge ihn Euch neu schenken. Sprecht: «Herr, mach mich zu einem Werkzeug deines Friedens. Wo Haß ist, da laß mich Liebe säen. Wo Beleidigung, da Vergebung. Wo ein Zweifel waltet, Glaube. Wo Verzweiflung herrscht, Hoffnung. Wo Finsternis ist, Licht. Wo Traurigkeit, Freude. O göttlicher Meister, gib, daß ich nicht so sehr suchen möge, getröstet zu werden, als zu trösten; verstanden zu werden, als zu verstehen; geliebt zu werden, als zu lieben; denn im Geben empfangen wir, im Verzeihen wird uns verziehen, und im Sterben werden wir zum Ewigen Leben geboren.»

Und wißt Ihr nicht, wie Ihr beten sollt, so wiederholt das Gebet des Khond-Stammes in Indien: «O Gott, wir wissen nicht, was für uns am besten ist, doch du weißt es – und darum beten wir.»

Sechster Teil

Wie man es machen muß, um sich die Kritik anderer nicht zu Herzen zu nehmen

Denkt daran, daß keiner einem toten Hund einen Tritt versetzt

20

Im Jahre 1929 ereignete sich in Amerika etwas, das in Erziehungskreisen des ganzen Landes Sensation machte. Von überallher eilten die Gelehrten der Vereinigten Staaten nach Chicago, um bei der Sache anwesend zu sein. Was war geschehen? Vor einigen Jahren war auf der Yale-Universität ein Student gewesen, der sich seinen Lebensunterhalt auf alle mögliche Weise selbst verdient hatte – als Kellner, Holzfäller, Nachhilfslehrer, Verkäufer. Und nun, nach nur acht Jahren, wurde er zum Präsidenten der viertreichsten Universität Amerikas ernannt, der Universität von Chicago. Sein Alter? Dreißig Jahre. Unglaublich! Die ältere Erziehergeneration schüttelte den Kopf. Über das «gelehrte Wunderkind» ergoß sich von allen Seiten erbitterte Kritik. Er war dies und er war das – zu jung, zu unerfahren – seine pädagogischen Anschauungen waren nichts wert. Auch die Zeitungen nahmen an der Attacke teil.

An dem Tag der Amtseinsetzung sagte ein Freund zu dem Vater von Robert Maynard Hutchins: «Ich war ganz entsetzt über den Leitartikel im heutigen Morgenblatt mit dem Angriff auf Ihren Sohn.»

«Ja», entgegnete der ältere Hutchins, «es war ein starkes Stück. Aber vergessen Sie nicht, daß keiner einem toten Hund einen Fußtritt versetzt.»

Jawohl – je mehr Bedeutung ein Hund hat, desto größere Freude macht es der Welt, ihm einen Tritt zu versetzen. Der Prinz von Wales, der später Eduard VIII. von England wurde und jetzt Herzog von Windsor ist, erfuhr das an seinen vier Buchstaben. Als er etwa vierzehn Jahre alt war, besuchte er die Seekadettenschule Dartmouth College in der Grafschaft Devonshire. Eines Tages fand einer der Seeoffiziere ihn in Tränen und fragte ihn nach der Ursache. Zuerst wollte der Prinz nicht mit der Sprache herausrücken, dann aber gestand er, die anderen Kadetten hätten ihn mit Fußtritten traktiert. Der Kommodore, der an der Spitze der Anstalt

210

stand, ließ die Schüler zusammenrufen und erklärte ihnen, der Prinz habe sich zwar nicht beschwert, doch liege ihm (dem Kommodore) daran, festzustellen, warum sie sich gerade ihn für solch grobe Behandlung ausgesucht hätten.

Nach viel Geräusper und Getuschel und Füßescharren bekannten die Kadetten schließlich, wenn sie selbst dereinst Kommandanten und Kapitäne der Königlichen Flotte sein würden, dann wollten sie sagen können, sie hätten dem König einst einen Fußtritt versetzt!

Wenn Euch also jemand tritt und kritisiert, dann sagt Euch, daß dies oft geschieht, weil sich derjenige, der Euch getreten hat, gern wichtig fühlen möchte. Oft bedeutet es einfach, daß Ihr Tüchtiges leistet und Aufmerksamkeit verdient. Vielen Leuten gewährt es eine erbitterte Schadenfreude, einem anderen, der eine bessere Erziehung genossen oder es weiter gebracht hat als sie selbst, «eins zu versetzen». So erhielt ich, gerade während ich dieses Kapitel niederschrieb, den Brief einer Frau, die General William Booth, den Gründer der Heilsarmee, heruntermachte. Ich hatte am Radio einen Vortrag gehalten, in dem ich General Booth würdigte, also sah sich diese Frau veranlaßt, mir mitzuteilen, er hätte acht Millionen Dollar der Gelder entwendet, die er gesammelt hatte, um den Armen zu helfen. Es war natürlich eine lachhafte Anschuldigung. Doch Wahrheit war ja nicht das Anliegen der Briefschreiberin. Was sie suchte, war die Befriedigung ihrer niederen Triebe, die sie darin fand, daß sie einen hoch über ihr stehenden Menschen herabwürdigte. Ich warf ihren erbosten Brief in den Papierkorb und dankte Gott dem Herrn dafür, daß ich nicht mit ihr verheiratet war. Ihr Brief sagte mir nichts über General Booth, über sie selbst jedoch sagte er eine Menge aus. Schopenhauer hat sich einmal über Leute ihres Schlages dahin geäußert, daß der gemeine Mensch sein größtes Vergnügen darin finde, den Fehlern und Schwächen großer Männer nachzuspüren.

Man wird sich vielleicht schwer vorstellen können, daß einmal ein Präsident der berühmten Yale-Universität in die Klasse derart «gemeiner Menschen» einzureihen war. Und doch fand allem Anschein nach einst ein Verwalter dieses hohen Amtes namens Timothy Dwight seine Wonne darin, einen damaligen Präsidentschaftskandidaten der Vereinigten Staaten nach Kräften zu verleumden und anzuschwärzen. Falls jener Mann gewählt würde, so ließ sich der Yale-Präsident düster warnend vernehmen, «dann können wir es erleben, wie unsere Frauen und Töchter als Opfer einer gesetzlichen

Prostitution sich Angriffen ‚ehrbarer' Lust unterwerfen und unter trügerischen Vorwänden schänden lassen müssen, bis sie alle Tugend und Feinheit verlieren und zum Greuel vor Gott und den Menschen werden».

Klingt das nicht, als sei es auf Hitler gemünzt? Doch weit entfernt: gemeint war Thomas Jefferson! *Welcher* Thomas Jefferson? Doch nicht etwa der unsterbliche Präsident dieses Namens, der Verfasser der amerikanischen Unabhängigkeitserklärung, der Schutzheilige der Demokratie? Ja wahrhaftig – ihn hatte Dwight gemeint!

Welcher andere berühmte Amerikaner, meint Ihr, wurde zu seinen Lebzeiten «Heuchler» und «Betrüger» geschimpft, als «wenig besser als ein Mörder»? Eine Zeitungskarikatur zeigte ihn auf dem Schafott, gewärtig, das Beil auf seinen Nacken niedersausen zu fühlen. Wenn er durch die Straßen ritt, pfiff ihn der Pöbel aus und höhnte ihn laut. Wer war es? George Washington.

Doch all das liegt ja lange zurück. Vielleicht ist die menschliche Natur inzwischen edler geworden. Wir wollen sehen. Nehmen wir zum Beispiel den Fall des Admirals Peary – des Forschers, der die ganze Welt in Staunen und Aufregung versetzte, als er am 6. April 1909 den Nordpol mit seinen Hundeschlitten erreichte – ein Ziel, um dessentwillen tapfere Männer seit Hunderten von Jahren gelitten und gehungert und ihr Leben hingegeben hatten. Peary selbst ging fast an Kälte und Hunger zugrunde; acht seiner Zehen mußten ihm abgenommen werden, weil sie gänzlich erfroren waren. Mißgeschicke aller Art setzten ihm so hart zu, daß er fürchtete, wahnsinnig zu werden. Seine vorgesetzten Offiziere von der Flotte in Washington waren erzürnt, weil so viel von Peary die Rede war. So beschuldigten sie ihn, Geld für wissenschaftliche Zwecke eingesammelt zu haben, um sich dann «am Nordpol herumzutreiben». Und wahrscheinlich glaubten sie das selber, weil es beinahe unmöglich ist, das, was man glauben will, nicht zu glauben. Sie waren so wild entschlossen, Peary zu demütigen und ihm Steine in den Weg zu legen, daß es Peary nur dank einem direkten Befehl des Präsidenten McKinley möglich wurde, seine Laufbahn als Nordpolforscher fortzusetzen.

Wäre Peary verleumdet worden, wenn er in der Admiralität zu Washington irgendwo am Schreibtisch gesessen hätte? Nein: dann wäre er ja nicht bedeutend genug gewesen, um Eifersucht zu erregen.

General Grant machte eine noch schlimmere Erfahrung als Admiral Peary. 1862 gewann er die erste große Entscheidungsschlacht für die Nordstaaten im amerikanischen Bürgerkrieg – ein Sieg, der in einem einzigen Nachmittag errungen wurde, ein Sieg, der Grant über Nacht zum Nationalhelden machte, ein Sieg, zu dessen Feier von Maine bis zum Mississippi alle Kirchenglocken geläutet und überall Freudenfeuer entzündet wurden. Und doch wurde Grant – der Held des Nordens – knapp sechs Wochen nach diesem großen Sieg verhaftet. Man nahm ihm seine Armee. Verzweifelt und gedemütigt ging er.

Warum wurde General U. S. Grant verhaftet, als sein Ruhm in höchster Blüte stand? Großenteils, weil er die Eifersucht und den Neid seiner anmaßenden Vorgesetzten erweckt hatte.

Wenn wir uns versucht fühlen, uns über ungerechte Kritik zu ärgern und zu grämen, dann wollen wir als Regel Nummer 1 *daran denken, daß ungerechte Urteile oft ungewollte Komplimente sind; denn niemand gibt einem toten Hund einen Fußtritt.*

Handelt wie folgt – dann kann die Kritik anderer Euch nichts anhaben 21

Im Laufe eines Interviews, das mir einst Generalmajor Smedley Butler gewährte – der romantischste Säbelrassler, der je Kommandeur der amerikanischen Marinetruppen war –, erzählte er mir, in seiner Jugend sei ihm nichts so wichtig erschienen, als sich überall beliebt zu machen und bei allen Menschen einen guten Eindruck hervorzurufen. Der geringfügigste Tadel war angetan, ihn zu schmerzen und zu verletzen. Doch dreißig Jahre bei der Marine, so sagte er, hätten ihm ein dickes Fell wachsen lassen. «Ich bin verleumdet und beschimpft worden», fuhr er fort, «einen gemeinen Hund, eine falsche Schlange, ein Stinktier haben sie mich genannt. Die Sachverständigen haben mich in Grund und Boden verdammt. Jeder nur denkbare nicht wiederzugebende Schimpfname der englischen Sprache ist mir angehängt worden. Mich ärgern? Huh! Wenn ich heutzutage höre, wie einer mich zum Teufel wünscht, wende ich nicht einmal den Kopf, um zu sehen, wer es ist.»

Vielleicht war der alte Butler allzu unempfindlich gegen Kritik. Eines aber ist sicher: die meisten von uns nehmen die kleinen Nadeln und Pfeile, die gegen uns geschleudert werden, viel zu ernst. Ich entsinne mich noch der Zeit, als vor Jahren ein Berichterstatter der New Yorker Zeitung «Sun» einer öffentlichen Vorführung eines meiner Erwachsenenkurse beiwohnte und mich und meine Arbeit anprangerte. Ob ich mich ärgerte? Und wie! Ich faßte es als persönliche Beleidigung auf. Ich telefonierte dem Aufsichtsratsvorsitzenden der «Sun» und verlangte gewissermaßen, daß er einen Artikel drucke, der die Tatsachen enthalte – statt sie ins Lächerliche zu ziehen. Ich war fest entschlossen, zu erreichen, daß die Sühne der Schuld angemessen war.

Heute schäme ich mich meiner damaligen Handlungsweise. Heute ist mir klar, daß die Hälfte derer, die die Zeitung kauften, jenen Artikel gar nicht ansahen. Daß die Hälfte derer, die ihn lasen, ihn als Quelle harmloser Belustigung betrachteten. Und daß die Hälfte derer, die sich daran weideten, die ganze Sache in wenigen Wochen vergessen hatten.

Heute ist mir klar, daß die Menschen gar nicht an dich oder mich denken oder sich darum kümmern, was man über uns sagt. Sie sind mit sich selbst beschäftigt: vor dem Frühstück, nach dem Frühstück – und so weiter bis zehn Minuten nach Mitternacht. Ein leichter Kopfschmerz, den sie selber haben, macht ihnen weit mehr Sorgen, als ihnen die Nachricht von deinem oder meinem Tod verursachen würde.

Selbst wenn je einer unter sechsen unserer Freunde Lügen über uns verbreitet, uns lächerlich macht, uns anschmiert, uns in den Rücken fällt und uns verrät – selbst dann wollen wir uns nicht einer Orgie von Selbstbedauern überlassen. Denken wir in solchen Fällen lieber daran, daß eben dies an Jesus verübt wurde. Einer seiner zwölf engsten Freunde wurde an ihm zum Verräter um einer Summe willen, die in heutigem Geld sich auf etwa neunzehn Dollar belaufen würde. Ein weiterer von seinen zwölf liebsten Freunden verleugnete Jesus öffentlich im ersten Augenblick, da sein Unglück anhub, und erklärte dreimal, er kenne Jesus nicht – und das beschwor er noch dazu. Von sechsen je einer! Das geschah Jesus. Warum sollte es dir oder mir besser ergehen?

Es ist jetzt schon Jahre her, daß ich feststellte, ich könne zwar die Leute nicht hindern, mich ungerecht zu beurteilen, dafür aber etwas bedeutend Wichtigeres tun: nämlich entscheiden, ob ich mich durch das ungerechte Urteil kränken lassen wolle oder nicht.

Damit wir uns darüber klarwerden: ich bin durchaus nicht dafür, daß man alle Kritik einfach ignoriert. Ich spreche nur davon, daß man *ungerechte Kritik ignorieren soll.* Ich fragte einmal Eleanor Roosevelt, wie sie sich zu ungerechter Beurteilung stelle – und Allah weiß, sie hat ihr gerütteltes Maß davon gehabt. Sie ist vermutlich unter allen Frauen, die je im Weißen Haus gelebt haben, diejenige, die weitaus am meisten glühende Freunde und erbitterte Feinde besitzt.

Sie erzählte mir, als junges Mädchen sei sie fast krankhaft schüchtern gewesen, und ihr habe vor allem gebangt, was die Leute sagen würden. Sie hatte solche Angst vor Kritik, daß sie einmal ihre Tante, Theodore Roosevelts Schwester, um Rat anging. «Auntie Bye», sagte sie, «ich täte gern das und das, aber ich habe Angst, daß die Leute schlecht darüber reden.»

Teddy Roosevelts Schwester sah ihr scharf ins Gesicht und entgegnete: «Mach dir nie was draus, was die Leute sagen, solange du in deinem Herzen weißt, daß du recht tust.» Eleanor Roosevelt sagte zu mir, diese Worte hätten sich sieben Jahre später, als sie ins Weiße Haus kam, als ihr Felsen von Gibraltar erwiesen. Es gäbe nur ein Mittel, alle Kritik zu vermeiden, sagte sie: wie eine Dresdner Porzellanfigur auf seinem Brett zu stehen und sich nie zu rühren. «Man soll tun, was man im Herzen als das Richtige empfindet – denn kritisiert wird man doch auf jeden Fall. Verurteilt wird man, ob man's nun so macht oder anders.» Das ist der Rat, den sie uns gibt.

Als Matthew C. Brush Präsident der American International Corporation (40, Wall Street, New York) war, fragte ich ihn, ob er je im Leben gegen Kritik empfindlich gewesen sei. «O ja», erwiderte er, «in jungen Jahren war ich sehr empfindlich dagegen. Damals lag mir daran, daß sämtliche Angestellten unserer Organisation fänden, ich sei ohne Fehl. Taten sie das nicht, dann kränkte es mich. Wenn jemand etwas gegen mich gesagt hatte, versuchte ich ihn auf jede Weise zu gewinnen; aber gerade das, was ich tat, um mich ihm wieder angenehm zu machen, brachte dann gewöhnlich sonst jemand gegen mich auf. Versuchte ich darauf, diesen zu besänftigen, so verdarb ich es dafür mit ein paar anderen. Schließlich merkte ich, daß ich um so sicherer sein konnte, die Zahl meiner Gegner zu vermehren, je eifriger ich suchte, verletzte Gefühle zu beschwichtigen, um persönlicher Kritik aus dem Wege zu gehen. So sagte ich mir denn: ‚Wer seinen Kopf über die große Menge emporreckt, der wird von ihr kritisiert. Gewöhne dich also daran.‘ Das erwies sich als ungemein nützlich. Von da an machte ich es mir zur Regel, alles so gut wie möglich zu bedenken und dann meinen alten Regenschirm aufzuspannen und den Regen der Kritik damit aufzufangen, statt ihn mir hinten am Hals hinunterlaufen zu lassen.»

Deems Taylor ging noch etwas weiter: er ließ sich den Regen der Kritik am Hals hinunterlaufen und lachte dann herzlich darüber – in aller Öffentlichkeit. Als er einst während der Pausen der Sonntagnachmittags-Konzerte der New Yorker Philharmoniker seine Rundfunkkommentare hielt, schrieb ihm eine Frau und nannte ihn «einen Lügner und Verräter, eine Schlange und einen Trottel». In seinem Buche «Of Men and Music» (Der wohltemperierte Zuhörer) bemerkt Mr. Taylor hierzu: «Ich habe eine leise Ahnung, als ob ihr mein Vortrag nicht recht gefallen habe.» Als er in der folgenden Woche wiederum am Radio sprach, las Mr. Taylor den Brief seinen nach Millionen zählenden Hörern vor – und erhielt ein paar Tage danach von der gleichen Dame einen neuerlichen Brief, worin sie ihn «ihrer unerschütterlichen Meinung» versicherte, daß er «*dennoch* ein Lügner und Verräter, eine Schlange und ein Trottel» sei. Einem Mann, der so auf üble Kritik reagiert, können wir unsere Bewunderung nicht versagen. Wir bewundern seine Heiterkeit, sein unerschütterliches Gleichgewicht und seinen Humor.

Als Charles Schwab einmal eine Aussprache mit den Studenten der Universität Princeton hatte, bekannte er, etwas vom Wichtigsten, was er je gelernt habe, sei ihm von einem alten Deutschen beigebracht worden, der im Schwabschen Stahlwerk arbeitete. Dieser alte Deutsche geriet mit einigen anderen Arbeitern des Werks während des Krieges in eine hitzige Auseinandersetzung, und das Ende vom Lied war, daß sie ihn in den Fluß schmissen. «Als er, von Wasser und Schlamm triefend, in mein Büro kam», sagte Mr. Schwab, «fragte ich ihn, was er zu den Männern gesagt habe, die ihn in den Fluß geworfen hatten, und er antwortete mir: ‚Ich hab einfach jelacht.‘»

Mr. Schwab erklärte, er habe diese Worte des alten deutschen Arbeiters zu seinem Wahlspruch gemacht: «Einfach lachen!»

Solch ein Motto ist ganz besonders gut, wenn man ungerechter Beurteilung ausgesetzt ist. Wenn wir mit unserem Angreifer rechten, so wird er uns wieder eins drauf geben – was aber kann man zu jemand sagen, der «einfach lacht»?

Lincoln wäre vielleicht unter der Anspannung des Bürgerkrieges zusammengebrochen, hätte er nicht eingesehen, welcher Wahnwitz es wäre, auf all die wüsten Kritiken, von denen er angefallen wurde, auch nur zu antworten. Schließlich sagte er: «Wenn ich versuchen wollte, alle Angriffe, die auf mich gemacht werden, zu lesen, geschweige denn zu beantworten, dann müßte ich jede andere Tätigkeit aufgeben. Ich mache alles so gut, wie ich nur kann – tue mein Allerbestes; und ich beabsichtige, dies bis zum Ende weiter so zu halten. Wenn ich am Schluß gerechtfertigt dastehe, dann spielt das, was gegen mich vorgebracht wurde, keine Rolle. Nimmt alles aber ein schlechtes Ende, dann würde es auch keinen Unterschied machen, wenn zehn Engel schwüren, ich hätte recht gehabt.»

Wenn Ihr ungerecht beurteilt werdet, dann erinnert Euch an Regel Nummer 2:
Tut Euer Allerbestes – und dann spannt Euren alten Regenschirm auf und fangt damit den Regen der Kritik auf, damit er Euch nicht hinten am Hals hinunter läuft.

Dummheiten, die ich gemacht habe 22

In meinem Privatarchiv habe ich eine Mappe mit der Überschrift «Dummheiten, die ich gemacht habe». Dahinein kommt alles, was ich mir in meinem Leben an Dummheiten leiste. Manchmal diktiere ich diese Aufzeichnungen meiner Sekretärin, manchmal aber sind es so persönliche, so einfältige Dinge, daß ich mich schäme, sie jemandem zu diktieren, und sie lieber selbst niederschreibe.

Ich erinnere mich noch einiger der Kritiken über mich, die ich vor nunmehr fünfzehn Jahren in meine mit «DDG» überschriebene Mappe legte. Wäre ich restlos ehrlich mir selbst gegenüber, dann hätte ich heute einen Archivschrank, der vor DDG-Mappen platzte. Ich kann wahrhaftig mit dem Psalmisten bekennen:

«... da war ich ein Narr, und wußte nichts.»

Wenn ich mir diese Mappen vornehme und die darin enthaltenen Selbstkritiken wieder durchlese, finde ich es jedesmal leichter, mit dem kniffligsten Problem fertig zu werden, das mir je unter die Finger kommen dürfte: der Handhabung von Dale Carnegie.

Früher pflegte ich andere für meine Schwierigkeiten verantwortlich zu machen; nachdem ich aber älter – und hoffentlich klüger – geworden bin, habe ich eingesehen, daß letzten Endes ich selbst an nahezu allem Mißgeschick und Unglück schuld war, das mir begegnet ist. Diese Entdeckung machen viele Leute, wenn sie älter werden. «Niemandem als mir selbst», sagte Napoleon auf St. Helena, «niemandem als mir selbst kann die Schuld an meinem Fall beigemessen werden. Ich selbst bin mein schlimmster Feind gewesen und die Ursache meines furchtbaren Geschicks.»

Ich möchte meinen Lesern jetzt von einem Mann erzählen, den ich kannte und der ein Künstler in der Einschätzung und Behandlung seiner selbst war. Sein Name war H. P. Howell. Als die Kunde von seinem plötzlichen Tod im Hotel Ambassador in New York am 31. Juli 1944 im Rundfunk bekanntgegeben wurde, erhielt Wall Street einen Schock, denn er war ein führender amerikanischer Finanzmann, Vorsitzender und Direktor mehrerer großer Gesellschaften. Er wuchs heran, ohne viel schulgerechte Erziehung erhalten zu haben, begann seine geschäftliche Laufbahn als Buchhalter in einem Dorfgeschäft und wurde später Manager der Kreditabteilung des großen Stahlkonzerns U. S. Steel – womit er auf dem Wege zu Rang und Macht war.

«Seit Jahren führe ich genau Buch über all meine täglichen Besprechungen», antwortete Mr. Howell mir, als ich ihn bat, mir die Ursache seines Erfolgs auseinanderzusetzen. «Für den Samstagabend trifft meine Familie nie irgendeine Verabredung für mich, denn sie wissen alle, daß ich regelmäßig einen Teil dieses Abends der Selbstprüfung sowie einer Überschau und Beurteilung meiner Arbeit in der vergangenen Woche widme. Nach dem Abendessen ziehe ich mich zurück, schlage mein Buch ‚Verabredungen‘ auf und denke über alle die Besprechungen, Erörterungen und Zusammenkünfte nach, die seit Montag früh stattgefunden haben. Ich frage mich: ‚Was habe ich diesmal für Fehler gemacht? – Was habe ich richtig gemacht, und auf welche Weise hätte ich es noch besser machen können? – Was kann ich aus der oder jener Erfahrung lernen?‘ Manchmal macht dieser Wochenüberblick mich recht unglücklich. Oft erstaunen meine eigenen Mißgriffe mich selber. Doch sind im Laufe der Jahre solche Mißgriffe ja seltener geworden. Dieses Jahr für Jahr fortgeführte System der Selbstanalyse ist von größerem Nutzen für mich gewesen als alles andere, was ich im Leben unternommen habe.»

Vielleicht hat Mr. Powell diese Idee von Benjamin Franklin übernommen. Nur daß Franklin nicht bis zum Samstagabend wartete. Er unterzog sich *jeden* Abend einer strengen Selbstprüfung. So entdeckte er, daß er dreizehn ernste Fehler habe. Drei davon waren: Zeitverschwendung, sich mit Kleinigkeiten aufhalten, anderen widersprechen und mit ihnen streiten. Der gescheite Ben Franklin machte sich klar, daß er es nicht weit bringen werde, wenn er diese hinderlichen Eigenschaften nicht ablegte. Daher nahm er jeden Tag in der Woche eine davon besonders vor und machte sich Aufzeichnungen darüber, wer jedesmal Sieger im Kampf geblieben war. Die folgende Woche pflegte er dann weitere schlechte Gewohnheiten vorzunehmen, die Boxhandschuhe überzuziehen und beim Gongschlag kampfbereit aus seiner Ecke hervorzutreten. Diesen wochenweisen Kampf mit seinen Fehlern hielt Franklin über zwei Jahre lang durch. Kein Wunder, daß er einer der beliebtesten und einflußreichsten Männer wurde, die das amerikanische Volk hervorgebracht hat!

Elbert Hubbard sagte: «Jeder Mensch ist wenigstens fünf Minuten täglich ein ausgemachter Schafskopf. Gescheit ist, wer diese Zeitgrenze nicht überschreitet.»

Ein Mensch, der kein Format hat, erhitzt sich bei der geringsten abfälligen Kritik, ein kluger Mensch aber lernt gerne von denen, die ihn tadeln und zurechtweisen und ihm «den Rang streitig machen». Das drückte Walt Whitman so aus: «Habt ihr nur von jenen etwas gelernt, die euch bewunderten und zärtlich mit euch waren und euch immer Platz machten? Habt ihr nicht ausnehmend viel von denen gelernt, welche euch ablehnten und gegen euch angingen und euch den Rang streitig machten?»

Statt darauf zu warten, bis unsere Feinde uns oder unser Werk kritisieren, wollen wir ihnen lieber zuvorkommen. Seien wir selbst unser strengster Kritiker, trachten wir, all unseren Schwächen selbst auf die Spur zu kommen und ihnen abzuhelfen, ehe unsere Gegner eine Möglichkeit haben, ein Wort zu sagen. Das tat Charles Darwin. Er verbrachte ganze fünfzehn Jahre mit Selbstkritik, und zwar verhielt sich die Sache so: Als Darwin sein unsterbliches Werk «Der Ursprung der Arten» abgeschlossen hatte, machte er sich klar, daß die Veröffentlichung seiner revolutionären Auffassung von der Schöpfung die Welt des Geistes und der Religion *bis in die Tiefen erschüttern werde. So wurde er zum Kritiker an sich selbst und setzte weitere fünfzehn Jahre daran, seine Angaben nachzuprüfen, seine Denkmethode auf die Probe zu stellen, seine Schlußfolgerungen zu kritisieren.*

Wenn Euch jemand einen verdammten Narren schimpfte – was würdet Ihr tun? Euch erzürnen? Empören? Lincoln tat als Präsident das folgende: Edward M. Stanton, sein Kriegsminister, nannte Lincoln einmal «einen verdammten Narren». Er war erzürnt auf ihn, weil Lincoln sich in seine Angelegenheiten eingemischt hatte. Um einem egoistischen Politiker den Willen zu tun, hatte Lincoln nämlich einen Befehl zur Versetzung bestimmter Regimenter unterzeichnet. Stanton weigerte sich nicht nur, Lincolns Befehle auszuführen, sondern fluchte, der Präsident sei ein verdammter Narr, weil er je so etwas unterzeichnet habe. Was geschah darauf? Als Lincoln erfuhr, was Stanton gesagt hatte, erwiderte er gelassen: «Wenn Stanton sagt, daß ich ein verdammter Narr sei, dann muß ich es wohl sein, denn er hat fast immer recht. Ich will mal zu ihm hingehen und selber sehen.»

Tatsächlich suchte Lincoln Stanton auf. Der Kriegsminister setzte ihm auseinander, daß der Befehl verkehrt sei, und Lincoln machte ihn rückgängig. Denn Lincoln nahm gern eine Kritik an, wenn er wußte, daß sie aufrichtig gemeint, auf Sachkenntnis gegründet und wirklicher Hilfsbereitschaft entsprungen war.

Derartige Kritik sollten wir alle ebenfalls begrüßen, denn mehr als drei- von viermal können wir nicht erwarten, recht zu haben. Theodore Roosevelt wenigstens behauptete, mehr dürfe er nicht von sich voraussetzen, als er im Weißen Haus saß. Einstein, der tiefste Denker unserer Zeit, gab zu, daß seine Schlüsse stets zu neunundneunzig Prozent falsch gewesen seien!

«Die Meinungen unserer Feinde», sagte La Rochefoucauld, «kommen der Wahrheit über uns näher als unser eigenes Urteil.»

Ich weiß, daß diese Feststellung sehr oft recht haben mag; und doch – sobald jemand anfängt, mich zu kritisieren und ich mich nicht beherrsche, gerate ich sofort und automatisch in Harnisch, ohne auch nur im geringsten abzuwarten, worauf mein Kritiker hinauswill. Jedesmal, wenn mir das passiert, ärgere ich mich schrecklich über mich selbst. Wir sind alle geneigt, Kritik übelzunehmen und Lob wie Honig aufzuschlecken, ganz gleich, ob Kritik und Lob gerechtfertigt sind. Wir sind keine Geschöpfe der Logik, wir sind Geschöpfe des Gefühls. Unsere Logik gleicht einem Boot, das auf dem tiefen, dunklen, stürmischen Meere unserer Gefühlswelt umhergetrieben wird. Die meisten von uns haben eine recht günstige Meinung von ihrer eigenen Person. Doch in vierzig Jahren blicken wir vielleicht zurück und lachen über unser jetziges Verhalten.

William Allen White – «der berühmteste Kleinstadtredakteur der Geschichte» – blickte auch einmal zurück und schilderte den jungen Mann, der er vor fünfzig Jahren einmal gewesen, als «aufgeblasen . . . ein Dummkopf mit einer tüchtigen Portion Frechheit . . . ein arroganter junger Pharisäer . . . ein selbstgefälliger Reaktionär». In zwanzig Jahren brauchen wir selbst vielleicht einmal ähnliche Ausdrücke, um uns so zu schildern, wie wir uns im Rückblick sehen. Wohl möglich . . . Wer weiß?

In den vorhergehenden Kapiteln habe ich darüber gesprochen, was wir tun sollen, um ungerechter Kritik zu begegnen. Hier ist jetzt ein anderer Vorschlag: Wenn Ihr Euch gerade erzürnen wollt, weil Ihr Euch ungerecht beurteilt fühlt, dann haltet doch erst einmal an Euch und überlegt: «Einen Moment mal . . . Ich bin ja längst nicht vollkommen. Wenn Einstein zugibt, daß er sich von hundert Malen neunundneunzigmal irrt, vielleicht irre ich mich dann mindestens achtzigmal? Vielleicht verdiene ich diese Kritik. Wenn dem so ist, dann sollte ich eigentlich dankbar sein und davon zu profitieren suchen.»

Charles Luckman, Präsident der Pepsodent-Gesellschaft, gibt eine Million Dollar dafür aus, Bob Hope im Rundfunk sprechen zu lassen. Er schenkt den Briefen, die das Programm rühmen, keinen Blick, die kritischen Briefe aber will er alle sehen. Er weiß, er kann vielleicht etwas aus ihnen lernen.

Der Ford-Gesellschaft liegt so viel daran, herauszufinden, wo etwas im Fabrik- und Bürobetrieb nicht stimmt, daß kürzlich eine

221

Abstimmung unter den Angestellten vorgenommen und diese aufgefordert wurden, Kritik an der Gesellschaft zu üben.

Ich kenne einen einstmaligen Seifenverkäufer, der geradezu um Kritik bat. Als er anfing, für Colgates Seifen zu reisen, gingen die Aufträge nur langsam ein. Er hatte Angst, seine Stellung zu verlieren. Da er wußte, es konnte weder an der Seife noch am Preis liegen, kam er zu dem Schluß, der Fehler müsse bei ihm liegen. Wenn ihm ein Abschluß nicht gelang, pflegte er oft um den Häuserblock herumzulaufen und sich den Kopf darüber zu zerbrechen, was schuld sein könnte. War er nicht bestimmt genug aufgetreten? Hatte er seine Sache nicht eifrig genug vertreten? Zuweilen kehrte er zu dem betreffenden Seifenhändler zurück und sagte: «Ich bin nicht zurückgekommen, weil ich nochmals versuchen will, Ihnen Seife zu verkaufen. Ich möchte nur gern um Ihren Rat und Ihre Kritik bitten. Wollen Sie nicht so gut sein und mir sagen, was ich falsch gemacht habe, als ich vor ein paar Minuten versuchte, Ihnen Seife zu verkaufen? Sie sind soviel erfahrener und erfolgreicher als ich. Bitte kritisieren Sie mich ungeniert. Haben Sie keine Angst, Sie könnten mich verletzen.»

Diese Einstellung verschaffte ihm eine Menge Freunde und viele unschätzbare Ratschläge.

Was, meint Ihr, wurde aus ihm? Er wurde Präsident des größten Seifenkonzerns der Welt – der Colgate-Palmolive-Peet Soap Company..Sein Name ist E. H. Little.

Nur ein großer Mensch kann tun, was H. P. Howell, Benjamin Franklin und E. H. Little taten. Und jetzt, solange niemand hinsieht, wäre es vielleicht ein guter Gedanke, wenn Ihr rasch mal in den Spiegel schautet und Euch fragtet, ob auch Ihr zu dieser Menschenart gehört!

Wenn Ihr Euch durch Kritik nicht anfechten lassen wollt, dann befolgt Regel Nummer 3:
Führt ein laufendes Verzeichnis der Dummheiten, die Ihr begangen habt, und übt Selbstkritik. Da wir nun einmal nicht hoffen können, vollkommen zu sein, sollten wir es machen wie E. H. Little und andere um ihr sachliches, zweckdienliches und konstruktives Urteil bitten.

Der sechste Teil ganz kurz

Regel Nummer 1: Ungerechte Kritik ist oft ein unbeabsichtigtes Kompliment. Sie bedeutet oft, daß Ihr Eifersucht und Neid erregt habt. Vergeßt nicht, daß keiner einem toten Hund einen Fußtritt gibt.

Regel Nummer 2: Tut Euer Allerbestes – und dann spannt Euren alten Regenschirm auf und fangt den Regen der Kritik auf, damit er Euch nicht hinten am Hals hinunterläuft.

Regel Nummer 3: Führt ein laufendes Verzeichnis all der Dummheiten, die Ihr begeht, und übt Selbstkritik. Da wir nun einmal nicht hoffen können, vollkommen zu sein, sollten wir es machen wie E. H. Little und andere um ihr sachliches, zweckdienliches und konstruktives Urteil bitten.

Siebter Teil

Sechs Mittel, um Übermüdung und deren Folgen zu vermeiden und sowohl geistig wie körperlich auf der Höhe zu bleiben

Warum schreibe ich in einem Buch, das davon handelt, wie man seiner Sorgen Meister wird, ein Kapitel über die Müdigkeit und ihre Verhütung? Sehr einfach: weil Übermüdung sehr häufig zu einer Störung des inneren Gleichgewichts führt und daran schuld ist, daß wir alles zu schwer nehmen. Jeder Mediziner kann Euch sagen, daß Abspannung unsere Widerstandskraft gegen Erkältung und hundert andere Erkrankungen herabsetzt; und jeder Nervenarzt kann dies durch die weitere Feststellung ergänzen, daß sie auch unsere Widerstandskraft gegen Angst und innere Unruhe mindert. Somit schützt man sich durch Verhütung von Abspannung und Übermüdung unter Umständen auch vor einer Störung seines inneren Gleichgewichts.

Sagte ich «unter Umständen»? Das ist milde ausgedrückt. Dr. Edmund Jacobsohn geht viel weiter. Als Direktor des Chicagoer Universitätslaboratoriums für Klinische Physiologie hat er Jahre mit der Erforschung der Entspannung als einer praktischen Heilmethode zugebracht, und aus seiner Feder stammen zwei Bücher über diesen Gegenstand: «Progress' Relaxation» (Fortschreitende Entspannung) und «You Must Relax». (Du mußt dich entspannen!) Er behauptet, kein nervöser oder zu stark gefühlsbetonter Zustand könne fortbestehen, sobald vollständige Entspannung eingesetzt habe. Dies heißt mit anderen Worten: *Wer entspannt, der stellt damit sein inneres Gleichgewicht wieder her.*

So ist denn die erste Vorschrift zur Vorbeugung von Abspannung und innerer Unruhe: Ruht oft aus. Ruht aus, ehe Ihr müde seid.

Warum ist das so wichtig? Weil Übermüdung mit erstaunlicher Schnelligkeit anwächst. Die Heeresleitung der USA hat durch fortgesetzte Versuche festgestellt, daß selbst junge Männer – Leute, die durch jahrelanges militärisches Training in jeder Weise gehärtet sind – besser marschieren und besser durchhalten, wenn sie am Ende jeder Stunde zehn Minuten lang ihren Rucksack hinwerfen und sich ausruhen. Daher zwingt die Heeresleitung sie einfach dazu.

Und genau wie die amerikanische Heeresleitung macht es Euer Herz. Das Herz pumpt täglich genug Blut durch den menschlichen Körper, um einen Tankwaggon der Eisenbahn damit zu füllen. Seine Tagesarbeit entspricht der Anstrengung, die erforderlich ist, um zwanzig Tonnen Kohle auf eine nahezu einen Meter hohe Plattform hinaufzuschaufeln. Diese unglaubliche Arbeitsleistung führt es fünfzig, siebzig, ja manchmal sogar neunzig Jahre lang durch. Wie kann es das aushalten? Dr. Walter B. Cannon von der Medizinischen Fakultät der Harvard-Universität erläutert es folgendermaßen:

«Die meisten glauben, das Herz arbeite unausgesetzt. Tatsächlich aber erfolgt nach jeder Zusammenziehung eine Ruhepause. Wenn es die mäßige Arbeit von siebzig Pulsschlägen in der Minute leistet, arbeitet das Herz eigentlich nicht mehr als neun Stunden von vierundzwanzig. Alles in allem genommen belaufen sich seine Ruhepausen auf volle fünfzehn Stunden täglich.»

Im Zweiten Weltkrieg vermochte Winston Churchill, damals Ende der Sechzig und Anfang der Siebzig, Jahr um Jahr sechzehn Stunden täglich zu arbeiten, um die Kriegsleistungen des Britischen Weltreichs zu lenken. Ein phänomenaler Rekord. Worin bestand sein Geheimnis? Churchill arbeitete morgens stets bis elf Uhr im Bett, las dort die einlaufenden Berichte, diktierte Befehle, telefonierte, hielt wichtige Konferenzen ab. Nach dem Lunch ging er wiederum zu Bett, und ebenso schlief er zwei Stunden lang vor dem abendlichen Dinner. Er litt nie an Überanstrengung und brauchte nichts dagegen zu tun – er beugte ihr einfach vor. Weil er sich häufig ausruhte, war er imstande, in bester Verfassung bis lange nach Mitternacht zu arbeiten.

Der erste Träger des Namens John D. Rockefeller stellte zwei außergewöhnliche Rekorde auf. Er häufte das größte Vermögen an, das die Welt bis dahin gesehen hatte, und er wurde achtundneunzig Jahre alt. Wie schaffte er das? Die Haupterklärung ist natürlich, daß er seine Langlebigkeit ererbt hatte. Ein weiterer Grund aber war seine Gewohnheit, jeden Mittag nach Tisch eine halbe Stunde lang in seinem Büro zu schlafen. Wenn er sich zu seinem Mittagsschläfchen niedergelegt hatte, dann hätte auch der Präsident der Vereinigten Staaten umsonst versucht, John D. Rockefeller ans Telefon zu bekommen!

In seinem vorzüglichen Buch «Why Be Tired?» (Warum müde sein?) bemerkt Daniel W. Josselyn: «Ausruhen heißt nicht, absolut nichts tun. *Ausruhen ist Wiederherstellung.*» In einer kurzen Ruhepause liegt soviel Wiederherstellungskraft, daß selbst ein kurzer Fünfminutenschlummer ein Mittel gegen Übermüdung darstellt. Connie Mack, der große amerikanische Baseball-Spieler, sagte mir, wenn er vor einem Match nicht sein Schläfchen mache, sei er um den fünften Lauf herum einfach erledigt. Habe er aber auch nur fünf Minuten lang geschlafen, dann halte er bis zum Schlusse durch, ohne zu ermüden.

Als ich Eleanor Roosevelt fragte, wie sie es angestellt habe, um während der zwölfjährigen Amtszeit ihres Gatten ihrer überaus anstrengenden Tätigkeit gerecht zu werden, antwortete sie, wenn sie einer Versammlung gegenübertreten oder eine Rede halten mußte, hätte sie sich vorher oft in einen Sessel gesetzt, die Augen geschlossen und zwanzig Minuten lang völlig entspannt.

Kürzlich suchte ich Gene Autry in seinem Ankleidezimmer im Madison Square Garden auf, wo er als Hauptattraktion im Weltmeisterschafts-Rodeo (Cowboy-Reiten) auftrat. Dort stand ein Feldbett. Gene deutete darauf und sagte: «Dort lege ich mich jeden Nachmittag nieder und mache ein Schläfchen zwischen den Vorstellungen. Wenn ich in Hollywood in einem Film mitwirke», fuhr er fort, «setze ich mich zwischendrin oft in einen bequemen Sessel und leiste mir zwei- oder dreimal ein Schläfchen von zehn Minuten. Das trägt ungemein zur Erhöhung meiner Leistungsfähigkeit bei.»

Edison schrieb es seiner Fähigkeit zu, jederzeit schlafen zu können, daß er über so ungeheure Energie und Ausdauer verfügte.

Kurz vor seinem achtzigsten Geburtstag interviewte ich Henry Ford. Es überraschte mich, daß er so frisch und wohl aussah, und ich erkundigte mich, wie er das anfange. Seine Antwort lautete: *«Ich stehe nie, wenn ich sitzen kann, und ich sitze nie, wenn ich liegen kann.»*

Horace Mann, «der Vater der modernen Erziehung» genannt, machte es ebenso, als er älter wurde. Als er Präsident des Antioch College geworden war, pflegte er sich auf einem Diwan auszustrecken, wenn er Studenten zur Besprechung empfing.

Ich veranlaßte einmal einen Hollywooder Filmregisseur, die gleiche Technik anzuwenden. Er gestand später, sie habe wahre Wunder gewirkt. Ich spreche hier von Jack Chertock, einem der führenden Männer in Hollywood. Als er mich vor ein paar Jahren aufsuchte, war er Direktor der Kurzfilmabteilung von Metro-Goldwyn-Mayer.

Erschöpft und überarbeitet, hatte er vergebens alles versucht: Stärkungsmittel, Vitamine, Arzneien. Nichts half besonders. Ich riet ihm, jeden Tag etwas Ferien zu machen. Wie das? Indem er sich in seinem Büro lang ausstrecke und völlig entspanne, wenn er Besprechungen mit seinen Drehbuchautoren habe.

Als ich ihn zwei Jahre danach wiedersah, sagte er: «Ein richtiges Wunder ist mit mir geschehen, das sagen sogar meine Ärzte. Früher pflegte ich bei Besprechungen, die wir über neue Kurzfilmideen hatten, immer steif und unbequem auf einem Stuhl zu sitzen. Jetzt lege ich mich zu derartigen Erörterungen immer auf die Couch im Office. Seit zwanzig Jahren habe ich mich nicht so wohl gefühlt wie heute. Ich arbeite täglich zwei Stunden länger und werde doch selten müde dabei.»

Was hat das alles mit dir zu tun? Wenn du etwa Stenotypistin bist, kannst du dir kein Schläfchen im Büro leisten, wie es Edison tat und wie Sam Goldwyn es heute tut. Und wenn du Buchhalter bist, kannst du dich nicht auf die Couch legen, während du mit deinem Chef über die Bilanz verhandelst. Wenn du aber in einer Kleinstadt lebst und zum Lunch nach Hause gehst, vermagst du doch vielleicht zehn Minuten für einen Mittagsschlaf zu erübrigen. Das tat General George C. Marshall (der Urheber des Marshall-Plans) immer. Er spürte, daß das Oberkommando der amerikanischen Streitkräfte im Krieg so große Anforderungen an ihn stellte, daß er mittags einfach eine Ruhepause machen *mußte*. Wenn du, lieber Leser, über fünfzig bist und findest, dazu könntest du die Zeit nicht aufbringen, dann geh lieber gleich hin und schließe eine so hohe Lebensversicherung ab, wie du nur kannst. Sich begraben lassen kommt heutzutage teuer – und plötzlich; und vielleicht braucht deine Eheliebste einmal die Versicherungssumme, um einen Jüngeren zu heiraten.

Kannst du kein Mittagsschläfchen machen, so ist es dir vielleicht möglich, dich vor dem Abendessen eine Stunde hinzulegen. Das ist billiger als ein Cocktail und auf lange Sicht fünftausendvierhundertundsiebenundsechzigmal wirksamer. Wer um fünf, sechs oder sieben herum eine Stunde lang schlafen kann, der verlängert damit seine Wachzeit um eine Stunde täglich. Wieso? Und warum? Weil eine Stunde Schlaf vor der Abendmahlzeit plus sechs Stunden Nachtschlaf – im ganzen also sieben Stunden – besser sind als acht Stunden ununterbrochenen Schlafes.

Wer körperliche Arbeit verrichtet, ist leistungsfähiger, wenn er sich mehr Zeit zum Ausruhen nimmt. Dies bewies Frederick Taylor, als er als Ingenieur im wissenschaftlichen Betriebsbüro der Bethlehem-Steel-Gesellschaft tätig war. Es fiel ihm auf, daß die Arbeiter durchschnittlich zwölfeinhalb Tonnen Roheisen pro Mann und Tag auf Frachtwagen verluden, und daß sie um die Mittagszeit ganz erschöpft waren. Er untersuchte sämtliche mitsprechenden Müdigkeitsfaktoren wissenschaftlich und erklärte hierauf, diese Leute sollten eigentlich nicht bloß zwölfeinhalb Tonnen, sondern siebenundvierzig Tonnen täglich verladen! Ohne Übermüdung müßten sie nach seinen Berechnungen fast viermal soviel leisten können, wie sie tatsächlich leisteten. Wie aber das beweisen?

Taylor suchte sich einen Mann namens Schmidt aus und verlangte, daß er nach der Stoppuhr arbeite. Der Vorarbeiter sagte zu Schmidt etwa: «Jetzt nimm eine Stange Eisen und trag sie weg ... Jetzt setz dich hin und ruh aus ... Jetzt lauf wieder ... Jetzt ruh aus ...»

Und was war das Ergebnis? Schmidt verlud täglich siebenundvierzig Tonnen Roheisen, während die anderen Arbeiter nur je ihre zwölfeinhalb Tonnen bewältigten. Und es kam sozusagen nie vor, daß während der drei Jahre, die Frederick Taylor in Bethlehem war, seine Leistung zurückging. Das brachte Schmidt fertig, weil er ausruhte, *bevor* er ermüdete. Er arbeitete ungefähr sechsundzwanzig Minuten in der Stunde und ruhte sich vierunddreißig Minuten aus. Er ruhte sich also *mehr* aus, als er arbeitete – und leistete dabei doch fast viermal soviel wie die anderen! Beruht das auf bloßem Hörensagen? Bewahre. Ihr könnt selber den Hergang in Frederick Winslow Taylors «Principles of Scientific Management» (Prinzipien der wissenschaftlichen Betriebsführung) nachlesen.

Um es zu wiederholen: tut, was die amerikanische Armee tut – schaltet häufige Ruhepausen ein. Tut, was Euer Herz tut – ruht Euch aus, ehe Ihr müde werdet, und Ihr werdet Eure Wachzeit täglich um eine Stunde verlängern.

Hier ist eine erstaunliche und bedeutsame Tatsache: geistige Arbeit allein kann einen nicht müde machen. Das klingt widersinnig. Doch vor ein paar Jahren versuchte die Wissenschaft herauszufinden, wie lange das menschliche Gehirn zu arbeiten vermöge, ohne «verminderte Leistungsfähigkeit» aufzuweisen, die wissenschaftliche Bezeichnung für Übermüdung. Zur größten Überraschung der beteiligten Wissenschaftler zeigte sich, daß Blut, welches das Gehirn passiert, während dieses in Tätigkeit ist, keinerlei Ermüdungssymptome aufweist! Entnähme man den Venen eines an der Arbeit befindlichen Tagelöhners etwas Blut, so würde sich herausstellen, daß es voller «Ermüdungsgifte» und Ermüdungsprodukte wäre. Entnähme man aber dem Gehirn eines Albert Einstein einen Tropfen Blut, so würde es selbst am Ende eines Arbeitstages keine Spur von Ermüdungsgift enthalten.

Was das Gehirn anbelangt, so kann es «so gut und rasch nach acht- oder selbst zwölfstündiger Anstrengung arbeiten wie zu deren Beginn». Das Gehirn ist unermüdlich . . . Was also macht einen müde?

Die Nervenärzte behaupten, unser Ermüden sei in der Hauptsache unserer geistigen und gefühlsmäßigen Einstellung zuzuschreiben. Einer von Englands angesehensten Psychiatern, J. A. Hadfield, sagt in seinem Buch «The Psychology of Power» (Die Psychologie der Macht): «Der größte Teil der Ermüdungserscheinungen, an denen wir leiden, ist geistigen Ursprungs; Ermüdung rein körperlicher Natur kommt in der Tat selten vor.»

Und einer der bekanntesten amerikanischen Nervenärzte, Dr. A. A. Brill, geht noch weiter, wenn er erklärt: «Die Ermüdungserscheinungen des sitzenden Arbeiters, der körperlich gesund ist, sind hundertprozentig seelischen Faktoren zuzuschreiben, womit wir Gefühlsfaktoren meinen.»

Welche Art gefühlsmäßige Faktoren machen wohl den «sitzenden Arbeiter» müde? Freude? Zufriedenheit? Nein, niemals! Langeweile, innerer Groll, unbefriedigtes Geltungsbedürfnis, Gefühle der Unruhe, der Angst, des Gehetztseins und der allgemeinen Nutzlosigkeit allen Strebens – dies sind die Faktoren, die den Schreibtischarbeiter erschöpfen, ihn für Erkältungen empfänglich machen, seine Leistungs-fähigkeit herabmindern und ihn mit Nervenkopfschmerzen nachhause gehen lassen. Jawohl – müde werden wir, weil unsere Empfindungen in unserem Körper nervöse Spannungen hervorrufen.

Die New Yorker Metropolitan Life Insurance Company weist hierauf in einem Flugblatt hin. «Harte Arbeit an und für sich», so schreibt diese große Lebensversicherungsgesellschaft, «verursacht sel-ten eine Müdigkeit, die nicht durch einen guten Schlaf oder eine Ruhepause behoben werden kann ... Innere Unruhe, Nervosität und gestörtes seelisches Gleichgewicht sind drei der Hauptursachen der Ermüdung. Oft liegen sie zugrunde, wenn anscheinend körperliche oder geistige Arbeit daran schuld ist ... Man vergesse nicht, daß ein gespannter Muskel ein arbeitender Muskel ist. Entspannt Euch! Seine Energie soll man für wichtige Obliegenheiten auf-sparen.»

Haltet einmal sofort ein, wo Ihr auch seid, und überprüft Euch. Macht Ihr ein grimmiges Gesicht, während Ihr diese Zeilen lest? Fühlt Ihr einen Druck zwischen den Augen? Sitzt Ihr entspannt auf Eurem Stuhl? Oder zieht Ihr die Schultern hoch? Sind Eure Ge-sichtsmuskeln verkrampft? Wenn nicht Euer ganzer Körper so schlapp und locker ist wie eine alte Stoffpuppe, dann produziert Ihr in die-sem Augenblick Nervenspannungen und Muskelspannungen. *Ihr er-zeugt nervöse Spannung und nervöse Ermüdung!*

Warum erzeugen wir solch unnötige Spannungen bei geistiger Ar-beit? Josselyn sagt dazu: «Ich finde, das Haupthindernis ... ist der fast allgemeine Glaube, daß schwere Arbeit ein Gefühl der Anstrengung verlangt, weil sie sonst nichts wert sei.» Also machen wir ein wüten-des Gesicht, wenn wir uns konzentrieren. Wir schieben die Schultern in die Höhe. Wir veranlassen unsere Muskeln, die Bewegungen der *Anstrengung* auszuführen, wodurch unserem Gehirn jedoch in keiner Weise gedient ist.

Ja, es ist eine erstaunliche und traurige Wahrheit: Millionen Men-schen, denen es nicht im Traume einfallen würde, ihre Batzen sinn-los zu verschwenden, verschwenden und verschleudern ohne Unter-laß ihre Kräfte auf die leichtsinnigste Weise.

Was läßt sich gegen diese nervöse Anspannung tun? Entspannen! Entspannen! Entspannen! *Lernt Euch bei der Arbeit entspannen!*

Eine leichte Sache? Nein. Wahrscheinlich müßtet Ihr dazu alles genau umgekehrt machen, wie Ihr es Euer ganzes Leben lang gemacht habt. Allein es ist der Mühe wert, denn vielleicht ändert sich dadurch Euer Leben von Grund auf! In seinem Essay «Das Evangelium der Entspannung» sagt William James: «Die übermäßige Spannung und Sprunghaftigkeit der Amerikaner, ihre Atemlosigkeit und Intensität und ihr gequälter Gesichtsausdruck ... sind *schlechte Gewohnheiten*, nicht mehr oder weniger.» *Anspannung ist eine Gewohnheit. Entspannung ist eine Gewohnheit. Und schlechte Gewohnheiten kann man sich abgewöhnen, gute Gewohnheiten kann man erwerben.*

Wie macht man es, um zu entspannen? Fängt man mit dem Geiste an oder mit den Nerven? Weder mit dem einen noch dem anderen. Entspannung fängt immer *bei den Muskeln* an!

Versuchen wir's einmal. Um die Sache zu erklären, fangen wir vielleicht einmal mit den Augen an. Lest diesen Absatz durch, und wenn Ihr am Ende angekommen seid, dann lehnt Euch zurück, schließt die Augen und sagt innerlich *zu Euren Augen*: «Locker lassen. Locker lassen. Nicht mehr anstrengen. Nicht mehr die Stirn runzeln. Locker – locker!» Das wiederholt immer wieder ganz langsam eine Minute lang ...

Habt Ihr nicht bemerkt, daß nach ein paar Sekunden Eure Augenmuskeln *zu gehorchen begannen*? War Euch nicht, als ob eine Hand das gespannte Gefühl weggewischt hätte? Nun, so unglaublich sich das anhören mag, in dieser einen Minute habt Ihr den ganzen Schlüssel, das ganze Geheimnis der Kunst zu entspannen kennengelernt. Genau dasselbe könnt Ihr nun mit dem Kiefer tun, mit der Gesichtsmuskulatur, dem Hals und Nacken, den Schultern, dem ganzen Körper. Dr. Edmund Jacobson von der Universität Chicago geht so weit, zu sagen, wenn man seine Augenmuskeln vollständig entspannen könne, vermöge man alles Unangenehme zu vergessen! Der Grund, warum die Augen für die Nervenentspannung von solcher Wichtigkeit sind, liegt darin, daß sie ein Viertel aller vom Körper benötigten nervösen Energien beanspruchen. Deswegen leiden so viele Menschen mit vollkommen intakter Sehkraft an «überanstrengten Augen». Sie spannen eben ihre Augen an.

Vicki Baum, die bekannte Romanschriftstellerin, erzählt, daß sie als Kind von einem alten Mann eines der wichtigsten Dinge ihres Lebens lernte. Sie war hingefallen und hatte sich das Knie aufgeschlagen und das Handgelenk verletzt. Der Alte hob sie auf. Er war ein früherer Zirkusclown. Als er sie abbürstete, sagte er zu ihr: «Du hast dir bloß deshalb so weh getan, weil du nicht entspannen kannst. Du mußt tun, als wärst du so lappig wie ein Strumpf, ein alter zerknüllter Strumpf. Komm, ich zeige dir mal, wie man's macht.»

Der Alte lehrte Vicki Baum und ihre Kameraden, wie man hinfällt, Purzelbäume schlägt, und vieles andere mehr. Und stets wiederholte er dabei: «Denk, du wärst ein alter verkrumpelter Strumpf. Dann mußt du ganz einfach entspannen!»

Sobald man einen freien Augenblick hat, kann man immer rasch einmal entspannen, gleich wo man ist. Nur darf man keine Anstrengung machen, um zu entspannen, denn *Entspannung ist das Fehlen jeder Spannung, jeder krampfhaften Anstrengung.* Stellt Euch ganz auf Mühelosigkeit und Entspannung ein. Beginnt, indem Ihr Euch auf die Entspannung Eurer Augen- und Gesichtsmuskeln einstellt und immer wiederholt: «Locker ... locker ... locker ... locker lassen und entspannen.» Fühlt, wie dabei die Energie aus Euren Gesichtsmuskeln in Eure Rückenmitte abfließt. Stellt Euch vor, Ihr seiet so spannungsfrei wie ein Baby.

So pflegte es die große Sopranistin Galli-Curci zu machen. Eine Bekannte erzählte mir einmal, wie sie die Galli-Curci oft vor einem Konzert dasitzen sah – mit völlig entspannten Muskeln und einem so gelösten Unterkiefer, daß er tatsächlich beinahe herunterhing. Eine ausgezeichnete Gewohnheit, die dem Lampenfieber entgegenwirkte und daher einer Überanstrengung vorbeugte.

Hier sind vier Anregungen, die zum Erlernen der Entspannung dienen mögen:

1. Entspannt, sobald Ihr einen Augenblick Zeit habt. Laßt Euren Körper ganz in sich zusammenfallen wie einen alten Strumpf. Ich habe seit langem einen alten braunen Strumpf auf dem Schreibtisch liegen, der mich beim Arbeiten immer daran mahnen soll, wie gelöst ich sein sollte. Wenn Ihr keinen übrigen Strumpf habt, dann tut es auch eine Katze. Habt Ihr je ein junges Kätzchen aufgehoben, das in der Sonne schlief? Dann wißt Ihr, wie es vorn und hinten herabhing gleich einer nassen Zeitung. Selbst die indischen Yogis sagen, wer die Kunst der Entspannung meistern wolle, der müsse die Katze studieren. Ich habe nie eine übermüdete Katze gesehen, eine Katze mit Nervenzusammenbruch, oder eine Katze, die an Schlaflosigkeit, Angst oder Magengeschwüren litt. Ihr werdet wahrscheinlich all das ebenfalls vermeiden, wenn Ihr entspannen lernt gleich der Katze.

2. Arbeitet soweit tunlich in bequemer Lage. Vergeßt nicht, daß Körperspannungen schmerzende Schultern und Überanstrengung verursachen.

3. Gebietet Euch mehrmals am Tage Einhalt und fragt Euch: «Erschwere ich mir die Arbeit unnötig? Brauche ich Muskeln, die nichts damit zu tun haben?» Das wird Euch helfen, Euch das Entspannen *anzugewöhnen*, und um mit Dr. David Harold Fink zu sprechen, «gelten bei Psychologen unsere Angewohnheiten als ausschlaggebend».

4. Prüft Euch am Tagesende nochmals, indem Ihr Euch fragt: «Wie groß ist meine Müdigkeit nun tatsächlich? Wenn ich mich müde fühle, dann ist nicht die geistige Arbeit, die ich getan habe, daran schuld, sondern die Art und Weise, wie ich sie tat.» – «Ich schätze meine Leistungen», sagt David W. Josselyn, «nicht danach ein, wie müde ich am Ende eines Tages bin, sondern danach, wie müde ich nicht bin.» Er sagt ferner: «Wenn ich mich am Ende des Tages außergewöhnlich müde fühle, oder wenn meine Reizbarkeit mir anzeigt, daß meine Nerven übermüdet sind, dann weiß ich mit absoluter Gewißheit, daß es sowohl quantitativ wie qualitativ ein Tag der schlechten Leistung gewesen ist.» Wenn alle amerikanischen Geschäftsleute dies beherzigen wollten, dann würden unsere Todesfälle an Krankheiten mit «Hypertension» (erhöhter Spannung) über Nacht geringer werden. Und wir brauchten nicht mehr unsere Sanatorien und Spitäler mit Männern anzufüllen, denen durch Überanstrengung und Störungen des inneren Gleichgewichts der Lebensnerv abgeschnürt worden ist.

Wie die Hausfrau Überanstrengung vermeiden – und sich ihr jugendliches Aussehen bewahren kann!   25

Eines Tages im vergangenen Herbst flog meine Assistentin nach Boston, um an einem der seltsamsten medizinischen Kurse der Welt teilzunehmen. Medizinisch? Nun ja. Die «Klasse», um die es sich handelt, trifft sich jede Woche einmal im «Boston Dispensary», einer großen Klinik. Die Patienten, die ihr angehören, werden vor ihrer Aufnahme einer gründlichen und sachgemäßen Untersuchung unterzogen. Tatsächlich bildet diese «Klasse» aber eine psychologische Klinik. Obwohl ihre offizielle Bezeichnung «Klasse für angewandte Psychologie» ist, hat sie zum eigentlichen Zweck, sich solcher Leute anzunehmen, die sich selber das Leben so schwer machen, daß sie krank werden. Und viele dieser Patienten sind Hausfrauen, deren Gemütsleben eine Störung erlitten hat.

Hier ein Wort über die Entstehungsgeschichte dieses Kurses. Im Jahre 1930 machte Dr. Joseph H. Pratt – nebenbei ein Schüler von Sir William Osler – die Beobachtung, daß vielen der Patientinnen im «Boston Dispensary» eigentlich körperlich gar nichts fehlte, obwohl sie so ziemlich alle Krankheitssymptome aufwiesen, die ein Mensch nur haben kann. Bei der einen Frau waren die Hände von «Arthritis» derart verkrüppelt, daß sie sie überhaupt nicht mehr gebrauchen konnte. Eine andere Frau litt Höllenqualen durch die grauenhaften Begleiterscheinungen von «Magenkrebs». Andere hatten Rückenweh, Kopfweh, waren chronisch müde oder litten an undefinierbaren Schmerzen aller Art. Alle diese Schmerzen *fühlten* die Patientinnen tatsächlich. Doch noch so eingehende ärztliche Untersuchungen ergaben immer nur, daß diesen Frauen nicht das geringste fehlte – im körperlichen Sinn. Viele altmodische Doktoren würden erklärt haben, es handle sich bei alledem um bloße Einbildung und weiter nichts.

Dr. Pratt aber fand, es nütze nichts, diesen Patientinnen zu sagen, sie sollten «heimgehen und einfach nicht mehr daran denken». Er wußte, daß es den meisten dieser Frauen durchaus kein Vergnügen bereitete, krank zu sein. Wäre es ihnen leicht gefallen, ihre Leiden zu vergessen, dann hätten sie es wohl schon von selbst getan. Da mußte man wohl anders vorgehen.

So eröffnete er diesen Kurs – unter einem warnenden Begleitchor von ärztlichen Zweiflern. Doch die Klasse wirkte Wunder! In den achtzehn Jahren seit ihrer Eröffnung haben Tausende von Patientinnen durch sie «Heilung» gefunden. Manche dieser Patientinnen kommen schon seit Jahren – sie sind so getreue Anhängerinnen, als handle es sich um eine religiöse Pflicht. Meine Mitarbeiterin sprach mit einer Frau, die seit über neun Jahren kaum eine einzige Zusammenkunft versäumt hat. Sie erzählte, als sie zuerst in die Klinik gekommen sei, habe sie fest geglaubt, eine Wanderniere und irgendein Herzleiden zu haben. Sie war so verängstigt und nervös, daß sie zuweilen das Sehvermögen einbüßte und erblindete. Heute aber ist sie heiter und zuversichtlich und erfreut sich ausgezeichneter Gesundheit. Sie sah nicht älter aus als vierzig, hatte aber dabei eines ihrer Enkelkinder auf dem Schoß. «Ich machte mir so viele Sorgen um meine Familie», sagte sie, «daß ich mir den Tod herbeisehnte. Doch in dieser Klinik habe ich gelernt, wie töricht es ist, sich zu sorgen. Ich habe es mir ganz abgewöhnt. Und ich kann ehrlich sagen, daß ich jetzt ein zufriedenes Dasein führe.»

Dr. Rose Hilferding, die ärztliche Beraterin der Klasse, sagte, nach ihrer Überzeugung sei eines der besten Heilmittel für Menschen, die sich sorgen, ihre Angelegenheiten mit jemandem zu besprechen, zu dem sie Vertrauen haben. «Wir nennen es Katharsis (Reinigung)», sagte sie. «Wenn die Leutchen hierherkommen, können sie so lange über ihre Sorgen reden, bis sie ihnen aus dem Kopf entschwinden. Allein über seine Kümmernisse nachzugrübeln und sie für sich selbst zu behalten, verursacht eine große innere Spannung. Wir müssen alle miteinander unsere Sorgen jemandem mitteilen. Wir müssen unsere Ängste teilen. Wir müssen fühlen, daß es jemanden in der Welt gibt, der willig zuhört und Verständnis besitzt.»

Meine Mitarbeiterin wurde Zeugin der großen Erleichterung, die eine jener Frauen erfuhr, nur weil sie von ihren Sorgen sprechen konnte. Es handelte sich bei ihr um häusliches Mißgeschick, und als sie das erstemal sprach, war sie wie eine zu straff gespannte Feder. Ganz allmählich wurde sie beim Sprechen ruhiger, und als die Sprechstunde zu Ende war, lächelte sie tatsächlich. Hatte ihr Problem eine Lösung gefunden? Ach nein, so leicht war das nicht. Die Veränderung, die mit ihr vorgegangen war, kam davon, daß sie *mit jemandem reden* konnte, ein wenig Beratung und menschliche Sympathie erfahren hatte. Was die Veränderung eigentlich zuwege gebracht hatte, das war der ungeheure Heilwert, der im gesprochenen Wort liegt!

Die Psychoanalyse gründet zum Teil auf dieser Heilkraft des Wortes. Seit den Tagen Freuds wissen die Analytiker, daß ein Patient Befreiung von seinen inneren Ängsten finden kann, wenn er reden darf, einfach reden. Worauf beruht dies? Vielleicht darauf, daß wir durch das Reden selber eine bessere Einsicht in unsere Sorgen und Ängste gewinnen, zu einer richtigeren Perspektive gelangen. Die letzte Antwort kennt keiner. Doch alle wissen wir, daß wir uns sofort erleichtert fühlen, wenn wir uns eine Sache «vom Herzen reden» können.

Warum also schauen wir uns das nächste Mal, wenn wir ein Gefühlsproblem haben, nicht nach jemandem um, mit dem wir reden können? Ich meine natürlich nicht, daß wir zur allgemeinen Landplage werden sollen, indem wir jedem, der unseren Weg kreuzt, vorjammern und vorheulen. Wir müssen einen Menschen suchen, dem wir vertrauen können, und eine Verabredung mit ihm treffen. Es mag ein Verwandter sein, ein Arzt, ein Rechtsanwalt, ein Geistlicher. Zu diesem Menschen sagt man dann etwa: «Ich habe Ihren Rat nötig. Ich schlage mich mit einem Problem herum und wäre froh, wenn ich es Ihnen vortragen dürfte. Vielleicht können Sie mir raten. Vielleicht entdecken Sie Gesichtspunkte, die mir selbst verborgen geblieben sind. Doch selbst wenn das nicht der Fall ist, wird es mir doch eine ungeheure Hilfe bedeuten, wenn Sie nur dasitzen und zuhören wollten, während ich mich ausspreche.»

Sich aussprechen ist also eine der wichtigsten Heilmethoden, die in der «Boston Dispensary Class» angewandt werden. Allein wir haben dort noch ein paar weitere Ideen aufgeschnappt, die Ihr Hausfrauen mit Gewinn daheim erproben könnt.

1. *Legt Euch ein Büchlein zu, in das alles hineinkommt, was Euch beim Lesen merkenswert scheint.* In dieses Buch könnt Ihr alle Gedichte oder kurzen Gebete oder Zitate kleben, die eine persönliche Saite in Euch anschlagen und irgendwie erhebend wirken. Wenn sich dann an einem Regentag eine trübe Stimmung Eurer zu bemächtigen droht, findet Ihr in Eurem Büchlein vielleicht ein Rezept dagegen. Viele Patienten des «Dispensary» führen seit Jahren solche Zitatenbücher. Sie bezeichnen sie als «geistige Erwecker».

2. *Gebt Euch nicht zuviel mit den Mängeln anderer ab!* Ja, gewiß, dein Mann hat Fehler! Wäre er ein Heiliger, dann würde er dich ja nicht geheiratet haben. Stimmt's? Eine Frau der «Klasse», die selbst feststellte, daß sie sich zu einer keifenden, nörgelnden, verkniffen aussehenden Gattin auswuchs, wurde sofort zur Vernunft gebracht durch die Frage: «Was würden Sie machen, wenn Ihr Mann plötzlich stürbe?» Dieser Gedanke erschütterte sie so, daß sie sich sofort hinsetzte und eine Liste aller guten Eigenschaften entwarf, die ihr Mann hatte. Es wurde sogar eine recht ansehnliche Liste. Warum versucht Ihr das nicht auch einmal, wenn Ihr wieder so recht über-

wältigend empfindet, was für einen tyrannischen Knicker Ihr geheiratet habt? Vielleicht stellt Ihr fest, wenn Ihr das Verzeichnis all seiner Vorzüge dann durchlest, daß dies ein Mann ist, den Ihr gern kennenlernen würdet!

3. *Interessiert Euch für Eure Nachbarn!* Faßt ein freundliches, gesundes Interesse an den Menschen, die mit Euch die gleiche Straße bewohnen! Eine der kranken Frauen, die sich selbst für so «exklusiv» hielt, daß sie keine Freunde besaß, bekam die Aufgabe, über die nächste Person, die ihr begegnen würde, eine Geschichte zu erfinden. Sobald sie wieder in der Straßenbahn saß, fing sie an, sich auszudenken, aus welchem Milieu und was für einem Heim wohl die Leute um sie herum stammen mochten. Sie versuchte, sich vorzustellen, wie ihr Leben verlaufen sein könnte. Und ehe sie sich's versah, fand sie sich mit allen möglichen Leuten im Gespräch. Heute ist sie ein glücklicher, lebhafter, reizender Mensch und völlig von all ihren Schmerzen geheilt.

4. *Macht Euch einen Plan für die Arbeit des morgigen Tages, ehe Ihr schlafen geht.* Die Teilnehmer an dem Kurs fanden, daß viele Hausfrauen nie ein Gefühl der Hetze loswerden, wenn sie an ihre nie endenden häuslichen Pflichten und sonstigen Obliegenheiten denken. Nie werden sie fertig, immer hat die Uhr einen Vorsprung vor ihnen. Um dieses Gefühls der Hetze und inneren Unruhe Herr zu werden, wurden sie veranlaßt, sich immer am Vortag einen Plan für den nächsten zu entwerfen. Was war der Erfolg? Mehr Arbeit geschafft, weniger, viel weniger Müdigkeit; ein befriedigtes Gefühl ob der eigenen Leistung; und übrige Zeit, um sich auszuruhen und «herzurichten». (Jede Frau sollte sich im Laufe des Tages Zeit nehmen, um sich herzurichten und hübsch auszusehen. Ich selbst möchte sagen, daß eine Frau, die *weiß*, daß sie hübsch aussieht, kaum unter nervösen Störungen leiden wird.)

5. *Schließlich – vermeidet Spannung und Ermüdung. Entspannt! Entspannt!* Nichts verleiht ein älteres Aussehen als Spannung und Übermüdung. Nichts ist so schlecht für frisches, ansprechendes Aussehen! Meine Assistentin saß eine Stunde lang in der Bostoner Klasse, während Professor Paul E. Johnson, der Direktor, verschiedene der Grundsätze durchsprach, die wir bereits im letzten Kapitel erörtert haben – nämlich die Vorschriften für Entspannung. Nach zehn Minuten dieser Entspannungsübungen, die meine Assistentin mit den anderen zusammen ausführte, schlief sie beinahe sitzend in

ihrem Stuhl ein! Warum wird auf diese körperliche Entspannung so großes Gewicht gelegt? Weil die Klinik weiß – wie auch andere Ärzte es wissen –, daß die Menschen, sofern man ihnen ihre Ängste und Sorgen austreiben will, einfach entspannen *müssen!*

Ihr seht, Ihr als Hausfrauen müßt einfach entspannen! Ihr verfügt dazu über einen großen Vorteil – Ihr könnt Euch hinlegen, wann immer Ihr wollt, und *Ihr könnt Euch auf den Boden legen!* Sonderbarerweise ist nämlich ein ordentlich harter Boden besser zum Entspannen als ein Bett mit Innenfederung. Er bietet mehr Widerstand. Er ist gut für das Rückgrat.

Nun schön also, hier sind ein paar Übungen, die Ihr daheim ausführen könnt. Versucht es eine Woche lang damit – und dann seht, wie sie auf Euer Aussehen und Eure Verfassung gewirkt haben!

a) Legt Euch flach auf den Boden, so oft Ihr Euch müde fühlt. Streckt Euch aus, so lang Ihr könnt. Wälzt Euch herum, wenn Euch danach ist. Macht das täglich zweimal.

b) Schließt die Augen. Dabei könntet Ihr versuchen, wie Professor Johnson es seinen Schülerinnen empfahl, solche oder ähnliche Worte zu sprechen: «Oben scheint die Sonne. Der Himmel ist blau und strahlend. Die Natur ist stille und beherrscht die Welt – und ich, ein Kind der Natur, bin in Harmonie mit dem Unendlichen.» Oder – was noch besser wäre – betet!

c) Wenn Ihr Euch nicht hinlegen könnt, weil der Braten im Ofen steckt und Ihr keine Zeit habt, dann läßt sich fast der gleiche Erfolg durch Hinsetzen erzielen. Ein harter Stuhl mit gerader Rückenlehne ist am besten zum Entspannen. Setzt Euch aufrecht in Euren Stuhl, gleich einer sitzenden ägyptischen Statue, und legt die Hände mit den Innenflächen nach unten auf Eure Oberschenkel.

d) Nun spannt langsam die Zehen an – und laßt sie wieder erschlaffen. Spannt die Beinmuskeln an – und laßt sie erschlaffen. Führt dies bis ganz hinauf durch, einen Körpermuskel nach dem anderen, bis Ihr an den Hals kommt. Dann rollt langsam den Kopf, als wäre es ein Fußball. Sprecht dabei immerfort zu Euren Muskeln: «Loslassen – locker lassen . . .» (siehe vorhergehendes Kapitel).

e) Beruhigt Eure Nerven durch langsames, regelmäßiges Atmen. Atmet von tief unten herauf. Die indischen Yogis haben recht: rhythmisches Atmen ist eines der besten Nervenberuhigungsmittel, die man kennt.

f) Denkt an die Falten und Runzeln in Eurem Gesicht und glättet sie alle aus. Lockert die Sorgenfältchen, die Ihr zwischen den Brauen und am Mund spürt. Tut das zweimal täglich, vielleicht braucht Ihr dann nicht in den Schönheitssalon zu gehen, um Euch das Gesicht massieren zu lassen. Vielleicht verschwinden die Falten von innen heraus!

Vier gute Arbeitsregeln, die Übermüdung und Nervosität bannen   26

Erste gute Arbeitsregel: Räumt alles von Eurem Schreibtisch weg, was nicht unmittelbar zu der Sache gehört, die Ihr gerade bearbeitet.
Roland I. Williams, Präsident der Chicago and Northwestern Railway (einer großen Eisenbahnlinie), sagte: «Es ist eine schlechte Angewohnheit, an einem Schreibtisch zu arbeiten, der mit Dokumenten über alle möglichen Angelegenheiten überladen ist. Man arbeitet leichter und zuverlässiger, wenn man alles herunterräumt, was nicht mit der einen Sache zu tun hat, die einen gerade beschäftigt. Das nenne ich gute Organisation, die der erste Schritt zu tüchtigen Leistungen ist.»

Wenn man die Kongreßbibliothek in Washington, dem Sitz der amerikanischen Regierung, besucht, fallen einem fünf Worte an der Decke auf, die von dem englischen Dichter Pope stammen: *Order is Heaven's first law,* zu deutsch: «Ordnung ist das oberste Gesetz des Himmels.»

Ordnung sollte auch das oberste Gesetz im geschäftlichen Leben sein. Doch ist sie das? Bewahre. Der Schreibtisch der meisten Geschäftsleute starrt geradezu von Dokumenten, die sich seit Wochen kein Mensch angesehen hat. Ein Zeitungsverleger aus New Orleans erzählte mir tatsächlich, daß seine Sekretärin, als sie einmal eines seiner Pulte aufräumte, zu unterst auf eine Schreibmaschine stieß, die seit zwei Jahren gefehlt hatte!

Der bloße Anblick eines Schreibtisches, der mit unbeantworteter Post und mit Berichten und Memoranden vollgepackt ist, reicht schon aus, um Verwirrung, nervöse Spannung und Unruhe zu erzeugen. Ja, noch schlimmer. Die ständige Mahnung, daß man «tausend Dinge zu erledigen hat, für die man nie Zeit hat», kann einen Menschen nicht nur so aufregen, daß er sich nervös und überanstrengt fühlt, sie kann auch dazu führen, daß er erhöhten Blutdruck, Herzbeschwerden und Magengeschwüre bekommt.

Professor Dr. John H. Stokes von der medizinischen Fakultät der Universität von Pennsylvanien hielt einmal einen Vortrag über «Funktionelle Neurosen als Komplikationen organischer Erkrankungen» vor der Vereinigung der amerikanischen Ärzte. Darin faßte er elf Punkte unter der Überschrift zusammen «Was man an der Gemütsverfassung des Patienten besonders zu beachten hat». Der erste Punkt dieser Liste lautete:

«Das Gefühl des Müssens oder Zwangs; die endlose Reihe der sich vor ihm auftürmenden Dinge, die einfach erledigt werden müssen.»

Doch wie könnte eine so simple Handlung wie das Abräumen eines vollen Schreibtisches einem helfen, diesen hohen Blutdruck zu vermeiden, dieses «Mußgefühl», dieses Gefühl, daß eine «endlose Reihe von Dingen vorliegt, die einfach erledigt werden müssen»? Dr. William L. Sadler, der bekannte amerikanische Nervenarzt, berichtet von einem Patienten, der durch dieses simple Mittel einem nervösen Zusammenbruch vorbeugte. Der Mann war hoher Angestellter eines großen Chicagoer Geschäftshauses. Als er zu Dr. Sadler in die Sprechstunde kam, war er nervös, erregt, voll innerer Unruhe. Er fühlte, daß er geradewegs auf einen Zusammenbruch lossteuerte, konnte aber seine Arbeit nicht im Stich lassen. Er brauchte dringend Rat und Hilfe.

«Während dieser Mann mir seine Geschichte erzählte», sagte Dr. Sadler, «läutete das Telefon. Der Anruf kam aus dem Krankenhaus. Statt die Entscheidung über die mir gestellte Anfrage zu verschieben, nahm ich mir Zeit, sogleich zu einer Entscheidung zu gelangen. Ich erledige immer, wenn ich kann, solche Sachen auf der Stelle. Kaum hatte ich angehängt, als es von neuem läutete. Wiederum eine dringende Sache, die ich mir zu erörtern Zeit nahm. Die dritte Unterbrechung kam, als mich ein Kollege aufsuchte, um meinen Rat über einen schwerkranken Patienten zu erbitten. Als ich mit meinem Kollegen fertig war, wandte ich mich an meinen Besucher, um mich zu entschuldigen, weil ich ihn hatte warten lassen. Doch er sah jetzt bedeutend froher aus. Er hatte einen vollkommen anderen Ausdruck im Gesicht.»

«Entschuldigen Sie sich nicht, Herr Doktor!» sagte der Patient. «Ich glaube, in den letzten zehn Minuten ist mir ein Licht darüber aufgegangen, was mir eigentlich fehlt. Ich werde ins Büro zurückgehen und meine Arbeitsgewohnheiten revidieren ... Doch bevor ich gehe – erlauben Sie, daß ich einen Blick in Ihren Schreibtisch werfe?»

Dr. Sadler zog die Schubladen seines Schreibtisches auf. Alle waren leer, abgesehen von Schreibutensilien. «Wo», fragte der Patient, «heben Sie denn Ihre unerledigten Berichte auf?»

«Sie sind alle erledigt!»

«Und wo ist Ihre unbeantwortete Korrespondenz?»

«Beantwortet!» sagte Sadler. «Ich habe mir zur Regel gemacht, nie einen Brief fortzulegen, ehe ich ihn beantwortet habe. Ich diktiere meiner Sekretärin sofort die Antwort.»

Sechs Wochen darauf lud derselbe Geschäftsmann Dr. Sadler ein, ihn in seinem Büro aufzusuchen. Eine grundlegende Veränderung war mit ihm vorgegangen – und mit seinem Schreibtisch auch. Er zog sämtliche Schubladen auf, um ihm zu zeigen, daß sich nirgends unerledigte Papiere befanden. «Vor sechs Wochen», sagte er, «hatte ich drei verschiedene Schreibtische in zwei verschiedenen Büros – und wußte mich vor Arbeit nicht zu retten. Nie wurde ich fertig damit. Nachdem ich mich mit Ihnen unterhalten hatte, kehrte ich hierher zurück und schmiß eine ganze Wagenladung voller Berichte und alter Papiere fort. Jetzt benutze ich nur einen Schreibtisch zum Arbeiten, erledige alles gleich, wenn ich es erhalte, und habe nicht immer einen ganzen Berg unerledigter Sachen herumliegen, die an mir zerren und mich unruhig und nervös machen. Aber das Erstaunlichste von allem ist, daß es mir wieder ganz gut geht. Meine Gesundheit ist wieder vollkommen in Ordnung!»

Charles Evans Hughes, einstiger Vorsitzender des Obersten Gerichtshofes der Vereinigten Staaten, sagte einmal: «Niemand stirbt an Überarbeitung. Die Leute sterben an zu vielen Zerstreuungen und innerer Ruhelosigkeit.» Jawohl – an der Zerstreuung ihrer Kräfte – und an Ruhelosigkeit, weil sie nie mit ihrer Arbeit fertig werden.

Zweite gute Arbeitsregel: Nehmt immer das Wichtigste zuerst vor.

Henry L. Dougherty, ein großer amerikanischer Geschäftsmann, behauptet, ganz gleich wie hohe Gehälter er auch zahle, zwei ungemein wichtige Fähigkeiten finde er so gut wie niemals bei seinen Angestellten:

Erstens, die Fähigkeit zu denken. Zweitens, die Fähigkeit, sich ihre Arbeit so einzuteilen, daß sie immer das Wichtigste zuerst vornehmen.

Charles Luckman, der Mann, der ganz unten anfing und es innerhalb von zwölf Jahren bis zum Präsidenten der Pepsodent-Gesellschaft brachte, ein Jahresgehalt von hunderttausend Dollar bezog und außerdem noch eine Million Dollar nebenbei verdiente – dieser Mann stellte fest, daß er einen großen Teil seines Erfolges diesen beiden Fähigkeiten verdankt, die Henry L. Dougherty so selten anzutreffen behauptete. «Seit ich mich überhaupt erinnern kann», sagte Charles Luckman, «stehe ich morgens um fünf Uhr auf, weil ich dann besser denken kann als zu irgendeiner anderen Zeit – denken und mir meinen Tagesplan entwerfen – mir die Dinge, die ich zu tun habe, in der Reihenfolge ihrer Wichtigkeit zurechtlegen.»

Franklin Bettger, einer der erfolgreichsten amerikanischen Versicherungsagenten, wartet nicht einmal bis fünf Uhr morgens, um seinen Tagesplan zu entwerfen. Er tut dies bereits am Vorabend, indem er sich ein bestimmtes Ziel steckt – das Ziel, welchen Betrag an Policen er am nächsten Tag an den Mann zu bringen gedenkt. Gelingt es ihm einmal nicht, dann wird der Fehlbetrag dem folgenden Tagespensum hinzugefügt – und so weiter.

Ich weiß aus langer Erfahrung, daß es einem nicht immer möglich ist, die Dinge in der Reihenfolge ihrer Wichtigkeit zu erledigen, doch ich weiß auch, daß irgendein Plan, eine solche Reihenfolge einzuhalten, besser ist, als einfach während der Arbeit zu improvisieren.

Hätte George Bernard Shaw es sich nicht zur eisernen Pflicht gemacht, das Wichtigste zuerst zu tun, dann würde er vermutlich nie Erfolg als Schriftsteller gehabt haben und zeitlebens Bankkassierer geblieben sein. Sein Plan verlangte, daß er täglich fünf Seiten schreibe. Dieser Plan samt der verbissenen Entschlossenheit, daran festzuhalten, war seine Rettung. Dieser Plan gab ihm Mut und Hoffnung, neun verzweiflungsvolle Jahre lang täglich seine fünf Seiten zu schreiben, obwohl er im Laufe dieser ganzen neun Jahre nur dreißig Dollar daran verdiente – etwa einen Penny im Tag.

Dritte gute Arbeitsregel: Seht Ihr Euch einer Schwierigkeit gegenüber, so sucht auf der Stelle damit fertig zu werden, sofern Ihr die Sachlage genügend überseht, um einen Entscheid zu treffen. Zögert Entscheidungen nicht hinaus.

Einer meiner früheren Schüler, Mr. H. P. Howell, seinerzeit Aufsichtsratsmitglied der U. S. Steel, erzählte mir einmal folgendes: Die Aufsichtsratssitzungen dieses Stahlkonzerns pflegten immer so lange zu dauern, so viele verschiedene Punkte pflegten dabei erörtert und so wenig Beschlüsse gefaßt zu werden, daß zum Schlusse immer jeder der Direktoren Stöße von Berichten zum Lesen mit heimnehmen mußte.

Das ging so lange, bis Mr. Howell den Aufsichtsrat dazu bestimmte, immer nur eine Sache auf einmal vorzunehmen und darüber zu beschließen. Kein Hinausschieben – keine Verzögerung. Vielleicht erforderte der gefaßte Beschluß die Herbeischaffung zusätzlichen Materials, vielleicht blieb noch etwas dazu zu tun, vielleicht nicht. Jedenfalls aber war man über die eine Sache zu einem Beschluß gelangt, ehe man zur nächsten überging. Das Ergebnis, so sagte mir Mr. Howell, war in die Augen fallend und äußerst heilsam: die Dossiers waren erledigt, die Tagesordnung durchgearbeitet. Die Direktoren brauchten keine Aktenbündel mehr mit heimzuschleppen. Sie brauchten sich nicht dauernd den Kopf über ungelöste Probleme zu zerbrechen.

Eine ausgezeichnete Regel – nicht nur für die Direktoren der U. S. Steel, sondern für jeden einzelnen von uns.

Vierte gute Arbeitsregel: Lernt organisieren, Vollmachten abtreten und Euch nur die Oberaufsicht vorbehalten.

Mancher Geschäftsmann schaufelt sich selbst sein vorzeitiges Grab, weil er es nicht gelernt hat, anderen einen Teil seiner Verantwortung abzutreten, sondern alles selber erledigen will. Resultat: er wird vor lauter Einzelheiten verwirrt und weiß bald nicht mehr aus und ein, ist in einem ewigen Zustand der Hetze, Unruhe, Angespanntheit, Nervosität. Pflichten abtreten ist nicht leicht. Ich weiß es. Mich selbst ist es hart angekommen, sehr hart sogar. Ich kenne auch aus Erfahrung das Unheil, welches entstehen kann, wenn man der falschen Person eine Verantwortung überträgt. Doch so schwer es ist, Vollmachten abzutreten, muß doch jeder, der an leitender Stelle steht, dies tun, wenn er sich Überanstrengung, Nervosität und Unruhe ersparen will.

Ein Mann, der einen großen Betrieb aufbaut und es nicht lernt, zu organisieren, Vollmachten abzutreten und sich in der Hauptsache die Oberaufsicht vorzubehalten, sagt gewöhnlich der Welt in den Fünfzigern oder anfangs der Sechziger valet, weil er sich durch übermäßige Anspannung und Sorgen ein Herzleiden zugezogen hat. Sie möchten, daß ich Ihnen ein bestimmtes Beispiel dafür gebe? Schauen Sie sich die Todesanzeigen in Ihrer Zeitung an.

Wie man die Langeweile bekämpfen kann, aus welcher Müdigkeit, Nervosität und Unzufriedenheit entspringen 27

Eine der Hauptursachen der Ermüdung ist Langeweile. Dafür bietet die Stenotypistin Alice, die in unserer Straße wohnt, ein anschauliches Beispiel. Eines Abends kommt Alice vollständig kaputt nach Hause. Sie *benimmt sich* wie ein Mensch, der sich erledigt fühlt. Sie *ist* erledigt. Sie hat Kopfweh. Sie hat Rückenweh. Sie ist so erledigt, daß sie sofort ins Bett gehen will, ohne erst zu Nacht zu essen. Die Mutter bittet und bettelt ... Also setzt sie sich zu Tisch. Da läutet das Telefon. Ihr Freund! Sie soll tanzen kommen! Alices Augen strahlen. Ihre Laune schlägt plötzlich um. Sie rennt die Treppe hinauf, zieht ihr bestes blaues Kleid an und tanzt bis um drei Uhr in der Frühe. Und als sie endlich wieder daheim anlangt, ist sie kein bißchen müde. Sie ist im Gegenteil so angeregt, daß sie lange nicht einschlafen kann.

War Alice, Hand aufs Herz, wirklich vor acht Stunden so müde, da sie sich als völlig erschöpft gebärdete und auch erschöpft aussah? Freilich. Sie war erschöpft, weil ihre Arbeit sie anödete – weil vielleicht das ganze Leben sie anödete. Es gibt Millionen solcher Alicen. Vielleicht bist du eine von ihnen.

Es ist eine unbestrittene Tatsache, daß unsere gefühlsbedingte Einstellung gewöhnlich mehr mit der Müdigkeit zu tun hat, unter der wir leiden, als Arbeit und Anstrengung. Vor ein paar Jahren veröffentlichte Dr. Joseph E. Barmack in den «Archives of Psychology» (Psychologisches Archiv) einen Bericht über einige seiner Experimente, die erwiesen, wie durch Langeweile Müdigkeit erzeugt wird. Dr. Barmack unterwarf eine Gruppe von Studenten einer Reihe von Tests, an denen sie, wie er wußte, wenig Interesse haben konnten.

Was geschah? Die Studenten fühlten sich müde und schläfrig, klagten über Kopfschmerzen und überanstrengte Augen, waren reizbar. In mehreren Fällen litten sie sogar unter Verdauungsstörungen. War all das «Einbildung»? Nein. Die Stoffwechselreaktionen der Studenten wurden geprüft. Dabei stellte sich heraus, daß Blutdruck und Sauerstoffverbrauch tatsächlich sinken, wenn ein Mensch gelangweilt ist, und daß der ganze Stoffwechsel sich sofort belebt, wenn er beginnt, Interesse und Freude an seiner Arbeit zu bekunden!

Wir ermüden selten, wenn wir etwas Interessantes und Anregendes tun. Ich machte zum Beispiel kürzlich Ferien in den kanadischen Rocky Mountains, in der Nähe des Louisensees. Ich verbrachte mehrere Urlaubstage mit Forellenfischen am Coral Creek. Dabei mußte ich mich durch mannshohes, dichtes Gebüsch durchschlagen, stolperte häufig über Baumstümpfe und herumliegende Äste – und war doch nach Verlauf von acht Stunden kein bißchen müde. Warum das? Weil ich angeregt und in bester Stimmung war, voll Befriedigung darüber, daß ich sechs der räuberischen Gesellen gefangen hatte. Wie aber, glaubt Ihr, wäre mir zumute gewesen, hätte mir das Fischen keine Freude gemacht? Sicher wäre ich nach einer derartigen Anstrengung in einer Höhe von zweitausendvierhundert Meter über Meer vollständig erschöpft gewesen.

Selbst bei einer so anstrengenden Betätigung, wie Hochtouren sie mit sich bringen, kann Langeweile zu weit größerer Ermüdung führen als die körperliche Anstrengung. Ein Vorfall, der diese Behauptung restlos bestätigt, wurde mir einmal von Mr. S. H. Kingman, dem Direktor der «Sparkasse für Farmer und Mechaniker» in Minneapolis, erzählt. Im Juli 1943 ersuchte die kanadische Regierung den Kanadischen Alpenklub um die Bereitstellung von Führern, die die Angehörigen des Regiments «Prince of Wales Rangers» im Bergsteigen unterweisen sollten. Unter den gewählten Führern befand sich auch Mr. Kingman. Er schildert, wie er und die anderen Bergführer – Männer im Alter von zweiundvierzig bis neunundfünfzig Jahren – diese jungen Soldaten auf lange Touren über Gletscher und Schneefelder und auf die Höhe einer zwölf Meter senkrecht ansteigenden Klippe mitnahmen, die sie mittels des Seiles, schlechter Fußstützen und unsicherer Handgriffe erklettern mußten. Nachdem sie verschiedene Bergspitzen im Little Yoho Valley erklommen hatten, waren die jungen Männer, die sich in der denkbar besten körperlichen Verfassung befanden (sie hatten gerade einen sechswöchigen schweren Kommandokurs hinter sich), von dieser fünfzehnstündigen Bergsteigeübung vollkommen erschöpft.

Beruhte ihre Ermüdung auf dem Gebrauch von Muskeln, die während ihres Kommandotrainings nicht geschult worden waren? Wer je solch ein Kommandotraining mitgemacht hat, würde über eine solch lächerliche Frage spotten. Nein, sie waren erschöpft, weil das Bergsteigen sie langweilte. Sie waren so erledigt, daß manche von ihnen einfach umfielen und einschliefen, bevor sie etwas gegessen hatten. Allein die Bergführer – alles Männer, die zwei- bis dreimal so alt waren wie die Soldaten –, waren die auch so müde? Ja – müde wohl, aber keineswegs erschöpft. Die Führer aßen zu Nacht und blieben danach noch stundenlang auf, um die Erlebnisse des Tages zu erörtern. Sie waren nicht erschöpft, weil sie an der Sache interessiert waren.

Als Dr. Edward Thorndike von der Columbia-Universität Experimente über Ermüdung anstellte, hielt er junge Leute fast eine Woche lang wach, indem er ständig ihr Interesse beanspruchte. Am Schlusse seiner langen Untersuchungen soll Dr. Thorndike geäußert haben: «Langeweile ist die einzige wirkliche Ursache von Arbeitsverminderung.»

Bei Geistesarbeitern ist es selten die Menge der geleisteten Arbeit, die ermüdend wirkt. Zuweilen kann gerade die Menge der nicht bewältigten Arbeit Ermüdung herbeiführen. Entsinnt Ihr Euch zum Beispiel des Tages in der letzten Woche, als eine Unterbrechung der anderen folgte, keine Briefe beantwortet, Verabredungen nicht eingehalten wurden? Hier klappte es nicht und dort klappte es nicht. Alles ging schief an jenem Tag. Ihr brachtet nichts zuwege und gingt doch todmüde heim – mit rasenden Kopfschmerzen.

Am nächsten Tag ging alles im Büro wie am Schnürchen. Ihr erledigtet vierzigmal so viel wie am Tag zuvor. Und doch gingt Ihr frisch und wohlgemut nach Hause, keine Spur müde. Ihr habt diese Erfahrung gemacht – genau so wie ich auch.

Was ergibt sich daraus? Einfach, daß Müdigkeit oft nicht auf Arbeit, sondern auf Nervosität, vereiteltes Streben, Erbitterung und Ärger zurückzuführen ist.

In den Tagen, als ich dieses Kapitel schrieb, sah ich mir ein reizendes Theaterstück an, in dem einer der Hauptcharaktere, ein philosophisch angehauchter Kapitän, unter anderem folgendes sagt: «Die Leute, die Glück haben – das sind diejenigen, denen immer lauter Arbeit in den Schoß fällt, die sie gerne tun.» Solche Leute sind deshalb glücklich, weil mehr Energie, mehr Glück und weniger Sorge und Übermüdung ihr Los ist. Wo dein Interesse ist, da ist auch deine Energie. Zehn Straßen weit mit einer nörgelnden Frau zu gehen, kann ermüdender sein als zehn Meilen mit einem verliebten Mädchen zu wandern.

Nun – und? Was kann man dabei machen? Das soll daran gezeigt werden, wie eine Stenotypistin in Oklahoma die Sache anpackte. Das junge Mädchen war bei einer Ölgesellschaft der Stadt Tulsa angestellt und hatte jeden Monat ein paar Tage lang ungefähr das Langweiligste zu tun, was man sich vorstellen kann – vorgedruckte Ölpachtformulare mit Zahlen und Statistiken auszufüllen. Sie fand diese Aufgabe so geisttötend, daß sie auf Mittel und Wege sann, sie interessanter zu machen. Aber wie? Darüber zerbrach sie sich jeden Tag von neuem den Kopf. Dabei kam sie darauf, die Anzahl Formulare zu zählen, die sie jeden Morgen fertigstellte, und am Nachmittag dann zu versuchen, ihren eigenen Rekord zu schlagen. Dann stellte sie die Gesamtleistung des Tages fest und bemühte sich, sie am folgenden Tag zu übertreffen. Das Ergebnis? Bald gelang es ihr, mehr dieser langweiligen Formulare auszufüllen als irgendeine ihrer Kolleginnen in der Abteilung. Was bekam sie aber dafür? Lob? Nein... Dank? Nein... Eine bessere Stellung? Nein... Mehr Gehalt? Nein... Doch sie überwand dadurch die Ermüdung, die ein Kind der Langeweile ist. Sie schaffte sich dadurch eine Anregung. Weil sie ihr Bestes tat, eine öde Verrichtung interessant zu machen, hatte sie mehr Energie, mehr Eifer und zugleich viel mehr Gewinn von ihrer Freizeit. Ich weiß zufällig, daß es mit dieser Geschichte seine Richtigkeit hat, denn ich heiratete das Mädchen.

Hier der Bericht einer anderen Stenotypistin, die *so tat, als ob* ihre Arbeit interessant sei, und fand, daß es sich lohnte. Früher lehnte sie sich mit Hauen und Stechen gegen ihre Arbeit auf – doch das war einmal. Sie heißt Miss Vallie G. Golden und lebt in Elmhurst, Illinois, 473, South Kenilworth Avenue. Ihr Bericht an mich lautet:

«In unserem Büro sind vier Stenotypistinnen, und jede von uns muß Briefe von mehreren Herren aufnehmen. Ab und zu geht es dabei nicht ganz glatt zu. Als mir einmal ein Bürovorsteher sagte, ich solle einen langen Brief nochmals abschreiben, setzte ich mich dagegen zur Wehr. Ich erklärte ihm, der Brief könne korrigiert werden, ohne daß man ihn ganz abzuschreiben brauche – und er gab zurück, wenn ich nicht wollte, dann würde er schon jemand anderen dafür finden. Ich schäumte vor Wut. Doch während ich mit der Abschrift begann, kam mir plötzlich in den Sinn, daß es eine Menge Leute gab, die nur zu froh sein würden, die Arbeit tun zu dürfen, die ich tat. Auch wurde ich ja dafür bezahlt, daß ich just diese Arbeit verrichtete. Es begann mir besser zumute zu werden. Ich beschloß auf einmal, mich meiner Arbeit zu widmen, als mache sie mir tatsächlich Vergnügen – obwohl sie mir zuwider war. Dabei kam ich auf eine wichtige Entdeckung: wenn ich meine Arbeit tue, *als ob* sie mir Spaß machte, dann macht sie mir wirklich bis zu einem gewissen Grade Spaß. Ich fand auch, daß ich schneller arbeite, wenn ich gern arbeite. Daher brauche ich jetzt fast nie Überstunden zu machen, und meine neue Einstellung hat mir den Ruf einer guten Arbeitskraft eingetragen. Und als einer unserer Abteilungsleiter eine neue Privatsekretärin brauchte, bot er mir den Posten an – weil ich, wie er sagte, bereit sei, eine Extraarbeit zu übernehmen, ohne ein Gesicht zu ziehen. Die Entdeckung, daß eine veränderte Einstellung so viel zuwege bringen kann», schloß Miss Golden ihren Bericht, «war von ungeheurer Bedeutung für mich. Sie hat Wunder gewirkt.»

Ohne sich dessen vielleicht selbst bewußt zu sein, übte Miß Vallie Golden die berühmte «Philosophie des Als ob» aus. William James empfahl, wir sollten handeln, «als ob» wir tapfer wären, und wir würden tapfer sein; «als ob» wir glücklich seien, dann würden wir glücklich sein, und so fort.

Tut, «als ob» Eure Arbeit Euch interessiere, und dies bißchen Schauspielerei wird beitragen, wirkliches Interesse in Euch wachzurufen. Es wird auch Eurer Müdigkeit, nervösen Spannung und inneren Unruhe entgegenarbeiten.

Vor ein paar Jahren faßte Harlan A. Howard einen Beschluß, der sein ganzes Leben vollkommen änderte. Auch er beschloß, eine langweilige Beschäftigung interessant zu machen – und seine Beschäftigung war wahrhaftig langweilig: er mußte im Speisesaal einer höheren Schule Geschirr spülen, Ladentische abwischen und Eisportionen verteilen, während die anderen Jungen Ball spielten oder die Mädchen neckten. Harlan Howard haßte seine Arbeit. Doch da er sie nun einmal tun mußte, beschloß er, ihr ein Interesse abzugewinnen, indem er ausfindig machte, was es mit dem Eis eigentlich auf sich habe – wie es hergestellt werde, was für Zutaten gebraucht wurden, warum eine Sorte besser war als die andere. So verlegte er sich auf das Studium der Eisherstellung und wurde eine Kanone im Chemiekursus der Schule. Allmählich fesselte ihn die Chemie so sehr, daß er in das State College von Massachusetts eintrat und als Hauptfach Nahrungsmittelchemie wählte. Und als die New Yorker Kakaobörse einen Hundertdollarpreis für die beste Arbeit über Anwendungsmöglichkeiten von Kakao und Schokolade aussetzte – wer, meint Ihr, gewann ihn? . . . Ganz recht, Harlan Howard.

Als er es schwierig fand, einen Posten zu bekommen, eröffnete er ein Privatlaboratorium im Kellergeschoß seines Elternhauses in Amherst, Massachusetts, 750 North Pleasant Street. Bald danach wurde ein neues Gesetz erlassen, demzufolge die in der Milch enthaltenen Bakterien gezählt werden mußten. Nicht lange, so zählte Harlan Howard die Bakterien für sämtliche vierzehn Amherster Milchgesellschaften und mußte sich zwei Assistenten nehmen.

Wo wird er wohl in fünfundzwanzig Jahren angelangt sein? Nun, die Männer, welche heute an der Spitze der Nahrungsmittelchemie stehen, werden bis dahin im Ruhestand oder gestorben sein, und an ihrer Stelle werden junge Leute stehen, die wie Harlan Howard voller Initiative und Tatendrang sind. In fünfundzwanzig Jahren wird Harlan voraussichtlich einer der leitenden Männer seines Berufes sein, während einige seiner Klassengenossen, denen er einst Eiskrem über den Ladentisch verkaufte, arbeitslos, verbittert und voller Beschwerden gegen die Regierung sein und behaupten werden, sie hätten eben nie im Leben Glück gehabt. Harlan A. Howard hätte vielleicht auch nie Glück gehabt, wäre er nicht entschlossen gewesen, eine langweilige Beschäftigung interessant zu gestalten.

Vor Jahren lebte ein anderer junger Mann, den seine langweilige Arbeit verdroß, die darin bestand, in einer Fabrikwerkstätte Bolzen zu drehen. Sein Vorname war Sam. Sam wäre gern auf und davon gegangen, doch er fürchtete, er werde keine andere Arbeit finden. Da er nun einmal diese langweilige Arbeit hatte, beschloß Sam, sie interessant zu gestalten. So begann er, mit dem Mechaniker, der an der Nebenmaschine stand, um die Wette zu arbeiten. Der eine mußte auf seiner Maschine die rauhen Oberflächen glätten, und der andere die Bolzen auf den richtigen Durchmesser reduzieren. Gelegentlich wechselten sie die Maschine, um zu sehen, wer die meisten Bolzen fertigstellen konnte. Bald gab der Vorarbeiter, dem Sams

Geschwindigkeit und Genauigkeit imponierten, ihm einen besseren Posten, den ersten auf einer Stufenleiter, die immer höher hinaufführte. Dreißig Jahre später war Sam – Samuel Vauclain – Präsident der Baldwin-Lokomotivwerke. Vielleicht wäre er jedoch sein Leben lang ein einfacher Mechaniker geblieben, hätte er sich nicht vorgenommen, eine langweilige Beschäftigung interessant zu machen.

H. V. Kaltenborn, der bekannte Rundfunkkommentator, erzählte mir einmal, wie auch er eine langweilige Arbeit interessant gestaltete. Als er zweiundzwanzig war, verdiente er sich seine Passage über den Atlantik, indem er die Ochsen auf einem Viehtransportdampfer fütterte und tränkte. Nachdem er eine Radtour durch England gemacht hatte, kam er hungrig und mittellos in Paris an. Er verpfändete seine Kamera für fünfundzwanzig Francs, bezahlte davon ein Inserat in der Pariser Ausgabe des «New York Herald» und bekam daraufhin eine Stelle als Verkäufer von Stereoptikon-Maschinen. Wer von meinen Lesern vierzig Jahre alt ist, mag sich dieser altmodischen Stereoskope entsinnen, die man sich vor die Augen hielt, um zwei genau gleiche Bilder zu betrachten. Bei diesem Schauen ereignete sich dann etwas Wundersames. Die zwei Linsen in dem Apparat verwandelten die beiden Bilder in ein einziges, das gleichzeitig auch plastische Tiefe besaß. Man sah in die Ferne. Man bekam ein erstaunliches Gefühl von Perspektive.

Nun, wie gesagt, Kaltenborn begann damit, daß er diese Maschinen in Paris von Tür zu Tür anbieten ging – obwohl er nicht einmal Französisch sprechen konnte. Doch gleich im ersten Jahr verdiente er fünftausend Dollar an Kommission und wurde damit einer der höchstbezahlten Verkäufer jenes Jahres in Frankreich. H. V. Kaltenborn sagte mir, diese Erfahrung habe ihm mindestens so viel geholfen, die erfolgbringenden Seiten in sich zu entwickeln, wie ein Jahr Universitätsstudium. Selbstvertrauen, war es das? Nach jener Erfahrung, so beteuerte er mir, hätte er sich imstande gefühlt, den französischen Hausfrauen die amerikanischen Kongreßberichte zu verkaufen.

Diese Erfahrung verschaffte ihm ein eingehendes Verständnis des französischen Lebens, das sich später als unschätzbar erwies, wenn er am Radio über europäische Ereignisse zu berichten hatte.

Wie brachte er es fertig, ein erstklassiger Verkäufer zu werden, wenn er doch gar nicht Französisch sprach? Nun, er bat seinen Arbeitgeber, das, was er vorzubringen hatte, in tadellosem Französisch aufzuschreiben und lernte es auswendig. Dann ging die Sache so vor sich: er schellte an einer Haustür, die betreffende Hausfrau kam heraus, und Kaltenborn begann seine auswendig gelernte Rede mit einem so fürchterlichen Akzent vorzutragen, daß sie komisch wirkte. Er zeigte der Hausfrau seine Bilder, und wenn sie ihn etwas fragte, zuckte er mit den Achseln und erwiderte: «Amerikaner... Amerikaner.» Dann zog er den Hut und wies auf eine Abschrift seiner Verkaufswerbesprüche in französischer Sprache, die er sich an den Hut gesteckt hatte. Die Hausfrau konnte dann nicht umhin, zu lachen, er lachte ebenfalls – und zeigte ihr dann noch einige Bilder. So einfach, wie sich das anhören mochte, sagte mir H. V. Kaltenborn, war die Sache allerdings durchaus nicht gewesen. Er versicherte, das Einzige, was ihm zum Erfolg verholfen habe, sei seine feste Entschlossenheit gewesen, seine Tätigkeit interessant zu gestalten. Jeden Morgen, bevor er sich auf den Weg machte, blickte er in den Spiegel und hielt sich selber eine Aufmunterungsrede: «Kaltenborn, du mußt dies durchführen, wenn du nicht verhungern willst. Und da du es tun mußt, kannst du es ebensogut so machen, daß du Spaß dran hast. Du kannst dir zum Beispiel jedesmal, wenn du an einer Wohnungstür läutest, vorstellen, du seiest ein Schauspieler auf der Bühne, der seinem Publikum ins Auge sieht. Schließlich ist das, was du tust, ja genau so komisch wie eine Theaterszene. Also drauf los mit Lust und Liebe!» – Mr. Kaltenborn sagte, diese täglichen Ermunterungsmonologe hätten ihm geholfen, eine anfänglich verhaßte und gefürchtete Aufgabe in ein Abenteuer zu verwandeln, das ihn reizte und aus dem er einen hohen Gewinn schlug.

Als ich Mr. Kaltenborn fragte, ob er den jungen Leuten in Amerika, die gern Erfolg haben möchten, einen guten Rat geben könnte, sagte er: «Ja, zieht jeden Morgen erst mal mit Euch selbst ins Gefecht. Wir reden eine Menge darüber, wie wichtig Körperübungen sind, um uns dem Halbschlaf zu entreißen, in welchem so viele von uns umhergehen. Allein noch mehr brauchen wir allmorgendliche Geistesübungen, damit wir richtig in Gang kommen. Man sollte sich selber jeden Morgen eine Aufmunterungsrede halten.»

Ist das nicht dumm, oberflächlich und gar kindisch – sich selber eine aufmunternde Rede zu halten? Im Gegenteil. Es ist der Grundgehalt einer gesunden Seelenfürsorge. «Unser Leben ist das, wozu unser Denken es macht.» Diese Worte sind heute noch genau so wahr wie vor achtzehn Jahrhunderten, als Mark Aurel sie in seinen

«Selbstbetrachtungen» ausdrückte: «Unser Leben ist das, wozu unser Denken es macht.»

Dadurch, daß Ihr täglich und stündlich mit Euch selbst redet, könnt Ihr Eure Gedanken so beeinflussen, daß sie von Mut und Frohsinn, Kraft und Frieden zeugen. Indem Ihr mit Euch selbst über die Dinge redet, für die Ihr Ursache habt, dankbar zu sein, könnt Ihr Euren Geist mit Gedanken füllen, die emporstreben und singen.

Indem Ihr die richtigen Gedanken denkt, vermögt Ihr jedweder Arbeit ihre unangenehmen Seiten zu nehmen. Jeder Arbeitgeber wünscht, daß sein Angestellter sich für seine Arbeit interessiere, damit er selbst dadurch mehr Geld verdienen kann. Doch vergessen wir einmal, was der Chef gern möchte. Denkt nur an das, was Ihr selbst gewinnt, wenn Ihr Euch für Eure Arbeit interessiert. Erinnert Euch stets daran, daß Ihr dadurch Eurem Leben doppelt soviel Glück abgewinnen könnt. Denn Ihr verbringt etwa die Hälfte Eurer Wachzeit bei der Arbeit, und wenn Ihr kein Glück in Eurer Arbeit findet, kann es sein, daß Ihr es auch sonst nirgends findet. Erinnert Euch immer dran, daß das Interesse, das Ihr Eurer Arbeit abgewinnt, Euch von Euren Sorgen und Kümmernissen ablenken und Euch letzten Endes wahrscheinlich auch geschäftlichen Aufstieg und bessere Entlöhnung bringen wird. Und selbst wenn das nicht der Fall ist, wird es Eure Müdigkeit auf ein Minimum beschränken und Euch helfen, Eure Freizeit zu genießen.

Sorgt Euch nicht über Schlaflosigkeit! 28

Macht Ihr Euch Gedanken, wenn Ihr nicht gut schlaft? Dann interessiert es Euch vielleicht zu erfahren, daß Samuel Untermyer – ein amerikanischer Rechtsgelehrter von internationalem Ruf – sein Leben lang keine einzige Nacht ordentlich schlief.

Als Sam Untermyer noch studierte, litt er bereits schwer an Asthma und Schlaflosigkeit. Da er weder eines noch das andere loswerden konnte, nahm er sich vor, das Nächstbeste zu tun – sein Wachsein nach Kräften auszunützen. Anstatt sich von einer Seite auf die andere zu wälzen und sich so lange herumzuquälen, bis er einen Nervenzusammenbruch erlitt, gewöhnte er sich daran, aufzustehen und zu studieren. Was war das Ergebnis? Er legte in sämtlichen Fächern glänzende Prüfungen ab und galt schließlich als einer der begabtesten Studenten des Colleges der Stadt New York.

Auch als er Rechtsanwalt geworden war, dauerte seine Schlaflosigkeit an. Doch Untermyer ängstigte das nicht. «Die Natur», pflegte er zu sagen, «wird sich meiner schon annehmen.» Und die Natur nahm sich seiner an. Obwohl er so wenig schlief, hielt seine Gesundheit stand und erlaubte ihm, nicht minder angestrengt zu arbeiten als alle anderen jungen New Yorker Juristen. Er arbeitete sogar noch mehr, denn er arbeitete auch, wenn die anderen schliefen!

Im Alter von einundzwanzig Jahren verdiente Sam Untermyer fünfundsiebzigtausend Dollar im Jahr, und seine gleichaltrigen Kollegen besuchten eifrig die Gerichtssäle, um seine Methoden zu studieren. 1931 erhielt er für einen Fall das höchste wohl je einem Rechtsanwalt bezahlte Honorar – eine runde Million Dollar in barem Geld.

Immer noch litt er an Schlaflosigkeit, las die halben Nächte – und stand dann um fünf Uhr morgens auf, um Briefe zu diktieren. Zu der Zeit, wo die meisten ihre Tagesarbeit erst beginnen, war *seine* Tagesarbeit bereits fast zur Hälfte getan. Einundachtzig Jahre wurde er alt, dieser Mann, der nur selten einen ordentlichen Nachtschlaf kannte. Hätte er sich über seine Schlaflosigkeit gesorgt und aufgeregt, so würde er wahrscheinlich sein Leben zugrunde gerichtet haben.

Ein Drittel unseres Lebens verbringen wir schlafend – und doch weiß kein Mensch, was der Schlaf eigentlich ist. Wir wissen, daß es eine Gewohnheit und ein Ruhezustand ist, den die Natur uns gönnt, aber wir wissen nicht, wie viele Stunden Schlaf jeder einzelne braucht. Wir wissen nicht einmal, ob wir *überhaupt* zu schlafen brauchen!

Klingt das phantastisch? Nun, während des Zweiten Weltkrieges wurde Paul Kern, einem ungarischen Soldaten, der vordere Hirnlappen durchschossen. Er erholte sich von der Verletzung, konnte aber sonderbarerweise von da an nicht mehr einschlafen. Ganz gleich, was die Ärzte mit ihm anfingen – und sie versuchten alle Arten von Schlaf- und Betäubungsmitteln, ja selbst Hypnose –, keine Behandlung vermochte Paul Kern Schlaf zu bringen oder ihm auch nur ein Gefühl der Müdigkeit zu geben.

Die Ärzte sagten, lange könne er das nicht überleben. Doch er strafte sie Lügen. Er verschaffte sich eine Stelle und lebte in ausgezeichneter Gesundheit noch jahrelang weiter. Er legte sich wohl nieder, schloß die Augen und ruhte sich aus, Schlaf aber fand er niemals. Sein Fall war ein medizinisches Rätsel, das viele unserer Anschauungen über den Schlaf über den Haufen warf.

Der eine braucht mehr Schlaf, der andere weniger. Toscanini hatte nicht mehr als fünf Stunden Nachtschlaf nötig, Präsident Calvin Coolidge dagegen kam kaum mit der doppelten Stundenzahl aus. Coolidge schlief regelmäßig elf von je vierundzwanzig Stunden. Mit anderen Worten: während Toscanini nur annähernd ein Fünftel seines Lebens verschläft, hat Coolidge nahezu die Hälfte des seinen verschlafen.

Sich über Schlaflosigkeit zu sorgen, ist weit schädlicher als die Schlaflosigkeit selbst. So wurde einer meiner Studenten – Ira Sandner aus Ridgefield Park, New Jersey, 173 Overpeck Road – durch chronische Schlaflosigkeit fast bis zum Selbstmord getrieben.

«Ich dachte wahrhaftig, ich würde verrückt», erzählte mir Ira Sandner. «Das Schlimme war, daß ich vorher immer *zu fest* geschlafen hatte. Ich erwachte nicht einmal, wenn der Wecker ging, mit dem Erfolg, daß ich morgens zu spät zur Arbeit kam. Das quälte mich – mein Chef hatte mir gesagt, ich *müsse* pünktlich antreten. Ich wußte, wenn ich mich immer wieder verschlief, würde ich meine Stellung verlieren.

Ich klagte meinen Freunden mein Leid, und jemand riet mir, ich solle mich vor dem Schlafengehen fest auf den Wecker konzentrieren. Damit fing es an! Das Tickticktick der verwünschten Weckuhr ließ mich nicht mehr los. Die ganze Nacht hielt es mich wach. Am Morgen war mir dann ganz schlecht vor Müdigkeit und Sorge. Acht Wochen ging das so. Ich kann für die Martern, die ich ausstand, keine Worte finden. Ich war überzeugt, daß ich verrückt würde. Zuweilen schritt ich eine Stunde lang hintereinander im Zimmer auf und ab, und ich kann ehrlich sagen, daß ich mir überlegte, ob ich nicht lieber aus dem Fenster springen und der Sache ein Ende machen sollte!

Schließlich ging ich zu einem Arzt, der mich mein ganzes Leben gekannt hatte. Er sagte: ,Ira, ich kann Ihnen nicht helfen. Niemand kann Ihnen helfen, weil Sie sich diese Sache selbst zuzuschreiben haben. Gehen Sie nachts zu Bett, und wenn Sie nicht einschlafen können, dann denken Sie einfach nicht darüber nach. Sagen Sie zu sich selbst: Es ist mir gänzlich wurst, ob ich bis zum Morgen wach liege! Was ist denn auch dabei, wenn ich bis zum Morgen wach liege? Lassen Sie die Augen geschlossen und sagen Sie sich immer wieder vor: Solange ich still liege und mich nicht quäle, ruhe ich mich trotzdem aus.'

Das tat ich, und nach vierzehn Tagen stellte sich der Schlaf ganz von selbst wieder ein. Es dauerte keinen Monat, da schlief ich meine acht Stunden in der Nacht, und meine Nerven waren wieder in normalem Zustand.»

Es war nicht die Schlaflosigkeit an sich, die Ira Sandner zugrunde richtete; es war seine angstbetonte Einstellung dazu.

Dr. Nathaniel Kleitmann, Professor an der Universität Chicago, hat sich wohl am eingehendsten von allen Forschern mit der Schlaflosigkeit befaßt. Er ist der Weltsachverständige auf dem Gebiet des Schlafes. Und er erklärt, er habe noch nie erlebt, daß ein Mensch an Schlaflosigkeit gestorben sei. Es kann natürlich geschehen, daß jemand sich so sehr über seine Schlaflosigkeit ängstigt, daß er seine Lebenskraft schwächt und anfällig wird, so daß eine Erkrankung leichtes Spiel mit ihm hat. Was ihn aber umgebracht hat, ist dann nicht die Schlaflosigkeit, sondern die Sorge, die er sich darüber machte.

Dr. Kleitmann sagt auch, daß Menschen, die sich wegen ihrer Schlaflosigkeit quälen, in der Regel mehr schlafen, als ihnen bewußt wird. Der Mann, der einen Eid darauf leistet, daß er in der vergangenen Nacht «kein Auge zugetan» hat, hat vielleicht stundenlang fest geschlafen, ohne es zu wissen. Einer der tiefsten Denker des 19. Jahrhunderts, der englische Philosoph Herbert Spencer, lebte als alter Junggeselle in einer Pension und langweilte alle Gäste mit seinen Klagen über seine Schlaflosigkeit. Er verstopfte sich sogar die Ohren, um keinen Lärm zu hören und seine Nerven zu beruhigen. Zuweilen nahm er Opium, um Schlaf zu finden. Eines Nachts teilten Professor Sayce aus Oxford und er ein Hotelzimmer. Am nächsten Morgen erklärte Spencer, er habe kein Auge zugetan. In Wirklichkeit war Professor Sayce derjenige von den beiden, der kein Auge zugetan hatte, weil Spencers Schnarchen ihn die ganze Nacht wach gehalten hatte!

Die erste Vorbedingung für einen gesunden Schlaf ist ein Gefühl der Sicherheit. Wir bedürfen des Gefühls, daß eine Macht, die über uns steht, bis zum Morgen unser Geschick in ihre Hand nehmen wird. Dr. Thomas Hyslop vom Great West Riding Asylum (Irrenanstalt der Grafschaft York) betonte dies ganz besonders in einer Ansprache vor der British Medical Association, der Vereinigung der Ärzte Großbritanniens. Er sagte: «Eines der besten Mittel zur Herbeiführung des Schlafes, von dem meine jahrelange praktische Tätigkeit mich überzeugt hat, ist – *Beten*. Das sage ich rein als Mediziner. Das Beten muß bei denen, welche es regelmäßig üben, als der wirksamste und normalste aller Gemütsbeschwichtiger und Nervenberuhiger angesprochen werden.»

Die Sängerin Jeanette MacDonald hat mir erzählt, wenn sie unruhig und deprimiert sei und keinen Schlaf finden könne, sei es ihr noch immer gelungen, ein «Gefühl der Sicherheit» zu erlangen, indem sie den 23. Psalm vor sich hinsagte: «Der Herr ist mein Hirte, mir wird nichts mangeln. Er weidet mich auf einer grünen Aue und führet mich zu frischen Wassern . . .»

Doch wer kein religiöser Mensch ist und daher zu unsanfteren Mitteln greifen muß, der lerne, durch körperliche Übungen zu entspannen. Dr. David Harold Fink, der Verfasser eines Buches über «Befreiung von nervöser Spannung», behauptet, das geschehe am besten, indem man mit seinem Körper *rede*. Nach Dr. Fink sind Worte der Schlüssel zu jeder Art Hypnose; und wenn jemand dauernd schlaflos ist, so darum, weil er sich durch Reden zu einem Fall von Schlaflosigkeit *gemacht* hat. Um dies wieder auszugleichen, muß man sich enthypnotisieren – und das kann man, indem man zu seinen Körpermuskeln spricht: «Laßt los – laßt los – löst und entspannt euch.» Wir wissen ja schon, daß Geist und Nerven nicht entspannen können, solange die Muskeln gestrafft sind – also fangen wir mit den Muskeln an, wenn wir einschlafen wollen. Dr. Fink empfiehlt – und die Praxis gibt ihm recht – ein Kissen unter die Knie zu schieben, um die Spannung in der Beingegend zu beheben, und kleine Kissen zu ähnlichem Zweck unter die Arme zu legen. Danach befehlen wir unserem Kiefer, unseren Augen, Armen und Beinen, sich zu entspannen, und sind eingeschlafen, ehe wir recht wissen, was los ist. Ich habe es ausprobiert und weiß es daher.

Eine der besten Methoden gegen Schlaflosigkeit besteht darin, daß man sich körperlich ermüdet, sei es durch Gartenarbeit, Schwimmen, Tennis, Golf, Skilaufen oder ganz einfach durch anstrengende Körperarbeit. Das tat zum Beispiel Theodore Dreiser, der berühmte amerikanische Romanschriftsteller. Als angehender junger Autor hatte er mit Schlaflosigkeit zu kämpfen, daher nahm er eine Stellung als Bahnarbeiter an; und als er einen Tag lang Schienennägel eingeschlagen und Sand geschaufelt hatte, war er abends derart erschöpft, daß er sich kaum so lange wachhalten konnte, bis er zu Nacht gegessen hatte.

Wenn wir nur müde genug sind, dann zwingt uns die Natur zum Schlafen, selbst im Gehen. Dazu kann ich folgendes erzählen: Als ich dreizehn Jahre alt war, verschiffte mein Vater einmal eine Wagenladung Mastschweine nach Saint Joe, Missouri. Da ihm dafür zwei unentgeltliche Eisenbahnfahrkarten zur Verfügung gestellt wurden, nahm er mich mit. Bis dahin hatte ich nie eine Stadt über viertausend Einwohner gesehen. Als wir in Saint Joe – einer Stadt von sechzigtausend Einwohnern – ankamen, war ich vor Aufregung ganz außer mir. Da waren sechs Stock hohe Wolkenkratzer und – o Wunder der Wunder – eine Trambahn. Wenn ich heute die Augen zumache, sehe und höre ich diese Trambahn immer noch im Geiste. Am Ende des herrlichsten und aufregendsten Tages in meinem Leben nahmen Vater und ich den Zug zurück nach Ravenswood in Missouri. Wir kamen um zwei Uhr morgens an und hatten nun noch vier Meilen zu Fuß bis zu unserer Farm zu gehen. Und jetzt kommt das, worauf meine Geschichte hinauswill: ich war so erschöpft, daß ich beim Gehen schlief und träumte. Auch beim Reiten habe ich oft geschlafen – und bin noch am Leben, um es zu erzählen!

Wenn die Menschen völlig erschöpft sind, verschlafen sie sogar das Getümmel und Grauen und die Gefahr des Krieges. Dr. Foster Kennedy, der bekannte Neurologe, sagte mir, er habe während des Rückzuges der Fünften Britischen Armee im Jahre 1918 Soldaten gesehen, die so erschöpft waren, daß sie plötzlich umfielen, wo sie gingen und standen, und so fest einschliefen, als lägen sie im Todesschlaf. Selbst als er mit dem Finger ihre Lider hochhob, erwachten sie nicht. Und in all diesen Fällen, so sagte er, waren die Pupillen ganz nach oben gedreht. «Von da an», sagte Dr. Kennedy, «übte ich mich, jedesmal, wenn ich nicht einschlafen konnte, meine Augäpfel derart nach oben zu drehen, und schon nach ein paar Sekunden fing ich dann an zu gähnen und mich schläfrig zu fühlen. Es war ein automatischer Reflex, über den ich keine Kontrolle hatte.»

Kein Mensch hat je dadurch Selbstmord begangen, daß er sich zu schlafen weigerte, und niemand wird es je tun. Die Natur würde so einen Menschen einfach zwingen zu schlafen, auch wenn er seine ganze Willenskraft dagegen aufböte. Die Natur läßt Nahrungs- oder Wasserentzug viel länger zu, als sie uns gestattet, uns des Schlafes zu enthalten.

Da wir gerade von Selbstmord sprechen, kommt mir ein Fall in den Sinn, den Dr. Henry C. Link in seinem Buch «The Rediscovery of Man» (Die Wiederentdeckung des Menschen) beschreibt. Dr. Link ist Vizepräsident der Psychologischen Gesellschaft und hat mit vielen Menschen zu tun, die nervös und deprimiert sind. In dem Kapitel, das er der Überwindung von Angst und Selbstquälerei widmet, erzählt er von einem Patienten, der sich das Leben nehmen wollte. Da Dr. Link wohl wußte, durch Abreden würde er die Sache nur schlimmer machen, sagte er zu dem Manne: «Wenn Sie sich also durchaus selbst aus der Welt schaffen wollen, dann könnten Sie es zum mindesten auf heroische Art tun. Laufen Sie hier um den Block herum, bis Sie tot niedersinken.»

Der Mann versuchte dies nicht einmal, sondern mehrmals, doch jedesmal wurde ihm danach besser zumute, wenn nicht in seinen Muskeln, so doch im Gemüt. Am dritten Abend hatte er das erreicht, worauf Dr. Link von Anfang an abgezielt hatte: er war körperlich so müde (und entspannt), daß er schlief wie ein Bleiklotz. Eine Weile später trat er in einen Sportklub ein und begann sich an Wettkämpfen zu beteiligen. Bald ging es ihm so gut, daß er wünschte, er könne ewig leben!

Hier sind nochmals die fünf Regeln, wie man sich bei Schlaflosigkeit verhalten soll:

1. Wenn Ihr nicht schlafen könnt, dann macht es so wie Samuel Untermyer. Steht auf und arbeitet oder lest, bis Ihr Euch wirklich schläfrig fühlt.
2. Denkt immer daran, daß noch kein Mensch an Schlaflosigkeit gestorben ist. Sich aufzuregen, weil man nicht schläft, ist meist weitaus schädlicher als die Schlaflosigkeit selbst.
3. Versucht es mit Beten – oder sprecht den 23. Psalm vor Euch hin, wie Jeanette MacDonald es zu tun pflegt.
4. Laßt Euren Körper erschlaffen. «Redet» mit Euren Muskeln, damit jede Spannung aus Eurem Körper weicht.
5. Macht Euch viel Bewegung. Seht zu, daß Ihr Euch körperlich so müde macht, daß Ihr gar nicht wach bleiben könnt.

Der siebte Teil ganz kurz

Regel Nummer 1: Ruht Euch aus, bevor Ihr müde werdet.

Regel Nummer 2: Lernt, bei der Arbeit zu entspannen.

Regel Nummer 3: Hausfrauen – achtet auf Eure Gesundheit, indem Ihr zu Hause soviel wie möglich entspannt.

Regel Nummer 4: Wendet die folgenden vier guten Arbeitsregeln an:

a) Räumt stets alle Papiere von Eurem Schreibtisch weg, die nichts mit der Euch unmittelbar beschäftigenden Sache zu tun haben.

b) Nehmt die Dinge in der Reihenfolge ihrer Wichtigkeit vor.

c) Seht Ihr Euch einem Problem gegenüber, so sucht auf der Stelle zu einer Lösung zu gelangen, sofern Ihr die Sachlage genügend überblickt, um einen Entscheid treffen zu können.

d) Lernt organisieren, Vollmachten abtreten und lediglich die Oberaufsicht führen.

Regel Nummer 5: Wollt Ihr Mißstimmung und Ermüdung vermeiden, so seid mit Lust und Eifer bei der Arbeit.

Regel Nummer 6: Haltet Euch stets gegenwärtig, daß noch niemand an zu wenig Schlaf gestorben ist. Viel schädlicher als die Schlaflosigkeit an sich ist es, sich darüber aufzuregen.

Achter Teil

Wie finde ich die Arbeit,
die mich befriedigt und mir Erfolg bringt?

Eine der beiden wichtigsten Entscheidungen deines Lebens

29

(Dieses Kapitel wendet sich an junge Menschen, die noch nicht die Arbeit gefunden haben, zu der sie sich hingezogen fühlen. Gehörst du zu ihnen, so kann dieses Kapitel eine tiefgreifende Wirkung auf dein künftiges Leben haben.)

Wenn du noch keine achtzehn Jahre alt bist, dann werden aller Wahrscheinlichkeit nach bald die beiden wichtigsten Entscheidungen deines Lebens an dich herantreten – Entscheidungen, die jeden einzelnen Tag deines künftigen Daseins grundlegend bestimmen werden; Entscheidungen, die vielleicht eine tiefgreifende Wirkung auf dein Glück, dein Einkommen, deine Gesundheit haben; Entscheidungen, die zu deinem Heil oder Unheil ausschlagen können.

Welches sind diese zwei so ungeheuer wichtigen Entscheidungen?

Die erste: *Wie willst du dir deinen Lebensunterhalt verdienen?* Willst du Landwirt werden oder Briefträger, Chemiker, Förster, Stenotypistin, Tierarzt oder Ärztin, willst du einmal junge Menschen unterrichten oder eine Kaffeestube aufmachen?

Die zweite: *Wen wirst du als Vater oder Mutter deiner zukünftigen Kinder wählen?*

Diese ausschlaggebenden Entscheidungen sind beide oft Glückssache. «Jeder Knabe», sagt Harry Emerson Fosdick, «jeder Knabe ist ein Spieler, wenn er sich für einen Beruf entscheidet. Er muß sein Leben dabei einsetzen.»

Wie kannst du der Unsicherheit im Spiel der Berufswahl Grenzen setzen? Lies weiter; wir wollen uns alle Mühe geben, es dir zu sagen. Zunächst versuche, wenn möglich, eine Arbeit zu finden, an der du Freude haben kannst. Ich fragte einmal David M. Goodrich, einen großen Autoreifenfabrikanten, was er für die erste Vorbedingung zum geschäftlichen Erfolg halte, und er erwiderte: «Daß einem die Arbeit Spaß macht. Wenn das der Fall ist, dann kann man noch so viele Stunden dabei zubringen, und sie wird einem doch nicht wie Arbeit vorkommen, sondern wie Spiel.»

Dafür war Edison ein ausgezeichnetes Beispiel. Edison – der Zeitungsjunge ohne alle Schulbildung, der späterhin Amerikas industrielles Leben umgestalten sollte – Edison, der Mann, der oft in seinem Laboratorium aß und schlief und täglich achtzehn Stunden

264

schwer arbeitete. Ihm aber kam es nicht wie schwere Arbeit vor. «Ich habe mein ganzes Leben lang keinen einzigen Tag gearbeitet», rief er einmal aus. «Es war nichts als Vergnügen!»

Kein Wunder, daß er Erfolg hatte!

Ich hörte Charles Schwab einmal fast dasselbe sagen, nämlich dies: «Der Mensch kann so ungefähr mit allem Erfolg haben, wenn er nur über unbegrenzte Begeisterung dafür verfügt.»

Wie aber kann man sich für eine Arbeit begeistern, wenn man nicht die blasseste Ahnung hat, was man eigentlich gern tun möchte? Mrs. Edna Kerr, die einmal Tausende von Angestellten für die Dupont-Gesellschaft engagierte und jetzt Mitdirektorin der Abteilung für industrielle Beziehungen in der American Home Products Company ist, sagt über diesen Punkt das Folgende: «In meinen Augen ist es das Traurigste von der Welt, daß so viele junge Menschen nicht herausfinden können, was sie eigentlich gern täten. Ich finde immer, niemand ist so bedauernswert wie derjenige, der von seiner Arbeit nichts anderes hat als deren Bezahlung.» Mrs. Kerr erzählt, daß selbst Akademiker zu ihr kommen, um sie zu fragen: «Ich habe einen Doktortitel von der oder der Universität. Gibt es nicht vielleicht bei Ihrer Firma irgend etwas, was ich tun könnte?» Sie wissen alle selbst nicht, was sie vielleicht tun könnten, ja selbst nicht einmal, was sie tun möchten. Soll man sich da wundern, wenn so viele Männer und Frauen, die mit gutem Verstand und rosigen Hoffnungen ausgerüstet ins Leben hinaustreten, mit Vierzig oft tief enttäuscht und illusionslos sind, ja sogar einen nervösen Zusammenbruch erleben? Die rechte Arbeit zu finden ist tatsächlich auch für die Gesundheit von Wichtigkeit. Als Dr. Raymond Pearl vom Johns-Hopkins-Krankenhaus in Gemeinschaft mit mehreren Versicherungsgesellschaften Untersuchungen darüber anstellte, welche Umstände sich günstig auf die Lebensdauer auswirken, setzte er «die richtige Beschäftigung» hoch oben auf seine Liste. Er hätte mit Thomas Carlyle sagen können: «Selig der Mensch, welcher seine Arbeit gefunden hat. Er möge um keinen anderen Segen bitten.»

Ich verbrachte kürzlich einen Abend mit Paul W. Boynton, dem Personalchef einer großen Ölfirma. Im Laufe der letzten zwanzig Jahre hat er über fünfundsiebzigtausend Stellenanwärter empfangen, und er ist der Verfasser eines Buches mit dem Titel «Six Ways to Get a Job» (Sechs Wege, eine Stellung zu finden). Ich fragte ihn: «Was ist der größte Fehler, den junge Leute heutzutage machen, wenn sie sich nach Arbeit umsehen?» – «Sie wissen nicht, was sie eigentlich tun möchten», antwortete er. «Es ist geradezu schauderhaft, sich vorzustellen, daß ein Mann mehr Gedanken an den Kauf eines Anzugs verwendet, der in ein paar Jahren abgetragen ist, als eine Laufbahn zu wählen, von der seine ganze Zukunft abhängt – seine Laufbahn, die doch die Grundlage seines ganzen Lebensglücks und Seelenfriedens bildet!»

Nun also – und wie könnt Ihr Euch dazu verhalten? Ihr könntet Euch in erster Linie an eine Berufsberatungsstelle wenden, die es heute in fast jedem Lande gibt. Das kann eine Hilfe für Euch bedeuten – oder auch zu Eurem Schaden ausschlagen, je nach Fähigkeit und Charakter Eures Berufsberaters. Dieser neue Berufszweig ist noch längst nicht bis zur Stufe der Vollkommenheit gediehen, hat jedoch eine große Zukunft. Im großen ganzen können diese Stellen nur Anregungen geben, entscheiden müßt Ihr selbst, denn auch Berufsberater sind nur Menschen, die sich irren können. Vielleicht ist es besser, mehrere zu konsultieren und dann ihre Ratschläge im Licht der Vernunft gegeneinander abzuwägen.

Ihr findet es vielleicht seltsam, daß ich ein solches Kapitel für ein Buch schreibe, das sich mit den Sorgen und Ängsten der Menschen befaßt. Allein das ist durchaus nicht seltsam, wenn Ihr Euch einmal überlegt, wie viele unserer Sorgen, Enttäuschungen und Reuegefühle von einer Arbeit herrühren, die uns zuwider ist. Fragt Euren Vater, wie er darüber denkt, oder Euren Nachbarn oder Euren Chef. Kein geringerer Geistesriese als John Stuart Mill erklärte, daß am unrechten Ort beschäftigte Industriearbeiter zu den «schwersten Verlusten der Gesellschaft» zu rechnen seien. Ja, und daneben gehören sie zu den unglücklichsten Menschen auf der Welt, diese Fabrikarbeiter, die am falschen Platz stehen und ihre Arbeit hassen!

Wißt Ihr, was für Soldaten im Heer die «Schlappmacher» sind, die so leicht einen Knacks abkriegen? Diejenigen, die an falscher Stelle eingesetzt worden sind! Ich spreche hierbei nicht einmal von Kriegsdienst und Schlacht, sondern von ganz gewöhnlichem Militärdienst. Dr. William Menninger, einer der größten lebenden Nervenärzte, der während des Krieges an der Spitze der neuro-psychiatrischen Abteilung des amerikanischen Heeres stand, sagt darüber folgendes: «Wir lernten bei der Armee die Bedeutung der Auswahl und Postenbesetzung genau kennen und erkannten, wie wichtig es ist, den rechten Mann an der rechten Stelle zu verwenden.

... Besonders wichtig war es, daß der Betreffende von der Notwendigkeit seines Auftrages überzeugt war.

Wo ein Mann kein Interesse daran hatte, wo er sich am unrechten Platz fühlte, wo er glaubte, nicht gebührend gewürdigt zu werden, wo er fand, seine Gaben würden nicht in der rechten Weise genutzt, dort stießen wir ausnahmslos auf einen bereits eingetretenen oder drohenden ‚Nervenfall'.»

Ja – und aus genau den gleichen Ursachen kann ein Mann in der Fabrik einen «Knacks» kriegen. Und wenn er seine Arbeit verabscheut, wird er sie schlecht verrichten.

Nehmt zum Beispiel den Fall von Phil Johnson. Phil Johnsons Vater war Wäschereibesitzer, deshalb nahm er seinen Sohn zu sich ins Geschäft, in der Erwartung, er werde sich einarbeiten. Doch Phil haßte die Waschanstalt, daher trödelte er, tat nicht viel, sondern nur gerade das, wozu er durchaus gezwungen war und keinen Strich mehr. Manche Tage glänzte er durch völlige Abwesenheit. Sein Vater grämte sich sehr, daß er einen so kraft- und saftlosen Sohn ohne jeden Ehrgeiz hatte, und schämte sich seiner vor seinen Angestellten.

Eines Tages erklärte Phil Johnson seinem Vater, er wolle Mechaniker werden – in einer Maschinenwerkstatt arbeiten. Was? In blaue Überhosen hinein? Der Alte war außer sich. Doch Phil setzte seinen Kopf durch. Er arbeitete in ölfleckigen Überkleidern, arbeitete viel schwerer, als er es in der väterlichen Waschanstalt nötig gehabt hätte. Er arbeitete auch länger als dort – und dennoch pfiff er dazu! Er fing an, Maschinenkunde zu studieren, lernte, wie Motoren arbeiten, machte sich an allen erdenklichen Maschinen zu schaffen – und als 1944 der alte Phil Johnson starb, war sein Sohn Präsident der Boeing-Flugzeugfabrik, in der die Fliegenden Festungen gebaut wurden, die so viel zum Siege beitrugen! Hätte er sich mit der Wäscherei zufriedengegeben, was wäre dann wohl mit ihm sowie mit dieser Wäscherei geschehen, besonders, nachdem sein Vater gestorben war? Ich möchte annehmen, daß er das Geschäft ruiniert hätte – glattweg zugrunde gerichtet.

Selbst auf die Gefahr hin, Familienzwistigkeiten heraufzubeschwören, möchte ich jungen Menschen gern das eine raten: *Fühlt Euch nicht verpflichtet, in ein Geschäft zu gehen oder ein Gewerbe aufzunehmen, nur weil Eure Familie es gern sähe!* Wählt keinen Beruf, der Euch keine Freude macht! Trotzdem sollt Ihr aber den Rat, den Eure Eltern Euch geben, sorgfältig prüfen. Sie haben doppelt so lange gelebt wie Ihr, und sich die Lebensklugheit zu eigen gemacht, die man nur durch reiche und langjährige Erfahrung erwerben kann. Letzten Endes aber muß die endgültige Entscheidung von Euch kommen. Denn Ihr seid es, deren Glück oder Unglück von der Wahl abhängt, die getroffen wird.

Hier sind noch einige praktische Ratschläge für junge Menschen, die vor der Berufswahl stehen.

1. Besprecht Euch vertrauensvoll mit einem Vertreter des Berufsberatungsamtes.
2. Sucht Berufe zu vermeiden, die überfüllt sind. Sie sind unschwer ausfindig zu machen.
3. Versucht, alles, was Ihr nur könnt, über den Beruf, dem Ihr Euer Leben zu widmen gedenkt, in Erfahrung zu bringen, bevor Ihr Euch endgültig entscheidet. Wie Ihr das machen sollt? Indem Ihr Männer und Frauen befragt, die schon jahrelang in diesem Beruf tätig sind. Vergeßt nicht, daß Ihr dabei seid, einen der beiden wichtigsten Beschlüsse Eures Lebens zu fassen, also nehmt Euch Zeit dazu, soviel wie möglich darüber zu erkunden. Andernfalls habt Ihr Eure Entscheidung vielleicht ein halbes Leben lang zu bereuen.
4. Befreit Euch von der irrigen Auffassung, daß Ihr nur für einen Beruf geeignet seid! Jeder normale Mensch kann in einer ganzen Reihe von Berufen Erfolg haben, und jeder normale Mensch würde wahrscheinlich in einer großen Anzahl von Berufen versagen. Ich darf hier vielleicht mich selbst als Beispiel aufführen. Falls ich mich für die folgenden Berufszweige entschieden und vorbereitet hätte, wäre ich vermutlich ganz gut darin vorangekommen und hätte auch Freude an meiner Arbeit gehabt: Landwirtschaft, Obstgärtnerei, Agronomie, Medizin, Verkaufswesen, Reklame, Journalismus, Lehrfach, Waldwirtschaft. Anderseits bin ich überzeugt, ich wäre unglücklich und untüchtig geworden als Buchhalter oder Ingenieur, Hotel- oder Fabrikleiter, Architekt oder in irgendeinem mechanischen Fach und hundert anderen Beschäftigungen.

Neunter Teil

Wie man seine Geldsorgen verringern kann

Wenn ich wüßte, wie man es macht, um alle Menschen von Geldsorgen zu befreien, dann würde ich nicht dieses Buch schreiben, sondern im Weißen Haus sitzen – direkt neben dem Präsidenten. Soviel
wenigstens aber kann ich tun: ich kann einige Autoritäten dieses Ge-
bietes zitieren und eine Anzahl höchst praktischer Ratschläge erteilen.

Siebzig Prozent all unserer Sorgen sind nach einer im «Ladies'
Home Journal» veröffentlichten Übersicht auf Geld zurückzuführen.
Dr. Gallup, der Leiter des Meinungsforschungs-Instituts, sagt, laut
seinen Untersuchungen glaubten die meisten Leute, sie würden keine
Geldsorgen mehr haben, wenn sie ihr Einkommen nur um zehn Prozent vermehren könnten. Das stimmt in vielen Fällen, doch in einer
erstaunlich großen Zahl von Fällen stimmt es *nicht*. So interviewte ich
zum Beispiel, während ich mir dieses Kapitel zurechtlegte, Mrs. Elsie
Stapleton, eine Frau, die Jahre hindurch Finanzberaterin der Kunden des großen Warenhauses «Wanamaker's Department Store» in
New York war. Weitere Jahre hat sie als private Finanzberaterin
gearbeitet und versucht, Leuten zu helfen, die vor Geldsorgen nicht
ein noch aus wußten. Ihre Kunden umfaßten Angehörige aller Ein-
kommensklassen, vom Dienstmann, der tausend Dollar jährlich verdiente, bis zum leitenden Geschäftsmann mit einem Verdienst von
hunderttausend im Jahr. Diese Frau sagte mir folgendes: «Mehr
Geld ist *keine* Lösung für die finanziellen Sorgen der meisten Leute.
Tatsächlich habe ich oft erlebt, daß ein erhöhtes Einkommen zu nichts
führte als zu vermehrten Ausgaben – und vermehrten Kopfschmerzen. Die meisten Menschen sind nicht deshalb in Geldschwierigkei-
ten, weil sie nicht genug Geld haben, sondern weil sie nicht wissen,
wozu sie ihr Geld verwenden sollen!» schloß Mrs. Stapleton ... Bei
diesem letzten Satz habt Ihr sicher einen unwilligen Laut von Euch
gegeben, nicht wahr? Nun, bevor Ihr Euch weiter aufregt, denkt
bitte daran, daß Mrs. Stapleton dies nicht von *allen* Menschen behauptete. Sie sagte: *die meisten Menschen*. Euch meinte sie damit

natürlich nicht. Sie meinte bloß Eure Schwestern und Kusinen, wovon jeder ja Dutzende hat.

Eine Menge Leser werden jetzt sagen: «Ich möchte nur, daß dieser Carnegie mal *meine* Rechnungen zu bezahlen, *meine* Verpflichtungen zu erfüllen hätte – mit *meinem* Gehalt. Dann würde er wohl ein anderes Liedchen pfeifen.» Nun – ich habe auch meine Finanzsorgen gehabt; ich habe zehn Stunden täglich in den Kornfeldern und Heuschobern von Missouri schwere körperliche Arbeit verrichtet – habe so schwer gearbeitet, daß mein einer und einziger Wunsch darin bestand, die Schmerzen äußerster physischer Erschöpfung loszuwerden. Für all diese gräßliche Arbeit bekam ich nicht etwa einen Dollar die Stunde, auch keinen halben Dollar, ja nicht einmal zehn Cents. Ich bekam fünf Cents die Stunde bei einem zehnstündigen Tag.

Ich weiß, was es bedeutet, zwanzig Jahre lang in einem Haus ohne Badezimmer oder fließendes Wasser zu wohnen. Ich weiß, was es bedeutet, in einem Zimmer zu schlafen, dessen Temperatur zehn Grad unter Null ist. Meilenweit zu Fuß zu gehen, um einen Nickel Fahrgeld zu sparen, und Löcher in den Schuhen und Flicken auf dem Hosenboden zu haben. Im Restaurant die billigste Platte zu bestellen und mit unter die Matratze gelegten Hosen zu schlafen, weil man die Bügelkosten nicht erschwingen kann.

Dennoch brachte ich es selbst in jenen Tagen fertig, ein paar Cents von meinem Wochenlohn zu sparen, weil ich mich *fürchtete*, es nicht zu tun. Es war mir klar, daß man, will man Schulden und Geldsorgen verhüten, dasselbe tun muß, was jede Geschäftsfirma tut: einen Plan machen, wie wir unser Geld ausgeben wollen, und uns in unseren Ausgaben nach diesem Plan richten. Doch die meisten unter uns tun das nicht. Mein Freund Leon Shimkin, der Geschäftsführer des Verlags, in dem die amerikanische Ausgabe dieses Buches erscheint, machte mich auf eine sonderbare Kurzsichtigkeit aufmerksam, an der viele Menschen leiden, wenn ihr Geld in Frage kommt. Er erzählte mir von einem Buchhalter, den er kennt und der mit den Zahlen wie ein Zauberer umspringt, wenn er für seine Firma beschäftigt ist – aber wenn es sich um seine eigenen Finanzen handelt, dann o weh!... Wenn dieser Mann, sagen wir, Freitag mittag bezahlt wird, dann geht er die Straße hinab, sieht in einem Schaufenster vielleicht einen Überzieher, der ihm gut gefällt, und kauft ihn schlankweg, ohne einen Moment daran zu denken, daß Miete, Licht und alle möglichen anderen laufenden Ausgaben früher oder später einmal aus derselben Lohntüte kommen müssen. Nein, er hat das Bargeld in der Tasche, und alles andere zählt nicht. Und doch weiß dieser Mann genau, daß die Firma, für die er arbeitet, bald bankrott wäre, führte sie ihre Geschäfte auf die gleiche sorglose Art.

Hier ist also etwas zu erwägen: *wo es sich um dein Geld handelt, bist du eine Firma für dich allein!* Was mit deinem Geld geschieht, ist wirklich ganz und gar deine eigene Sache.

Was für Grundsätze gelten nun aber für das Wirtschaften mit unserem Geld? Wie fangen wir es an, um ein Budget und einen Plan zu entwerfen? Hier sind sechs Regeln.

Regel 1: Bringt die Tatsachen zu Papier!

Als Arnold Bennett in London sich vor fünfzig Jahren anschickte, Schriftsteller zu werden, war er arm und in gedrückten Verhältnissen. Daher schrieb er sich jeden Penny auf, den er ausgab. Wunderte er sich, wo sein Geld blieb? Nein, er wußte es ja. Dies gefiel ihm so gut, daß er auch in späteren Jahren fortfuhr, sich seine Ausgaben zu notieren, selbst dann, als er ein reicher, berühmter Mann war, der seine eigene Jacht besaß.

John D. Rockefeller senior führte ebenfalls ein Kassenbuch. Er wußte immer auf den Pfennig genau, wieviel er besaß, bevor er nachts sein Gebet sprach und sich schlafen legte.

Ihr werdet Euch also wohl oder übel auch so ein Ausgabenbuch anschaffen und alles darin aufschreiben müssen. Bis zum Ende Eures Lebens? Nein, das ist nicht gesagt. Budgetsachverständige empfehlen, daß man mindestens einen Monat lang – oder wenn möglich, ein Vierteljahr lang – jede, auch die kleinste Ausgabe bucht. So erhält man einen genauen Überblick darüber, wo das Geld bleibt, und kann danach ein Budget entwerfen.

Ach so, Ihr *wißt*, wo Euer Geld bleibt? Nun, möglich. Doch wenn das wirklich so ist, dann seid Ihr Tausendsassas! Mrs. Stapleton sagte mir, daß sie immer und immer wieder erlebt, wie die Leute ihr stundenlang Fakten und Zahlen nennen, damit sie sich Notizen darüber macht, um dann, wenn sie das Ergebnis auf dem Papier vor sich sehen, erstaunt auszurufen: «*Da* bleibt also mein Geld?» Sie wollen es meist kaum glauben. Seid Ihr auch von dieser Art? Es könnte ja sein.

Regel 2: Macht Euch ein Budget, das wirklich auf Eure Bedürfnisse paßt!

Mrs. Stapleton sagte mir, zwei Familien könnten nebeneinander in ganz gleichartigen Häusern in der gleichen Vorstadt wohnen, die gleiche Anzahl Kinder haben und auch das gleiche Einkommen – aber dennoch zwei radikal verschiedene Haushaltspläne aufweisen. Warum? Weil die Menschen verschieden sind. Ein Haushaltsbudget, sagt sie, muß persönlich, muß Maßarbeit sein.

Die Vorstellung, daß man nach einem Budget leben soll, braucht das Leben nicht gleich aller Freude zu berauben. Es handelt sich ja nur darum, ein Gefühl materieller Sicherheit zu gewinnen – was in vielen Fällen gleichbedeutend ist mit einem ruhigen Gemütsleben und Sorgenfreiheit. «Menschen, die nach einem Haushaltsplan leben, sind glücklicher als andere», behauptet Mrs. Stapleton.

Wie aber zu Werke gehen? Erstens müßt Ihr, wie schon gesagt, all Eure Ausgaben aufschreiben. Zweitens könnt Ihr Euch mit erfahrenen Personen darüber beraten. Die Lebenskosten werden auch laufend in der Presse erörtert, und solchen Artikeln lassen sich oft nützliche Winke entnehmen.

Die Einkommensklasse, bei der die Budgetberatung ihr das meiste Kopfzerbrechen zu verursachen pflegt, sagte Mrs. Stapleton ferner, ist die mit einem «mittleren höheren» Einkommen von etwa fünftausend Dollar. Als ich sie nach dem Grund hierfür fragte, antwortete sie: «Weil ein solches Einkommen das Ziel der meisten Familien zu sein scheint. Wenn sie es erreicht haben, glauben sie, sich ‚eher etwas leisten‘ zu können. Und das führt leicht dazu, daß sie über ihre Verhältnisse zu leben anfangen und Schulden machen. Natürlich sind sie dann nicht glücklicher als zuvor, sondern das Gegenteil, denn sie haben die Rechnung ohne den Wirt gemacht.»

Das ist eine ganz natürliche Folgeerscheinung. Wir möchten eben alle mehr vom Leben haben. Was aber wird uns auf lange Sicht glücklicher machen – der selbstauferlegte Zwang, uns einem strikten Haushaltsplan anzupassen, oder die stete Unruhe und Angst, die eine Begleiterscheinung von Schulden ist?

Regel 3: Lehrt Eure Kinder Verantwortung in Geldangelegenheiten.

Eine Idee, über die das Magazin «Your Life» (Dein Leben) einst berichtete, hat sich mir tief eingeprägt. Sie stammte von einer Frau namens Stella Weston Tuttle, die in dem Artikel beschrieb, wie sie ihrem neunjährigen Töchterchen ein Gefühl der Verantwortung beim Geldausgeben beibrachte. Sie ging zur Bank, ließ sich ein besonderes Scheckbuch geben und händigte es ihrer kleinen Tochter zu deren Privatgebrauch aus. Sobald die Kleine ihr Taschengeld bekam, machte sie eine «Einzahlung auf ihr Konto» bei der Mutter, die als Bank für das «Vermögen» des Kindes fungierte. Sobald dieses dann im Laufe der Woche eine kleine Summe brauchte, stellte es «einen Scheck» über den betreffenden Betrag aus und hielt sich so über sein jeweiliges Guthaben genau auf dem laufenden. Dem kleinen Ding machte dies nicht nur Spaß, sondern es eignete sich dabei auch rasch eine gewisse Verantwortlichkeit beim Geldausgeben an.

Regel 4: Wenn es sich als unmöglich erweist, unsere finanzielle Lage zu verbessern, dann wollen wir uns nicht noch Schlimmeres antun, indem wir uns dadurch verbittern lassen.

Wenn wir unsere Finanzlage auch nicht verbessern können, gelingt es uns vielleicht doch, unsere Einstellung dazu zu verbessern. Andere Leute, das dürfen wir nicht vergessen, haben ja auch ihre Geldsorgen.

Wenn wir nicht all das haben können, was wir gern möchten, so wollen wir uns deswegen nicht das Dasein vergiften und unser Gemüt durch Groll und Ärger verbittern lassen. «Wenn das, was du besitzest, dir ungenügend erscheint», sagte einer der größten Philosophen Roms, Seneca, «so wirst du dich unglücklich fühlen, und nenntest du die Welt dein eigen.»

Damit wir jedoch unter finanziellen Sorgen nicht mehr zu leiden haben, als unbedingt nötig, tun wir gut, uns an folgende sechs Regeln zu halten, indem wir

1. Uns alle unsere Ausgaben aufschreiben.
2. Uns ein maßgeschneidertes Budget anlegen, das auch wirklich auf unsere Bedürfnisse paßt.
3. Lernen, unser Geld auf vernunftgemäße Weise auszugeben.
4. Mit vermehrtem Einkommen nicht auch unsere Kopfschmerzen vermehren.
5. Unsere Kinder Verantwortung in Geldangelegenheiten lehren.
6. Uns nicht selbst das Leben schwer machen, weil wir nicht bessergestellt sind, wenn wir unsere finanzielle Lage nun doch einmal nicht zu ändern vermögen.

Zehnter Teil

«Wie ich meiner Sorgen Herr wurde» –
32 wahre Erlebnisse

Sechs schwere Kümmernisse –
und alle zur gleichen Zeit!

Von C. I. Blackwood
Inhaber der Handelsschule Blackwood-Davis in Oklahoma City

Im Sommer 1943 war mir, als ob die Sorgen der halben Welt auf meinen Schultern wuchteten.

Über vierzig Jahre lang hatte ich ein normales, sorgloses Leben geführt und nicht mehr Sorgen kennengelernt, als jeder Gatte, Vater und Geschäftsmann sie erfährt. Gewöhnlich wurde ich mit solchen Sorgen ohne Schwierigkeit fertig, als plötzlich Schlag auf Schlag sechs schwere Kümmernisse auf einmal über mich hereinbrachen. Sie erschütterten mich so tief, daß ich meinen Schlaf verlor und mich nachts wild im Bett herumwarf und dabei gleichzeitig den Morgen fürchtete, an dem ich mich wiederum diesen meinen sechs großen Sorgen gegenübersehen würde:

1. Meine Handelsschule war in äußerste Finanzschwierigkeiten geraten, weil sämtliche jungen Männer in den Kriegsdienst traten und die meisten Mädchen als ungeschulte Kräfte in den Kriegsbetrieben mehr Geld verdienten als meine voll ausgebildeten Diplomstudentinnen auf dem Büro.

2. Mein älterer Sohn war im Dienst, und ich sorgte mich um ihn, wie alle Eltern, deren Söhne am Kriege teilnehmen.

3. Oklahoma City hatte bereits Vorbereitungen begonnen, um eine ausgedehnte Strecke Landes als Flughafen auszubauen, und mein Haus – vormals mein Elternhaus – lag im Zentrum dieses Terrains. Ich wußte, ich würde nur etwa ein Zehntel seines Wertes als Entschädigung erhalten und, was noch ärger war, mein Heim verlieren. Wegen der herrschenden Wohnungsnot machte ich mir große Sorgen, ob ich wohl ein anderes Dach für meine sechsköpfige Familie finden würde. Ich fürchtete, wir würden vielleicht in einem Zelt leben müssen. Ich sorgte mich sogar darüber, ob wir imstande sein würden, auch nur ein Zelt zu erstehen.

4. Das Wasser auf meinem Besitztum versiegte plötzlich, weil in der Nähe ein Kanalisationsgraben gezogen worden war. Einen neuen Brunnen graben zu lassen würde heißen, das Geld zum Fenster hin-

auszuwerfen, weil das Land ja bald unbewohnbar sein würde. So mußte ich zwei Monate lang das Wasser für meine Tiere zwei Meilen weit in Eimern herbeiholen, und vielleicht – so fürchtete ich – würde ich den ganzen Krieg hindurch damit fortfahren müssen.

5. Ich lebte zehn Meilen von meiner Handelsschule entfernt und hatte nur eine Benzinkarte zweiter Klasse, was bedeutete, daß ich kein Anrecht auf neue Reifen hatte. Daher machte ich mir Gedanken darüber, wie ich an meine Arbeitsstätte gelangen könnte, wenn einmal die jahrealten Reifen meines alten Fordwagens den Geist aufgäben.

6. Meine älteste Tochter hatte ein Jahr früher als üblich ihre Abgangsprüfung an der Oberschule abgelegt. Ihr Herz hing daran, nun in ein College einzutreten, und ich hatte einfach das Geld nicht, sie hinzuschicken. Ich wußte, dies würde sie schwer treffen.

Da beschloß ich an einem Nachmittag, als ich wieder einmal in meinem Büro saß und mich mit meinen Sorgen herumschlug, sie allesamt zu Papier zu bringen. Es schien mir, kein Mensch hätte jemals so viele Sorgen gehabt wie ich. Aber es hätte mir gar nicht soviel ausgemacht, mich mit Sorgen herumzuschlagen, bei denen man nur die geringste Aussicht hatte, eine Lösung zu finden. Diese Sorgen aber schienen sich jeder Lösung völlig zu entziehen. So legte ich denn meine getippte Liste einfach ab und vergaß im Laufe der Monate ganz, daß ich sie je aufgesetzt hatte. Anderthalb Jahre später, als ich meine Briefordner umstellte, fiel mir diese Aufstellung meiner sechs großen Probleme, die einst gedroht hatten, meine Gesundheit zugrunde zu richten, zufällig wieder in die Hände. Voll Interesse las ich sie mir wieder durch – und stellte fest, daß keine meiner Befürchtungen damals eingetroffen war.

Die Dinge waren folgendermaßen verlaufen:

1. Meine Ängste, daß ich meine Handelsschule würde schließen müssen, waren umsonst gewesen, denn die Regierung ließ jetzt auf ihre Kosten entlassene Kriegsteilnehmer in Handelsschulen ausbilden, und die meinige war bald bis zum letzten Platz besetzt.

2. Meine Ängste wegen meines Sohnes beim Militär waren umsonst gewesen, denn er kam durch den Krieg, ohne daß ihm ein Haar gekrümmt wurde.

3. Meine Befürchtungen, mein Land einzubüßen, weil es für einen Flugplatz gebraucht wurde, hatten sich als unnötig erwiesen, weil man in geringer Entfernung von meiner Farm auf Öl gestoßen war

und der Preis, den man für das Land zum Bau des Flugplatzes hätte aufwenden müssen, dadurch unerschwinglich geworden war.

4. Meine Besorgnisse wegen des Wassers für mein Vieh waren unnütz gewesen, denn sobald ich wußte, daß man das Land nicht beschlagnahmen würde, wandte ich das nötige Geld auf, um einen neuen Brunnen zu graben, und stieß in einer tieferen Schicht auf einen unversiegbaren Wasservorrat.

5. Meine Sorgen, daß meine Reifen das Zeitliche segnen würden, stellten sich als unbegründet heraus, denn durch Flicken und sorgsames Fahren hatten sie bis jetzt irgendwie gehalten.

6. All meine Sorgen wegen des Studiums meiner Tochter waren grundlos gewesen, denn genau zwei Monate vor Semesteranfang wurde mir – fast wie durch ein Wunder – eine Bücherrevision angeboten, die ich außerhalb der Schulzeit ausführen konnte, und dieser Mehrverdienst ermöglichte es mir, meine Tochter wie geplant ins College zu schicken.

Ich hatte schon oft sagen hören, daß neunundneunzig Prozent all der Dinge, über die wir uns sorgen, beunruhigen und aufregen, niemals eintreffen, doch dieser alte Trostspruch bedeutete nicht viel für mich, bis ich diese alte Sorgenliste wieder auffand, die ich an jenem trübseligen Nachmittag vor anderthalb Jahren getippt hatte.

Jetzt bin ich froh, daß ich mich vergebens mit diesen sechs schrecklichen Kümmernissen herumschlagen mußte. Denn diese Erfahrung hat mich etwas gelehrt, was ich niemals wieder vergessen werde. Sie hat mir gezeigt, wie töricht und verhängnisvoll es ist, wenn man sich über Dinge aufregt, die noch gar nicht eingetroffen sind – Dinge, die sich unserer Kontrolle entziehen und vielleicht niemals geschehen werden.

Ich habe es in der Hand, mich innerhalb einer Stunde in einen jubelnden Optimisten zu verwandeln

Von Roger W. Babson
(Bekannter Wirtschaftler), Babson Park, Wellesley Hills, Massachusetts

So oft ich über die gegenwärtige Lage verstimmt bin, habe ich es in der Hand, innerhalb einer Stunde meine Sorgen zu verscheuchen und mich in einen jubelnden Optimisten zu verwandeln.

Das mache ich so. Ich gehe in meine Bibliothek, schließe die Augen und trete an die Fächer, auf denen meine Geschichtswerke stehen. Die Augen noch immer geschlossen, greife ich nach einem Buch, ohne zu wissen, ob ich Prescotts «Geschichte Mexikos» oder Suetons Biographien der römischen Cäsaren erwische. Die Augen immer noch geschlossen, schlage ich mein Buch aufs Geratewohl auf. Dann öffne ich die Augen und lese eine Stunde lang. Und je mehr ich lese, um so deutlicher wird es mir, daß die Welt zu allen Zeiten in Schrecknissen gelebt, daß die Kultur stets am Rande des Untergangs geschwebt hat. Die Seiten der Geschichte brüllen förmlich vor tragischen Berichten über Krieg, Hungersnot, Armut und die Unmenschlichkeit des Menschen seinen Mitmenschen gegenüber. Nachdem ich derart eine Stunde lang Geschichte gelesen habe, sehe ich ein, daß, so schlecht die Verhältnisse heute sind, sie doch unendlich viel besser sind als früher. Dies ermöglicht es mir, meine gegenwärtigen Sorgen in der richtigen Perspektive zu sehen und zu beurteilen und mir gleichzeitig klarzumachen, daß die Welt als Ganzes ständig besser wird.

Dies ist eine Methode, die ein ganzes Kapitel verdiente. Lest Geschichte! Sucht in Zeiträumen von zehntausend Jahren zu denken – und erkennt, wie geringfügig, im Licht der Ewigkeit betrachtet, Eure Sorgen sind!

Wie ich meinen Minderwertigkeitskomplex los wurde

Von Elmer Thomas, Oklahoma
Senator der Vereinigten Staaten

Als ich fünfzehn Jahre alt war, litt ich unausgesetzt schrecklich unter Angst und Unruhe und innerer Befangenheit. Ich war außerordentlich groß für mein Alter und dünn wie eine Bohnenstange. Mein Gewicht stand in keinem Verhältnis zu meiner Länge, und ich war schwächlich und konnte es in Ball- und Laufspielen nicht mit den anderen Jungen aufnehmen. Sie machten sich über mich lustig und nannten mich «dürrer Peter». Ich war so unglücklich und schüchtern, daß ich vor jeder Begegnung mit anderen Angst hatte. Im übrigen kam ich wenig unter Menschen, denn unser Farmhaus lag weitab von der Landstraße und war von dichtem Urwald umgeben, der seit den Tagen der Schöpfung nie von Menschenhand angerührt worden war. Wir lebten eine halbe Meile abseits von allem Verkehr, und oft konnte eine Woche vergehen, ohne daß ich jemand außer meinen Eltern und Geschwistern zu Gesicht bekam.

Hätten diese Ängste und Kümmernisse die Oberhand über mich behalten, so würde nie etwas aus mir geworden sein. Tag für Tag und Stunde um Stunde grübelte ich über meinen langen, hageren, schwächlichen Körper nach. Ich vermochte kaum an etwas anderes zu denken. Meine Verlegenheit, meine Menschenscheu waren so groß, daß ich sie kaum schildern kann. Meine Mutter wußte, wie mir zumute war. Sie war früher Lehrerin gewesen, daher sagte sie zu mir: «Du solltest dir eine ordentliche Bildung aneignen, mein Junge, und dir dein Brot mit dem Verstand verdienen, denn dein Körper wird immer ein Hindernis für dich sein.»

Da meine Eltern es sich nicht leisten konnten, mich aufs College zu schicken, wußte ich, daß ich meinen eigenen Weg würde machen müssen. So jagte und fing ich einen Winter lang Opossums, Stinktiere, Nerze und Waschbären, verkaufte die Felle im Frühjahr für vier Dollar und schaffte mir für dieses Geld zwei Ferkel an. Diese fütterte ich zuerst mit Abfällen und später mit Mais und verkaufte sie im Herbst für vierzig Dollar. Mit dem Erlös für die zwei

Schweine ging ich nach Danville in Indiana, um das dortige College zu besuchen. Ich bezahlte für Zimmer und Pension nicht ganz zwei Dollar die Woche und trug ein braunes Hemd, das meine Mutter mir genäht hatte. (Wahrscheinlich hatte sie diese Farbe gewählt, weil man darauf keinen Schmutz sah.) Meine übrigen Kleidungsstücke bestanden aus einem abgelegten Anzug meines Vaters und einem Paar sogenannter Gamaschenstiefel mit Gummizug, die ebenfalls von meinem Vater stammten und mir so wenig paßten wie der Anzug; außerdem war der Gummi längst ausgeleiert, so daß die Stiefel so lose saßen, daß sie mir beim Gehen fast von den Füßen fielen. Ich traute mich nicht, mich den anderen Studenten anzuschließen und saß immer allein in meinem Zimmer und lernte. Der höchste Wunsch meines Lebens war, mir einen Konfektionsanzug kaufen zu können, der mir paßte, damit ich mich nicht vor den anderen zu schämen brauchte.

Kurz danach traten vier Ereignisse ein, die mir halfen, meine Sorgen und mein Minderwertigkeitsgefühl zu überwinden. Eines davon flößte mir Mut und Hoffnung und Selbstvertrauen ein und änderte den weiteren Verlauf meines Lebens vollständig. Ich will diese Geschehnisse kurz schildern.

Erstens: Nachdem ich dieses Seminar erst acht Wochen lang besucht hatte, legte ich eine Prüfung ab und erhielt ein Zeugnis, das mir erlaubte, in Volksschulen auf dem Lande zu unterrichten. Zwar war dieses Zeugnis nur sechs Monate lang gültig, doch war es ein untrüglicher Beweis dafür, daß jemand Vertrauen in mich setzte – es war das erste Zeichen des Vertrauens, das mir je ein Mensch außer meiner Mutter gegeben hatte.

Zweitens: Eine Landschule an einem Ort namens Happy Hollow stellte mich zu einem Gehalt von zwei Dollar pro Tag oder vierzig Dollar im Monat an. Ein weiterer Vertrauensbeweis, der mir entgegengebracht wurde.

Drittens: Sobald ich mein erstes Gehalt erhielt, kaufte ich mir einen fertigen Anzug – einen Anzug, den zu tragen ich mich nicht schämte. Wenn mir heute jemand eine Million schenkte, ich wäre nicht halb so glückselig darüber wie über jenen ersten Anzug, der nur wenige Dollar kostete.

Viertens: Der vierte Wendepunkt in meinem Leben, der erste große Triumph in meinem Kampf gegen Verlegenheit und Minderwertigkeitsgefühl, trat während des ländlichen Jahrmarktfestes ein, das alljährlich in Bainbridge, Indiana, abgehalten wurde. Meine Mutter hatte mich gedrängt, mich für einen Wettbewerb im öffentlichen Reden zu melden, der dort abgehalten werden sollte. Mir selbst schien der bloße Gedanke schon phantastisch. Ich hatte ja nicht einmal den Mut, mit einem einzelnen Menschen unbefangen zu reden – geschweige denn zu einer Menschenmenge. Doch meiner Mutter Glaube an mich war fast rührend. Sie erträumte Großes für mich von der Zukunft. Sie durchlebte ihr eigenes Leben in dem meinen noch einmal. Und ihr Glaube feuerte mich so an, daß ich an dem Wettbewerb teilnahm. Als Thema wählte ich einen Stoff, von dem ich wirklich weniger als nichts verstand: «Die Schönen Künste in Amerika.» Als ich begann, mich auf meinen Vortrag vorzubereiten, wußte ich, ehrlich gesagt, nicht einmal recht, was die Schönen Künste eigentlich seien, doch das machte nicht sehr viel, denn meine Zuhörer wußten es ebensowenig. Ich lernte meine blumenreiche Ansprache auswendig und deklamierte sie hundertmal den Bäumen und Kühen vor. Meiner Mutter wegen lag mir so viel daran, meine Sache gut zu machen, daß ich mit einer gewissen Bewegung gesprochen haben muß. Jedenfalls gewann ich den ersten Preis. Ich war völlig überrascht über das, was geschah. Die Menge klatschte begeistert Beifall. Dieselben Kameraden, die mich einst verlacht und verulkt und mich «dürrer Peter» genannt hatten, klopften mir auf die Schulter und sagten: «Ich habe gar nichts anderes von dir erwartet, Elmer!» Meine Mutter umarmte mich schluchzend. Wenn ich jetzt einen Blick zurückwerfe, erkenne ich, daß das Gewinnen jenes Wettbewerbs den Wendepunkt meines Lebens darstellt. Die Lokalzeitungen brachten lange Artikel über mich auf der Vorderseite und prophezeiten mir eine große Zukunft. Mein Erfolg in dem Wettbewerb machte mich an meinem Wohnort allgemein bekannt und verlieh mir Ansehen – und, was weitaus bedeutsamer für mich war, er flößte mir ein hundertmal größeres Selbstvertrauen ein. Wahrscheinlich wäre ich niemals Mitglied des Senats der Vereinigten Staaten geworden, hätte ich damals nicht den Preis davongetragen, denn dadurch wurde mein Horizont erweitert und meine Einstellung eine andere, weil mir nun bewußt wurde, daß ich schlummernde Fähigkeiten besaß, von denen ich bisher nichts geahnt hatte. Das Wichtigste an der Sache jedoch war, daß der erste Preis in dem Rednerwettbewerb in einem Jahresstipendium für das Lehrerseminar bestand.

Mich hungerte nun wahrhaft nach weiterer Ausbildung. So teilte ich in den nächsten Jahren – 1896 bis 1900 – meine Zeit zwischen Lehren und Lernen. Um mein Studium an der De Pauw-Universität bezahlen zu können, arbeitete ich als Kellner, Heizer, Gärtner, Buchhalter, Landarbeiter und Kiesfahrer bei öffentlichen Straßenbauten. Nachdem ich in De Pauw promoviert hatte, ging ich südwestwärts in ein neues Land: Oklahoma. Als dort die Reservate für Kiowa-, Comanche- und Apache-Indianer eröffnet wurden, kam ich um eine Lizenz ein und machte in Lawton ein juristisches Büro auf. Ich war dreizehn Jahre Mitglied des Senats des Staates Oklahoma, vier Jahre lang Mitglied des Repräsentantenhauses, und mit fünfzig Jahren ging mein lebenslanger ehrgeiziger Wunsch in Erfüllung: ich wurde von Oklahoma in den Senat der Vereinigten Staaten gewählt. In dieser Eigenschaft bin ich seit dem 4. März 1927 tätig.

Ich erzähle diese Geschichte nicht, um mich mit meinen eigenen vergänglichen Leistungen zu brüsten, die kaum irgend jemand interessieren können, sondern einzig und allein, weil ich hoffe, dadurch vielleicht neuen Mut und neues Selbstvertrauen in das Leben irgendeines armen Jungen zu bringen, der heute an den gleichen Ängsten, der gleichen Befangenheit und dem gleichen Minderwertigkeitsgefühl leidet wie ich, als ich meines Vaters abgelegte Kleider und Gamaschenstiefel trug, die mir beim Gehen fast von den Füßen fielen.

(Bemerkung des Verfassers: Es ist interessant festzustellen, daß Elmer Thomas, der sich als Jüngling seiner schlechtsitzenden Kleider so schämte, später einstimmig für das bestgekleidete Mitglied des amerikanischen Senats erklärt wurde.)

Ich lebte im Garten Allahs

Von R. V. C. Bodley
Ein Nachfahre Sir Thomas Bodleys, des Gründers der Bodleian Library (berühmte Bibliothek) in Oxford. Verfasser von «Wind in the Sahara», «The Messenger» und vierzehn anderen Büchern.

1918 kehrte ich der Welt, die ich kannte, den Rücken und ging nach Nordwestafrika, wo ich sieben Jahre bei den Arabern in der

Sahara, dem Garten Allahs, lebte. Ich lernte die Sprache der Noma-
den, ich trug ihre Kleidung, aß ihre Speisen und nahm ihre Lebensweise an, die seit zweitausend Jahren nur geringe Änderungen erfahren hat. Ich wurde Besitzer einer Schafherde und schlief auf dem
Boden in den Zelten der Araber. Ich trieb auch eingehende Studien
über ihre Religion. So schrieb ich späterhin ein Buch über Mohammed
unter dem Titel «The Messenger» (Der Verkünder).

Die sieben Jahre, die ich bei diesen umherziehenden Schäfern
zubrachte, waren die friedlichsten und zufriedensten meines Lebens.

Ich hatte bereits reiche und vielfältige Lebenserfahrungen hinter
mir: Ich wurde als Sohn englischer Eltern in Paris geboren und lebte
neun Jahre in Frankreich. Später wurde ich in Eton und auf der
königlichen Kadettenschule in Sandhurst erzogen. Hierauf verbrachte
ich sechs Jahre als britischer Offizier in Indien, wo ich Polo spielte
und jagte und Forschungsfahrten in das Himalayagebirge unternahm
und daneben auch ein wenig Soldat spielte. Ich machte den Ersten
Weltkrieg mit und wurde an dessen Ende als beigeordneter Militär-
attaché an die Pariser Friedenskonferenz geschickt. Was ich dort
sah, enttäuschte und empörte mich. Während der vier Jahre dauernden Schlächterei an der Westfront hatte ich geglaubt, wir kämpften,
um die Zivilisation zu retten. Allein auf der Pariser Friedenskonferenz sah ich, wie selbstsüchtige Politiker die Grundlagen zum Zweiten Weltkrieg legten, indem jedes Land soviel wie möglich für sich
selbst erraffte, nationale Gegensätzlichkeiten schuf und die Intrigen
der Geheimdiplomatie neu erstehen ließ.

Ich war des Kriegs, der Armee und der Gesellschaft überdrüssig.
Zum erstenmal in meiner ganzen Laufbahn verbrachte ich schlaflose
Nächte und zerquälte mich mit der Frage, was ich mit meinem Leben
anfangen sollte. Lloyd George drang in mich, ich solle mich in der
Politik versuchen. Ich überlegte mir, ob ich nicht seinem Rat folgen
sollte, als etwas Merkwürdiges passierte – etwas Merkwürdiges,
das mein Leben für die nächsten sieben Jahre formte und bestimmte.
Schuld daran war ein Gespräch, das weniger als zweihundert Sekunden dauerte, ein Gespräch mit «Ted Lawrence», dem «Lawrence von
Arabien», der romantischsten und malerischsten Gestalt, die der
Erste Weltkrieg hervorgebracht hat. Er hatte bei den Arabern in
der Wüste gelebt und riet mir, das gleiche zu tun. Zuerst klang das
phantastisch.

Indes – ich war entschlossen, den Militärdienst zu verlassen, und

mußte ja irgend etwas tun. Leute meinesgleichen – frühere Berufs-
offiziere – hatten bei der allgemeinen Arbeitslosigkeit wenig Aussicht auf eine Anstellung in einem Zivilberuf. Also tat ich, was
Lawrence mir angeraten hatte: ich ging hin und lebte unter Arabern.
Und ich bin froh, daß ich es tat. Bei ihnen habe ich gelernt, wie
man seiner Sorgen Herr wird. Gleich allen gläubigen Mohammeda-
nern sind sie Fatalisten. Sie glauben, daß jedes einzelne Wort, das
Mohammed im Koran schrieb, göttliche Offenbarung ist. Wenn
also der Koran sagt: «Gott schuf euch und alles, was ihr tut», so
nehmen sie das wörtlich. Darum bewahren sie allen Wechselfällen
des Lebens gegenüber eine solche Ruhe, hasten nie und geraten nie
in unnötige Aufregung, wenn etwas nicht klappt. Sie wissen, was
von Gott bestimmt ist, das ist bestimmt, und niemand außer Gott
vermag etwas daran zu ändern. Doch bedeutet das keineswegs, daß
sie angesichts drohenden Unheils einfach die Hände in den Schoß
legen. Um dies zu beleuchten, möchte ich von einem wütenden,
sengenden Schirokko berichten, den ich erlebte, als ich in der Sahara
weilte. Drei Tage und Nächte lang pfiff und heulte er. Die Wind-
stärke war so groß, daß sie Sand aus der Sahara Hunderte von
Meilen weit übers Mittelmeer trieb und über das Rhonetal in Frankreich sprühte. Der Wind war so heiß, daß mir war, als werde mir
das Haar auf dem Kopf versengt. Meine Kehle war ausgedörrt.
Meine Augen brannten. Meine Zähne knirschten vom Sand. Ich hatte
ein Gefühl, als stände ich vor dem Schmelzofen in einer Glasfabrik.
Ich kam dem Wahnsinn so nahe, wie ein Mensch es nur kann, ohne
tatsächlich den Verstand zu verlieren. Doch die Araber klagten nicht.
Sie zuckten die Achseln und sagten nur: «Mektub!»... «Es steht
so geschrieben.»

Doch sofort nachdem der Sturm vorüber war, wurden sie lebendig: sie schlachteten sämtliche Lämmer, weil sie wußten, daß sie
sowieso sterben würden, und daß sie dadurch, daß sie sie schlachteten, vielleicht die Mutterschafe retten könnten. Nachdem die Lämmer geschlachtet waren, wurden die Herden gen Süden zur Tränke
getrieben. All dies geschah ruhig, ohne Aufregung und ohne daß sie
gejammert oder über ihre Verluste geklagt hätten. Der Stammeshäuptling sagte: «Es ist nicht allzu schlimm. Wir hätten alles verlieren können. Doch lobet Allah – es sind uns fast die Hälfte unserer
Schafe geblieben, mit denen wir einen neuen Anfang machen können.»

Ich entsinne mich eines anderen Vorfalls: wir fuhren im Auto durch die Wüste, als einer unserer Reifen platzte. Der Chauffeur hatte vergessen, den Ersatzreifen auszubessern. Da saßen wir also mit nur drei Reifen. Ich ärgerte mich und regte mich auf und fragte die Araber, was wir nun tun sollten. Sie mahnten mich, daß Aufregung nichts nütze, sondern nur noch heißer mache. Der geplatzte Reifen, sagten sie, sei der Wille Allahs, und nichts sei dagegen zu machen. So ließen wir den Motor wieder an und krochen auf der Kante des einen Rades dahin. Nicht lange, so spuckte der Motor und setzte aus. Das Benzin war uns ausgegangen! Der Häuptling bemerkte lediglich «Mektub!» Und auch hier wieder blieben alle, statt auf den Chauffeur einzuschimpfen, weil er nicht genug Treibstoff mitgenommen hatte, ruhig und gelassen; statt zu fahren gingen wir zu Fuß bis zu unserem Bestimmungsort, und beim Marschieren sangen wir.

Die sieben Jahre, die ich bei den Arabern verbrachte, haben mich davon überzeugt, daß die Neurotiker, die Geisteskranken und Trunksüchtigen Amerikas und Europas das Erzeugnis des gehetzten und gejagten Lebens sind, das wir in unserer sogenannten Zivilisation führen.

Solange ich in der Sahara lebte, hatte ich keine Sorgen. Dort, im Garten Allahs, fand ich die heitere Zufriedenheit und das körperliche Wohlbefinden, dem so viele von uns in Nervosität und Verzweiflung umsonst nachjagen.

Viele Leute spotten über den Fatalismus. Vielleicht haben sie recht damit. Wer weiß es? Doch wir alle müssen ja einsehen, daß unser Geschick uns oftmals vorgezeichnet ist. Hätte ich zum Beispiel nicht an jenem heißen Augusttag des Jahres 1919 drei Minuten nach zwölf Uhr mittags mit Lawrence von Arabien gesprochen, dann würden alle die Jahre, die seither verflossen sind, vollständig anders verlaufen sein. Wenn ich rückschauend mein Leben überblicke, muß ich erkennen, daß es wieder und wieder durch Ereignisse, über die ich nicht Herr war, geformt und gestaltet worden ist. Die Araber nennen das «Mektub», «Kismet» – den Willen Allahs. Mögt Ihr es nennen, wie Ihr wollt, es bewirkt sonderbare Dinge. Ich weiß nur, daß ich heute – siebzehn Jahre, nachdem ich die Sahara verließ – noch immer jene frohgemute Ergebung in das Unvermeidliche fühle, die ich von den Arabern lernte. Diese Lebensweisheit hat mehr dazu getan, meine Nerven zu festigen, als tausend Beruhigungsmittel es vermocht hätten.

Meine Leser und ich – wir sind keine Mohammedaner, und wir wollen keine Fatalisten sein. Doch wenn die wilden, sengenden Winde über unser Leben dahinbrausen – und wir sie nicht verhüten können, dann wollen auch wir das Unvermeidliche gelassen hinnehmen (siehe Seite 92). Danach aber wollen wir uns aufraffen und zusammensuchen, was übrig geblieben ist!

Fünf Methoden, die ich anwandte, um meine Sorgen zu verscheuchen

Von Professor William Lyon Phelps

> (Kurz vor seinem Tode war es mir noch vergönnt, einen Nachmittag mit Billy Phelps von der Yale-Universität zu verbringen. Hier sind die fünf Methoden, die er anwandte, um seiner Sorgen Herr zu werden – nach den Notizen, die ich mir während unserer Unterhaltung machte. – Dale Carnegie.)

1. Als ich vierundzwanzig Jahre alt war, versagten meine Augen plötzlich. Sobald ich ein paar Minuten gelesen hatte, bekam ich ein Gefühl in den Augen, als seien sie voller Nadeln; und auch wenn ich nicht las, waren sie so lichtempfindlich, daß ich nicht ins Helle sehen konnte. Ich konsultierte die besten Augenärzte in New Haven und New York. Nichts schien zu verschlagen. Von vier Uhr nachmittags an saß ich einfach in Erwartung der Schlafenszeit im dunkelsten Winkel des Zimmers. Ich war zu Tode erschrocken über meinen Zustand und fürchtete, ich würde auf den Lehrerberuf verzichten und in die Weststaaten gehen müssen, um mir Arbeit als Holzfäller zu suchen. Dann geschah etwas Sonderbares, woran das Übergewicht des Geistes über den Körper so recht augenfällig wurde. Als meine Sehkraft in jenem traurigen Winter auf dem Tiefpunkt angekommen war, nahm ich eine Einladung an, zu einer Gruppe von Studenten zu sprechen. Die Aula war durch riesige Gasflammen erleuchtet, die von der Decke herabhingen. Diese Lichter schmerzten meine Augen so fürchterlich, daß ich genötigt war, auf den Boden zu blicken, solange ich auf dem Podium saß. Dennoch

empfand ich während meiner halbstündigen Ansprache keinerlei Schmerz und vermochte gelegentlich ohne jedes Blinzeln direkt in die Lichter hineinzusehen. Nachdem die Zusammenkunft dann vorüber war, taten mir die Augen wieder weh.

Mir kam der Gedanke, wenn ich imstande wäre, meinen Geist intensiv auf irgend etwas zu konzentrieren, jedoch nicht eine halbe Stunde, sondern eine ganze Woche lang, würde ich vielleicht geheilt werden. Denn es handelte sich sichtlich um einen Fall, in dem geistiges Angeregtsein den Sieg über ein körperliches Leiden davontrug.

Ein ähnliches Erlebnis hatte ich, als ich später einmal über den Atlantik fuhr. Ich hatte einen so heftigen Hexenschuß, daß ich nicht zu gehen vermochte und schreckliche Schmerzen litt, sobald ich versuchte, aufrecht zu stehen. In diesem Zustand wurde ich gebeten, an Bord einen Vortrag zu halten. Sobald ich zu sprechen begann, wich jede Spur von Schmerzen und Steifheit aus meinem Körper; ich stand gerade da, bewegte mich vollkommen gelenkig und sprach eine ganze Stunde lang. Als der Vortrag aus war, begab ich mich ohne Behinderung in meine Kabine zurück. Einen Augenblick lang glaubte ich geheilt zu sein. Doch die Heilung war nur zeitweilig, und der Hexenschuß stellte sich wieder ein.

Diese Erlebnisse bewiesen mir die ungeheure Bedeutung unserer geistigen Einstellung. Sie lehrten mich auch, wie wichtig es ist, das Leben zu genießen, solange man kann. Darum lebe ich jetzt jeden Tag, als wäre es der erste, den ich je gesehen habe, und der letzte, den ich je sehen würde. Das tägliche Abenteuer des Lebens bietet mir immer frische Anregung, und niemand, der sich in einem Zustand der Anregung befindet, wird sich übermäßigen Sorgen hingeben. Ich liebe meinen Beruf als Lehrer und habe sogar ein Buch über «Die Freude des Lehrens» geschrieben. Für mich ist der Lehrberuf stets mehr als eine Kunst oder gar eine bloße Beschäftigung gewesen – für mich ist er eine Leidenschaft. Ich bin mit ebensolcher Begeisterung Lehrer, mit der ein Maler malt oder ein Sänger singt. Schon morgens vor dem Aufstehen denke ich mit heißem Entzücken an meine erste Gruppe von Studenten. Ich bin immer der Meinung gewesen, daß Begeisterungsfähigkeit eine der Hauptursachen für Erfolg im Leben ist.

2. Ich habe die Erfahrung gemacht, daß das Lesen eines fesselnden Buches für mich ein Sorgenverdränger ist. Im Alter von neunundfünfzig Jahren hatte ich einen nervösen Zusammenbruch. Wäh-

rend jener Zeit las ich David Alec Wilsons großartiges «Leben Carlyles». Ihm verdanke ich meine Wiederherstellung zum großen Teil, denn meine Lektüre fesselte mich so ungemein, daß ich meine niedergedrückte Stimmung darüber vergaß.

3. Ein anderes Mal, als ich gleichfalls schrecklich deprimiert war, zwang ich mich, fast jede Stunde des Tages mit irgendeiner Körperübung auszufüllen. Ich spielte jeden Morgen fünf oder sechs ungestüme Tennispartien, nahm dann ein Bad, aß zu Mittag und spielte hierauf nachmittags regelmäßig achtzehn Löcher Golf. Freitags tanzte ich die ganze Nacht bis ein Uhr morgens. Ich halte ungeheuer viel davon, daß man sich in einen gehörigen Schweiß hineinarbeitet. Niedergeschlagenheit und Ängste aller Art, so fand ich, rannen dann mit dem Schweiß zusammen gleichsam von mir ab.

4. Schon längst habe ich mir abgewöhnt, in törichter Weise zu jagen, zu hetzen und unter Druck zu arbeiten. Ich habe immer versucht, die Philosophie von Wilbur Cross anzuwenden. Als er Statthalter von Connecticut war, sagte er einmal zu mir: «Zuweilen, wenn ich zu vieles auf einmal zu tun habe, setze ich mich einfach eine Stunde lang hin und rauche meine Pfeife und tue gar nichts.»

5. Ich habe auch erfahren, daß Zeit und Geduld oft ganz von selbst unsere Probleme lösen. Wenn etwas mich beunruhigt, bemühe ich mich, meine Sorgen in der richtigen Perspektive zu sehen. Ich sage zu mir: «In zwei Monaten wird mir das Pech, das ich augenblicklich habe, schon ganz gleichgültig sein, warum mich also jetzt darüber aufregen? Es kostet ja nicht mehr, wenn ich mich schon heute so verhalte wie in zwei Monaten.»

Hier sind noch einmal kurz zusammengefaßt die fünf Arten, wie Professor Phelps seine Sorgen zu verscheuchen pflegte:

1. *Lebt mit Lust und Liebe und Begeisterung:* «Ich lebe jeden Tag, als wäre es der erste, den ich je gesehen habe, und der letzte, den ich je sehen würde.»

2. *Lest etwas Interessantes:* «Als ich einen hartnäckigen nervösen Zusammenbruch hatte ... begann ich das ‚Leben Carlyles‘ zu lesen und vertiefte mich so darin, daß ich meine Niedergeschlagenheit ganz vergaß.»

3. *Treibt Sport:* «Als ich schrecklich deprimiert war, zwang ich mich, fast jede Stunde des Tages mit irgendeiner Körperübung auszufüllen.»

4. *Arbeitet in entspanntem Zustand:* «Schon seit langem habe ich mir abgewöhnt, töricht zu jagen, zu hetzen und unter Druck zu arbeiten.»

5. *Ich bemühe mich, meine Sorgen in der richtigen Perspektive zu sehen.* Ich sage zu mir: «In zwei Monaten wird mir das Pech, unter dem ich augenblicklich leide, schon ganz gleichgültig sein, warum mich also jetzt darüber aufregen? Es kostet ja nicht mehr, wenn ich mich heute schon so verhalte wie in zwei Monaten!»

Ich erwartete nicht, bis zum folgenden Morgen zu leben

Von J. C. Penney

(Am 14. April 1902 machte ein junger Mann mit fünfhundert Dollar in barem Geld und einer Million Dollar an Entschlossenheit in Kemmerer im Staate Wyoming eine Kurzwarenhandlung auf. Der junge Mann und seine Frau wohnten in einer Mansarde über ihrem Laden; eine große leere Warenkiste diente ihnen als Tisch, einige kleinere Kisten benutzten sie als Stühle. Ihr Kindchen wickelte die junge Frau in eine Wolldecke und legte es unter dem Ladentisch zum Schlafen hin, während sie ihrem Mann half, die Kunden zu bedienen. Heute trägt der größte Teil der Schnittwarenläden in der Welt den Namen dieses Mannes – die «J. C. Penney Stores», deren mehr als sechzehnhundert Filialen sich in jedem Staat der nordamerikanischen Union eingebürgert haben. Ich war kürzlich zum Nachtessen mit Mr. Penney zusammen, und bei dieser Gelegenheit schilderte er mir den dramatischsten Augenblick seines Lebens.)

Vor Jahren machte ich eine äußerst schwierige Zeit durch. Ich hatte solche Sorgen, daß ich fast verzweifelte. Mit der J.-C.-Penney-Gesellschaft hatten diese Sorgen in keiner Weise zu tun. Dieses Geschäft blühte und gedieh, doch war ich persönlich vor dem großen Krach von 1929 gewisse unkluge Verpflichtungen eingegangen, und nun wurde mir, gleich vielen anderen, die Schuld an Verhältnissen aufgebürdet, für die ich nicht im mindesten verantwortlich war. Von solchen Sorgen bedrängt, konnte ich nicht mehr schlafen und wurde von einer sehr schmerzhaften Krankheit, der Gürtelrose, befallen. Ich konsultierte einen Arzt, Dr. Elmer Eggleston, der früher mein Schulkamerad gewesen war und jetzt ein Sanatorium leitete. Er schickte mich sofort ins Bett mit der Erklärung, ich sei ein sehr kranker Mann und müsse mich einer strengen Behandlung unterziehen. Doch diese half nicht, und ich wurde von Tag zu Tag schwächer. Ich war körperlich und mit meinen Nerven fertig, völlig verzweifelt und unfähig, irgendwo einen Hoffnungsstrahl zu entdecken. Es blieb mir nichts, wofür ich leben konnte. Ich glaubte, ich hätte auf der ganzen Welt keinen Freund mehr, ja daß selbst meine Familie sich gegen mich gewandt hätte. Eines Abends gab mir Dr. Eggleston ein Beruhigungsmittel, doch dieses hielt nicht lange vor, und ich erwachte, von der Überzeugung übermannt, dies sei die letzte Nacht meines Lebens. Ich stand aus dem Bett auf und schrieb Abschiedsbriefe an meine Frau und meinen Sohn, in denen ich sagte, daß ich nicht glaube, den kommenden Morgen noch zu erleben.

Als ich am nächsten Tag erwachte, war ich selbst überrascht, daß ich noch am Leben war. Während ich die Treppe hinunterging, drang Gesang an mein Ohr. Er kam aus einer kleinen Kapelle, wo allmorgendlich Andacht abgehalten wurde. Ich erinnere mich noch des Kirchenliedes, das sie sangen: «Gott nimmt sich deiner an.» Ich trat in die Kapelle und lauschte wehmütig dem Gesang, dem Bibeltext und dem Gebet. Plötzlich geschah etwas mit mir. Ich kann es nicht erklären. Ich kann es nur ein Wunder nennen. Es war mir, als sei ich mit einem Schlage aus der Finsternis eines Verlieses in warmes, strahlendes Sonnenlicht emporgehoben, als sei ich aus der Hölle plötzlich ins Paradies versetzt worden. Ich empfand die Macht Gottes, wie ich sie nie zuvor empfunden hatte. Und auf einmal wurde mir klar, daß ich selbst an all meinen Schwierigkeiten schuld war. Ich wußte, daß Gott mit Seiner Liebe da war, mir zu helfen. Von jenem Tage an bis zum heutigen habe ich nie wieder Sorgen gekannt. Ich bin jetzt einundsiebzig Jahre alt, und die dramatischsten und wunderbarsten zwanzig Minuten meines Lebens waren jene, als ich damals der frühen Morgenandacht in der Kapelle beiwohnte und die Worte vernahm: «Gott nimmt sich deiner an.»

J. C. Penney lernte, seiner Sorge fast augenblicklich Herr zu werden, weil er das eine vollkommene Heilmittel fand (Siehe Seite 97).

Gestern bin ich mit dem Leben fertig geworden – heute werde ich's auch!

Von Dorothy Dix

Ich bin durch die Tiefen der Armut und Krankheit hindurchgegangen. Wenn ich gefragt werde, wie ich es anfing, um der Sorgen Herr zu werden, die an uns alle herantreten, antworte ich jedesmal: «Gestern bin ich mit dem Leben fertig geworden. Heute werde ich's auch. Und mir den Kopf darüber zu zerbrechen, was morgen sein *könnte*, das erlaube ich mir nicht.»

Ich habe Not und Kampf und Angst und Verzweiflung gekannt. Ich habe immer über meine Kräfte arbeiten müssen. Wenn ich auf mein Leben zurückblicke, sehe ich es als ein Schlachtfeld, übersät mit den Trümmern erschlagener Träume und zerbrochener Hoffnungen und zerschmetterter Illusionen – ein Schlachtfeld, auf dem ich gegen eine furchtbare Übermacht ankämpfte, und das mich verwundet und versehrt und verstümmelt und vor der Zeit alt gemacht hat.

Dennoch kenne ich kein Selbstbedauern; keine Tränen über die Vergangenheit mit ihren entschwundenen Sorgen; keinen Neid auf Frauen, denen all das, was ich durchgemacht habe, erspart geblieben ist. Denn ich habe gelebt. Sie haben nur existiert. Ich habe den Becher des Lebens bis auf den Grund geleert. Sie haben nur an seinem Schaum genippt. Ich weiß Dinge, die ihnen ewig verschlossen bleiben werden. Ich sehe Dinge, denen gegenüber sie blind sind. Nur *die* Frauen, deren Augen von ihren Tränen geklärt worden sind, gewinnen die weite Sicht, die sie zu Schwestern der gesamten Welt macht.

Ich habe auf der Universität der harten Schicksalsschläge eine Philosophie gelernt, die keine Frau mit einem leichten Leben je erwirbt. Ich habe gelernt, jeden Tag zu nehmen, wie er kommt, und mir keine unnötigen Sorgen dadurch zu schaffen, daß ich das Morgen fürchte. Die dunkle Drohung des Ungewissen ist es, die uns zu Feiglingen macht. Ich schiebe diese Ängste von mir; denn die Erfahrung hat mich gelehrt, daß mir, wenn die Zeit kommt, die ich so fürchte, die Kraft und Weisheit gegeben werden, ihr ins Auge zu sehen. Wenn man das ganze Gebäude seines Glücks hat einstürzen und in Trümmern um sich her liegen sehen, dann kann es einen nie wieder berühren, wenn ein Mädchen vergessen hat, Deckchen unter die Fingerschalen zu legen, oder wenn die Köchin die Suppe hat anbrennen lassen.

Ich habe gelernt, nicht zuviel von den Menschen zu erwarten, deshalb kann ich auch noch dem Freund, der es nicht ganz aufrichtig meint, oder der Bekannten, die klatscht, Sympathie erweisen. Vor allem habe ich mir Sinn für Humor erworben, weil ich immer so viele Dinge zum Drüberweinen oder Drüberlachen erlebt habe. Und wenn eine Frau es fertigbringt, über ihre Kümmernisse zu scherzen statt sich in Hysterie zu ergehen, dann kann ihr nicht mehr viel passieren. Ich bedaure nicht, daß ich soviel Schweres erfahren habe, denn dadurch habe ich das Leben an jedem einzelnen Punkt, durch den ich hindurch mußte, berührt. Und das war den Preis wert, den ich dafür zu bezahlen hatte.

Dorothy Dix nahm ihrem Kummer den Stachel, indem sie sich eine philosophische Einstellung aneignete. Könnt Ihr das auch? Könnt Ihr Euch ausrechnen, wieviel Grund zur Freude Ihr habt? (Siehe Seite 149).

Ich gehe in den Turnsaal und versetze dem Sandsack einen ordentlichen Puff, oder ich mache eine Wanderung

Von Oberst Eddie Eagan
Rechtsanwalt in New York, Preisträger des Rhodes-Stipendiums, Vorsitzender der Turnkommission des Staates New York, früherer Olympia-Meister im Schwergewicht

Wenn ich mich in innerer Not befinde und mich endlos im Kreise drehe wie ein Kamel, das in Ägypten ein Wasserrad dreht, dann ist mir nichts so nützlich wie eine tüchtige körperliche Strapaze, um meine Depression zu vertreiben. Es kann ein Lauf sein oder eine lange Wanderung über Land, eine halbe Stunde Boxen mit dem Sandsack oder eine Partie Tennis in der gedeckten Halle. Was es auch sein mag: Körperbewegung schafft mir immer einen freien Kopf. Übers Wochenende treibe ich eine Menge Sport, ich laufe etwa einmal rasch um den Golfplatz herum, oder verbringe ein Wochenende mit Skifahren im Gebirge. Dadurch, daß ich mich körperlich müde mache, ruhe ich meinen Geist von juristischen Problemen aus, so daß ich sie nachher wieder mit neuer Frische und Leistungsfähigkeit anpacken kann.

Kein Mensch kann sich seinen Sorgen hingeben, während er Tennis spielt oder Ski fährt. Dazu bleibt ihm keine Zeit. Die großen geistigen Berge der Sorge werden dann zu winzigen Maulwurfshügeln, die von neuen Gedanken und Handlungen leicht geebnet werden können.

Ich finde also, das beste Gegengift gegen Kümmernis ist Körperübung. Macht mehr Gebrauch von Euren Muskeln und weniger von Eurem Kopf, wenn Ihr Sorgen habt, und Ihr werdet erstaunt sein über das Resultat. Mir geht es so – die Sorgen verabschieden sich, sobald die Körperbewegung einsetzt.

Ich war «das zerquälte Wrack von Virginia Tech»

Von Jim Birdsall
Fabrikaufseher bei C. F. Muller Company, 180 Baldwin Avenue, Jersey City, New Jersey

Vor siebzehn Jahren, als ich auf der militärischen Hochschule von Blacksburg war, kannten mich alle als «das zerquälte Wrack von Virginia Tech». Ich litt so sehr unter meiner Selbstquälerei, daß ich oft dadurch krank wurde. Oder richtiger, ich war so häufig krank, daß jederzeit im Krankenhaus des Colleges ein Bett für mich bereitstand. Sobald die Krankenschwester mich anrücken sah, lief sie schon nach der Spritze. Ich quälte mich über alles und jedes. Ich quälte mich vor Angst, ich würde wegen meinen geringen Leistungen von der Schule weggeschickt werden. Ich war durch mein Physikexamen und andere Prüfungen gerasselt. Auch meine Gesundheit machte mir Sorgen, meine furchtbaren akuten Anfälle von Magenschmerzen, meine Schlaflosigkeit. Dazu hatte ich Geldsorgen. Es war mir schrecklich, daß ich meinem Mädchen keine Süßigkeiten kaufen oder sie nicht so oft tanzen führen konnte, wie ich gern gewollt hätte. Ich quälte mich vor Angst, sie würde einen der anderen Kadetten heiraten. Kurz, Tag und Nacht schwitzte ich vor Angst über ein Dutzend unklarer Probleme.

In meiner Verzweiflung schüttete ich endlich Professor Duke Baird, unserem Lehrer für Handelskunde, mein Herz aus.

Die fünfzehn Minuten, die ich bei Professor Baird verbrachte, erwiesen sich als größerer Gewinn für meine Gesundheit und mein Glück, als die sämtlichen vier Jahre, die ich auf der Schule verbracht hatte. «Jim», sagte er, «du solltest dich einmal ruhig hinsetzen und dir die Sachlage überlegen. Wenn du der Lösung deiner Probleme nur halb soviel Zeit schenken wolltest, wie du brauchst, um dich damit abzuquälen, dann hättest du überhaupt keine Sorgen. Diese Selbstquälerei ist nichts als eine schlechte Angewohnheit, die du dir zugelegt hast.»

Dann gab er mir drei Regeln, mit denen ich mir das Ängstigen abgewöhnen sollte:

1. Regel: Stelle genau fest, worüber du dich eigentlich beunruhigst.

2. Regel: Stelle die Ursache deines Problems fest.

3. Regel: Unternimm sofort etwas Konstruktives zur Beseitigung der Schwierigkeit, die dir zu schaffen macht.

Nach dieser Besprechung überlegte ich mir zunächst, in welcher Weise ich konstruktiv vorgehen könnte. Statt mich weiter innerlich zu zerquälen, weil ich in Physik durchgefallen war, fragte ich mich jetzt, *warum* dies geschehen war. Ich wußte, es lag nicht daran, daß ich unbegabt war, war ich doch Chefredakteur des «Ingenieurs von Virginia Tech».

So sagte ich mir, ich habe wohl deshalb in Physik versagt, weil ich dem Gegenstand kein Interesse entgegenbrachte. Ich hatte mich nicht weiter angestrengt, weil ich nicht einsah, inwiefern mir dieses Fach bei meiner Arbeit als industrieller Ingenieur förderlich sein könnte. Nun änderte ich meine Auffassung. Ich erklärte mir selbst: «Wenn die Lehrerschaft des Colleges verlangt, daß ich mein Physikexamen mache, bevor sie mich promovieren lassen, wer bin dann ich, um die Richtigkeit dieser Anordnung in Frage zu stellen?»

Ich meldete mich also wiederum für die Physikprüfung. Diesmal kam ich durch, weil ich fleißig studiert hatte, anstatt meine Zeit mit ärgerlichen Betrachtungen und der Angst vor der Schwierigkeit des Examens zu vergeuden.

Meinen Geldsorgen kam ich bei, indem ich ein paar Extraarbeiten übernahm, zum Beispiel den Getränkeverkauf bei Schulfestlichkeiten, und indem ich mir bei meinem Vater etwas Geld borgte, das ich bald nach meiner Promotion zurückzahlte.

Meinen Liebessorgen bereitete ich ein Ende, indem ich dem Mädchen, von dem ich fürchtete, es könnte einen anderen heiraten, einen Antrag machte. Sie ist jetzt Mrs. Jim Birdsall.

Rückblickend sehe ich jetzt, daß mein Problem auf unklares Denken und die Abneigung zurückzuführen war, die Ursachen meiner Ängste genau festzustellen und ihnen realistisch zu Leibe zu rücken.

Jim Birdsall machte Schluß mit seiner Selbstquälerei, indem er seine Schwierigkeiten analysierte. Tatsächlich wandte er genau dieselben Grundsätze an, die in dem Kapitel «Wie man quälende Probleme analysiert und zur Lösung bringt» (Seite 50) beschrieben wurden.

Dieser Satz war mein Lebenselixier

Von Dr. Joseph R. Sizoo
Präsident des Theologischen Seminars von New Brunswick, New Jersey, des ältesten, 1784 gegründeten Theologischen Seminars der Vereinigten Staaten

Es ist jetzt manches Jahr her, daß ich an einem Tage der Ungewißheit und Enttäuschung, als mein ganzes Leben von Mächten überwältigt schien, über die ich keine Herrschaft hatte, frühmorgens meine Bibel öffnete, und daß meine Augen auf die Worte des Neuen Testaments fielen: «Der mich gesandt hat, ist mit mir – der Vater läßt mich nicht allein.»

Seit jener Stunde ist mein Leben ein gänzlich anderes. Alles hat seither für mich auf immerdar ein verändertes Aussehen gewonnen. Ich glaube, es ist seit jener Stunde kein Tag vergangen, an dem ich diese Worte nicht vor mich hingesprochen hätte. Gar mancher hat sich in den inzwischen verflossenen Jahren um Rat an mich gewandt, und

jeden von ihnen habe ich ohne Ausnahme mit diesem herzerheben-
den Satz fortgeschickt. Von dem Augenblick an, da meine Augen
darauf fielen, habe ich innerlich von diesem Satz gezehrt. Mit ihm
bin ich durchs Leben gegangen, in ihm habe ich Frieden und Kraft
gefunden. Er verkörpert mir das Wesen aller Religion; allem, was
das Leben lebenswert macht, liegt er zutiefst zugrunde. Er ist das
Maß und die Richtschnur meines Lebens.

Ich war ganz unten angelangt und kam doch wieder hoch

Von Ted Ericksen
16 237 South Cornuta Avenue, Bellflower, Kalifornien, südkalifornischer Vertreter der National Enameling and Stamping Company

Ich war in früheren Jahren ein fürchterlicher «Sorgenfritz». Aber
heute ist das vorbei. Im Sommer 1942 erlebte ich etwas, das Angst
und Sorgen aus meinem Leben vertrieb – für alle Zeit, so hoffe ich.
Es war ein Erlebnis, dem gegenüber jede andere Sorge geringfügig
scheint.

Jahrelang war es mein Wunsch gewesen, einmal einen Sommer
auf einem Fischerboot in Alaska zu verbringen, und so ließ
ich mich von einem zweiunddreißig Fuß langen Lachsfänger mit
Schleppnetzbetrieb anheuern, der in Kodiak, Alaska, beheimatet war.
Ein Boot dieser Stärke hat stets nur drei Mann Besatzung: den Kapitän, der die Oberaufsicht führt, einen zweiten Mann, der dem Kapitän zur Hand geht, und ein allgemeines Arbeitspferd, gewöhnlich
ein Skandinavier. Ich bin Skandinavier.

Da die Schleppnetzfischerei auf Lachs mit den Gezeiten zu geschehen hat, arbeitete ich manchmal meine zwanzig Stunden hintereinander. Diese Zeiteinteilung führte ich Tag für Tag eine Woche
lang durch. Ich tat alles, was sonst keiner tun mochte. Ich wusch das
Fahrzeug. Ich räumte die Geräte weg. Ich kochte auf einem kleinen
Holzofen in einer winzigen Kajüte, wo mir durch die Hitze und die
Abgase des Motors übel wurde. Ich reparierte das Boot. Ich verfrach-

tete den Fang aus unserem Boot in einen Leichter, der die Fische dann in eine Konservenfabrik transportierte. Meine Füße in den Gummistiefeln waren ständig naß. Oft hatte ich Wasser in den Stiefeln, aber keine Zeit, es auszuleeren. All dies jedoch war reines Kinderspiel im Vergleich zu meiner Hauptarbeit, die darin bestand, die sogenannte «Korkleine» zu ziehen. Das bedeutet ganz einfach, daß man achtern Aufstellung nimmt und die Korke und Schnüre des Netzes einzieht. Das wenigstens sollte geschehen. In Wirklichkeit aber war das Netz so schwer, daß es sich nicht von der Stelle rührte, wenn ich zog. Während ich also versuchte, die Korkleine einzuziehen, zog ich statt dessen das Boot mit eigener Kraft zu ihm hin, da das Netz ja blieb, wo es war. Das tat ich Woche um Woche, und ich ging dabei fast zugrunde. Der ganze Körper schmerzte mich, schmerzte fürchterlich, schmerzte monatelang.

Als ich dann endlich ausruhen konnte, schlief ich auf einer feuchten, klumpigen Matratze, die auf der Vorratskiste lag. Ich pflegte den einen Klumpen der Füllung unter den Teil meines Rückens zu legen, der am meisten schmerzte – dann schlief ich, als hätte ich ein schweres Schlafmittel eingenommen. Mein Schlafmittel war völlige Erschöpfung.

Jetzt bin ich froh, daß ich all diese Schmerzen und diese körperliche Erschöpfung auszustehen hatte, denn dadurch habe ich verlernt, mich zu sorgen. Wenn ich mich jetzt einer Schwierigkeit gegenübersehe, dann quäle ich mich nicht mehr ab, sondern sage mir: «Ericksen, kann denn das annähernd so schlimm sein wie das Ziehen der Korkleine?» Und Ericksen antwortet unweigerlich: «Nein, so schlimm kann gar nichts sein!» Also fasse ich wieder Mut und gehe couragiert daran. Ich glaube, es ist gut, wenn man gelegentlich eine harte Erfahrung durchstehen muß. Es ist gut, sich tief zu unterst befunden zu haben und wieder hochgekommen zu sein. So etwas läßt all unsere täglichen Probleme in hellerem Licht erscheinen.

Ich war einmal einer der größten Esel auf der ganzen Welt

Von Percy H. Whiting
Geschäftsführer der Firma Dale Carnegie and Company, 50 East 42nd Street,
New York

Ich bin öfter und an mehr verschiedenen Krankheiten gestorben
als irgendein anderer lebender, toter oder halbtoter Mensch auf der
Welt.

Ich war kein gewöhnlicher Hypochonder. Mein Vater war Besitzer
einer Apotheke, in der ich buchstäblich aufwuchs. Jeden Tag redete
ich mit Ärzten und Krankenschwestern, daher kannte ich die Namen
und Symptome von mehr und schlimmeren Krankheiten als der
Durchschnittslaie. Ich war kein gewöhnlicher Hypochonder – ich
hatte Symptome! Ich konnte mich eine Stunde oder zwei über irgendeine Krankheit ängstigen und dann so gut wie sämtliche Symptome
eines daran Erkrankten aufweisen. Ich entsinne mich, daß einmal in
Great Barrington, der Stadt in Massachusetts, in der wir wohnten,
eine ziemlich schwere Diphtheritisepidemie ausgebrochen war. Ich
hatte in meiner väterlichen Apotheke tagein, tagaus Arzneien an
Leute verabreicht, die aus infizierten Häusern kamen. Dann wurde
ich selbst von der Krankheit befallen, die ich fürchtete: ich hatte
selber Diphtherie. Wenigstens war ich überzeugt, daß es so war.
Ich ging zu Bett und ängstigte mich so lange, bis die üblichen
Symptome wirklich auftraten. Ich ließ den Arzt kommen. Er sah
mich gründlich an und sagte dann: «Ja, Percy, es hat Sie er-
wischt.» Das erleichterte mich förmlich. Ich fürchtete eine Krankheit nie, wenn ich sie hatte – also drehte ich mich auf die andere
Seite und schlief ein. Am folgenden Morgen war ich vollkommen gesund.

Jahrelang tat ich mich hervor und lenkte viel Aufmerksamkeit und
allgemeine Teilnahme auf mich, indem ich mich auf ungewöhnliche
und phantastische Krankheiten spezialisierte. So starb ich beinahe
sowohl an Starrkrampf wie an Tollwut. Späterhin begnügte ich mich
damit, die normaleren Krankheiten zu haben – insbesondere Krebs
und Tuberkulose.

Jetzt kann ich über all das lachen, doch damals war es eine wahre

Tragödie. Ich glaubte jahrelang ehrlich und buchstäblich, ich stände mit einem Fuß im Grabe. Wenn die Zeit kam, mir im Frühjahr einen neuen Anzug zu kaufen, fragte ich mich jedesmal: «Soll ich wirklich all das Geld hinauswerfen, wo ich doch weiß, daß ich diesen Anzug bestimmt nicht mehr austragen werde?»

Doch freue ich mich, berichten zu können, daß ich mich gebessert habe: in den letzten zehn Jahren bin ich kein einziges Mal gestorben.

Wie ich dem Sterben schließlich ein Ende machte? Indem ich mich selbst wegen meiner blödsinnigen Einbildungen verlachte. Jedesmal, wenn ich spürte, wie die furchtbaren Symptome die Oberhand gewinnen wollten, lachte ich mich selber aus und sagte: «Hör mal, Whiting, du bist nun in den letzten zwanzig Jahren an einer tödlichen Krankheit nach der anderen gestorben, und doch geht es dir gesundheitlich ganz prima. Eine Versicherungsgesellschaft hat sich ja erst kürzlich bereit erklärt, dir eine erhöhte Police auszustellen. Wär' es nicht endlich Zeit, Whiting, daß du der Sache ein Ende machtest und den alten Angsthammel, der du bist, mal gehörig auslachtest?»

Ich fand bald heraus, daß ich mich nicht zu ein und derselben Zeit auslachen und ängstigen konnte. Darum habe ich es seither dabei bewenden lassen, mich selber auszulachen.

Und die Moral von der Geschicht'? Nimm Dich nicht zu ernst. Versuche, über manche Deiner törichten Sorgen «einfach zu lachen», und sieh, ob Du sie nicht aus der Welt lachen kannst.

Ich habe mich immer bemüht, mir meine Nachschublinien offenzuhalten

Von Gene Autry
dem berühmtesten und beliebtesten singenden Cowboy der Welt

Ich denke mir, die meisten Sorgen entstehen aus Familienangelegenheiten und Geldsachen. Ich hatte Glück, indem ich ein Kleinstadtmädchen aus Oklahoma heiratete, das aus der gleichen Schicht kommt wie ich und den gleichen Geschmack hat wie ich. Wir versuchen beide, einander nichts anzutun, was wir selbst nicht erleiden möchten, und auf diese Weise hat es bei uns nie viel Ärger und Sorge gegeben.

Geldsorgen suche ich mir möglichst fernzuhalten, indem ich zweierlei befolge. Erstens suche ich immer in allen Dingen absolut rechtschaffen zu Werke zu gehen. Wenn ich mir Geld borgte, zahlte ich es immer auf Heller und Pfennig zurück. Nichts führt zu soviel Verdruß wie Unredlichkeit.

Zweitens bin ich immer bemüht gewesen, mir ein Eisen im Feuer zu halten. Militärsachverständige behaupten, der erste Grundsatz, wenn man in die Schlacht ziehe, sei, sich seine Nachschublinien offenzuhalten. Ich denk' mir, diese Regel trifft auf persönliche Kämpfe genau so gut zu wie auf militärische. Zum Beispiel erlebte ich es als junger Bursche unten in Texas und Oklahoma, wie das Land von Dürre heimgesucht wurde. Wir mußten uns oft mächtig anstrengen, um durchzukommen. Wir waren so arm, daß mein Vater oft in einem Wagen mit Verdeck mit einer Reihe Pferde hintendran durchs Land fuhr und Pferde gegen unsern Lebensbedarf eintauschte. Ich wollte was Zuverlässigeres anfangen. Deshalb nahm ich eine Stellung bei einem Eisenbahnagenten an und lernte in meiner Freizeit telegraphieren. Später bekam ich eine Stelle als Ersatztelegraphist bei der Bahn von San Francisco. Sie schickten mich bald hierhin, bald dorthin zur Vertretung von Leuten, die krank oder auf Urlaub waren oder mehr Arbeit hatten, als sie bewältigen konnten. Dafür bekam ich 150 Dollar im Monat. Später, als ich mich dann gern in die Höhe gearbeitet hätte, dachte ich bei mir, daß dieser Posten bei der Bahn immerhin Sicherheit vor Not bedeutete, deshalb hielt ich mir immer die Türe dorthin zurück offen. Das war meine Nachschublinie, und von der ging ich nicht weg, bis ich in einer neuen und besseren Stelle ganz fest saß.

Als ich zum Beispiel 1928 als Ersatztelegraphist in Chelsea, Oklahoma, arbeitete, kam ein Fremder zu mir herein, um eine Depesche abzusenden. Er hörte, wie ich die Gitarre spielte und Cowboylieder sang, und sagte, das mache ich gut – ja, er sagte, ich sollte nach New York gehen und mir eine Stelle beim Theater oder Radio suchen. Das schmeichelte mir natürlich. Und als ich sah, mit was für einem Namen er sein Telegramm zeichnete, da blieb mir fast die Spucke weg – Will Rogers.

Statt nun sofort nach New York abzudampfen, überlegte ich mir die Sache aber neun Monate lang gründlich. Schließlich sagte ich mir, ich hätte ja nichts zu verlieren und alles zu gewinnen, wenn ich nach New York ginge und der alten Stadt ade sagte. Außerdem hatte ich freie Bahnfahrt. Nachts konnte ich gut im Sitzen schlafen, und zum Essen konnte ich belegte Brote und Obst mitnehmen.

Also zog ich los. Als ich nach New York kam, nahm ich mir für fünf Dollar die Woche ein möbliertes Zimmer, aß im Automaten-restaurant und lief dann zehn Wochen lang in der Stadt herum – aber ich erreichte nichts. Ich wäre sicher vor Angst krank geworden, wenn ich nicht eine Stelle gehabt hätte, zu der ich zurückkehren konnte. Ich war nun schon fünf Jahre bei der Eisenbahn gewesen, und das bedeutete, daß ich ein Vorrecht auf Arbeit hatte. Aber um mir diese Rechte zu wahren, durfte ich nicht länger als neunzig Tage fortblei-ben. Nun war ich schon siebzig Tage in New York gewesen, also fuhr ich schleunigst mit meinem Freipaß nach Oklahoma zurück und fing wieder an zu arbeiten, um mir meine Nachschublinie zu sichern. Ich arbeitete ein paar Monate, verdiente Geld und kehrte dann nach New York zurück, um es nochmals zu versuchen. Diesmal glückte es. Als ich einmal bei einer Schallplattengesellschaft im Vorzimmer saß und darauf wartete, vorgelassen zu werden, sang ich dem Empfangs-fräulein das Lied «Jeannine, I Dream of Lilac Time» vor. Während ich dieses Lied sang, kam der Mann, der es geschrieben hatte – Nat Schildkraut – zur Tür herein. Natürlich freute er sich, daß jemand sein Lied sang. Deswegen gab er mir ein Empfehlungsschreiben und schickte mich zur Victor-Schallplatten-Gesellschaft. Dort machte ich eine Aufnahme. Sie taugte nichts, war zu steif und befangen. Also folgte ich dem Rat, den sie mir bei Victor gaben: ich fuhr nach Okla-homa zurück, arbeitete tagsüber bei der Eisenbahn und sang nachts in einem Radio-Beiprogramm Cowboy-Lieder. Das gefiel mir gut, denn auf diese Weise konnte ich mir meinen Nachschub offenhalten und hatte keine Sorgen.

Neun Monate lang sang ich über den Sender KVOO in Tulsa. Während dieser Zeit schrieb ich mit Jimmy Long zusammen ein Lied mit dem Titel «That Silverhaired Daddy of Mine», und es hatte Er-folg. Arthur Sattherley, der Direktor der American Recording Com-pany, forderte mich auf, eine Schallplatte mit meinem Lied zu machen, und damit hatte ich ebenfalls Erfolg. Ich bekam schließlich ein An-gebot, über die Radiostation WLS in Chicago Cowboy-Songs zu singen. Das brachte vierzig Dollar die Woche. Nachdem ich dort vier Jahre lang gesungen hatte, wurde mein Gehalt auf neunzig Dollar erhöht, und außerdem verdiente ich noch weitere dreihundert Dollar, indem ich allabendlich auf der Bühne auftrat.

Im Jahre 1934 hatte ich dann großes Glück, und riesige Möglichkeiten taten sich vor mir auf. Die Sittlichkeitsliga wurde gegründet, um gegen den Schund in Kinos anzukämpfen. Daher beschlossen die Filmleute in Hollywood, Cowboy-Filme zu drehen; dazu wollten sie aber eine neue Art Cowboy – einen, der singen konnte. Der Mann, dem die American Recording Company gehörte, war auch an einer Filmgesellschaft beteiligt. «Wenn Ihr einen singenden Cowboy braucht», sagte er zu seinen Mitarbeitern, «dann hab ich einen, der für uns Schallplatten macht.» So kam ich zum Film. Als ich meine ersten Filme als singender Cowboy machte, bekam ich hundert Dollar die Woche. Ich bezweifelte sehr, ob ich beim Film Erfolg haben würde, aber es beunruhigte mich nicht weiter. Ich wußte, ich konnte jederzeit zu meiner alten Arbeit zurück.

Aber mein Erfolg beim Film übertraf meine kühnsten Erwartungen. Heute verdiene ich hunderttausend im Jahr und dazu noch die Hälfte aller Erlöse aus meinen Filmen. Allein ich sage mir, daß das nicht ewig so weitergehen kann. Das beunruhigt mich jedoch nicht. Ich weiß, es kann passieren, was will – selbst wenn ich jeden einzelnen Dollar verliere, den ich habe – ich kann immer nach Oklahoma zurückkehren und eine Stelle bei der Frisco-Bahn bekommen. Denn ich habe mir eine Nachschublinie gesichert.

Ich hörte eine Stimme in Indien

Von E. Stanley Jones
einem von Amerikas zündendsten Rednern und dem berühmtesten Missionar seiner Generation, Inter Mission Office, P. O. Box 92, Fort, Bombay, Indien

Ich habe vierzig Jahre meines Lebens der Missionsarbeit in Indien gewidmet. Zuerst fand ich es schwer, die schreckliche Hitze zu all der Nervenanspannung zu ertragen, die meine große Aufgabe von mir erforderte. Nach acht Jahren litt ich so schwer an geistiger Ermüdung und nervöser Erschöpfung, daß ich zusammenklappte, und zwar nicht einmal, sondern öfter. Ich mußte auf ärztlichen Befehl ein Jahr Urlaub in Amerika nehmen. Auf dem Dampfer während meiner Rückfahrt kollabierte ich bei der Abhaltung des Schiffsgottesdienstes wiederum, und der Schiffsarzt steckte mich bis zum Ende der Fahrt ins Bett.

Nachdem ich mich in Amerika ein Jahr lang ausgeruht hatte, machte ich mich erneut auf den Weg nach Indien, hielt mich unterwegs jedoch auf, um Missionsversammlungen für die Universitätsstudenten in Manila abzuhalten. Infolge der dadurch verursachten Anstrengungen kollabierte ich wieder mehrmals. Die Ärzte sagten mir, es werde mein Tod sein, wenn ich nach Indien zurückkehre. Trotz dieser Warnungen setzte ich meine Reise fort, doch mit einer immer dunkler drohenden Wolke über mir. In Bombay angelangt, war ich so übel dran, daß ich sofort in die Berge ging und dort monatelang Erholung suchte. Es half nichts. Wieder klappte ich zusammen und mußte zu weiterer langer Erholung ins Gebirge. Wieder fuhr ich ins Tiefland hinab, und wieder schlug mich die Feststellung nieder, daß ich es dort nicht aushalten konnte. Ich war erschöpft, geistig, nervlich und körperlich erschöpft. Ich war vollständig am Ende meiner Kräfte und fürchtete, ich würde für den Rest meines Lebens ein siecher Mann bleiben.

Wenn mir von nirgendsher Hilfe kam, dann würde ich meine missionarische Laufbahn aufgeben und nach Amerika zurückkehren müssen, um irgendwo auf einer Farm zu arbeiten, damit ich wieder gesund würde. Es war eine meiner dunkelsten Stunden. Ich hielt zu jener Zeit eine Reihe von Versammlungen in Lucknow ab. Während ich dort eines Abends betete, ereignete sich etwas, das mein Leben vollkommen verwandelte. Mitten im Gebet – ich dachte im Augenblick gar nicht besonders an mich selbst – schien eine Stimme zu sagen: «Bist du selber bereit zu dem Werke, zu dem ich dich berufen habe?»

Ich antwortete: «Nein, Herr, ich bin erledigt. Ich bin am Ende meiner Kräfte.»

Die Stimme sprach weiter: «Wenn du das mir überlassen und dich nicht länger darüber sorgen willst, dann werde ich mich dessen annehmen.»

Ich antwortete rasch: «Herr, auf diesen Handel gehe ich auf der Stelle ein.»

Ein großer Friede floß in mein Herz und durchströmte mein ganzes Sein. Ich wußte, es geschah! Leben – übermächtiges Leben – hatte von mir Besitz ergriffen. Ich war in so gehobener Stimmung, daß ich den Boden kaum berührte, als ich an jenem Abend still heimging. Jeder Zoll war heiliger Boden. Ich spürte kaum, daß ich einen Körper hatte. Ich lebte meine Tage und arbeitete von früh bis spät, bis tief in die Nacht, und noch zu spätester Stunde konnte ich gar nicht begreifen, warum ich überhaupt zu Bett gehen sollte, da ich doch nicht im geringsten müde war. Es schien mir, als wohne Leben und Friede und Ruhe – als wohne Christus selbst in mir.

Die Frage trat an mich heran, ob ich dies anderen mitteilen sollte. Ich schrak davor zurück, fühlte aber, daß ich es sollte – und so tat ich es. Danach hieß es, vor aller Augen sinken oder schwimmen. Mehr als zwei Jahrzehnte der anstrengendsten Zeiten meines Lebens sind seither verflossen, doch das alte Leiden hat sich nie mehr eingestellt. Nie bin ich bei so guter Gesundheit gewesen. Doch es war mehr als nur körperlich. Ich schien neues Leben für Körper, Seele und Geist gewonnen zu haben. Nach diesem Erlebnis hat sich das Leben für mich auf immer höherer Ebene abgespielt. Und ich hatte nichts getan, als es entgegengenommen!

Während der vielen Jahre, die seit jener Zeit verflossen sind, habe ich die ganze Welt bereist und oft drei Ansprachen am Tag gehalten. Ich habe Zeit und Kraft gefunden, «The Christ of the Indian Road» (Der Christus der indischen Straße) zu schreiben und außerdem elf weitere Bücher. Und doch habe ich inmitten dieser Beanspruchung nie eine Verabredung versäumt, bin nie auch nur zu spät gekommen. Meine früheren Sorgen sind alle längst verschwunden, und jetzt, in meinem dreiundsechzigsten Jahr, ströme ich über von Lebenskraft und der Freude, zu dienen und für andere dazusein.

Vermutlich könnte die körperliche und geistige Verwandlung, die mit mir vorgegangen ist, psychologisch zerpflückt und erklärt werden. Das macht nichts. Das Leben ist größer als alle Psychologie und überflutet sie und läßt sie klein erscheinen.

Das eine weiß ich: mein Leben wurde in jener Nacht in Lucknow vollständig verwandelt und auf einen höheren Plan gehoben, als in der Tiefe meiner Schwachheit und Niedergeschlagenheit jene Stimme zu mir sprach: «Wenn du das mir überlassen und dich nicht länger darum sorgen willst, dann werde ich mich dessen annehmen», und ich antwortete: «Herr, auf diesen Handel gehe ich auf der Stelle ein.»

Als der Gerichtsvollzieher an meine Haustüre kam

Von Homer Croy

Romanschriftsteller, 150, Pinehurst Avenue, New York

Es war der bitterste Augenblick meines Lebens, als eines Tages im Jahre 1933 der Gerichtsvollzieher zur Vordertür meines Hauses eintrat und ich zur Hintertüre hinausschlüpfte. Ich hatte mein Heim in Forest Hills, Long Island, verloren, wo meine Kinder geboren waren und wo ich mit meiner Familie achtzehn Jahre lang gelebt hatte. Nie hätte ich geglaubt, daß mir dies geschehen könne. Zwölf Jahre früher hatte ich gedacht, besser könne es überhaupt keinem Menschen gehen. Ich hatte die Filmrechte für meinen Roman «West of the Water Tower» für einen Hollywooder Höchstpreis verkauft. Zwei Jahre lang lebte ich mit meiner Familie im Ausland, im Sommer in der Schweiz und im Winter an der französischen Riviera – einfach wie reiche Leute, die es sich leisten können.

Ich verbrachte ein halbes Jahr in Paris und schrieb einen Roman unter dem Titel «They Had to See Paris». In der Filmfassung übernahm Will Rogers die Hauptrolle. Es war sein erster Sprechfilm. Ich hatte verlockende Angebote, in Hollywood zu bleiben und mehrere Filme für Will Rogers zu schreiben. Doch das tat ich nicht. Ich kehrte nach New York zurück. Und nun begannen meine Sorgen!

Es dämmerte mir langsam, daß große Fähigkeiten in mir schlummerten, die ich nie entwickelt hatte. Ich fing an, mich als gerissenen Geschäftsmann zu sehen. Jemand hatte mir gesagt, John Jacob Astor hätte Millionen gemacht, indem er Geld in Grundstücken und Land anlegte. Wer war Astor? Nichts als ein eingewanderter Hausierer mit ausländischem Akzent. Wenn er das konnte, warum dann ich nicht auch? Ich wollte ebenfalls reich werden! Und ich begann, die Zeitschriften der oberen Zehntausend zu lesen.

Ich hatte den Mut der Unwissenheit. Ich verstand nicht mehr vom An- und Verkauf von Grundbesitz als ein Eskimo von Ölheizung. Woher sollte ich das Geld beschaffen, um meine aufsehenerregende Finanzlaufbahn zu beginnen? Das war einfach: ich nahm Hypotheken auf mein Haus auf und erstand einige der besten Grundstücke in Forest Hills. Dieses Land wollte ich nicht aus den Fingern lassen, bis es einen märchenhaften Preis wert war; dann wollte ich es verkaufen und fortan in Luxus leben – ich, der ich nie ein Grundstück von der Größe eines Puppentaschentuches verkauft hatte! Ich bemitleidete die Menschen, die sich für ein bloßes Gehalt im Büro abrackerten, und sagte mir, Gott habe eben nicht jedermann mit dem göttlichen Funken finanziellen Genies gesegnet.

Plötzlich fuhr die große Depression auf mich nieder wie ein Wirbelsturm und erschütterte mich, wie ein Tornado ein Hühnerhaus erschüttert hätte.

Ich mußte Monat für Monat 220 Dollar in den Riesenrachen meiner «guten Erde» werfen. Oh – wie rasch diese Monate aufeinander folgten! Zudem mußte ich die Zinsen für unser jetzt hypothekenbelastetes Haus aufbringen und meine Familie ernähren. Ich kannte mich vor Sorgen nicht mehr aus. Ich versuchte, humoristische Artikel für die Zeitschriftenpresse zu schreiben, doch mein Humor klang wie die Klagelieder des Jeremias. Unmöglich, so etwas zu verkaufen. Die Romane, die ich schrieb, waren Mißerfolge. Mein Geld ging zu Ende. Ich hatte nichts mehr, worauf ich mir hätte Geld leihen können, außer meiner Schreibmaschine und den Goldplomben in meinen Zähnen. Die Milchgesellschaft stellte die Milchlieferung ein. Die Gasgesellschaft sperrte das Gas ab. Wir mußten uns einen der kleinen Kochapparate anschaffen, die man auf Ausflügen im Freien benutzt; er hatte einen Benzinzylinder, und wenn man ihn mit der Handpumpe in Betrieb setzte, entfuhr ihm eine Flamme, die zischte wie eine bösartige Gans.

Wir hatten bald keine Kohle mehr; der Lieferant machte uns den Prozeß. Unsere einzige Heizung war der Kamin. Ich pflegte nachts auszugehen und Bretter und übriggebliebene Holzstücke vor den neuen Häusern aufzulesen, die reiche Leute sich bauten ... Ich, der ich selbst einer von diesen Reichen hatte werden wollen.

Ich sorgte mich so, daß ich nicht schlafen konnte. Oft stand ich mitten in der Nacht auf und wanderte stundenlang umher, um mich so müde zu laufen, daß ich einschlafen konnte.

Ich verlor nicht nur die Grundstücke, die ich gekauft, sondern dazu noch alles, was ich an Geld und Hoffnungen hineingesteckt hatte.

Die Bank kündigte die Hypothek auf mein Haus und setzte mich mit meiner Familie auf die Straße.

Irgendwie beschafften wir uns ein paar Dollar und mieteten eine kleine Wohnung. Am Silvester 1933 zogen wir ein. Ich setzte mich

auf eine Kiste und sah mich um. Da fiel mir ein alter Spruch meiner Mutter ein: «Heule nicht über vergossene Milch.»
Doch das hier war keine Milch. Mein Herzblut war es!

Nachdem ich eine Weile so dagesessen hatte, sagte ich mir: «Nun, ich bin so tief unten, wie ich nur sein kann, und habe es überlebt. Jetzt kann es nur noch aufwärts gehen.»

Ich begann an all das Gute in meinem Leben zu denken, alles was die Hypothek mir nicht genommen hatte. Ich besaß noch meine Gesundheit, meine Freunde. Ich wollte von vorn anfangen. Ich wollte nicht über das Gewesene klagen. Ich wollte mir jeden Tag die Worte wiederholen, die ich so oft von meiner Mutter über vergossene Milch gehört hatte.

So wandte ich alle die Energie an meine Arbeit, die ich vorher für Angst und Sorge aufgewandt hatte. Ganz allmählich begann meine Lage sich aufzuhellen. Jetzt bin ich beinahe froh darüber, daß ich all das Elend durchmachen mußte, denn es hat mir Kraft, Selbstvertrauen und die Fähigkeit auszuharren geschenkt. Ich weiß jetzt, was es heißt, zutiefst gesunken zu sein. Ich weiß, man stirbt nicht daran. Ich weiß, daß man mehr übersteht, als man selbst glaubt. Wenn kleine Sorgen und Ängste und Ungewißheiten mich jetzt beunruhigen, verjage ich sie, indem ich mich an die Zeit erinnere, als ich auf der Kiste saß und sagte: «Ich bin so tief unten, wie ich nur sein kann, und habe es überlebt. Jetzt kann es nur noch aufwärts gehen.»

Um welchen Grundsatz handelt es sich hier? Versucht nicht, Sägemehl zu sägen! Wenn es nicht mehr tiefer geht, versucht man eben, sich wieder in die Höhe zu arbeiten.

Der Gegner, den umzulegen ich am schwersten fand, hieß Angst

Von Jack Dempsey

Während meiner Boxerlaufbahn fand ich es oft viel schwieriger, meine Ängste knockout zu schlagen, als meine dickfelligsten Gegner. Es war mir ganz klar, daß ich lernen mußte, mit meinen Ängsten fertig zu werden, sonst würden sie meine Kraft aussaugen und meine Erfolge unterhöhlen. So arbeitete ich mir Schritt um Schritt mein eigenes System aus. Hier sind einige der Dinge, die ich tat:

1. Um meinen Mut während des Boxens im Ring zu bewahren, pflegte ich mir beim Kampf selbst Mut zuzusprechen. Als ich zum Beispiel Firpo als Gegner hatte, wiederholte ich mir immer wieder: «Nichts kann mir Einhalt tun. Ich werde seine Schläge nicht spüren. Er wird mir nicht weh tun. Es kann mir nichts weh tun. Ich halte durch, ganz gleich, was passiert.» Mir selbst gegenüber solch positive Feststellungen zu machen und positive Gedanken zu denken, erwies sich als sehr nützlich. Auch war dadurch mein Geist so beschäftigt, daß ich die Schläge meines Gegners nicht spürte. Während meiner Laufbahn sind mir die Lippen zerschunden, die Augen verletzt, die Rippen gebrochen worden – und Firpo hat mich direkt aus dem Ring gepfeffert, so daß ich auf der Schreibmaschine eines Berichterstatters landete und sie entzweischlug. Doch ich fühlte Firpos Schläge nicht einmal. Nur einen Schlag im Leben habe ich wirklich gefühlt. Das war an dem Abend, als Lester Johnson mir drei Rippen brach. Der Schlag selbst tat mir nicht weh, aber er behinderte meine Atmung. Ich kann ehrlich sagen, daß ich sonst keinen von all den Schlägen gespürt habe, die ich im Ring abbekam.

2. Im weiteren prägte ich mir fest ein, wie unnütz es ist, sich zu ängstigen. Am meisten beunruhigte ich mich immer vor den großen Wettkämpfen, wenn ich mich im Training befand. Oft blieb ich nachts stundenlang wach, warf mich hin und her und fand weder Ruhe noch Schlaf. Ich regte mich auf bei dem Gedanken, ich würde mir vielleicht die Hand brechen oder den Fuß verstauchen oder gleich in der ersten Runde eine Verletzung am Auge erhalten, so daß ich meine Schläge nicht richtig abschätzen könnte. Sobald ich in diesen Zustand geriet, stand ich auf, sah in den Spiegel und hielt mir eine tüchtige Strafpredigt. Ich sagte dann etwa: «Du bist ein schöner Narr, dich über etwas aufzuregen, was noch gar nicht geschehen ist und vielleicht überhaupt nicht geschieht. Das Leben ist kurz. Ich habe nur wenige Jahre zu leben, also muß ich diese genießen.» Dann sagte ich mir immer wieder: «Nichts ist von Bedeutung außer meiner Gesundheit. Nichts ist von Bedeutung außer meiner Gesundheit.» Und ich sagte mir, daß Schlafmangel und Aufregungen meine Gesundheit zugrunde richten würden. Ich habe gefunden, daß ich mir all diese Dinge gründlich einbleute, indem ich sie mir immer wieder vorsagte,

Nacht für Nacht und Jahr für Jahr. Schließlich liefen meine Ängste von mir ab wie Wasser von einer Ente.

3. Meine dritte – und beste – Gewohnheit bestand im Beten! Wenn ich für einen Match trainierte, betete ich stets mehrmals am Tage. Wenn ich im Ring war, betete ich immer während des Augenblicks, bevor die Klingel die neue Runde ankündigte. Dadurch vermochte ich mit Mut und Vertrauen zu kämpfen. Nie im Leben habe ich mich schlafen gelegt, ohne vorher ein Gebet zu sprechen; und nie habe ich eine Mahlzeit eingenommen, ohne zuerst Gott dafür zu danken ... Ob meine Gebete Erhörung gefunden haben? Tausend- und abertausendmal!

Ich flehte Gott an, Er möge mich nicht ins Waisenhaus kommen lassen

Von Kathleen Halter
1074 Roth, University City 14, Missouri

Als ich klein war, bestand mein Leben aus Angst und Schrecken. Meine Mutter war herzkrank. Tagtäglich sah ich sie ohnmächtig werden und hinfallen. Wir fürchteten alle, sie müsse sterben, und ich redete mir ein, daß alle kleinen Mädchen, deren Mütter starben, in das Waisenhaus unseres Städtchens geschickt würden, das Central Wesleyan Orphans' Home in Warrenton, Missouri. Der Gedanke, dorthin zu kommen, war mir furchtbar, und mit sechs Jahren betete ich unausgesetzt: «Lieber Gott, bitte laß meine Mammi nicht sterben, bis ich so alt bin, daß ich nicht mehr ins Waisenhaus zu gehen brauche.»

Zwanzig Jahre danach erlitt mein Bruder Meiner einen schrecklichen Unfall und litt fürchterlich, bis er nach zwei Jahren erlöst wurde. Er konnte nicht selber essen oder sich im Bett umdrehen. Um seine Schmerzen zu betäuben, mußte ich ihm alle drei Stunden Morphiumspritzen geben, und zwar Tag und Nacht. Das tat ich zwei Jahre lang. Damals gab ich Musikunterricht am Wesleyan College in Warrenton. Wenn die Nachbarn hörten, daß mein Bruder zu Hause vor Schmerz schrie, telefonierten sie mir ins College, und dann eilte ich aus meiner Stunde fort und heim, um Meiner noch eine Spritze zu geben. Immer wenn ich zu Bett ging, stellte ich den Wecker, damit ich ja nicht versäumte, nach drei Stunden aufzustehen und nach meinem Bruder zu sehen. Ich weiß noch, wie ich in kalten Winternächten eine Flasche Milch vor das Fenster zu stellen pflegte, wo sie dann gefror, und wie gut mir dieses Milcheis immer schmeckte. Wenn der Wecker ging, hatte ich durch das Eis, das mich erwartete, immer noch einen zusätzlichen Grund, aufzustehen.

Während dieser ganzen schweren Zeit tat ich zweierlei, das mich daran hinderte, mich in Selbstmitleid zu ergehen und mir das Leben zu verbittern. Erstens sorgte ich dafür, daß ich täglich zwölf bis vierzehn Musikstunden geben konnte, so daß ich nicht viel Zeit zum Nachdenken hatte; und wenn ich mich dennoch versucht fühlte, mich selbst zu bedauern, sagte ich mir wieder und wieder: «Nun hör aber mal – solange du imstande bist, auf deinen zwei gesunden Beinen zu gehen und ohne Beistand zu essen, und solange du keine schlimmen Schmerzen hast, solltest du das glücklichste Geschöpf unter der Sonne sein. Was auch geschehen möge, vergiß das nie im Leben! Nie! Nie!»

Ich war fest entschlossen, alles zu tun, was in meiner Macht stand, um eine stete Haltung der Dankbarkeit für all das Gute, das mir zuteil geworden war, zu bewahren. Jeden Morgen beim Erwachen dankte ich Gott, daß ich mir trotz meiner Sorgen vornehmen konnte, der glücklichste Mensch in ganz Warrenton zu sein. Vielleicht erreichte ich mein Ziel nicht ganz, aber ich erreichte eines, nämlich die dankbarste Frau in meiner Heimatstadt zu werden – und wahrscheinlich machten sich nicht viele meiner Kolleginnen so wenige Sorgen wie ich.

Diese Musiklehrerin aus Missouri wandte zwei der in diesem Buche beschriebenen Grundsätze an: sie machte sich zu viel zu tun, um sich zu sorgen, und sie rechnete sich aus, wieviel Gutes ihr doch eigentlich im Leben zuteil geworden war. Diese Technik kann vielleicht auch Euch von Nutzen sein.

Ich führte mich auf wie ein hysterisches Weib

Von Cameron Shipp
Journalist, 715 Kenneth Road, Glendale 2, Kalifornien

Ich hatte mehrere Jahre lang zufrieden und glücklich in der Reklame-Abteilung des Studios Warner Brothers in Kalifornien gearbeitet, wo ich Kurzfilmtexte und ähnliches verfaßte. Außerdem schrieb ich Beiträge über die Filmstars des Warner-Studios für Zeitungen und Zeitschriften.

Plötzlich wurde ich befördert und erhielt den Titel eines zweiten Werbeleiters. Es hatte eine Umorganisation des Betriebes stattgefunden, und ich bekam nun einen eindrucksvollen Titel: Administrative Assistent.

Dadurch kam ich zu einem riesigen Büro mit privatem Kühlschrank, zwei Sekretärinnen und der uneingeschränkten Oberaufsicht über ein Personal von fünfundsiebzig Köpfen. Das alles imponierte mir ungeheuer. Ich ging sofort aus und kaufte mir einen neuen Anzug. Ich versuchte mit Würde aufzutreten. Ich richtete Kartotheken ein, traf autoritative Beschlüsse und nahm mir wenig Zeit zum Mittagessen.

Ich war der festen Überzeugung, daß die ganze Publizitätspolitik von Warner Brothers jetzt auf meinen Schultern lastete. Nach meiner Auffassung waren damit in privater wie in öffentlicher Hinsicht Leben und Glück solch berühmter Persönlichkeiten wie Bette Davis, Olivia de Havilland, James Cagney, Edward G. Robinson, Errol Flynn, Humphrey Bogart, Ann Sheridan und anderer in meine Hand gegeben.

In weniger als einem Monat merkte ich, daß ich Magengeschwüre hatte. Wahrscheinlich sogar Krebs.

Meine Haupt-Kriegstätigkeit war damals der Vorsitz in dem War Activities Committee (Ausschuß für Kriegseinsatz) des Verbandes der Filmreklameautoren. Diese Arbeit sagte mir zu, und es machte mir Freude, bei den Sitzungen des Verbandes mit meinen Freunden zusammenzusein. Doch bald wurden die Versammlungen mein Schrecken, denn danach fühlte ich mich jedesmal ganz krank. Oft mußte ich auf dem Heimweg mein Auto anhalten und mich erst zusammenraffen, ehe ich weiterfahren konnte. Mir schien, es gebe so viel zu tun und so wenig Zeit, es auszuführen. Alles war so äußerst wichtig. Und ich war dem allem so gar nicht gewachsen – war so jammervoll unfähig.

Ich spreche jetzt ganz wahrheitsgetreu: dies war die schmerzhafteste Krankheit meines Lebens. Immer saß mir eine schnürende Faust in den Gedärmen. Ich nahm ab. Ich konnte nicht schlafen. Ich hatte fortwährend Schmerzen.

Also ging ich zu einem bekannten Spezialisten für innere Medizin, der mir von einem Reklamefachmann empfohlen worden war. Er sagte, viele seiner Kollegen seien Patienten dieses Arztes.

Der Arzt sprach nicht viel mit mir, gerade genug, um zu erfragen, wo es mir weh tue, und was mein Beruf sei. Er schien sich mehr für meine Stellung als für mein Leiden zu interessieren, doch beruhigte ich mich bald hierüber, denn vierzehn Tage lang unterzog er mich täglich allen nur erdenklichen Untersuchungen. Ich wurde auskultiert und sondiert, geröntgt und was es sonst noch gab. Schließlich wurde ich wieder zu ihm gebeten, um seine Diagnose zu vernehmen.

«Mr. Shipp», sagte er, indem er sich zurücklehnte und mir eine Zigarette anbot, «wir sind jetzt mit unseren erschöpfenden Untersuchungen fertig. Sie waren unumgänglich, obwohl ich *natürlich* nach meiner ersten raschen Untersuchung wußte, daß Sie keine Magengeschwüre haben.

Allein weil Sie der Mann sind, der Sie sind, und weil Sie den Beruf haben, den Sie haben, wußte ich auch, daß Sie mir nicht glauben würden, wenn ich es Ihnen nicht bewiese. Ich werde es Ihnen also beweisen.»

Hierauf zeigte er mir meine Diagramme und Röntgenbilder und erklärte sie mir. Es ging aus ihnen hervor, daß ich keine Geschwüre hatte.

«Das alles», sagte der Arzt, «kostet Sie eine ordentliche Stange Geld. Aber es lohnt sich für Sie. Und hier ist mein Rezept: *regen Sie sich nicht auf.*»

«Aber –», gebot er mir Einhalt, als ich anfangen wollte, mit ihm zu disputieren, «– nun weiß ich genau, daß Sie meine Vorschrift nicht auf der Stelle befolgen können, deshalb will ich Ihnen eine Krücke zum Gehenlernen geben. Hier sind einige Pillen. Sie enthalten Belladonna. Nehmen Sie so viele, wie Sie wollen. Wenn Sie sie aufgebraucht haben, kommen Sie wieder, und ich gebe Ihnen mehr davon.

Sie werden Ihnen nicht schaden. Aber sie werden Ihnen entspannen helfen.

Denken Sie jedoch immer daran, daß Sie sie eigentlich gar nicht brauchen. Alles, was Sie brauchen, ist, daß Sie sich nicht länger beunruhigen. Sollten Sie von neuem in diese Gewohnheit verfallen, dann müssen Sie wieder zu mir kommen, und ich mache Ihnen dann wieder eine gehörige Rechnung. Was meinen Sie dazu?»

Ich wünschte, ich könnte nun berichten, daß ich mir das Vernommene sofort zur Lehre dienen ließ und aufhörte, mich zu sorgen. Das war aber nicht der Fall. Ich nahm die Pillen mehrere Wochen lang, sobald ich spürte, daß es mich wieder packen wollte. Sie wirkten. Ich fühlte mich danach *sofort* besser.

Doch es kam mir dumm vor, diese Pillen zu nehmen. Ich bin ein großer, schwerer Mann – habe ein Gewicht von nahezu zweihundert Pfund. Und nun schluckte ich so kleine Pillchen, um zu entspannen. Ich führte mich ja weiß Gott auf wie ein hysterisches Weib. Wenn meine Freunde sich erkundigten, warum ich Pillen schlucke, schämte ich mich, die Wahrheit zu bekennen. Allmählich kam ich soweit, daß ich mich selber auslachte. Ich sagte mir: «Weißt du, Cameron Shipp – du benimmst dich wie ein Tor. Du nimmst dich selbst und deine kleinen Obliegenheiten viel zu wichtig. Bette Davis und James Cagney und Edward G. Robinson waren weltberühmt, *bevor* du sie in die Finger bekamst; und wenn du heute nacht tot umfielest, dann würden die Warner Brothers samt ihren Stars ihre Reklame auch ohne dich weiterführen können. Schau dir mal Eisenhower und General Marshall, MacArthur, Jimmy Doolittle und Admiral King an – die führen Krieg, ohne dabei Pillen zu schlucken. Und du kannst nicht mal den Vorsitz beim War Activities Committee der Filmreklameleute führen, ohne kleine weiße Pillen zu nehmen, damit sich dein Magen nicht dreht und windet wie ein Wirbelsturm in Kansas unten.»

Keine Pillen mehr zu schlucken wurde eine Ehrensache für mich. Kurz darauf leerte ich sie alle in den Schüttstein. Dafür kam ich abends früh genug heim, um immer vor dem Essen ein kurzes Schläfchen zu machen, und allmählich begann ich wieder, ein normales Leben zu führen. Den Arzt suchte ich nie wieder auf.

Doch ich schulde ihm viel – viel mehr als das Honorar, das er verlangte, und das mir damals recht hoch schien. Er hat mich gelehrt, mich selber auszulachen. Was er meiner Meinung nach aber besonders geschickt machte, war, daß er nicht über mich lachte und mir nicht gleich sagte, ich hätte keinerlei Grund, mich zu beunruhigen. Er nahm mich ernst, er schonte meine Empfindlichkeit. Er gab mir eine Entschuldigung vor mir selbst, in ein kleines Schächtelchen verpackt. Doch er wußte schon damals so gut, wie ich es jetzt selbst weiß, daß die Heilung nicht in jenen dummen kleinen Pillen lag – die Heilung lag in meiner veränderten Einstellung.

Die Moral von dieser Geschichte ist, daß jemand, der heute Pillen schluckt, besser beraten wäre, wenn er statt dessen Kapitel 7 lesen und für Entspannung sorgen wollte.

Ich gewöhnte mir das Sorgen ab, während ich meiner Frau beim Geschirrwaschen zusah

Von Pfarrer William Wood
204 Hurlbert Street, Charlevoix, Michigan

Vor ein paar Jahren litt ich sehr unter Magenschmerzen. Nachts wachte ich regelmäßig zwei- bis dreimal auf, weil die Schmerzen mir das Weiterschlafen unmöglich machten. Ich hatte meinen Vater an Magenkrebs sterben sehen und fürchtete nun, auch ich könnte Magenkrebs oder zum mindesten Magengeschwüre haben. Deshalb ging ich nach Petosky in Michigan, um mich in Byrne's Clinic untersuchen zu lassen. Ein Magenspezialist von Ruf durchleuchtete mich und machte Röntgenbilder von meinem Magen. Er gab mir ein Schlafmittel und versicherte mir, ich habe weder Krebs noch Magengeschwüre. Meine Schmerzen seien die Folge von Aufregungen. Er fragte mich, ob ich etwa Ärger mit meinen Kirchenältesten habe.

Im übrigen bestätigte er mir, was ich schon wußte: ich wollte immer zuviel tun. Außer meiner sonntäglichen Predigt und den übrigen Anforderungen meines kirchlichen Amtes hatte ich weitere Pflichten als Vorsitzender des Roten Kreuzes und eines anderen Verbandes. Dazu kamen wöchentlich zwei bis drei Begräbnisse und eine Reihe anderer Obliegenheiten.

Ich arbeitete ständig unter Druck. Nie konnte ich ausspannen. Immer war ich in nervöser Hast und Spannung. Schließlich gab es nichts mehr, worüber ich mir keine Sorgen machte. Meine Schmerzen waren so heftig geworden, daß ich mich gern dem Rat des Doktors fügte, jeden Montag vollkommen frei zu machen und verschiedene Pflichten und Nebenbeschäftigungen abzugeben.

Eines Tages, als ich in meinem Schreibtisch Ordnung machte, kam mir eine Idee, die sich als äußerst nutzbringend erwies. Ich sah einen Stapel alter Notizen für Predigten und anderes durch, die längst überholt waren. Stück für Stück zerknüllte ich sie und warf sie in den Papierkorb. Plötzlich hielt ich ein und sagte mir: «Bill, warum machst du es nicht mit all den Dingen, die dich bedrücken, genauso wie mit diesen Notizen? Warum zerknüllst du nicht deine Sorgen über vergangene Schwierigkeiten und wirfst sie in den Papierkorb?» Dieser Gedanke versetzte mich sofort in eine gehobene Stimmung und gab mir das Gefühl, eine Last sei von mir abgefallen. Von jenem Tag bis zum heutigen habe ich es mir stets zur Pflicht gemacht, alle Probleme, mit denen ich nichts mehr anfangen kann, ad acta zu legen.

Eine andere Idee kam mir, als ich eines Tages abtrocknete, während meine Frau Geschirr wusch. Meine Frau sang bei ihrer Arbeit, und das gab mir folgende Überlegung ein: «Sieh nur, Bill, wie fröhlich deine Frau ist. Wir sind nun achtzehn Jahre verheiratet, und die ganze Zeit hat sie abwaschen müssen. Wie, wenn sie damals, als wir uns heirateten, in die Zukunft geblickt und sämtliche Schüsseln und Teller vor sich gesehen hätte, die sie einmal in diesen achtzehn Jahren aufzuwaschen haben würde! Das wäre ja ein haushoher Berg Geschirr gewesen, dessen bloße Vorstellung jede Frau entsetzt haben müßte.»

Dann dachte ich weiter: «Der Grund, warum meiner Frau das Abwaschen nichts ausmacht, ist, daß sie immer nur das Geschirr eines Tages auf einmal vornimmt.» Und ich erkannte, worin ich es falsch machte. Ich wollte immer das Geschirr von heute und von gestern und sogar Geschirr, das noch gar nicht schmutzig war, zu gleicher Zeit waschen.

Ich sah meine Torheit ein. Da stand ich Sonntag morgens auf der Kanzel und sagte anderen, wie sie ihr Leben einrichten sollten, und dennoch war meine eigene Existenz von Hast, Besorgnis und nervöser Spannung geprägt. Ich schämte mich über mich selbst.

Jetzt sorge ich mich nicht mehr über kleine Dinge. Ich habe keine

Magenschmerzen mehr, leide nicht mehr unter Schlaflosigkeit. Heute zerknülle ich die Ängste des vergangenen Tages und werfe sie in den Papierkorb, und auch das morgige Geschirr wasche ich nicht mehr schon heute ab.

Entsinnt Ihr Euch einer Feststellung, die in einem der vorhergehenden Kapitel gemacht wurde? «Auch der Stärkste beginnt zu wanken, wenn er die Last von morgen der gestrigen Last hinzufügt.» ... Das sollte man gar nicht erst versuchen (Siehe Seite 17).

Ich fand die Antwort

Von Del Hughes
Bücherrevisor, 607 South Euclid Avenue, Bay City, Michigan

Im Jahre 1943 landete ich in einem Lazarett für Kriegsinvalide in Albuquerque, Neu-Mexiko. Während einer amphibischen Landungs-übung der Marine vor den Hawaii-Inseln hatte ich mir drei gebrochene Rippen und eine punktierte Lunge geholt. Als ich mich gerade anschickte, aus der Barke auf den Strand zu springen, brauste eine große Sturzwelle heran, hob das Fahrzeug hoch, so daß ich mein Gleichgewicht verlor, und schmetterte mich auf das Sandufer. Ich stürzte mit solcher Gewalt, daß die eine meiner gebrochenen Rippen meine Lunge durchbohrte.

Nachdem ich drei Monate im Spital gelegen hatte, machten mir die Ärzte eine Mitteilung, die mir einen furchtbaren Schreck versetzte. Sie sagten, mein Zustand lasse absolut keine Besserung erkennen. Nachdem ich gründlich nachgedacht hatte, kam ich zu dem Schluß, daß meine Gesundung deshalb keine Fortschritte machte, weil ich mich dauernd sorgte und ängstigte. Ich war immer ein sehr tätiges Leben gewohnt gewesen, und die letzten drei Monate hatte ich vierundzwanzig Stunden täglich flach auf dem Rücken gelegen und nichts zu tun gehabt als nachzugrübeln. Je mehr ich grübelte, um so mehr ängstigte ich mich, ob ich wohl je wieder imstande sein würde, meinen Platz im Leben auszufüllen. Ich machte mir Gedanken darüber, ob ich mein ganzes Leben lang ein Krüppel bleiben, ob ich mich je würde verheiraten und ein normales Leben führen können.

Ich drang in meinen Arzt, mich in den nächsten Krankensaal überführen zu lassen, der allgemein der «Sportklub» hieß, weil die Patienten dort so ziemlich alles tun durften, was ihnen Spaß machte. In diesem «Sportklub»-Saal begann ich, mich für Bridge zu interessieren. Sechs Wochen verbrachte ich damit, das Spiel zu lernen, indem ich mit den anderen Burschen spielte und auch ein Buch darüber las. Von da an spielte ich nahezu jeden Abend, solange ich im Lazarett verblieb. Ich begann auch, mich für Ölmalerei zu interessieren und gab mich unter der Anleitung eines Lehrers jeden Nachmittag von drei bis fünf dieser neuen Liebhaberei hin. Ein paar meiner Bilder waren so gut, daß man ihnen beinahe ansah, was sie vorstellen sollten! Ich übte mich auch in Scife- und Holzschnitzereien, nachdem ich mehrere Bücher darüber gelesen und den Gegenstand fesselnd gefunden hatte. Ich machte mir mit alledem so viel zu tun, daß ich keine Zeit mehr hatte, mich über meine Gesundheit zu ängstigen. Ich fand sogar Muße, um Bücher über Psychologie zu lesen, die uns das Rote Kreuz geschickt hatte. Nach Ablauf von weiteren drei Monaten kam das gesamte Personal zu mir, um mir zu meiner «geradezu erstaunlichen Besserung» zu gratulieren. Das waren die wunderbarsten Worte, die ich je vernommen, seit ich das Licht der Welt erblickt hatte. Ich hätte am liebsten vor Freude laut gejubelt.

Das, was ich mit alledem sagen will, ist folgendes: solange ich nichts anderes zu tun hatte, als flach auf dem Rücken zu liegen und mir über die Zukunft den Kopf zu zerbrechen, machte ich nicht die geringsten Fortschritte. Ich vergiftete meinen Körper mit meinen sorgenvollen Gedanken. Nicht einmal meine gebrochenen Rippen wollten heilen. Sobald ich aber meine Gedanken ablenkte, indem ich Bridge spielte, Ölbilder malte und Holzschnitzereien anfertigte, erklärten die Ärzte, meine Besserung sei «geradezu erstaunlich».

Ich lebe jetzt ein normales, gesundes Leben, und meine Lungen sind so gut wie die Euren.

George Bernard Shaw hatte recht. Er faßte all das zusammen, als er sagte: «Das ganze Geheimnis, warum man sich unglücklich fühlt, besteht darin, daß man die Muße hat, sich zu überlegen, ob man glücklich ist oder nicht.»

Seid also tätig und sorgt immer für Beschäftigung! (Siehe Seite 68).

Die Zeit bringt für vieles eine Lösung

Von Louis T. Montant jr.
Verkaufs- und Marktanalysen, 114 West 64th Street, New York

Zehn Jahre meines Lebens gingen mir verloren, weil ich in ewiger Sorge lebte. Und es waren noch dazu die Jahre, welche die fruchtbarsten und reichsten im Leben jedes jungen Menschen sein sollten – die Jahre von achtzehn bis achtundzwanzig.

Jetzt ist mir klar, daß nur ich selbst an dem Verlust jener Jahre schuld war.

Über alles ängstigte und sorgte ich mich: meine Stellung, meine Gesundheit, meine Familie, mein Minderwertigkeitsgefühl. Ich lebte in solchen Ängsten, daß ich lieber auf die andere Straßenseite ging, nur um Leuten auszuweichen, die ich kannte. Traf ich einen Freund auf der Straße, dann tat ich oft, als bemerke ich ihn nicht, weil ich fürchtete, er könnte mich vielleicht über die Achsel ansehen.

Ich fürchtete mich so sehr, Leute zu treffen, die ich nicht kannte, und ihre Gegenwart flößte mir solchen Schrecken ein, daß ich mir im Zeitraum von vierzehn Tagen einmal drei Stellungen verscherzte, weil ich einfach nicht den Mut hatte, den betreffenden Arbeitgebern zu sagen, was ich leisten konnte.

Bis ich dann eines Tages vor acht Jahren all meine Ängste an einem einzigen Nachmittag überwand. Seitdem habe ich mich nur selten über etwas gesorgt. An jenem Nachmittag befand ich mich im Büro eines Mannes, der unvergleichlich mehr Sorgen hatte, als ich je gekannt habe. 1929 hatte er ein Vermögen verdient, und davon hatte er jeden Cent verloren. 1933 war er wiederum im Besitz eines Vermögens und verlor es wieder; und das gleiche geschah ihm nochmals im Jahre 1937. Er war bankrott gewesen, war von Feinden und Gläubigern gehetzt worden. Sorgen, die manch einen anderen gebrochen und zum Selbstmord getrieben hätten, liefen von ihm ab wie Wasser von einer Ente.

Als ich damals vor acht Jahren in seinem Büro saß, beneidete ich ihn und wünschte, Gott hätte mich wie ihn gemacht.

Während der Unterhaltung schob er mir einen Brief zu, den er am Morgen erhalten hatte, und sagte: «Lesen Sie das.»

Es war ein zorniger Brief, der verschiedene peinliche Fragen anschnitt. Hätte ich einen derartigen Brief bekommen, so hätte ich vor Angst den Kopf verloren. «Bill», sagte ich, «was wollen Sie darauf antworten?»

«Nun», meinte Bill, «ich will Ihnen ein kleines Geheimnis verraten. Wenn Sie wieder einmal etwas haben, was Sie beunruhigt, dann nehmen Sie Papier und Bleistift zur Hand, setzen Sie sich hin und schreiben Sie sich in allen Einzelheiten auf, was Sie beunruhigt. Dann legen Sie den Zettel in Ihre linke untere Schreibtischlade. Warten Sie ein paar Wochen, dann betrachten Sie ihn sich wieder. Wenn Sie das, was darauf steht, noch immer beunruhigt, dann legen Sie den Zettel in die linke untere Schreibtischlade zurück. Dann warten Sie wieder vierzehn Tage ab. Der Zettel liegt gut da, dem passiert nichts. Inzwischen kann aber in bezug auf das Problem, das Sie quält, eine Menge passieren. Ich habe gefunden, daß die Sorge, die mich drückt, oft in sich zusammenfällt wie ein Luftballon, in den man hineinsticht – wenn ich nur Geduld genug habe.»

Dieser Rat machte mir großen Eindruck. Ich handle jetzt seit Jahren danach, und beunruhige mich darum nur selten noch über irgend etwas.

Die Zeit bringt für vieles eine Lösung. Die Zeit wird vielleicht auch für das, was Euch heute ängstigt, eine Lösung bringen.

Mir wurde gesagt, ich dürfe nicht sprechen oder auch nur einen Finger rühren

Von Joseph L. Ryan
Vorsteher der Auslandsabteilung der Royal-Schreibmaschinen, 51 Judson Place, Rockville Center, Long Island, New York

Vor mehreren Jahren trat ich als Zeuge in einem Prozeß auf, der mir viel Unruhe und geistige Anspannung verursachte. Auf der Heimfahrt im Zug erlitt ich plötzlich einen heftigen Herzanfall. Ich konnte fast nicht mehr Atem holen.

Zu Hause angelangt, erhielt ich eine Einspritzung von meinem Arzt. Ich lag nicht im Bett, denn ich hatte mich nicht weiter schleppen können als bis zum Wohnzimmersofa. Als ich wieder zu mir kam, sah ich, daß der Priester bereits neben mir stand, um mir die letzte Ölung zu geben!

Ich sah den fassungslosen Schmerz auf den Zügen meiner Angehörigen. Ich wußte, meine Stunde hatte geschlagen. Später erfuhr ich, daß der Arzt meine Frau darauf vorbereitet hatte, daß ich keine halbe Stunde mehr zu leben habe. Mein Herz war so schwach, daß mir gesagt wurde, ich dürfe nicht versuchen zu sprechen oder einen Finger zu rühren.

Ein Heiliger war ich nie gewesen, doch eines hatte ich gelernt – Gottes Ratschluß zu gehorchen. So schloß ich denn die Augen und sagte: «Dein Wille geschehe ... Wenn es jetzt sein muß, so geschehe dein Wille.»

Sobald ich mich diesem Gedanken ganz anheimgegeben hatte, schien alles an mir sich zu lösen. Meine Furcht schwand, und ich fragte mich ruhig, was das Schlimmste sei, was nun geschehen könne. Nun, das Schlimmste schien, daß die Krämpfe vielleicht wiederkehren könnten mit all ihren fürchterlichen Schmerzen – und dann würde alles vorbei sein. Ich würde bald meinem Schöpfer gegenüberstehen und Frieden haben.

Ich lag still auf dem Sofa und wartete eine Stunde lang, doch die Schmerzen kehrten nicht wieder. Schließlich begann ich mich zu fragen, was ich mit meinem Leben anfangen würde, wenn ich *nicht* stürbe. Ich beschloß, alles Erdenkliche zu tun, um meine Gesundheit wiederzugewinnen. Ich wollte meinen Körper nicht länger durch stete Spannung und Sorge mißbrauchen, sondern meine Kräfte neu aufbauen.

Das war vor vier Jahren. Ich habe meine Kräfte in solchem Maße wiederaufgebaut, daß selbst mein Arzt erstaunt ist über die Besserung, die meine Kardiogramme zeigen. Ich mache mir keine Sorgen mehr. Ich habe mehr Freude als je am Leben. Doch ich kann ehrlich sagen – hätte ich nicht dem Schlimmsten ins Auge gesehen, meinem sofortigen Tod, und dann versucht, dieser Lage noch die günstigste Seite abzugewinnen, dann wäre ich heute wohl nicht mehr da. Hätte ich mich nicht in das Schlimmste ergeben, dann wäre ich wahrscheinlich an meiner eigenen Furcht und Todesangst zugrunde gegangen.

Mr. Ryan ist heute nur deshalb noch am Leben, weil er den Grundsatz befolgte, der in der Zauberformel beschrieben ist – dem Schlimmsten, was geschehen kann, mutig ins Auge zu schauen (Siehe Seite 28).

Ich bin groß im Ausschalten

Von Ordway Tead
Vorsitzender des Amtes für Höhere Erziehung, New York

Sich sorgen ist eine Angewohnheit – eine Angewohnheit, von der ich mich schon lange befreit habe. Ich glaube, meine Art, mir Sorgen fernzuhalten, beruht zum großen Teil auf dreierlei.

Erstens habe ich viel zu viel zu tun, um mich selbstzerstörerischer Angst hinzugeben. Ich habe drei Hauptbeschäftigungen, von denen jede eigentlich für sich schon eine Ganztagsarbeit wäre. Ich halte Vorlesungen an der Columbia-Universität, ich bin Vorsitzender des Amtes für höhere Erziehung in New York und ich stehe der Abteilung für Wirtschafts- und Sozialliteratur im Verlag Harper & Brothers vor. Die unablässigen Anforderungen, die diese drei Tätigkeitsgebiete an mich stellen, lassen mir keine Zeit, mich zu sorgen und in Angstkreisen um mich selbst zu drehen.

Zweitens bin ich groß im Ausschalten. Sobald ich mich von einer Sache der nächsten zuwende, schiebe ich alle Gedanken an die Fragen, die mich soeben noch beschäftigt haben, vollständig beiseite. Ich finde es anregend und erfrischend, von einer Tätigkeit zur anderen überzugehen. Dadurch erholt und klärt sich mein Geist.

Drittens habe ich mich dazu erziehen müssen, alle mich beschäftigenden Probleme auszuschalten, sobald ich meinen Büroschreibtisch abschließe. Denn sonst fände ich nie ein Ende. Jeder Tag bringt eine Reihe ungelöster Fragen mit sich, die meine Aufmerksamkeit in Anspruch nehmen. Wollte ich das alles abends mit nach Hause schleppen und mir darüber den Kopf zerbrechen, dann würde ich meine Gesundheit zugrunde richten, und auch meiner Fähigkeit, die richtigen Lösungen für die verschiedenen Probleme zu finden, würde ich mich dadurch berauben.

Ordway Tead ist ein Meister in der Anwendung der vier guten Arbeitsgewohnheiten. Wißt Ihr noch, welche sie waren? (Siehe Seite 241).

Hätte ich nicht aufgehört, mich zu sorgen, ich läge längst schon im Grab

Von Connie Mack
«Grand old man» des Baseballspiels

Dreiundsechzig Jahre lang bin ich professioneller Baseballspieler gewesen. Als ich damit anfing, so in den achtziger Jahren, erhielt ich überhaupt keine Bezahlung dafür. Wir pflegten auf unbebauten Grundstücken zu spielen, wo wir über Konservenbüchsen und weggeworfene alte Pferdehalfter stolperten. Wenn das Spiel aus war, ließen wir den Hut herumgehen. Viel kam dabei nicht für mich heraus, zumal ich der Haupternährer meiner verwitweten Mutter und meiner jüngeren Geschwister war. Manchmal mußte unser Baseball-Team ein Erdbeeressen oder den Verkauf gebackener Muscheln veranstalten, um sich überhaupt über Wasser zu halten.

Ich habe im Leben oftmals Grund gehabt, mich zu sorgen. Ich bin der einzige Baseball-Manager, der sieben Jahre hintereinander am schlechtesten abgeschnitten hat, der einzige, der im Laufe von acht Jahren achthundert Spiele verlor. Nach einer Reihe solcher Niederlagen pflegte ich mich so zu sorgen, daß ich kaum noch zu essen oder zu schlafen vermochte. Aber dann, es sind jetzt fünfundzwanzig Jahre her, ließ ich das Sorgen sein, und ich bin der ehrlichen Überzeugung, hätte ich das nicht getan, so läge ich längst im Grabe.

Wenn ich mein langes Leben überschaue – ich wurde während der Zeit, da Lincoln Präsident war, geboren –, glaube ich, daß die folgenden Erwägungen mich dahin brachten, daß ich mir das Sorgen abgewöhnte:

1. Ich sah ein, wie unnütz es war. Ich sah ein, daß ich dadurch nicht weiterkam, und daß es meine Laufbahn zu ruinieren drohte.

2. Ich merkte, daß es meine Gesundheit zugrunde zu richten drohte.

3. Ich machte mir so viel zu tun, indem ich künftige Spiele und die Art, wie ich sie gewinnen wollte, plante, daß ich keine Zeit mehr hatte, mich über bereits verlorene Spiele aufzuregen.

4. Ich machte es mir schließlich zur Regel, einem Spieler nie seine Fehler vorzuhalten, ehe vierundzwanzig Stunden nach dem

Spiele vergangen waren. In meiner ersten Zeit pflegte ich mich zusammen mit meinen Spielern an- und auszukleiden. Hatte die Mannschaft verloren, so fand ich es unmöglich, mich der Kritik zu enthalten und nicht bitter mit den Spielern über ihre Niederlage zu rechten. Dies, so fand ich, machte meine Sorgen nur schlimmer. Wenn man einen Spieler vor allen anderen kritisiert, wird man ihn nur gegen sich aufbringen, so daß er dann um so weniger gewillt ist, sich das nächste Mal mehr anzustrengen. Jedenfalls erbitterte ich meine Leute nur durch mein Verhalten. Da ich aber meiner selbst und meiner Zunge sofort nach einer Niederlage nun einmal nicht sicher sein konnte, machte ich es mir zum Gebot, meiner Mannschaft nie gleich nach einer Niederlage gegenüberzutreten. Erst am folgenden Tage erörterte ich die Sache mit ihnen. Bis dahin hatte ich mich etwas abgekühlt, die Fehler schienen weniger riesengroß, und ich konnte die Sachlage ruhig besprechen, so daß die Leute sich nicht ärgerten und zu rechtfertigen suchten.

5. Ich suchte meine Mannschaft in gute Stimmung zu versetzen, indem ich sie durch Lob stützte, statt sie durch Kritik zu verärgern. Ich gab mir Mühe, immer für jeden ein gutes Wort zu finden.

6. Ich fand, daß ich mich am schlimmsten aufregte, wenn ich müde war. Daher verbringe ich jede Nacht zehn Stunden im Bett und mache auch immer ein Nachmittagsschläfchen. Und wenn es nur fünf Minuten sind, es tut gut.

7. Ich glaube, ich bin Sorgen aus dem Weg gegangen und habe mein Leben verlängert, indem ich bis in mein Alter tätig blieb. Ich bin jetzt fünfundachtzig, allein ich werde mich nicht zur Ruhe setzen, bevor ich anfange, immer wieder dieselben Geschichten zu erzählen. Wenn ich damit anfange, dann werde ich wissen, daß ich alt werde.

Connie Mack hat nie ein Buch mit dem Titel «Sorge dich nicht!» gelesen, deshalb stellte er sich seine eigenen Regeln auf. Warum stellt nicht auch Ihr eine Liste der Regeln auf, die Ihr in der Vergangenheit als nützlich erkannt habt – und schreibt sie hier unten hin?

Methoden zur Bekämpfung von Angst und Sorge, die sich in meinem bisherigen Leben bewährt haben:

1. . . . .
. . . .
2. . . . .
. . . .

Immer einer nach dem anderen, meine Herren, immer einer nach dem anderen!

Von Pfarrer John Homer Miller
Verfasser von «Take a Look at Yourself» (Sieh dich einmal selber an), Hope
Congregational Church, Winchester Square, Springfield, Massachusetts

Schon vor langen Jahren merkte ich, daß ich meinen Sorgen nicht entrinnen konnte, indem ich Reißaus vor ihnen nahm, daß ich sie jedoch in Schach halten konnte, wenn ich mich anders dazu einstellte. Ich entdeckte, daß das, was mich quälte, nicht außerhalb von mir lag, sondern in mir.

Im Laufe der Zeit habe ich auch festgestellt, daß sich die Zeit automatisch der meisten meiner Sorgen annimmt. Tatsächlich finde ich es oft schwer, mich zu entsinnen, worüber ich mich letzte Woche beunruhigt habe. Daher mache ich es mir zur Regel, mich nie über etwas aufzuregen, ehe mindestens eine Woche darüber hingegangen ist. Natürlich kann ich nicht immer alles und jedes eine Woche lang von mir schieben, allein ich kann dafür sorgen, daß es mich nicht beherrscht, bis die angesetzten sieben Tage verstrichen sind. Und was geschieht? In neun von zehn Fällen hat entweder die Schwierigkeit von selbst eine Lösung gefunden, oder meine Einstellung dazu hat sich so geändert, daß die Sache nicht länger imstande ist, mich sehr zu beunruhigen.

Bei alledem hat mir die Lektüre der Lebensweisheiten Sir William Oslers sehr geholfen, eines Mannes, der nicht nur ein großer Arzt war, sondern dazu noch ein großer Meister in der schwierigsten aller Künste: der Lebenskunst. Einer seiner Aussprüche ist mir bei der Sorgenbekämpfung ungemein zustatten gekommen: «Alle Erfolge, die ich gehabt habe, verdanke ich in allererster Linie meiner Fähigkeit, mich in die vorliegende Tagesarbeit zu vertiefen und sie nach besten Kräften zu tun zu suchen, und alle Sorge um die Zukunft dieser selbst zu überlassen.»

Wenn ich irgendwelche Schwierigkeiten habe, verfahre ich immer nach einem Motto, das ich in den Worten eines alten Papageien gefunden habe. Mein Vater pflegte mir von einem Papagei zu erzählen, der in seinem Käfig über der Eingangstür zu einem Jagdklub in Pennsylvanien hing. Wenn die Klubmitglieder zur Tür hereinkamen, krächzte der Vogel immer wieder und wieder die einzigen Worte, die er sprechen konnte: «Immer einer nach dem anderen, meine Herren, immer einer nach dem anderen!» Ich habe gefunden, daß es mir dadurch, daß ich meine Schwierigkeiten immer eine nach der anderen in Angriff nahm, sehr erleichtert wurde, inmitten dringlicher Pflichten und endloser Verabredungen Ruhe und Gelassenheit zu bewahren. «Immer einer nach dem anderen, meine Herren, immer einer nach dem anderen.»

Hier haben wir wiederum einen der fundamentalen Grundsätze zur Überwindung unserer Sorgen: «Lebt in zeitdichten Schotten». Warum blättert Ihr nicht zurück und lest das betreffende Kapitel noch einmal durch? (Siehe Seite 16).

Jetzt blicke ich stets nach dem grünen Licht

Von Joseph M. Cotter
Handelsreisender, 1534 Fargo Avenue, Chicago, Illinois

Von meiner frühen Knabenzeit an, durch meine Jünglingszeit hindurch und während meines Daseins als Erwachsener war es sozusagen mein Beruf, mich zu sorgen und zu ängstigen. Meiner Sorgen waren viele und vielfältige. Manche waren wirklich, die meisten aber eingebildet. Wenn ich einmal ausnahmsweise nichts hatte, worüber ich mich sorgen konnte, dann sorgte ich mich vor Sorge, vielleicht etwas übersehen zu haben.

Vor zwei Jahren aber fing ich ein neues Leben an. Das erforderte eine Selbstanalyse meiner Fehler (und sehr weniger Vorzüge) – ein «tiefschürfendes und unerschrockenes Seeleninventar» meiner selbst. Dadurch trat klar zutage, wo die Wurzel all meiner Selbstquälerei lag.

Tatsache war, daß ich nicht für den gegenwärtigen Tag allein zu leben vermochte. Ich jammerte über die Mißgriffe des gestrigen Tages und fürchtete mich vor dem Morgen.

Immer wieder wurde mir vorgehalten, daß «heute das Morgen sei, worüber ich mich gestern gesorgt hatte». Doch bei mir verschlug das nichts. Es wurde mir geraten, ich solle nach einem Vierundzwanzigstundenplan leben. Es wurde mir gesagt, das Heute sei der einzige Tag, über den ich irgendwelche Kontrolle hätte, und daher solle ich alle seine Möglichkeiten nach Kräften ausnutzen. Es wurde mir gesagt, daß ich, wenn ich das täte, so viel zu tun haben würde, daß mir keine Zeit bliebe, mich über irgendeinen anderen Tag, ob vergangen oder künftig, zu beunruhigen. Dieser Rat war ganz logisch, aber irgendwie fand ich es schwer, diese verflixten Grundsätze zu verwirklichen.

Auf einen Schlag aber, wie ein Blitz aus heiterem Himmel, kam mir plötzlich die Erleuchtung – und wo, meint Ihr, daß das geschah? Auf einem Bahnsteig der Nordwestbahn am 31. Mai 1945 um sieben Uhr abends. Es war eine bedeutsame Stunde für mich – darum erinnere ich mich so deutlich daran.

Wir brachten Freunde an die Bahn, die mit der «City of Los Angeles», einem Stromlinienzug, abreisten, nachdem sie die Ferien hier verbracht hatten. Es war noch Krieg, und das Gedränge groß. Statt mit meiner Frau zu meinen Freunden in den Zug zu steigen, ging ich mir einen Augenblick die große, schimmernde Lokomotive ansehen. Dabei blickte ich den Schienenstrang hinab und sah einen riesigen Signalmast mit einem gelben Lichtzeichen, das gerade auf grün umgeschaltet wurde. Im gleichen Moment begann der Lokomotivführer eine Glocke zu läuten; ich hörte das vertraute «Alles einsteigen!» und in wenigen Sekunden setzte sich der riesige Stromlinienzug in Bewegung, um sich auf seine 2300 Meilen lange Fahrt zu begeben.

Mir begann sich der Kopf zu drehen. Irgend etwas in mir rang nach Klarheit. Ich erlebte ein Wunder. Und plötzlich ging es mir auf. Der Lokomotivführer hatte mir die Antwort gegeben, die ich gesucht hatte. Er trat seine lange Fahrt an, indem er sich einzig auf das eine grüne Licht verließ. Ich an seiner Stelle hätte sämtliche grünen Lichter der ganzen Strecke auf einmal sehen wollen. Unmöglich natürlich – und doch war es genau dies, was ich mit meinem Leben zu tun trachtete – ewig blieb ich auf dem Bahnhof sitzen und gelangte nirgends hin, nur weil ich mich zu sehr anstrengte, herauszufinden, was vor mir lag.

Meine Gedanken spannen den Faden weiter. Dieser Lokomotivführer machte sich keine Sorgen darüber, was ihm etwa nach einigen Kilometern zustoßen könnte. Wahrscheinlich würde es einige Verspätungen geben, er würde vielleicht die Fahrt hier und da verlangsamen müssen – aber gab es für solche Fälle nicht ein Signalsystem? Gelbes Licht: Geschwindigkeit herabsetzen, vorsichtig fahren. Rotes Licht: Gefahr im Anzug – *stehenbleiben!* Ein gutes Signalsystem. Es machte das Reisen sicher.

Ich fragte mich, warum nicht auch ich für mein Leben ein gutes Signalsystem habe. Meine Antwort war: ich hatte ja eines. Gott hatte es mir gegeben. Er kontrolliert es, also muß es tadellos funktionieren. Ich begann, nach einem grünen Licht Ausschau zu halten. Wo konnte ich es finden? Nun, wenn Gott die grünen Lichter geschaffen hatte, konnte ich Ihn ja fragen. Und ich tat es.

Jetzt erkenne ich mein grünes Licht für den kommenden Tag, indem ich morgens bete. Gelegentlich bemerke ich auch gelbe Lichter, die meine Fahrt verlangsamen. Manchmal sind rote Lichter aufgezogen, die mir Einhalt gebieten, ehe ich mir den Kopf einrenne.

Ich sorge mich nicht mehr seit jenem Tag vor zwei Jahren, als ich diese Entdeckung machte. Im Laufe dieser zwei Jahre sind über siebenhundert grüne Lichtsignale vor mir aufgetaucht, und die Fahrt durchs Leben ist soviel leichter, wenn man sich nicht darum sorgt, wie das nächste Licht wohl aussehen mag. In welcher Farbe es auch leuchten möge, ich weiß, wie ich mich zu verhalten habe.

Wie John D. Rockefeller fünfundvierzig Jahre lang von geborgter Zeit lebte

John D. Rockefeller senior hatte mit dreiunddreißig Jahren seine erste Million beisammen. Im Alter von dreiundvierzig hatte er den größten Monopolkonzern aufgebaut, den die Welt je gesehen hat – die Standard-Oil-Gesellschaft. Wo aber stand er mit dreiundfünfzig? Mit dreiundfünfzig hatten Angst und Sorgen sich seiner bemächtigt. Sorgen und ein Leben in Hochspannung hatten bereits seine Gesundheit zugrunde gerichtet. Mit dreiundfünfzig «sah er aus wie eine Mumie», sagt John K. Winkler, einer seiner Biographen.

Im Alter von dreiundfünfzig Jahren wurde Rockefeller von rätselhaften Verdauungsstörungen ergriffen, die bewirkten, daß ihm sämtliche Haare ausfielen, selbst die Wimpern; nur von den Brauen war noch eine Andeutung geblieben. «Sein Zustand war so ernst», sagt Winkler, «daß John D. eine Zeitlang von Muttermilch leben mußte.» Nach Aussage der Ärzte hatte er Alopecia, eine Art der Kahlheit, die oft mit Nervenstörungen einhergeht. Mit seinem ratzekahlen Schädel sah er so sonderbar aus, daß er ein Käppchen tragen mußte. Später ließ er sich Perücken machen – das Stück zu 500 Dollar – und diese silbernen Perücken trug er sein ganzes weiteres Leben.

Ursprünglich war Rockefeller mit einer eisernen Konstitution gesegnet. Auf einer Farm aufgewachsen, hatte er einst kräftige Schultern, eine aufrechte Haltung und einen raschen, entschiedenen Schritt gehabt.

Und doch kam es so weit, daß er mit dreiundfünfzig Jahren, wenn die meisten Männer in der Blütezeit ihres Lebens stehen, die Schultern hängen ließ und beim Gehen schlotterte. Ein anderer seiner Biographen, John T. Flynn, schrieb: «Wenn er in den Spiegel sah, erblickte er ein Greisengesicht. Unablässige Arbeit, ewige Sorgen, Ströme von Verleumdung und Mangel sowohl an Bewegung wie an Ruhe» hatten ihren Tribut verlangt – sie hatten ihn auf die Knie gezwungen. Er war jetzt der reichste Mann der Welt; gleichwohl mußte er sich an eine Diät halten, die der Ärmste von sich gewiesen haben würde. Er hatte damals ein wöchentliches Einkommen von einer Million Dollar – allein zwei Dollar in der Woche hätten wahrscheinlich für das, was er essen durfte, ausgereicht. Gesäuerte Milch und ein paar Wasserbiskuits waren alles, was ihm seine Ärzte erlaubten. Seine Haut hatte ihre Farbe verloren, sie sah aus wie altes, fest über die Knochen gespanntes Pergament. Und einzig die ärztliche Fürsorge, die beste, die für Geld zu haben war, verhütete, daß er im Alter von dreiundfünfzig Jahren starb.

Wie hatte es so weit kommen können? Durch Sorgen, durch «Schock». Durch hohen Blutdruck und ein Leben in steter Hochspannung. Er peitschte sich selbst förmlich an den Rand des Grabes. Bereits mit dreiundzwanzig Jahren strebte Rockefeller mit solch grimmiger Entschlossenheit auf sein Ziel zu, daß – in den Worten derer, die ihn kannten – «nichts sein Gesicht aufzuhellen vermochte außer der Nachricht von einem guten Geschäft». Wenn er einen hohen Gewinn erzielte, pflegte er einen kleinen Indianertanz aufzuführen – seinen Hut auf den Boden zu werfen und herumzuhopsen. Verlor er aber Geld, so wurde er krank! Einmal verschiffte er Getreide im Werte von 40 000 Dollar über die großen nordamerikanischen Seen. Keine Versicherung. Das hätte zuviel gekostet – ganze 150 Dollar! In der Nacht wütete ein wilder Sturm auf dem Erie-See. Rockefeller ängstigte sich so bei dem Gedanken, er könne seine Ladung verlieren, daß sein Partner, George Gardner, ihn früh am nächsten Morgen vorfand, wie er außer sich im Büro hin und her rannte.

«Rasch», stieß er hervor, «laß uns sehen, ob wir nicht noch eine Versicherung abschließen können, bevor es zu spät ist!» Gardner stürzte in die Stadt und schloß die Versicherung ab. Doch als er ins Büro zurückkehrte, fand er John D. in einer noch schlimmeren Nervenverfassung: mittlerweile war nämlich ein Telegramm gekommen, daß die Ladung dem Sturm entgangen und gerettet sei. Und nun war ihm noch viel übler zumute als vorher, weil sie die 150 Dollar «vergeudet» hatten! Es war ihm tatsächlich so übel, daß er heimfahren und sich ins Bett legen mußte. Man denke! Damals machte seine Firma bereits Geschäfte im Bruttobetrag von einer halben Million im Jahr – und doch regte er sich wegen 150 Dollar so sehr auf, daß er zu Bett gehen mußte!

Er hatte keine Zeit für Spiele, keine Zeit zur Erholung, keine Zeit für irgend etwas auf der Welt außer Geldverdienen und Sonntagsschulunterricht erteilen. Als sein Teilhaber George Gardner zusammen mit drei anderen eine Jacht für 3000 Dollar kaufte, war John D. entsetzt und weigerte sich, einen Fuß darauf zu setzen. Gardner fand ihn eines Samstagnachmittags im Büro bei der Arbeit und drang in ihn: «Komm mit, John, laß uns ein bißchen segeln. Das wird dir gut tun. Vergiß mal das Geschäft. Gönne dir auch mal eine Freude.» Rockefellers Augen blitzten zornig: «George Gardner», rief er, «du bist der unbesonnenste Mensch, der mir je begegnet ist. Du tust deinem Bankkredit Schaden – und meinem dazu. Ehe du dich umsiehst, wirst du unser Geschäft ruiniert haben. Nein, ich komme nicht mit auf deine Jacht – ich will sie nie sehen!» Und er blieb im Büro und schuftete den ganzen Samstagnachmittag.

Derselbe Mangel an Humor, derselbe Mangel an Perspektive kennzeichnete John D., solange er im Geschäftsleben stand. Jahre danach sagte er einmal: «Nie habe ich mich abends zur Ruhe gelegt, ohne mir vorzuhalten, daß mein Erfolg nur vorübergehend sein könnte.»

Millionen standen ihm zu Gebote, und dennoch legte Rockefeller nie seinen Kopf abends aufs Kissen, ohne sich Sorgen zu machen, weil er möglicherweise sein Vermögen verlieren könnte. Kein Wunder, daß er damit seine Gesundheit zugrunde richtete. Er hatte keine Zeit für Spiel und Ausspannung, ging nie in ein Theater, nie auf eine Gesellschaft. Der Mann, sagte Mark Hanna mit Recht, war geldwahnsinnig. «In allem anderen bei gesundem Verstand, aber verrückt, wenn es um Geld ging.»

Rockefeller hatte einem Nachbarn in Cleveland, Ohio, einmal gestanden, er «möchte gern geliebt werden», allein er war so kalt und mißtrauisch, daß wenige ihn auch nur leiden konnten. Morgan sträubte sich einst, Geschäfte mit ihm zu machen. «Ich mag den Kerl nicht», schnaubte er. «Ich will nichts mit ihm zu tun haben.» Rockefellers eigener Bruder haßte ihn so sehr, daß er die Leichen seiner Kinder aus dem Familiengrab entfernen ließ. «Niemand, der von meinem Blut ist», sagte er, «soll je in Erde ruhen, die John D. gehört.» Rockefellers Angestellte und Mitarbeiter lebten in steter Furcht vor ihm. Das Ironische daran ist, daß auch er *sie* fürchtete – fürchtete, sie könnten aus der Schule plaudern und «Geheimnisse verraten». Er hatte so wenig Glauben an die Menschen, daß er einmal, als er mit einem von ihm unabhängigen Raffineriebesitzer einen Vertrag zeichnete, dem Mann das Versprechen abnahm, es niemand zu sagen, nicht einmal seiner Frau! «Halt den Mund und kümmere dich um dein Geschäft» – das war sein Leitspruch.

Und dann, als er auf dem Gipfel der Prosperität stand, als das

Gold in seine Geldschränke floß gleich der Lava, die sich heiß den Vesuv hinab ergießt, stürzte seine private Welt um ihn zusammen. In Büchern und Artikeln wurde der Räuberbaron von der Standard Oil Company bloßgestellt; wurden Enthüllungen veröffentlicht über geheimen Rabatt, den er den Eisenbahnen gewährte, über die rücksichtslose Abdrosselung aller Konkurrenten.

John D. Rockefeller war in den Ölfeldern von Pennsylvanien der meistgehaßte Mensch der Welt. Er wurde *in effigie* von den Männern gehängt, die er zermalmt hatte. Mancher sehnte sich, in Wirklichkeit einen Strick um seinen ausgemergelten Hals zu legen und ihn an einem Holzapfelbaum aufzuknüpfen. Briefe, die Pech und Schwefel atmeten, strömten in sein Büro – Briefe, die sein Leben bedrohten. Er mietete sich eine Leibgarde, damit seine Feinde ihn nicht töten möchten. Er versuchte, diesen Sturm des Hasses zu ignorieren. Früher einmal hatte er zynisch behauptet: «Ihr könnt mich schmähen und mir Fußtritte versetzen, wenn ich nur meinen Willen habe.» Doch auch er entdeckte, daß er trotz allem nur ein Mensch war. Mit allen beiden vermochte er nicht fertig zu werden – mit Haß und Sorgen. Seine Gesundheit ging in Stücke. Dieser neue Feind, der ihm von innen her zusetzte, die Krankheit, war ihm rätselhaft und unheimlich.

Zuerst verheimlichte er es, wenn er sich gelegentlich unpäßlich fühlte, versuchte sein Kranksein von sich zu schieben. Doch Schlaflosigkeit, schlechte Verdauung und der Verlust seines Haares – lauter körperliche Symptome von Aufregung und innerlichem Zusammenbruch – waren auf die Dauer nicht wegzuleugnen. Endlich sagten seine Ärzte ihm die furchtbare Wahrheit. Er hatte die Wahl – zwischen seinem Geld und seinen Aufregungen oder seinem Leben. Sie erklärten rund heraus, er müsse sich entweder zur Ruhe setzen oder sterben. Er setzte sich zur Ruhe. Doch bevor er das tat, hatten Sorge, Angst und Gier bereits seine Gesundheit zerstört. Als Ida Tarbell, die berühmteste Biographin Amerikas, ihn sah, war sie entsetzt. «Furchtbares Alter sprach aus seinen Zügen», schrieb sie. «Er war der älteste Mann, den ich im Leben gesehen habe.» Alt? Ja – Rockefeller war damals noch mehrere Jahre jünger als General MacArthur zur Zeit der Rückeroberung der Philippinen! Doch er war körperlich ein solches Wrack, daß Ida Tarbell ihn bedauerte. Sie arbeitete damals an ihrem gewaltigen Buch über die Standard-Oil-Gesellschaft; sie verdammte diesen «Polyp» und alle seine Praktiken in Grund und Boden und hatte sicherlich keine Ursache, den

Mann zu lieben, der diese «Blutsauger-Gesellschaft» aufgebaut hatte. Dennoch, sagte sie, hätte sie beim Anblick John D. Rockefellers inmitten seiner Sonntagsschulkinder, wie er so eifrig die Gesichter rundum durchforschte, «ein Gefühl gehabt, auf das ich nicht gefaßt war, und das mit der Zeit immer stärker wurde. *Er tat mir leid.* Ich kenne keinen Lebensgenossen, der so schrecklich ist wie die Angst.»

Als die Ärzte sich anschickten, Rockefellers Leben zu retten, geboten sie ihm, drei Regeln zu befolgen – drei Regeln, an die er sich bis zum Ende seines Lebens aufs genaueste hielt. Hier sind sie:

1. *Vermeiden Sie Aufregungen. Sie dürfen sich unter gar keinen Umständen über irgend etwas aufregen oder sorgen.*
2. *Sorgen Sie für Entspannung und für reichliche Bewegung im Freien.*
3. *Seien Sie vorsichtig mit dem Essen. Hören Sie immer auf, wenn Sie noch ein wenig hungrig sind.*

John D. Rockefeller beachtete diese Regeln, und dadurch erhielt er sich wahrscheinlich am Leben. Er lernte Golf spielen. Er arbeitete im Garten. Er plauderte mit seinen Nachbarn. Er spielte Spiele. Er sang Lieder.

Doch außerdem tat er noch etwas. «Während er am Tage von Schmerzen und nachts von Schlaflosigkeit gemartert war», schreibt Winkler, «hatte John D. Zeit, nachzudenken.» Er begann an andere Menschen zu denken. Zum ersten Mal dachte er nicht nur an das, was er *bekommen* könnte; er begann sich zu fragen, wieviel menschliches Glück man wohl für Geld kaufen könne.

Kurz und gut – Rockefeller fing an, seine Millionen zu *verschenken*! Manchmal war das gar nicht so leicht. Wenn er einer Kirche Geld antrug, donnerte es gleich von allen Kanzeln im Land zurück, daß es «Sündengeld» sei. Doch er ließ sich nicht vom Geben abbringen. Er hörte von einem in äußerster Not befindlichen kleinen College an den Ufern des Michigansees, dem seine Hypotheken gekündigt worden waren. Er kam der Anstalt zu Hilfe und baute es zu der jetzt weltberühmten Universität von Chicago aus. Er suchte den Negern zu helfen. Er gab Geld für Negeruniversitäten wie das Tuskegee College, wo Mittel nötig waren, um das Werk George Washington Carvers fortzusetzen. Er half, als es galt, den Hakenwurm zu bekämpfen. Als Dr. Charles W. Stilles, der Hakenwurm-Spezialist, fragte: «Medizin im Werte eines halben Dollars genügt, um einen Menschen von dieser Krankheit zu heilen, die im Süden wütet – aber wer will den halben Dollar dafür geben?» Da gab Rockefeller ihn. Millionen gab er, damit der Hakenwurm, die größte Geißel, die je die Südstaaten schlug, ausgerottet werde. Und dann ging er noch weiter. Er gründete eine große internationale Stiftung – die Rockefeller-Stiftung zur weltweiten Bekämpfung von Krankheit und Unwissenheit.

Ich spreche mit Wärme von diesem Werk, denn ich verdanke der Rockefeller-Stiftung wahrscheinlich mein Leben. Nur zu gut weiß ich noch, wie damals, als ich 1932 in China war, die Cholera in ganz Peking wütete. Die chinesischen Bauern starben wie die Fliegen; doch inmitten all dieses Grauens konnten wir ins Rockefeller Medical College gehen und uns eine Schutzimpfung gegen die Seuche geben lassen. Alle, ob Chinesen, ob Ausländer, konnten hingehen. Und dort dämmerte mir zum erstenmal das Verständnis für das, was Rockefellers Millionen für die Welt bedeuteten.

Noch nie zuvor hat es in der Welt etwas Ähnliches wie die Rockefeller-Stiftung gegeben. Sie steht einzig da. Rockefeller wußte, daß es rings in der ganzen Welt viele rühmliche Bewegungen gibt, die weitblickenden Männern ihre Entstehung verdanken. Forschungen werden vorgenommen, Lehranstalten gegründet; Ärzte kämpfen, um einer Krankheit Herr zu werden. Doch nur zu oft muß solch ein hochgesinntes Werk aus Mangel an Geldmitteln seine Tätigkeit einstellen. Rockefeller beschloß, diesen Pionieren der Menschlichkeit zu helfen – nicht, ihr Werk zu «übernehmen», sondern ihnen mit Geld beizustehen, damit sie sich auf solche Weise selbst helfen könnten. Heute dürfen du und ich John D. Rockefeller dankbar sein für die Wunderkraft des Penicillins und für Dutzende anderer Entdeckungen, welche sein Geld finanzieren half. Ihr dürft ihm dafür danken, daß Eure Kinder nicht länger an spinaler Meningitis sterben, die früher von fünf daran Erkrankten vier tötete. Und Ihr könnt ihm danken für einen Teil der Fortschritte, die in der Bekämpfung von Malaria und Tuberkulose, Influenza und Diphtherie und vielen anderen Krankheiten, die die Menschheit noch heimsuchen, gemacht worden sind.

Und was geschah mit Rockefeller selbst? Als er sein Geld weggab – gewann er da inneren Frieden? Ja, endlich lernte er die Zufriedenheit kennen. «Wenn die Öffentlichkeit sich vorstellte, daß er nach

1900 den Angriffen auf Standard Oil noch einen Gedanken schenkte»,
sagte Allan Nevins, «dann irrte sich die Öffentlichkeit gewaltig.»

Rockefeller war glücklich. Er hatte sich so vollständig geändert,
daß er sich gar keine Sorgen mehr machte. Er weigerte sich sogar,
den Schlaf auch nur einer Nacht daranzugeben, als er sich gezwungen sah, die größte Niederlage seiner Laufbahn zuzugeben.

Diese Niederlage kam, als die Gesellschaft, die er aufgebaut hatte,
die riesenhafte Standard Oil, dazu verurteilt wurde, «die schwerste
Geldstrafe der Geschichte» zu bezahlen. Die Regierung der Vereinigten Staaten hatte gefunden, daß die Standard Oil ein Monopol-
trust war, was den Antitrust-Gesetzen geradezu ins Gesicht schlug.
Fünf Jahre lang dauerte der Kampf. Die besten juristischen Köpfe
des Landes waren in dem bis dahin längsten Prozeß eingesetzt, den
die Welt erlebt hatte. Allein Standard Oil verlor trotzdem.

Als Richter Kenesaw Mountain Landis seinen Beschluß verkündete, fürchteten die Verteidiger, daß er den alten John D. sehr hart
ankommen würde. Doch sie wußten nicht, wie sehr er sich verändert
hatte.

Am Abend der Urteilsverkündung rief einer seiner Rechtsbeistände
den Alten an. Er sprach so schonend er konnte über das Urteil und
sagte dann besorgt: «Ich hoffe, die Nachricht wird Sie nicht aufregen,
Mr. Rockefeller? Sie werden doch hoffentlich heute nacht schlafen?»

Und der alte John D.? Ja, er krächzte ohne Zögern durch den
Draht zurück: «Beunruhigen Sie sich nicht, Mr. Johnson, ich *habe
vor*, heute nacht durchzuschlafen. Und regen auch Sie sich nicht auf.
Gute Nacht!»

Das von demselben Manne, der sich einst zu Bett gelegt hatte, weil
er 150 Dollar verloren hatte! Ja, es dauerte geraume Zeit, bis John D.
gelernt hatte, das Sorgen zu lassen. Mit dreiundfünfzig «lag er im
Sterben» – doch er wurde achtundneunzig Jahre alt!

Ein Buch über Sexualfragen verhütete, daß meine Ehe in die Brüche ging

Von B. R. W.

Es ist mir gar nicht recht, diese Geschichte nicht mit meinem Namen zu zeichnen. Doch sie ist so intimer Natur, daß das nicht gut möglich ist. Dale Carnegie kann indes für ihre Richtigkeit bürgen, denn ich erzählte sie ihm schon vor zwölf Jahren.

Nachdem ich meine Studien beendet hatte, bekam ich eine Stellung bei einem großen Industrieunternehmen, und fünf Jahre darauf wurde ich von dieser Gesellschaft als ihr fernöstlicher Vertreter über den Pazifik gesandt. Eine Woche vor meiner Abreise verheiratete ich mich mit der liebsten und besten Frau, die ich kenne. Doch unsere Flitterwochen waren für uns beide eine bittere Enttäuschung – besonders für sie. Als wir in Hawaii anlangten, war sie so ernüchtert, so tieftraurig, daß sie nach Amerika zurückgekehrt wäre, wenn sie sich nicht geschämt hätte, ihren alten Freunden ins Gesicht zu sehen und zu bekennen, daß ihr das, was das tiefste Erlebnis für einen Menschen sein kann – und sollte –, zum Mißerfolg ausgeschlagen war.

Wir verbrachten zwei klägliche Jahre zusammen im Fernen Osten. Ich war so unglücklich, daß ich zuweilen an Selbstmord dachte. Da stieß ich eines Tages auf ein Buch, das alles anders machte. Ich bin stets ein Bücherfreund gewesen, und als ich einmal draußen im Orient bei amerikanischen Freunden zu Besuch war, sah ich mir ihre wohlversehene Bibliothek an. Plötzlich fiel mein Blick auf ein Buch mit dem Titel «Die vollkommene Ehe» von Dr. Van de Velde. Der Titel klang mir wie der eines süßlichen Moraltraktates. Doch aus purer Neugier öffnete ich es und sah, daß es fast ausschließlich von der sexuellen Seite der Ehe handelte – frei und offen und mit dem größten Feingefühl.

Wenn jemand mir gesagt hätte, ich sollte doch mal ein Buch über Sexualfragen lesen, dann wäre ich beleidigt gewesen. Lesen? Es war mir eher, als könnte ich selbst eins schreiben. Doch meine eigene Ehe war solch ein Fehlschlag, daß ich mich trotzdem herbeiließ, dieses Buch zu durchblättern. Ich nahm meinen Mut zusammen und bat meine Freunde, es mir zu leihen. Ich kann ehrlich sagen, daß die Lektüre dieses Werkes sich als eines der bedeutsamsten Geschehnisse

meines Lebens erweisen sollte. Auch meine Frau las es. Dieses Buch
hat aus einer verfehlten Ehe eine glückliche und beglückende Gemeinschaft gemacht. Wenn ich eine Million Dollar hätte, würde ich
die Verlagsrechte dieses Buches kaufen und ungezählten Tausenden
von jungen Ehepaaren Freiexemplare schenken.

Ich las früher einmal, daß Dr. John B. Watson, der hervorragende
Psychologe, sagte: «Das Geschlechtsleben ist erfahrungsgemäß der
wichtigste Gegenstand im Leben. Er ist erwiesenermaßen schuld an
den meisten Schiffbrüchen im Lebensglück der Menschen.»

Wenn Dr. Watson recht hat – und ich bin überzeugt, daß seine
Feststellung, so sehr sie verallgemeinert, fast, wenn nicht ganz und
gar, richtig ist – warum läßt es dann die Zivilisation zu, daß Millionen von sexuellen Nichtswissern Jahr für Jahr heiraten und sich
von vornherein um alle Möglichkeiten ehelichen Glücks bringen?

Dr. Hamilton, der Mitverfasser des Buches «What is Wrong with
Marriage?» (Was stimmt nicht mit der Ehe?) schrieb, nachdem er
vier Jahre mit Untersuchungen über den Gegenstand seines Buches
verbracht hatte: «Nur ein Psychiater, der es sehr wenig genau nimmt,
würde behaupten wollen, daß die meisten ehelichen Reibungen ihren
Ursprung nicht in sexuellen Unstimmigkeiten haben. Jedenfalls würden die Reibungen, die von sonstigen Schwierigkeiten stammen, in
vielen, vielen Fällen unbeachtet bleiben, wäre nur die sexuelle Beziehung selbst zufriedenstellend.»

Ich weiß, daß dieser Ausspruch wahr ist. Ich weiß es aus eigenster
trauriger Erfahrung. Van de Veldes «Vollkommene Ehe», das Buch,
das meine eigene Ehe vor dem Schiffbruch rettete, ist das beste Hoch-
zeitsgeschenk für Freunde, und wird mehr zu ihrem künftigen Glück
beitragen als sämtliche Silbergegenstände eines ganzen Juwelier-
ladens.

Ich beging langsamen Selbstmord, weil ich nicht zu entspannen verstand

Von Paul Sampson
Direct-Mail Advertising, 12 815 Sycamore, Wyandotte, Michigan

Bis vor einem halben Jahr raste ich nur so durchs Leben. Stets war ich in Spannung, nie entspannte ich. Allabendlich langte ich nach der Arbeit voller Sorgen und erschöpft vor nervöser Müdigkeit daheim an. Warum? Weil keiner je zu mir sagte: «Paul, du bringst dich ja selber um. Weshalb machst du nicht langsamer? Warum suchst du nicht zu entspannen?»

Morgens stand ich in aller Eile auf, aß in aller Eile, rasierte mich schnell, zog mich schnell an und fuhr zur Arbeit, als fürchtete ich, das Steuerrad könne zum Fenster hinausfliegen, wenn ich es nicht mit aller Kraft festhielte. Ich arbeitete schnell, eilte nachhause und versuchte nachts sogar schnell zu schlafen.

Ich geriet in einen solchen Zustand, daß ich schließlich einen bekannten Nervenspezialisten in Detroit aufsuchte. (Er gab mir übrigens die gleichen Grundsätze zur Entspannung mit auf den Weg, die im Kapitel 24 dieses Buches angeführt sind.) Er sagte mir, ich solle immerfort auf Entspannung bedacht sein, solle stets daran denken, sowohl beim Arbeiten wie beim Autofahren, Essen und Einschlafen. Ich beginge langsamen Selbstmord, erklärte er mir, weil ich nicht zu entspannen verstehe.

Seitdem übe ich ständig Entspannung. Wenn ich nachts zu Bett gehe, versuche ich nicht einzuschlafen, ehe ich bewußt meinen Körper und meine Atmung entspannt habe. Und jetzt wache ich morgens ausgeruht auf – ein großer Fortschritt, denn früher pflegte ich morgens matt und abgespannt aufzuwachen. Ich entspanne jetzt auch, wenn ich esse und Auto fahre. Natürlich passe ich beim Fahren auf, aber ich chauffiere jetzt mit dem Verstand statt mit den Nerven. Der wichtigste Ort der Entspannung aber ist mein Schreibtisch. Mehrere Male täglich halte ich vollständig in der Arbeit ein, um festzustellen, ob ich auch vollkommen entspannt bin. Läutet jetzt das Telefon, so stürze ich mich nicht darauf, als wollte jemand es mir streitig machen; und wenn ich mich mit jemand unterhalte, dann bin ich so gelockert wie ein schlafender Säugling.

338

Das Ergebnis? Das Leben ist viel angenehmer und genußreicher. Und ich bin vollkommen frei von nervöser Übermüdung und nervösen Ängsten.

Ein wahres Wunder hat sich in mir vollzogen

Von Mrs. John Burger
3940 Colorado Avenue, Minneapolis, Minnesota

Angst und Sorge hatten mich vollständig gebeugt. Mein Gemüt war so wirr und unruhig, daß ich keine Freude mehr am Leben fand. Meine Nerven waren in solcher Spannung, daß ich weder nachts schlafen noch bei Tag entspannen konnte. Meine drei kleinen Kinder waren weit voneinander getrennt, lebten bei Verwandten. Mein Mann, der kürzlich aus dem Militärdienst zurückgekehrt war, befand sich in einer anderen Stadt, wo er versuchte, eine Rechtsanwaltspraxis zu eröffnen. Ich fühlte alle Ungewißheiten und Unsicherheiten der Nachkriegsperiode mit allem, was sie an Anpassung verlangt.

Ich bedrohte die Laufbahn meines Mannes, das natürliche Recht meiner Kinder auf ein glückliches, normales Familienleben, und auch mein eigenes Leben bedrohte ich. Mein Mann konnte keine Wohnung finden, und die einzige Lösung war, selbst zu bauen. Alles hing davon ab, daß ich wieder gesund wurde. Je mehr mir dies klarwurde und je heftiger ich es versuchte, um so größer wurde meine Angst, es könne mir nicht gelingen. Ich fühlte, ich konnte mir selbst nicht mehr trauen. Ich fühlte, daß ich vollkommen versagte.

Als alles am schwärzesten aussah und von nirgendsher Hilfe zu kommen schien, tat meine Mutter etwas für mich, was ich ihr nie vergessen und wofür ich ihr mein ganzes Leben dankbar sein werde. Sie wandte die Schockmethode an, um mir wieder Kampfgeist einzuflößen. Sie machte mir Vorwürfe, daß ich den Kopf hängen ließe und die Herrschaft über meine Nerven und meinen Verstand verloren habe. Sie forderte von mir, ich solle aus dem Bett aufstehen und mit allen Kräften den Kampf wieder aufnehmen. Sie sagte, ich ließe mich von der Situation unterkriegen und ängstigte mich, statt ihr ins Auge zu sehen, ich liefe vor dem Leben davon, anstatt es zu leben.

Also nahm ich von jenem Tag an den Kampf wieder auf. Am gleichen Wochenende noch sagte ich meinen Eltern, daß sie nun wieder heimfahren könnten, weil ich meinen Haushalt wieder selbst besorgen wolle, und ich tat, was mir eben noch unmöglich erschienen war. Ich fand mich allein mit meinen zwei jüngeren Kindern und mußte mich ihrer annehmen. Ich schlief gut, ich begann besseren Appetit zu haben und fühlte mich viel wohler. Als meine Eltern eine Woche darauf wieder zu Besuch kamen, fanden sie mich beim Bügeln – und ich sang dabei. Ich hatte eine Empfindung des Wohlseins, weil ich begonnen hatte, eine Schlacht zu schlagen, und dabei war, sie zu gewinnen. Diese Lektion werde ich nie vergessen . . . Wenn eine Situation unüberwindlich scheint – dann seht ihr fest ins Auge! Nehmt den Kampf auf! Gebt nicht nach!

Von dieser Zeit an zwang ich mich zur Arbeit und ging in meiner Arbeit auf. Schließlich sammelte ich meine Kinder wieder um mich und fuhr zu meinem Mann in unser neues Heim. Ich beschloß, daß ich ganz gesund werden wollte, um meinen herzigen Kindern eine kräftige, frohe Mutter zu sein. Ich vertiefte mich in Pläne für unser Heim, Pläne für meine Kinder, Pläne für meinen Mann, Pläne für alles und jedes – nur nicht für mich. Ich hatte zuviel zu tun, um an mich selbst zu denken. Und nun geschah das wirkliche Wunder.

Ich wurde immer gesünder und kräftiger und erwachte morgens mit dem Gefühl der Freude über mein Wohlbefinden, der Freude über die Vorausplanung des anbrechenden Tages, der Freude des Lebens. Und wenn gelegentlich noch Tage der Mißstimmung sich einschlichen, zumal wenn ich müde war, dann sagte ich mir, daß ich an solchen Tagen nicht versuchen müsse, zu denken und mit mir zu rechten. Und allmählich wurden diese Tage immer seltener und blieben schließlich ganz aus.

Heute, ein Jahr danach, habe ich einen sehr glücklichen, erfolgreichen Mann, ein reizendes Heim, in dem ich mich sechzehn Stunden täglich beschäftigen kann, und drei gesunde, glückliche Kinder. Und für mich selbst habe ich inneren Frieden!

Rückschläge

Von Ferenc Molnár,
dem bekannten ungarischen Dramatiker
«Arbeit ist das beste Betäubungsmittel!»

Genau fünfzig Jahre ist es her, daß mein Vater die Worte zu mir sprach, nach denen ich mich seither stets gerichtet habe. Er war Arzt. Ich hatte gerade meine Rechtsstudien an der Budapester Universität aufgenommen. Bei einem Examen fiel ich durch. Ich dachte, diese Schmach könne ich nicht überleben, deshalb suchte ich ihr zu entfliehen, indem ich Trost bei dem besten Freund der Erfolglosen suchte, im Alkohol – um genau zu sein, in Aprikosenlikör.

Ganz unerwartet suchte mein Vater mich auf. Als guter Arzt entdeckte er sowohl meinen Kummer wie die Flasche im ersten Augenblick. Ich gestand, warum ich der Wirklichkeit zu entrinnen suchte.

Da erdachte sich der liebe alte Mann auf der Stelle das richtige Rezept für mich. Er erklärte mir, wirkliches Entrinnen gebe es weder im Alkohol noch in Schlafmitteln oder sonst einer Arznei. Gegen Kummer, sagte er, verschlägt nur eine Medizin, und die ist besser und wirksamer als sämtliche Betäubungsmittel der Welt. Sie heißt: Arbeit.

Wie recht hatte mein Vater! Sich ans Arbeiten zu gewöhnen, mag nicht immer leicht sein, doch mit der Zeit gelingt es. Und es geht damit wie mit allen anderen Betäubungsmitteln: früher oder später gewöhnt man sich daran. Hat einen die Gewohnheit zu arbeiten einmal gepackt, dann läßt sie einen nie im Leben wieder los. Ich wenigstens habe mir in fünfzig Jahren das Arbeiten nicht wieder abgewöhnen können.

Ich sorgte mich so furchtbar, daß ich volle achtzehn Tage
keinen Bissen fester Nahrung zu mir nahm

Von Kathryne Holcombe Farmer
Stellvertretender Sheriff, Sheriff's Office, Mobile, Alabama

Vor einem Vierteljahr machte ich mir so schwere Sorgen, daß ich vier Tage und Nächte kein Auge zutat. Volle achtzehn Tage lang nahm ich keinen Bissen fester Nahrung zu mir. Schon allein der Geruch von Essen genügte, daß ich einen Brechreiz bekam. Ich finde keine Worte für die Seelenqualen, die ich litt. Ich glaube, selbst die Hölle hat keine ärgeren Martern als das, was ich damals durchmachte. Mir war, als müsse ich verrückt werden oder sterben. Daß ich in einem solchen Zustand nicht weiterleben konnte, war mir klar.

Der Wendepunkt meines Lebens war der Tag, an dem mir jemand dieses Buch hier zugänglich machte, noch ehe es in den Buchläden zu haben war. Während der letzten drei Monate habe ich sozusagen mit diesem Buch gelebt. Jede Seite darin habe ich studiert und mich verzweifelt bemüht, eine neue Daseinsform zu finden. Die Wandlung, die seither in meiner geistigen Einstellung und meiner Gemütsverfassung vorgegangen ist, kann man sich kaum vorstellen. Ich bin jetzt viel gleichmäßiger in meiner Stimmung und daher imstande, den täglichen Lebenskampf durchzuhalten. Jetzt ist mir klargeworden, daß ich nicht so sehr von den Schwierigkeiten des Alltags oft an die Grenze des Wahnsinns getrieben worden war, als von meiner Erbitterung oder Angst wegen irgendeines Erlebnisses, das der vorhergehende Tag mir gebracht hatte, oder von dem ich fürchtete, der nächste Tag könne es herbeiführen.

Wenn ich heute merke, daß ich anfangen will, mich über irgend etwas zu sorgen, sage ich sofort «Halt!» zu mir selbst und versuche, diesen oder jenen Grundsatz, den ich beim Lesen dieses Buches kennengelernt habe, zur Anwendung zu bringen. Fühle ich mich versucht, mich durch etwas, das heute getan werden muß, nervös machen zu lassen, dann gehe ich sofort daran, es zu erledigen, damit ich es aus dem Kopf bekomme.

Sehe ich mich Schwierigkeiten jener Art gegenüber, wie sie mich in früherer Zeit halb verrückt zu machen pflegten, so bemühe ich mich jetzt in aller Ruhe, mich an die drei Stufen zu halten, die im zweiten Kapitel des ersten Teils beschrieben sind. Zunächst stelle ich mir also vor, was das Schlimmste ist, das geschehen könnte. Sodann versuche ich, mich damit abzufinden. Und schließlich schenke ich dem Problem meine ganze Aufmerksamkeit und sehe zu, auf welche Weise ich diesem Schlimmsten, das ich ja nun willens bin, auf mich zu nehmen, vielleicht doch noch die Spitze abbrechen könnte.

Wenn ich anfangen will, mich über etwas aufzuregen, was ich doch nicht ändern kann, womit ich mich aber auch nicht abfinden mag, dann gebiete ich mir selber Einhalt, indem ich dieses kurze Gebet vor mich hinspreche:

Möge Gott mir die Heiterkeit verleihen,
Das, was ich nicht abwenden kann, zu bejahen;
Den Mut, das, was ich ändern kann, zu ändern;
Und die Weisheit, den Unterschied zu erkennen.

Seitdem ich Mr. Carnegies Buch gelesen habe, ist mir eine völlig neue, wunderbare Form des Daseins erschlossen worden. Ich richte meine Gesundheit und mein Glück nicht länger durch Angst und Selbstquälerei zugrunde, ich kann nachts jetzt volle neun Stunden schlafen, und mein Essen schmeckt mir. Vor meinen Augen ist ein Schleier weggezogen worden, eine Türe ist mir aufgesprungen, so daß ich jetzt die Schönheit der Welt, die mich umgibt, zu sehen und mich daran zu erfreuen vermag. Heute danke ich Gott für mein Dasein und für das Vorrecht, in einer so herrlichen Welt leben zu dürfen.

Darf ich meinen Lesern zum Schluß den Vorschlag machen, auch sie möchten dieses Buch noch einmal durchlesen; es immer neben ihrem Bett liegen haben; die Teile unterstreichen, die sich auf ihre persönlichen Schwierigkeiten anwenden lassen; es studieren; es fleißig benützen. Denn dieses Buch ist nicht «ein Buch zum Lesen» im üblichen Sinne. Es ist als «Reiseführer» gedacht – als Führer zu einer neuen Art des Lebens!